◆章學誠研究論叢◆

第四屆中國文獻學學術研討會論文集

陳仕華主編

林惠珍編輯

臺灣 學生書局 印行

吳　序

吳哲夫*

國際文獻學研討會，是淡江大學爲推展漢學研究所發起的，從民國八十七年迄今已先後舉辦四屆，受到各界熱烈迴響，許多專家學者聚集一堂，創言立意，發表了不少弘篇高論。四屆來，會議無論是在淡大、或在彼岸召開，會後都有論文專集的編印，將成果呈現世人。近年由於古籍整理事業的復興，而其他文史哲傳統學術研究也相繼深入，文獻學隨之日漸受到重視，相信國際文獻學研討會所營造出來的豐碩成果，必將產生深遠的影響力。

論者以爲舉凡文獻的生產、搜集、整理、傳播及利用，都包羅在文獻學領域之中，或許範圍過於廣泛，以致文獻學名實的問題，至今在學術界尚未能形成一致的意見。有見於此，本研討會每屆召開時，都建議一項討論主題，以使會議在確立方向下，更能言之有物。記得首屆召開時，正值《四庫全書》出版與續修等問題，受到學林爭論，當時即以「四庫學」爲中心議題，效果甚爲豐實。本屆會議之召開，適逢清代名儒章學誠逝世兩百周年，爲紀念這位治學有成的文獻學大

* 淡江大學漢語文化暨文獻資源研究所所長

家，遂以實齋學術成就爲研討的主要方向。實齋學問研究上，抱定實事求是的精神，他主張「立言之要，在於有物」，同時以功力爲手段，所謂「學不可以驟幾，人當致攻乎功力可耳。」然後深思領悟，以求會通，故其表現於文獻學上，常能發揮稽檢致用的功能，這種功能，足供文獻研究者長期深省效法。

文獻學一方面要建立理論架構，一方面要講究技術與方法，四屆會議以來，有這麼多志趣相同的同好聚在一起，提供經驗心得，使許多文獻問題，得到好的認同與解決，已印證學術需要群體的合作。本會尤其難得的是，第一屆會議召開時，有國立故宮博物院的支援，而此次則有國家圖書館加入合作行列，這兩個機構都是文獻收藏的重鎮，本會在收藏者及運用者的雙重努力下，將來必能在知識領域中扮演更多重、更有效能的角色。

第四屆國際文獻學術研討會已圓滿完成任務，主辦單位淡江大學文學院，執行實際事務的中文系、漢語文化暨文獻資源研究所許多師生付出不少的辛勞，特別是陳仕華副教授從會議的籌畫到論文集的出版，均躬與其事，任勞任怨，謹此敬致謝忱。

章學誠研究論叢

——第四屆中國文獻學學術研討會論文集

目　錄

談東亞地區古文獻的螺旋循環現象

吳哲夫[*]

一、前　言

本次研討會籌備期間，策劃人仕華兄分配我作專題演講的任務，其美意是讓我有逃避撰寫論文的藉口，當時疏懶的私心作祟，就糊塗的答應了。沒想到幾天前，還是向我催討講稿，固然有上當的感覺，但爲表示對仕華兄的忠誠支持，也只好照辦。至於場次的安排，本來說好排在研討會落幕之前一節，卻因與本校碩博士班甄試口試時間衝突，不得已將場次提前，敬請各位貴賓諒察，萬萬不能有其他的聯想。

應仕華兄之命以後，在思索講題時，適巧忘年好友清吉兄從日本回校任客座教職，並以近著《從螺旋史觀看中日文化的發展》一書相

* 淡江大學漢語文化暨文獻資源研究所所長

贈。書中引述東瀛學者內藤湖南的理念，大意談到「東亞文化形成的軌跡，是以中國為中心逐漸流傳到周邊地區，然後形成文化自覺，再逐漸由周邊向中心復歸。」我想，這種文化的流動現象，在古文獻傳播的表現上特別明顯，因借其「螺旋」現象，作為講題。我們都瞭解約當漢唐之後，日、韓為文化發展的需要，長期大量取用中土的文獻資源，並在其本地區傳鈔、印刷，甚至加工研發後再予出版，以擴大文獻的影響層面。這些東傳或經加工的古文獻，常常又回傳中原，形成螺旋循環現象，並對中原學術造成重大影響。

二、文獻的東移

文明的成長，常見連貫與交互性的發展規律。古人成就的文明，有待後人的享用、繼承、開創，才能更見其生命的活力；同樣的情形，甲地所形成的文明，經乙地人民的取用、改良、再造後，成果必將更為壯碩豐實。文明經過彼此的交流、激盪，相互的學習、影響，整體人類文化進展才更為快速、更具實用。

文獻是文明的表徵，文明的擴散傳播，自然有賴於文獻的流動。東亞地區公認中原文明誕生最早，成長也最快速，遵照從近及遠的擴散規律，日韓地緣最近，當地居民又熱衷於文明的追求，因此古代中國文獻流向此一地區，就成為必然的現象。從歷史觀察，遠從秦漢時期迄於近代，日、韓透過各種管道取得的中國文獻，眞不知幾千幾萬種。由於古文獻流向日韓的史料太多，歷來這方面的研究報告也相當豐富，故不擬在此多加贅述，僅簡略說明，供作想像參考。

中國文獻外流以韓國爲最早，據宋張端義《貴耳集》中說：「宣和間，有奉使高麗者，其中異書甚富，自先秦以後，晉唐隋梁之書皆有之，不知幾千家，幾千集。」不難想見北宋以前韓國取得中土文獻的盛況。宋代雕版印刷術的快速發展，韓國得書更爲便捷，當時即引起了政府的重視，禮部尚書蘇軾曾提出〈五害論〉，建議不能再輕易許書給韓國，以免知識外流，影響國家安全。其實宋元以後，情況並未改善，韓國一部重要史書《增補文獻備考》中的〈藝文考〉曾記錄了求書的許多史事，例如高麗忠肅王元年（一三一四），派遣博士柳衍、學諭俞迪等人到江南購書，數量高達一萬八百卷，同時又向元朝請求賜書，元朝政府竟賜予宋秘閣舊藏珍本高達四千三百七十一冊之多。明清時期，還是繼續索求中土文獻，明朝陳繼儒的《太平清話》書中就曾記載說：「韓鮮人最好書，凡史臣入貢限五十人，或舊典新書、稗官小說，在彼所缺，日出市中，各寫書目，逢人便問，不惜重資購回，故彼國反有異本藏書。」這樣有計劃性的求書，一直在韓國延續，所得到的報酬也極爲可觀，難怪朝鮮李氏王朝所設置的藏書處所「奎章閣」，又號稱爲「皆有窩」，韓國由於收藏豐富美備，故素有「文獻之邦」的美譽。「奎閣章」現在劃歸漢城大學管理，閣中所藏並不特殊，這大概是一九一〇年以後受政治迫害影響，肇致文獻再往更東邊移動吧！

當提及古文獻時，往往會使人聯想到珍罕的唐代鈔本或宋元版本，蓋因這些古文獻的傳存量已絕少，所以常被用作鎮庫重寶，相互矜誇，不隨便示人。中國唐代時期，日本進行徹底漢化，不斷從中原取書，作爲習用的指標。勤快蒐集終於累積了相當豐富的藏量，根據西元八七五年日本皇家書庫冷然院被燒毀後，重新興建所編的《日本見在書目錄》即著錄有爲數約一千五百八十部，一萬七千卷的中國圖籍，約略可以看出有唐時期文獻東傳的情況。兩宋以後印刷術的發展，加上海上交通日趨頻仍，文獻東傳的數量漸漸擴增。長期的蒐藏又善於保管維護，使得日本今日所擁有的中國古文獻，無論在質或在量方面，都無法估計。近年據日本慶應大學斯道文庫的調查，日本存藏的唐寫本系統的中國文獻，就有七六八種之多，而宋元版本古籍也多達八六五部，這樣龐大數量的秘藏，比起海峽兩岸的收藏絕不遜色，至於明清出版的文獻，存藏之多更難加以量化。另據日本學者服部宇之吉《佚存書目》提供的訊息，得知目前大約有一百四十餘種的中土佚書尚完好保存在日本；此外，又有兩百多種古漢籍文獻，疑似在中國已佚或已極爲稀見。以上所舉的幾種簡單的統計數字，應已足以概見文獻東流的熱絡面相，同時也可瞭解日本存藏的漢籍古文獻極具尊貴的文化價值與學術意義，今後如何加強文獻資源的互惠共享，如何進行學術合作交流，是值得深思、推動的急切要務。

三、文獻的回流

文獻流動促進人類文明的交融發展，古代中原文明固然有外移的現象，但也注入了不少外來文明的養分。以醫藥保健之學爲例，所謂「大宛之種，隨張騫入中國」（語見《植物名實圖考》），說明漢代曾使用西域的藥材。《隋書·經籍志》中更著錄了印度僧侶翻譯的醫書十一種，也印証中原文明有其不舊守的開放特性。古代許多外流的文獻，在域外保存及流傳，中原地區卻常因天災人禍種種因素的影響，造成本土若干文獻的淪喪，因而不得不借助外流文獻的回補，於是形成了文獻的單純循環現象。

歷史上東移文獻的回流，從北宋之後，實例不少，《宋史·日本國傳》記載雍熙元年（九八四）日本圓融天皇曾派僧人奝然東來，獻給宋朝政府兩部中原佚書《鄭注孝經》及《越王（唐太宗之子名貞）孝經新義》。南宋陸游《渭南文集》卷二十七中也提到宋內廷館閣整理圖書時，發現《說苑》一書缺少〈反質〉一卷，後來由高麗進書才予以補全。另在《玉海》卷五十二〈藝文書目〉也曾引述元祐七年（一〇九二）五月十九日秘書省的一段文字記錄說：「高麗獻書多異本，館閣所無，詔校正二本，別寫藏太清樓天章閣。」足顯示宋代中央書藏有許多是韓國回流的文獻。清代之際，由於海運較往昔方便，人民交往又頻繁，回流的古代東移文獻更時有所見。以儒家《孝經》爲例，漢代有關《孝經》著作，僅有《孔傳古文孝經》及《鄭注今文孝經》兩部傳世。這兩部《孝經》作者，卻都因唐玄宗《御注孝經》的盛行，遂漸式微，後來竟然不傳於中國，直到清乾隆間才從日本回傳，使中原人士得目睹其全貌。《孔傳》後來收入《四庫全書》，《鄭注》被鮑廷博編入《知不足齋叢書》中。清阮元收集《委宛別藏》群書時，也著錄了一部從日本回傳的唐代佚書《群書治要》。清末從日本回流的古文獻，又以宜都楊守敬觀海堂藏書最具學術價值。楊氏攜回的古文獻，後來被政府收購，分歸松坡及故宮兩處圖書館典藏。故宮得到的觀海堂叢書總數爲一五四九一冊，除宋、元、明、清各版代本外，還有不少珍貴的日韓刊本及古籍鈔本。觀海堂書藏於民國三十八年運到台灣，如今庋藏在士林外雙溪，學術身價極高，僅舉其中宋刊本《圖書畫一元龜》及古鈔本《貞觀政要》二書爲證。前者的出現，後人才瞭解宋代除《太平御覽》、《冊府元龜》、《文苑英華》等三部政府所編的千卷大書外，民間也曾編過一部千卷大類書，書名爲《類編圖書畫一元龜》。至於大家熟知的一部領導統御者必須參研的《貞觀政要》，到元代因有戈直注本的問世，明憲宗乃於成化九年（一四七三）令內府加以刊行推廣，從此以後其他《貞觀政要》的版本就銷聲匿跡了，直到觀海堂古鈔本的出現，學術界才領悟到原作者吳兢當年曾先後兩度編纂《貞觀政要》進呈。第一次約寫於神龍年間（七〇五～七〇七），呈獻供唐中宗作施政參考，後來又在開元（七一三～七四一）初年就原著再刪削增補，進呈唐玄宗御覽，兩者內容互有出入，且與元戈直注本頗有差異。如果不是東移《貞觀政要》鈔本的回流，今人便無從知曉《貞觀政要》一書原來還有「初進本」及「再進本」的不同。晚清以後文化出版事業日漸熱絡，前往日本搜求珍本秘笈回來出版的例子不在少數，《古佚叢書》、《四部叢刊》、《百衲本二十四史》都是顯例。最近北大安平秋教授，又從日本借印了《宮內廳書陵部藏宋元版漢籍影印叢書》，爲東移文獻的回流，再增添了一段書林佳話。

四、文獻的融合互惠

人類爲了生存需要，往往能配合其居住環境發展出自創性的文明，久而久之，又因與不同區域的族群交往，又會產生傳統與外來知識結合的現象。兩地文明融合後，通常能將獨創性的文明品質提昇，還能產生推動文明進展的力道。前面所講的東移文獻回歸，只是移出文獻的單純回流而已，以下再舉用《孝經》及中醫爲實例，談談古文獻在異地產生效應後，經過加工、改良、再造，又再回流的歷史情況。

孝心是人類與生俱來的，《孟子》即曾說：「孩提之童，無不知愛其親也。」所以《孝經》東傳日本後，很快成爲知識界喜歡修習的主要課程。日本社會所需的孝經讀本，除從中土引進者之外，更自行抄寫或刻印，並自己研發出版，包括參疏、補義、講解、義証、彙注、音釋、啓蒙、校勘、辨僞及東傳日本的歷史等等內容。據日本長澤規矩也所編《和刻本漢籍分類目錄》所收錄的《孝經》，共二〇九種，其中《古文孝經》方面的著作八十二種，《今文孝經》方面的作品一二七種，可見日本在《孝經》的研治，視同中土，也是今、古兩家互立門戶。此外，日本林秀一氏在昭和十五年（一九四〇），又調查日本二十二個藏書處所，將各處所藏日本人氏編注的《孝經》未刊稿本，編成《日本孝經未刊本目錄》發表於書誌學第十五卷的第二、三期中，共收錄未刊稿本一三六種，顯示《孝經》東傳後受到高度的重視，東瀛人氏努力於研究推廣，其成果對《孝經》經義的闡發具有正面的參考意義。

民國七十四年，個人受行政院研考經費的補助，進行古代中國醫藥文獻傳存情況的調查研究，發現古代中醫文獻在今日世界上以日本內閣文庫的收藏爲最大綜，計有一六三〇部，一六〇五五卷。前面提及韓國的奎章閣則僅有五十三部，六二六卷。醫藥文獻對身體保健至關重要，所以素來受到重視，東北亞地區自古即有醫藥文獻及醫療技術的互惠行動。唐朝時日本鑑眞和尚就曾帶領一些人到領南韻州（今廣東省曲江縣）行醫，順道訪求醫學文獻。古代醫學文獻大量東傳，日、韓兩國因此深受影響，遵奉中醫爲保健原則，但並非亦步亦趨，全盤吸收，往往加以融通開創。日、韓人氏曾以漢文寫了不少醫學著作，爲東方醫學增添無比絢燦的成績。像日本的森立之、小島尚質、丹波元簡及韓國的許浚等人，都是典範的例子。日本在中醫方面的研究尤其顯著，民國初年，醫學名家謝利恆在其《醫學源流論》裡即曾說：「中國醫家，好談靈素，善言運氣，遂病其空言無施；日本漢醫則多遠宗傷寒，近師千金外台，盡心於研究症狀，肆力鈎稽藥性，其切於實用，殊非中國醫家所及。」又說：「中國士大夫之治醫術，與專家之篤守傳授者，截然兩途，而日本則醫有專官，能世其業，既能收新說之妙，又不失固有之長，故其卓越如是，中國之醫家所當借鏡也。」日本醫學界取得中醫文獻後，能夠「收新說之妙，又不失固有之長」，就是區域文明彼此融合互補的最好例証，而融合後的中醫成果，如果能夠再回流，被原文獻輸出地區取用，或作爲再研發創新的借鏡，則這種古文獻的循環現象，往往是文明發展的主要助力。

五、結　論

一九八五年，首屆中國域外漢學會議在日本明治大學召開，個人爲了發表《台灣地區現藏古代域外漢文醫學之探討》的報告，曾詳細調查台灣各重要藏書機構的相關收藏，結果發現域外漢文醫書存台數量不少，其中以故宮博物院及國家圖書館最多，二處藏計二一三種，藏品雖有鈔本、刊本、活字本之別，但均爲中醫文獻的日、韓再造品。其中除了東移古中醫文獻外，有九十一種均爲日、韓人氏用漢文寫成的中醫著作。從此一實例，可見古代東亞地區古文獻所產生的螺旋效應，確實激發了文化融合與文明成果。個人所以不顧學識淺陋，浪費

各位 方家的寶貴時間，提出今天的議題，實在有心引發從事文獻研究的同好，能一起對文獻擴散問題及海外漢學資源加強關懷。個人以為文獻工作，應以維護並弘揚優良文獻的志業，而以服務他人的研究為手段。也就是確實掌控文獻總量，提供文獻蹤跡、規劃文獻整理、辨別文獻價值，來方便從事各種專業學術領域的研究人士取用，共同推動富有意義的學術文化大業。

近現代章學誠研究評議*

黃兆強**

提　要

自 1920 年日本人內藤虎次郎《章實齋先生年譜》面世之後，章學誠研究便成為一種顯學。八十多年來，國人、日本人及西方人所作各式各樣的研究論著不下二百多種。❶筆者本文旨在對這些論著（以 1920～1985 年為主）予以一個綜合性的評議。評議／批判的對象含以下三項：一、取料　二、表述模式及取徑　三、研究態度及方向。至於各種論著的貢獻，本擬作為評議中的一項來加以探討的。然而，以時間關係及篇幅所限，只好從略。幸好，在以上的三項評議中及在

---

* 本文發表於淡江大學漢語文化暨文獻資源研究所二〇〇三年十一月廿八日、廿九日舉辦之「文獻的學理與應用」研討會上。承蒙臺北大學歷史學系教授兼系主任蔣義斌先生擔任特約討論人，惠賜寶貴意見良多，謹此致謝。

** 東吳大學歷史系教授兼系主任

❶ 參拙著〈六十五年來之章學誠研究〉，《東吳文史學報》，第六號，1998。

本文的結論部份，研究論著的貢獻，已有所道及。因此，這個重要的課題，總算是照顧到了。本文之撰，希望能對爾後的章學誠研究提供一個參考：獲悉前人研究的重點及長短優劣後，想必能對一己的研究有正面幫助的。章學誠《文史通義》中有〈言公〉上中下三篇，旨在申說學術乃天下之公器也。前輩學人既有之成就，可謂公器也；今人品嚐瀏覽之以為己作之稽徵參考，則公器未嘗不可以私用。學術之得以逐步向前邁進，實有以是賴。

關鍵詞　章學誠　《章氏遺書》　《文史通義》　《史籍考》　史學　方志學　目錄學

撰文緣起

個人數十年來讀書、治學、既無遠大的志向，亦無旺盛的企圖心。在香港唸大學、尤其唸由錢穆、唐君毅、張丕介等先先所創辦的新亞研究所時，始稍有志於追蹤前聖，踐履修齊治平之業。然而，終以資質魯鈍、品性庸碌、學殖磽淺，更兼以持志不堅，治平之道固邈不可聞；即以修齊來說，亦愧對前聖。一九七九年畢業於新亞研究所，時已在國中教書四年，生活上不虞匱乏。後蒙新亞研究所教授徐復觀先生推薦，乃有一九八〇秋赴笈巴黎求學之舉。「求學」，美其名而已；「求學位」，其實也。至少，當時以追求後者爲赴法京的第一義。按法國學制，唸博士須先徵得所擬就讀之大學之教授同意為論文指導老師後方可申請入學。當時法國駐香港領事館之文化參贊 Dr. Francois Julien 得悉我有志於研究清代學術思想史後，便安排法蘭西學院兼巴黎第七大學謝和耐教授（Prof. J. Gernet）爲我的導師。坦白說，當時對學術行情甚愚昧；得留法學長廖伯源博士告示後，始知謝和耐教授爲法國漢學界泰斗戴密微先生的大弟子，且謝教授亦爲法國，甚至國際上數一數二的漢學大家。

赴法前，我得把我的論文計劃、構思寄呈謝和耐教授審閱。記得這個計畫，我是花了好幾天的時間以英文撰就的。內容是章學誠與西方歷史哲學家維科（G.B.Vico）之比較研究。抵法京拜見導師交談後，❷得悉謝教授對思想家的比較研究無興趣。再者，又認爲美國學人 D.Nivison 對章學誠研究已有專書問世，建議我不宜對章氏本人再做研究！反之，他認爲不妨從文獻學的角度、從近現代學術史、史學史的角度切入，對所有研究章學誠的近現代著作，做一個彙整分析研究。這個要求看似簡單，其實不然。因爲我必須把所有相關研究作分析綜合。其中，中文、英文及法文著作，我沒有語文上的障礙。但是，日文，以至德文等等的著作，我便使不上力了。然而，以日文研究章氏的論文不少，且亦有以德文撰就文章者。這我得設法解決。再者，眞的要深入分析、批評人家的研究成果，那你必得先對此等研究成果的對象——章學誠，有一個透徹的瞭解。否則，你如何知悉該等研究成果的優劣，又如何得以分析、批評？！我對謝教授這個建議，其實是

---

❷ 當時我的法文不靈光，而謝教授閱讀中文絕無問題，但說國語則不太行，英文則很流利。而我在香港接受英文中學教育，且赴法前教書五年，授課之語言爲英文。所以彼我二人便用英文交談。

不太感興趣的。但「人在江湖，身不由己」。於是硬著頭皮把論文寫出來。由今日來看，寫這篇博士論文，其實帶給了我一定的訓練：研究某主題之前，一定得對前人研究成果作一個充份的掌握。無論是觀念上的啓迪、方法上的倣效，尤其相關主題有無再研究的價值等等，都是需要作文獻（前人研究成果）上的深入考察的。這方面，不能不說是拙博士論文所帶給我的一種學術訓練。

廢話說多了。現今回過頭來，說一說我寫本文的緣由。一九八七年三月初，博士論文口試順利通過。月底整裝返回香港。一個多月後，獲得時掌東吳大學歷史學系的廖伯源學長來函通知，說該系已決定聘請我擔任教職。八月中旬，我便離港赴東吳上任。轉眼間，任教東吳已邁入第十七個年頭！一九八八年及一九九一年，嘗發表有關章學誠的研究各一篇。之後，十多年來，未嘗再對章氏作過任何研究。原因之一是對他實在有點膩了，且興趣亦已轉易！惟去年（二〇〇二年）嘗答應陳仕華兄之邀約，故仍勉己奮力爲之。今年暑假原以爲可以重拾舊愛，對章學誠作些研究。無奈錢穆故居擬於十月底舉辦「錢穆思想學術研討會」；東吳大學爲受委託經營該故居之機構；又東吳大學教師中，我是唯一與錢先生有學術傳承淵源的一人。東吳舉辦研究錢穆先生的研討會，而錢先生既以史學名世，如果東吳歷史系教師不發表一、二篇東西的話，那實在是說不過去的。❸暑假既用於看錢先生的資料寫文章，有關章學誠研究的文章，便自然耽擱下來。後來想來想去，爲了不要爽約，便想到我研究章學誠的未刊博士論文。現今姑且

---

❸ 其後得悉整個東吳大學只有中文系陳恒嵩教授擬發表論文，這更使我感到發表文章是責無旁貸的了。

因陋就簡，把其中部份章節，予以增修改寫，並翻譯成中文以搪責。以時間緊迫，實無暇作大幅度之改動；錯漏在所難免，敬祈諸位不吝指教爲幸。

一、撰文材料之批判

（一）取材欠充份

《章氏遺書》（含《文史通義》、《校讎通義》）可說是研究章學誠最首要而不可或缺的基料，❹研究章氏的思想，尤其不可不參考該書。然而，有不少研究者只引據章氏的代表作《文史通義》❺而爲文；這顯然是不足夠的。❻

---

❹ 今所見《章氏遺書》最早的版本應係 1922 年劉承幹在浙江吳興以劉氏嘉業堂名義所出版的本子。此爲章氏著作的手鈔本及印刷本的合刊本。按：劉承幹乃《清朝續文獻通考》的編纂者劉錦藻的兒子。據悉，承幹所據以出版的章氏著作，當原自其父劉錦藻之收藏。詳見李宗鄴：《中國歷史要籍介紹》（上海：古籍出版社，1982），頁 407，486-487。《章氏遺書》今最通行之版本計有：臺北：漢聲出版社 1973 年的版本及北京：文物出版社 1985 年的版本。

❺ 今坊間所流行之各版《文史通義》內容不盡相同，蓋其書實爲一未完成之著作。章學誠原先並沒有定下此一書名而從事撰著；乃其晚年時命兒子華紱彙集其生平重要文章，自己並繼續加入新著作而合成之。因此，該書可謂到學誠卒時，尚未定稿。詳參張述祖：〈《文史通義》版本考〉，《史學年報》，卷三，期一，1939 年 12 月，頁 71 上-98 下。

❻ 趙淡元說：「本文試從《文史通義》論史部份探討章學誠社會歷史觀及史學思想。」按：僅從《文史通義》論史部份便試圖探討章學誠社會歷史觀及史

除原始材料《章氏遺書》外，前人研究章氏的成果，即所謂二手材料，亦是不可或缺的。遺憾的是，不少學者，尤其是中國大陸的史家，絕少參考洋人或臺灣的研究成果。❼臺灣方面研究章學誠的史家，參考前人的著作則相對地比較多。❽然而，1980 年代中期之前，即臺灣解嚴前，則從不參考大陸 1949 年以後的著作；❾即以研究章學誠爲

學思想，這顯然是不夠的。黃秀慧的論文亦有同樣的問題。從其論文題目：〈從《文史通義》概觀章學誠的學術思想〉，即可知作者是企圖處理大問題的，然而，所據者僅《文史通義》一書！羅光嘗撰〈章學誠的歷史哲學〉一文，這是研究章學誠的一個大題目，但筆者細讀其文，知悉其所引據的資料僅《文史通義》中的若干篇章，其不厭人望，是可以斷言的。趙文見《西南師範學院學報》，第一期，1981，頁 74-83；黃文見《史繹》，臺灣大學歷史學會會刊，1977 年 9 月，頁 48-73；羅文見《哲學與文化》，卷 9，期 2，1982，頁 36-40。

❼ 據筆者所知，1985 年前大陸學人研究章氏的著作幾乎無不如此。饒展雄、高國抗的論文可能是唯一的例外。該文參考了錢穆在臺灣出版的《中國史學名著》（臺北：三民書局，1973）。十多年前，中國大陸學術資源比較貧乏，不容易獲得外界出版物或獲悉出版資訊。錢穆爲大家，其書流傳較普遍。這大概是其書有機會被閱讀的一重要原因。此外，臺灣的反共意識很強，二三十年前尤其如此，大陸學人爲求愼重，便不輕易引據臺灣之出版品。當然，最重要的原因還是接觸不多，資源較貧乏的緣故。饒、高合撰的論文名〈章學誠「史德」論辨析〉，見《濟南學報》，第二期，1983，頁 77-80。

❽ 據筆者統計，1949 年至 1985 年章學誠研究的出版品，以中文撰著者，中國大陸有六十多種，臺灣有三十多種，香港十多種。參拙著：〈六十五年來的章學誠研究〉，《東吳文史學報》，第六號，1998，頁 221。必須指出的是，大陸的著作在數量方面雖遠勝臺灣及香港的著作，但素質方面，則顯然較差。

❾ 周啓榮及劉廣京於 1984 年在臺灣出版的論文則爲例外：外文著作及大陸著作均被參考引用。但必須指出的是，周、劉合撰的論文是以美國學人身份參加學術研討會而發表的。周啓榮、劉廣京：〈學術經世：章學誠之文史論與經

題而撰寫之碩士論文亦不爲例外。⑩

章學誠的思想，可說『與時俱進』，一生中並不是一成不變的，其目錄學、校讎學及方志學方面的思想變化尤大。⑪此種變化，個人認爲與其以『茅盾』視之，那寧可視爲一種演變。⑫此種演變，必須細閱、蒐集、彙整，並按年代順序排列《章氏遺書》中之相關材料，始可獲悉之。

未全面參稽《章氏遺書》、前人研究成果及與章氏思想相關之著作而論斷章氏之學問，是很有問題的，我們更可能被瞞騙，茲舉一例。

世思想〉，《近世中國經世思想研討會論文集》，1984，頁 117-154

⑩ 1985 年前臺灣方面以章學誠爲題而撰就之碩士論文計有三篇：董金裕：《章實齋學記》，臺北：嘉新水泥公司，1976；羅思美：《章實齋文學理論研究》，臺北：學生書局，1976；洪金進：《章實齋之方志學說》，高雄師範學院碩士論文，1979。以上三論文，惟洪文未出版。又：三論文皆不參考中文以外之著作；董文則嘗參考内藤虎次郎《章實齋先生年譜》，這是唯一的例外。内藤譜收入《支那學》，1920，卷一，期三，頁 14-24；期四，頁 44-52。

⑪ 美國著名學者 D. Nivison 甚至用“unpredictable”（不可預測）詞來描述章氏思想上的轉變。說見氏著 *The Life and Thought of Chang Hsueh-ch'eng（1738-1801）*, Stanford, Stanford University Press, 1966, p. 244. 法國漢學泰斗 P. Demieville 撰書評評述 Nivison 書時，亦嘗用“contradiction”（矛盾）一詞來形容章氏的思想。說見 *Journal of the American Oriental Society*, vol. 87, No. 4, New Haven, Conn., American Oriental Society, p.594, 596-597.

⑫ 有關章學誠目錄學、校讎學方面思想的演變，可參羅炳綿：〈章實齋的校讎論及其演變〉，《新亞學術年刊》，1966，頁 77-95。有關方志學方面思想的演變，可參吳懷祺：〈章學誠與和州志〉，《安徽師大學報》，期四，1981，頁 83-87；劉光祿：〈略談章學誠關於方志體例的主張〉，《貴州文史叢刊》，期二，1982，頁 41-45。

唐代史家劉知幾（西元 661-721）提倡史家三長說。⑬章學誠認爲不足，乃有史德之提倡。⑭其實，知幾三長說中「史識」的一項早已含蘊史德的內容。《舊唐書・本傳》引知幾之言如下：「……猶須好是正直，善惡必書，使驕主賊臣所以知懼。」「好是正直，善惡必書」，這就是史德。如不具備此史德，則史識便無從談起；可見知幾所言之史識早已含蘊史德的內容，惜知幾未明用此詞而已。⑮然而，不少研究章學誠的學者，大抵沒有參閱知幾之著作，亦沒有翻閱兩唐書本傳或參考前人研究知幾史學理論的學術成果，便輕信學誠有關「史德」的論述，以爲此概念是學誠一人的全新創作。⑯其實，學誠不少其他論說是淵源自前人而學誠僅予以發揮的；然而，不少研究者不察，概認爲係學誠之新創。⑰

（二）輕信所選取之材料

就取材研究來說，取得史料原件，或至少盡量恢復史料原貌，是

---

⑬ 三長指史才、史學、史識。說見兩唐書，本傳。

⑭ 說見《文史通義・史德》。

⑮ 姜勝利相關論述頗精審，見所著〈劉章史識論及其相互關係〉，《史學史研究》，1983，期三，55-59；劉瑞：〈試論劉知幾對史學的貢獻〉，《學術月刊》，1980，期十。

⑯ 吳天任及董金裕即有此誤信。吳說見所著《章實齋的史學》（香港：東南書局，1958），頁 22；董金裕，上揭書，頁 113-115。

⑰ 許師冠三指出，章氏的不少論說其實是從劉知幾的學說轉手而來的。劉氏學說皆偏重在史學方面；據此，則章學誠史學理論上的貢獻，實相當有限。許說見所著〈劉章史學之異同〉，《中國文化研究所學報》，1982，卷十三，頁 45-69。

研究的先決條件，或至少是很重要的條件。其次，就是考證史料的內容是否符合史事的本然實況。就前者來說，研究章氏不可或缺的基本素材是《章氏遺書》，此點前面已說過。現今最通行的本子是臺北漢聲出版社及北京文物出版社的本子。兩個本子均源自 1922 年劉承幹劉氏嘉業堂的版本。劉本乃部份據手鈔本而來。⓲據侯云圻及錢穆所考，劉本係與原手鈔本無異。⓳是以，藉著上述臺北及北京的兩個通行本子來研究章學誠，就版本方面來說，應該是沒有甚麼問題的。問題是這一符合章氏著作原貌的《章氏遺書》，其內容是否就是事實的報導／歷史事實的眞實反映、寫照？換言之，章學誠有沒有故意的或非故意的欺騙讀者？（按：故意即有心作弊，非故意即無心之失）據筆者研究，《章氏遺書》的內容不全然是事實的報導！可惜的是，研究章氏的學者，未經細考而輕信並採納其說者大有人在。茲舉數例：

1.章學誠乃《史籍考》最主要的纂修者。⓴畢沅最主要的貢獻在

⓲ 詳參上註❹。

⓳ 侯云圻及錢穆嘗各自獲得《章氏遺書》的手鈔本。除個別文字差異外，此兩手鈔本均與劉承幹本無異。侯云圻：〈跋《章實齋遺書》稿本〉，《燕京大學圖書館學報》，第二十八期，1932 年 4 月，頁 1-3；錢穆：〈記鈔本《章氏遺書》〉，《圖書館刊》（四川省圖書館出版），第二期，1942 年 6 月。錢文又收入《新編本文史通義》（臺北：華世出版社，1980），頁 700-706；又收入余英時：《論戴震與章學誠》（香港：龍門書店，1976），頁 367-373。

⓴ 羅師炳綿對《史籍考》的纂修過程作過很深入的研究。羅師指出，纂修該書，章氏乃發起人並擔任主筆。該書之纂修可溯源於乾隆五十三年學誠在畢沅（1730-1797）門下作客之時。逮章氏卒（1801），《史籍考》之纂修尚未完竣。其後又有所賡續，惜最後全燬於太平軍。羅師本文雖以研究《史籍考》之纂修爲目的，然而，《史籍考》一書實揭露了章氏目錄學及史學方面的思想。羅師研究該書，遂隨而探究、闡析這兩方面的觀念。是以羅文十分值得

於出貲贊助而已。然而，當《史籍考》的內容被人抨擊時，章學誠乃謂該書爲「畢公所創稿」，自己不過是「重訂凡例；半藉原文，增加潤飾，爲成其志」而已。㉑早於1929年便對章氏展開研究的方志學大家傅振倫便輕信章氏所言，這是很令人遺憾的。㉒

2.章學誠說：「劉言史法，吾言史意；劉議館局纂修，吾議一家著述。截然兩途，不相入也。」㉓學誠所言，眞的是痴人說夢囈。《章氏遺書》或《文史通義》中言史法之言論數見，不一見；何謂不言史法，而僅言史意！至於劉知幾，難道只言史法，不言史意？又難道只議論／倡議館局纂修，而從不倡言一家著述嗎？其實正相反。知幾言史意／史義之言論雖不多，但絕不能謂彼不重視史意。《史通·史官建置》即嘗云：「史之爲用，其利甚博。乃生人之急務，爲國家之要道。有國有家者，其可缺之哉？」至於史書，官修比較好？抑私撰較優？知幾在《史通·忤時篇》中已說得非常明白。這裡便從略了。㉔個人頗認

研究者注意。羅炳綿：〈《史籍考》纂修的探討〉，《新亞學報》，卷六，期一，頁367-414；卷七，期一，頁411-455。

㉑ 章學誠的自我辯解，見《章氏遺書》（臺北：漢聲出版社，1973），頁1384上。

㉒ 傅振倫：〈章學誠《史籍考》體例之評論〉，《國立北京大學圖書館部月刊》，卷一，期一，1929年11月，頁19-33。章學誠與畢沅修纂《史籍考》的相關問題，可參D. Nivison ,上揭書，頁253-260。

㉓ 章學誠：《文史通義》（北京：古籍出版社，1956）頁333。

㉔ 許冠三嘗暢論劉、章史學之異同。對章學誠上述言論，十分不以爲然。參上揭許文，頁45。

爲，學誠並不是不認識知幾的史學觀念及學說的。其所以說知幾如何如何，用意蓋旨在揚己貶劉而已。然而，有學人研究章學誠時，便誤信其說辭，這是過份輕率的。㉕

3.《文史通義・文德》云：「凡言義理，有前人疏而後人加密者，不可不致其思也。……未見有論『文德』者，學者所宜深省也。」㉖周啓榮及劉廣京以章氏之說爲是，認爲其說乃一創新。㉗

除章學誠本人的言論需要予以考證、查核始可採信外，其他與他相關的資訊，亦不宜照單全收。然而，不嚴格遵守此『治史法則』，而輕率援用此等資訊者，仍大有人在。茲舉兩例：

1.咸豐八年（西元 1858）刊行的《文獻徵存錄》卷八載錄〈邵晉涵傳〉。約只有百字的〈章學誠傳〉附見其中，其文云：「晉涵友會稽張學誠……以明經終。少從山陰劉文蔚豹君，童鈺二樹游，習聞蕺山、南雷之說，言明季黨禍緣起，奄寺亂政，及唐、魯二王本末，往往出於正史之外。自學誠謝世，而南江之文獻亡矣！」此傳文犯下嚴重錯誤三個：傳文之作者錢林及王藻把章學誠之「章」誤作「張」；又誤認爲傳主一輩子『以明經終』；㉘錢、王誤認邵晉涵之生平資料爲章學誠之資料，因此學誠便

㉕ 黃秀慧即如此；見所著：〈從《文史通義》概觀章學誠之學術思想〉，《史繹》（臺灣大學歷史學會會刊），1977 年 9 月，頁 58。

㉖ 章炳麟對章學誠此說甚不以爲然，嘗施予嚴厲的批評。說見〈與人論國學書〉，《章氏叢書・太炎文錄》，初編，別錄二，1919，頁 42a。

㉗ 周啓榮、劉廣京，上揭文，頁 137。

㉘ 按：清制，貢生亦稱爲明經。《清會典》（上海，1936）嘗開列不同名目的貢生，見頁 350a-352a。亦可參劉兆璸：《清代科舉》（臺北：東大圖書公司，1977），頁 17-20，尤其頁 17。《文獻徵存錄》的作者用『明經』一詞稱呼

被視爲嘗從游於劉文蔚及童鈺，並對明季史事甚有研究。據筆者所知，至少有五名研究很認眞的學者均部份地採信上述錯誤的資訊。㉙

2.章學誠於卒前數月把生平著作之全稿交給好友王宗炎，囑其校定。章之次子華紱於所撰《文史通義．跋》中云，章於易簣時始以全稿付王氏。華紱於時間上顯然誤記。㉚然而，《續修四庫全書》之作者及對章學誠做過不少研究之史家、目錄學家姚名達分別於論述《文史通義》及《章氏遺書》時，便採信華紱所言。㉛這顯係學者不細考事實而輕信之又一例。

章學誠，大抵認爲章一生皆爲貢生，從未考取過進士。其實章學誠於乾隆四十三年（1778），年四十一歲時考取二甲第五十一名（最後一名）進士。見房兆楹、杜聯喆：《增校清朝進士題名碑錄》（北京：1941），頁118。

㉙ 參余英時，上揭書，頁243-248。余氏惟列出四人的名字：吳孝琳、吳天任、三田村泰助及 D. Nivison。其實，余英時之業師錢穆亦誤採《文獻徵存錄．章學誠傳》中的錯誤資料，惟余氏未予指出。錢誤見所著《中國近三百年學術史》（上海：商務印書館，1937），頁415。

㉚ 按：章學誠以全稿付王宗炎之後，二人嘗互有書信往來。其中，王之去信中，全看不出章即將逝世。書信往來需時，章學誠果眞於易簣時始以全稿付宗炎，恐必無氣力、時間再寫信的，且更等不及宗炎之覆信。認識學誠三十二年之好友汪輝祖於學誠卒後即曾明確指出謂，學誠以全稿付宗炎乃在其卒前數月。汪說見所著《夢痕錄餘》（江蘇書局，缺出版年份），〈嘉慶六年條〉，頁65b-66a。又可參孫次舟：〈章實齋著述流傳譜〉，《說文月刊》，卷三，期二、期三，1941年9月。孫文又收入《章實齋先生年譜彙編》（香港：崇文書店，1975），頁229-245。相關問題，見頁229。

㉛ 姚名達：〈章實齋遺書序目〉，《國學月報》，卷二，期三，1927年3月。此文又收入周康燮:《章學誠研究專輯》(香港:崇文書店,1975),頁231-243。姚氏之誤，見頁234。

筆者上文針對研究章氏之原始素材《章氏遺書》及針對後人對章氏之記述（如見諸《文獻徵存錄》者及見諸《文史通義·跋》者），作出考證、批判，其出發點不外乎是考查此等材料是否符合歷史實況。然而，進行此等考查，必得具備一先決條件：吾人須充份且確切的明白掌握此等材料的涵意；否則，如瞭解錯誤，或解讀錯誤，則相關材料便不足以反映／揭示事實的眞相。[32]享譽國際的漢學大師 P. Demieville 及研究章學誠著有專書的 D. Nivison，亦不能免卻此失。二人理解章氏的文章，即偶有誤解之處，史事便由是致誤。茲各舉一例如下：

章學誠嘗向族中晚輩描述自己不擅經營生計，其言云：「……顧又無從挾資走江湖、糴販逐什一。」[33] P. Demieville 之翻譯為："……I don't know where to find the money I need for my perpetual shiftings. I try my hand at little bussiness deals, running after 10 percent profits."[34]按：章氏之意爲：無從挾資走江湖，亦無從糴販逐什一。換言之，「無從」一片語既管轄「挾資走江湖」，亦管轄「糴販逐什一」。兩語之間，若使用新式標點，應加上「、」號。然而，P. Demieville 理解爲各自獨立的兩句話；兩句話之間便被加上一「。」號。因此，從未經商以謀生計的章學誠，便被理解爲嘗追逐什一之利了。文意被錯誤解讀，史實便由是致誤。其實，P. Demieville 未嘗細究章學誠的生平行

---

[32] 更有甚者，符合史實的史料，轉視爲錯誤的報導；或者，僞誤的史料，反視爲史事的如實寫照。那追求歷史眞相，便定然緣木求魚了。

[33] 《章氏遺書》（臺北，1973）頁 503 下。

[34] P. Demieville（戴密微）, "Chang Hsueh-ch'eng and his historiography（章學誠及其史學）", ed. W.G. Beasley and E.G. Pulleyblank, *Historians of China and Japan*（中日史學家）, London, 1961, p. 172.

誼。否則，若確知學誠不曾經商過，便不會錯誤斷句而輕率致誤了。

至於 D. Nivison 對章氏文章理解上之謬誤，我們也舉一例。學誠嘗致函好友，述說其生活及著述方面等等的事情，其中有句云：「日月倏忽，得過日多。檢點前後，識力頗進而記誦益衰。」㉟ D. Nivison 之翻譯為："As time flies on, I am daily getting through more and more in my reading. As I go through it carefully, my understanding grows apace and my preoccupation with data subsides more and more."㊱按：「日月倏忽，得過日多」乃章氏自謙語，意謂：「自己不擅於掌握倏忽流逝的光陰時間〔而好好的讀書撰述〕，眞是罪過（字面意思為：過錯便愈來愈多）。」此中之「過」，不能解讀為「通過」（getting through）。「得過日多」尤不能解讀為"I am daily getting through more and more in my reading."（我的閱讀量與時俱進）㊲

P. Demieville 及 D. Nivison 二氏，西方之純粹學人也；研治章學誠，可謂不帶任何偏見。彼等所犯之錯誤，實係無心之失。然而，若干學人，譬如中國大陸方面的學者，因過於強調意識型態（如特以唯物史觀、辯證唯物論等等為指導思想、指導原則），於解讀文獻上所犯之錯誤便更多了。此情況尤其改革開放前更是普遍；今已改善很多，茲不擬

㉟ 《章氏遺書》（臺北，1973）頁 747 下。

㊱ D. Nivison, *The Life and Thought of Chang Hsueh-ch'eng(1738-1801)*, Stanford, Stanford University Press,1966, p.42.

㊲ 行文至此，忽然想起業師嚴耕望先生治學方面的慧解。記得有一次上課時，老師說：外人（當時特指日本人）治中國史用力甚勤，亦恒有創穫，然在理解古文方面，則時有失誤之處。上引 P. Demieville 及 D. Nivison 對章氏文章的解讀，正係嚴師說法最好的註腳。

列舉。

（三）材料之採用僅為滿足一己所預設之立場

有些研究著作，乍視其題目，乃係對章氏所作之研究。然而，究其實，乃借用章氏之相關資料，甚至章氏本人之論說，而『遂作者一人之私』而已。章氏各種史學論說中，以《文史通義》擘頭第一句話「六經皆史也」最爲學人所關注；然解讀上至爲紛歧。民初學人孫德謙亦嘗作申說；認爲六經作爲史書來說，「乃治天下之具也」。[38]因此，特呼籲世人必須予以研讀。至於經書於用世方面所產生的負面結果，那是人們在應用上的不得其法，此與經書本身無關。當然，讀經、治經，於世道人心上，或確有幫助。然而，這是孫氏一己之意見，他大可以逕行倡導之。今借所謂申述章氏之「六經皆史」之說而實係爲己說而張目，此不免乖違學術著作應有之本旨。大陸學人倉修良於四人邦被捕後不到兩年的時間，於 1978 年 7 月 18 日在《光明日報》[39]上撰著研究章氏的文章：〈從章學誠的「史德」談起〉，其主旨則僅在於響應當時的政治局勢而已：剷除四人邦餘毒。此與學術全無關涉。

以上孫、倉兩文，盡管乍看下，論文標題容易使人誤會是就學術方面來研究章學誠的，然而，文章內容明確，作者用意亦非常清楚明白，讀者不會被矇騙。但是，有些研究者卻似有意欺騙讀者，因爲不可能被忽略的資訊，研究者卻視而不見。劉漢屏的論文即爲一顯例；

---

[38] 孫德謙：〈申章實齋六經皆史說〉，《學衡》，第二十四期，1923 年 12。又收入周康燮，上揭書，頁 69-73。

[39] 《光明日報》乃大陸官方之喉舌報，所刊登之所謂學術論著，重政治遠過於重學術，是很可以理解的。

嘗云：「章學誠對同時代的唯物主義思想家戴震甚爲推崇」。㊵戴震是不是一個唯物主義思想家，不是筆者所要關心的，因爲這與本論文題旨不相干。然而，被劉漢屏視爲啓蒙思想家前驅的章學誠，在劉的眼中，很明顯的是一個唯物主義者，因此他便稱許了被劉視爲唯物主義者的戴震。章學誠是不是唯物主義者，我們現今亦不擬探究。筆者要指出的是，的確，如劉所言，章學誠是很推崇戴震的。㊶然而，同一個章學誠，其抨擊戴震亦不遺餘力。換言之，劉漢屏只說對了一半；對另一半，何以緘口而不言，默然而無述？㊷筆者的看法是：依劉氏之意，戴震是一個唯物主義思想家。在大陸，「唯物主義思想家」是何等的美譽！大概正由於作者這個個人信念（爲配合政治而須具備的信念？），所以戴震被章學誠批評的部份，作者只好視而不見了。

爲研究章學誠對某人的評價，客觀的作法是竭澤而漁地全面蒐集、彙整、分析相關資料。可惜有研究者竟只是摘取、採用對其一己之主張、信念有價值的材料，而故意遺棄不利的材料，這是很讓人惋惜的。劉漢屏的研究態度及實際作法，恐只是中國大陸在改革開放前眾多例子中的一例而已！

㊵ 劉漢屏：〈章學誠是清中葉啓蒙思想家的前驅〉，《史學月刊》，期一，1984，頁47。

㊶ 參羅炳綿：〈章實齋對清代學者的譏評〉，《新亞學報》，卷八，期一，1967年2月，頁316-329。

㊷ 章氏對戴震的稱許及批評，同見《文史通義．書朱陸篇後》。劉文清楚的顯示出，〈書朱陸篇後〉是被參閱過的。然則章批戴的部份，劉漢屏不可能看不到。除了視而不見，故意隱瞞外，筆者實在想不出其他更恰當的理由爲之解說。

二、表述模式（體裁）及取徑之批判

蒐集、理解、分析擬作為研究之用之史料，當然是很重要的。然而，這不過是研究的第一步。如何予以彙整，並選取一理想的方式予以表述，俾呈現研究成果，也是很重要的。以研究章學誠來說，研究者選取了各種不同的表述模式／體裁。以研究章之生平來說，可見者至少有二模式：傳記體、年譜體。以後者來說，又展現出若干差異。有研究者，按年代順序，對章學誠之生平活動，只作簡單之陳述。[43]亦有研究者，如胡適，不光是敷陳史事，且亦作評析。[44]再者，如內藤虎次郎在其著作中，則先簡述章所生長之乾嘉時代之學術發展大勢；年譜末，則轉錄章為其父所撰之傳記。[45]

至於對章學誠的思想作研究的，其表述模式／取徑，便更多了。為了方便說明，茲歸納為兩類：觀念式研究、歷史式（演進式）研究。前者乃針對章之不同思想觀念逐一探討。這是研究者最常用的方式／取徑。章學誠的史學論說，如『六經皆史』、『史德』、『方志立三書議』等等，皆係學者以此方式進行研究的顯例。研究章氏的一般思

---

[43] 姚名達之著作即是。姚名達：〈會稽章實齋先生年譜〉，《國學月報彙刊》，卷二，期四，1927年4月。又收入周康燮，上揭書，頁99-227。

[44] 胡適：《章實齋先生年譜》，上海：商務印書館，1922。

[45] 內藤虎次郎：〈章實齋先生年譜〉，《支那學》，1920，卷一，期三，頁14-24；期四，頁44-52。按：內藤氏為近代學者研究章學誠的第一人。國人可說是在彼激發下始對章展開研究的。吾人實感汗顏！

想或史學思想的論著皆嘗用此一方式。早在五〇年代便對章氏的史學展開研究的專書《章實齋的史學》便是採用這一方式。㊻此方式自有其優點：清晰、明確。然而，以此方式撰就之著作，似不得名爲史學著作。㊼何以言之？蓋所有觀念，皆可謂時代之產物。歷史研究，除了針對歷史的各構成要素（史事也好、制度也好、觀念也好），予以研究、重建外，更重要的，恐怕得把這些要素歸位、繫置於其原來錯綜複雜的歷史脈絡的大環境中，扣緊其他要素，而予以一有機的、解讀式的研究。反之，若只純粹針對一觀念，視之爲一定然不變的東西而對它展開研究，既不考慮此觀念在該思想家一生中可有的各種變化／演進，又不思索此觀念與該思想家其他觀念可有的相互影響，更不探討此觀念與時代環境之種種關係，則所作成之研究，恐怕是很有問題的；或至少不能算是嚴格的史學研究。

上文所說的另一種研究模式／取徑：歷史式（演進式）研究，則正可彌補觀念式研究模式之不足。章學誠的思想可謂『與時俱進』，其目錄學及方志學方面的思想尤其如此。因此，歷史式（演進式）研究，對研究章學誠來說，可謂最適當不過。章之時代學術氛圍，被視爲對章產生了鉅大的影響，並孕育了他的思想。㊽然而，對學誠作研究的

㊻ 吳天任：《章實齋的史學》，香港，東南書局，1958。

㊼ 至少不得名爲嚴格意義下的史學著作，或歷史主義意義下的史學著作；然而，似可名爲史學觀念研究的著作；甚或哲學著作？

㊽ 乾嘉時代對經書所作之考據、訓詁，深入毫芒，自有其不可磨滅的貢獻；然而，已漸次到了見樹木不見森林的窘境。章氏『六經皆史』說及相關言論之見於《文史通義》、《校讎通義》者，乃被視爲係針砭經學流弊而作。參見錢穆，上揭書，頁 381-382，390-392。又乾隆中葉《四庫全書》之纂修大抵促使了章學誠深化其目錄學思想及圖書分類方面的思想。羅炳綿研究章學誠

眾多著作中，以此模式針對其思想上的演變及時代學術氛圍作探討者，實不多見。可喜的是，凡以此模式／取徑進行研究者，皆獲致令人讚嘆之成果。D. Nivison、余英時、張長明及羅炳綿等學者之著作皆係顯著之例證。㊾

三、研究態度及方向之批判

不恰當的研究模式／取徑，當然會造成不良的研究結果。其實，輕率的、預設立場的，甚或爲政治服務等等的研究態度，亦會導致同樣的結果。中國大陸在改革開放前，甚至在其後的數年間的學術研究，幾乎無一例外，完全是制限於政治的大環境。盲目左傾的政治氛圍根本窒息了任何學術的自由、獨立的正常發展。我們在此便不一一舉例說明了。㊿

所撰寫的各篇論文中，其中兩文嘗涉及此問題，可參看。一爲上揭文：〈史籍考修纂的探討〉；另一名：〈章實齋的校讎論及其演變〉，收入《新亞學術年刊》，香港，1966，頁 77-95。

㊾ D. Nivison，上揭書；余英時，上揭書；張長明：〈章學誠「方志立三書說」的形成過程〉，《江海學刊》，期五，1982 年 9 月，頁 97-99；羅炳綿，上揭〈章實齋的校讎論及其演變〉一文。拙博士論文 *Recherches sur les travaux relatifs a Zhang Xuecheng (1738-1801) , historien and philophe (Paris, 1987)* 嘗對以上各文（尤其前二文）有所論述，今恕從略。

㊿ 研究章學誠的各種論著中，有些是應用上若干理論或學說的。應否援用理論／學說作研究，無一標準答案；可說全視乎該等理論或學說本身是否周延、成熟，又要考慮其具體的應用在章學誠身上是否得宜、恰當。就大陸方面來

態度上的偏差固然導致不良的研究成果，錯誤的研究方向恐怕貽害更大。論述章學誠的兩百多種各式各樣的著作中，壽鵬飛對章學誠方志學之研究或可視爲表現上最庸劣的一種。[51]錯誤的研究方向恐怕是主因。茲稍述如下：

壽鵬飛僅憑章學誠生長在以考據、訓詁爲治學主流的乾嘉時代這個不成理由的理由，便肯定他是一個『經生』，並指出說：「以經生研經之法，治史因以治志，所由重例而輕義也。」[52]又說：「於史家大義微言，勸懲法戒之精神，則略而不言。」[53]要言之，壽鵬飛視章學誠只是一學究，僅著眼於章節字句間無關宏旨之含意。[54]

如果不是細讀壽鵬飛的論述，筆者還以爲他所描述的是另有其

說，辯證唯物論經常被濫用。這對章學誠研究，可說全無好處。其本身既非一圓熟的普世眞理；應用在章學誠研究上，亦有待商榷。大陸以外的學人，如余英時，則應用近代始出現的社會科學：心理學，來解釋章學誠的「六經皆史說」，視爲章學誠對「考證挑戰」的一個最具系統性的反應。（余英時，上揭書，頁45。）當然，余英時的說法很富啓發性。然而，章的心理狀態，是否確然如余英時所作的解讀，那仍是不無疑問的。繆全吉則應用另一學科：行政學，來解釋章氏倡議設立志科的機動。繆氏認爲章學誠倡議設立志科（按指：辦理方志業務之胥吏單位組織），不光是旨在纂修方志而已，尚視之爲一行政服務之機關。繆氏更進一步指出章學誠實際上是藉著此志科來改革行政，藉以促進其治理社會之效能；乃係章氏經世致用思想構思下的一種特殊設計。繆全吉：〈章學誠議立志（乘）科的經世思想探索〉，《近世中國經世思想研討會論文集》，臺北，1984年4月，頁157-175。

[51] 壽鵬飛：〈讀章實齋書質疑〉，《方志通義》，1941，頁 30b-36b，缺出版地。

[52] 同上註，頁31a。

[53] 同上註，頁30b。

[54] 同上註，頁31a。

人，而不是章學誠。章學誠豈像他所描述的是一個經生？眞是開玩笑！首先，章氏治學，對當時經生所重視的考據訓詁，章學誠實在是不感興趣（當然，我們也可說他能力不在於此）。尋章摘句、只著眼於文字間的碎言剩義，絕不是章學誠關注的重心所在。更重要的是，作爲一個有抱負、有理想，以經世爲要義的知識份子，藉著書立說以提振社會道德風氣，始終是他的終極關懷。[55]我們可以肯定地說，壽鵬飛完全是誤解，甚至是不解、不悉章學誠的思想精神所在，對其經世致用之終極關懷，亦全懵然不知。個人認爲壽鵬飛所以認定章學誠是經生，完全是因爲對章學誠之著作，未嘗細加研讀，甚至可說未嘗稍作瀏覽，而先認定凡乾嘉學者必係以考據訓詁方式治學之學究、經生。章氏既生於其時，因此便必爲經生無疑。壽鵬飛以此方式論述章學誠，根本是搞錯了方向；與章學誠的學術本旨完全是背道而馳的。壽氏之誤，蓋爲無心之失。然而，有些學人卻是有心『作弊』。不少大陸的章學誠研究者，即係如此。

一般來說，大陸學者在改革開放前，幾無例外的是奉馬列主義、毛澤東思想或唯物主義辯證法爲唯一的指導思想來作研究的。剋就章學誠來說，其學說在某種程度上或某些方面，是確有進化論，甚或唯物主義的傾向的。其論道、論社會人群之組織發展，均爲顯證。[56]職是之故，縱使以唯物主義辯證法作爲研究的指導思想，並把章學誠定

---

[55] 繆全吉嘗揭示章學誠方志論述中對社會關懷的意識。參上揭繆氏所著文。吾人不必然同意繆氏從行政學觀點所作的闡述。然而，該文把章氏方志學論述中的社會關懷意識予以清晰的揭示，這是繆文的一大貢獻。其他論述章氏方志學的近現代著作，亦大都指出章氏此一特色，不煩一一開列。

[56] 見上揭《文史通義》，頁 33-44，尤其頁 34，39。

位爲唯物主義思想家來對他進行研究，也不定然是走錯了方向、全然與其思想背道而馳的。(57)問題是，吾人似不應過份強調章學誠思想中的唯物主義的傾向，以至全然忽視了其思想中別的成份吧了。(58)

結　語

上文含三個部份，分別評述近現代章學誠研究在取材方面、表述模式／取徑方面及研究態度／方向等方面的表現。二百多種的研究成果，其發表方式(59)及表述方式(60)是極其多樣化的。以學術水平言，亦

(57) 個人以爲如果一定要認定章學誠是一個唯物主義的思想家，或認定其思想中有辯證唯物論的成份，那吾人可說：他以正反合的辯證法（辯證邏輯）來審視、解釋歷史的發展，遠多於以唯物論的觀點來看問題的；換言之，其思想中的辯證成份遠多唯物成份。

(58) 照筆者閱覽所及，中國大陸以外的學人，無論是台、港學界或是洋人，是從不以馬列主義觀點來研究章學誠的。部份中國大陸的學人，尤其改革開放後，亦避免用這個觀點作研究。就以應用馬列觀點之研究來說，不同學者之應用程度及應用之動機亦千差萬別：在一些論著中，馬列主義，或說得確切一點，馬列主義的字眼，幾乎通篇皆是。這些論著的作者或眞的誠心地相信馬列主義。果爾，我們當予以諒解。其他論著用上相關字眼，很可能只是爲了滿足個人的政治企圖心、爲了配合客觀大環境（政治氛圍）、或爲了表面上熱烈地予以響應，而不得不摻入幾個相關字眼而已。大陸學人章學誠研究背後的意識型態及其相關字眼的應用，其實很可以作深入分析研究的。蓋學人心態，以至不同階段的政治氣候如何對學術產生影響，大抵都可藉以窺見。這是對學術與政治之間的關係作研究的一個很好的課題。

(59) 發表方式計有：專書、期刊論文、研討會論文、博碩士論文、報章雜誌小論文等等。詳參上揭拙著〈六十五年來之章學誠研究〉。

極為參差不齊。大體來說，臺灣、香港及外國人所發表的文章，以取材之廣度來說，[61]以研究之深度及態度之超然客觀等等方面來說，[62]其表現皆較中國大陸為佳；[63]因此，貢獻亦較卓越。當然，一九七八年改革開放之後，大陸亦有長足之進步。然而，總體來說，似仍有不少可以改善的空間。此外，筆者必須一說的是，不少著作是不大參考，甚至是完全沒有參考前人的研究成果便倉卒為文的。有些文章甚至只是援據一、二種章學誠的著作便下筆為文！所撰成之文章，其簡陋粗糙及作者所見之偏頗狹隘，可想而知。在五〇年代、六〇年代，尤其在中國大陸的國度來說，這些閉門造車、固步自封的作法或者情有可原，但在今天文獻資訊及網路資訊已極度發達的情況來說，我們必須力求自省改進。反之，如果仍然閉門造車下去，或同一個研究課題，而不斷重覆再做且了無新意，這恐怕不是學術界之福，也非章學誠之福。願共勉！

---

[60] 表述方式，請參閱上文第二部份。

[61] 取材含參稽章氏本人的著作及前人的研究成果。後者含各種語文撰寫之相關論著。

[62] 當然，所謂「超然客觀」，很多時是見人見智的。然而，先不要預存立場（如視章學誠係甚麼辯證唯物思想家，或認定必須從馬列主義觀點、辯證唯物論等等角度切入作研究方為所謂科學研究），個人認為是達致超然客觀的研究的先決條件。

[63] 當然，外國人的研究，亦時有缺點。其最嚴重者為：誤解章氏著作之文句；由此並衍生其他理解上的問題。此緣乎中文根柢始終不及國人故也。然而，以外國人（尤指西方人）而言，解讀古漢語而犯上若干錯誤，吾人實不必深責。

就史學致知、史之爲史、歷史之道
——試析章學誠的歷史思想及其在中西歷史哲學比較上的意義

王 樾*

提 要

本文之研究屬於歷史哲學之範疇，而非一般的史學研究；係以哲學研究為主，對史家及史學觀念作一哲學的批判與反思，而非如一般史學著力於重建過去；此乃本文之定位。本研究之重點有二：其一、就章學誠的「史纂、史考非史學」、必須「發為撰述」、「別識心裁」……等觀念與西方「批判式的歷史哲學」如柯靈烏德、克羅齊以及詮釋學的維科、狄爾泰的相關思想作比較分析，以證明章氏的歷史思想確能有效

* 淡江大學歷史系副教授

建立「知識論」的合法性，同時亦能確證「史學自主」一是一門有別於自然科學而能自證其存在的獨立學科，服膺其自身的方法與規範。其二、就章氏「六經皆史」、「以史概經」、「綱紀天人，推明大道」析論其「由事顯理」的歷史之「道」，並與西方「批判的」歷史哲學及「思辨的歷史哲學」有關歷史目的之思想作一簡要比較，以其揭示出中國史學傳統的歷史精神。企圖結合哲學與史學，對歷史作一哲學反思是有相當難度的，筆者認為這只是一篇勉力嘗試、拋磚引玉的個人私議，深盼日後能有更具專業能力的人投入上述領域的研究。

關鍵詞　章學誠　史學史　歷史哲學

一、問題的提出及基本的預設

「論者常謂中國史學長於史料而西方則史學則精於史論，其實中國自《春秋》以降的史籍中或多或少都包含了某些歷史思想，然而這些零零碎碎的思想直到劉知己，或者更確切地說，應該是至章學誠的《文史通義》才成爲最重要的歷史哲學專著；由於他卻已匯集了過去許多零星的歷史觀念，因而建構成一套有系統的中國歷史哲學」。❶

❶ 見余英時撰，〈章實齋與柯靈烏的歷史思想——中西歷史哲學的一點比較〉。收錄於余英時所著《歷史與思想》，頁一七二～三。聯經出版事業公司，台北，一九七六年九月，三版。

章學誠生於清乾隆三年（西元一七三八年），卒於嘉慶六年（西元一八〇一年），享年六十四歲。綜觀其一生際遇，雖是中國史上的一位奇才，（但）生前沒沒無聞，窮困潦倒，這位被余英時先生推崇爲「中國兩千年來唯一的歷史哲學家」❷，「一生外出作客三十餘年，可謂顚沛流離，倍嘗艱辛。尤其在最後的二十餘年的生涯裡，生活極爲困頓，同時孤懷絕詣，學術思想上亦缺乏知音，曠觀古今，不免時有獨立蒼茫之感。」❸他這種悲涼的人生際遇與他傑出的學術創造力之間的巨大落差，雖是他的不幸，但到今日卻是足以造成他在史學理論領域中深深吸引人的魅力所在。我並非研究章學誠的專業學者，亦非研究中西史學理論的專業學者，此次之所以不揣淺陋，願嘗試研究他的歷史思想，雖有一些客觀的學術上之理由，但坦承說，最大的動力竟是來自於對他這個面對孤絕困境但全力創造生命力的美感！簡言之，本文眞實的研究動機非關乎客觀學術，而是基於個人主觀的傾慕與感動，一種難以言喻的存在感受……。

研究動機或可主觀，但研究目的則必須要有客觀的理由。因此，我必須在此談一談個人問題意識的產生、個人在研究前的某些預設、研究的方法、析論的架構。

簡言之，我的問題意識是經由閱讀余英時先生〈章實齋與柯靈烏的歷史思想—中西歷史哲學的一點比較〉一文而來。「這篇文章對我很有啓發，讀後也引起我這個門外漢去涉獵一些關於西方批判的歷史哲學的著作」，也慢慢形成了一點粗淺的理解。我發現並認爲同在十

---

❷ 同❶，參見頁一七二。

❸ 見尤昭和，〈維科與章學誠歷史思想之比較〉，載《淡江史學》，第十期，頁二六八。淡江大學歷史系印行，台北，一九九九年六月。

九世紀末二十世紀初，由英、美經驗論一派哲學中所發展出來的『批判的歷史哲學』（Critical philosophy of history 或翻譯爲「批判的歷史哲學」）是極具重要意義與貢獻的，「並蔚爲巨流，成爲二十世紀歷史思想的主要特色」。❹「這種性質不同的歷史哲學，不再像專業歷史學家，傳統的思辯歷史哲學……（Speculative philosophy of history）……，關注歷史的進程、意義和規律，而是把眼光從歷史知識，轉移到人的歷史認識上來。他的著眼點集中在歷史學的性質，歷史與歷史學家的關係，歷史的理解與解釋，歷史的眞實性與客觀性、歷史中的因果關係、歷史中的道德審判以及歷史學的實踐功能等一系列問題上。」❺簡言之，歷史學與「思辯的歷史哲學」是以「歷史本體」爲研究對象，而「批判的歷史哲學」則以「歷史認識」作爲研究對象，它不是對於實在歷史的認識和反思，而是這對這種認識的認識，對這種反思的反思。「歷史學和思辯的歷史哲學都是關於歷史的第一級思考，都是以實在的歷史過程本身作爲自己認識和反思的對象。……分析的歷史哲學（亦即批判的歷史哲學）的對象……是從歷史本體轉到歷史認識。它所關心的不是歷史，而是歷史學，更確切地說，是歷史與歷史學家的關係。……是對認識的認識，對反思的反思，……是關於歷史的第二級反思。」❻這種關於歷史的的第二級反思中，有幾項是最重要的課題，那就是⑴「歷史的認識如何是可能的？」（亦即歷史的認識論），⑵歷史自律（亦即歷史自主或史學自主，證明歷史不是科學的附庸或低於科學的類科

---

❹ 見尤昭和，〈維科與章學誠歷史思想之比較〉，載《淡江史學》，第十期，頁二六八。淡江大學歷史系印行，台北，一九九九年六月。

❺ 同❹。

❻ 同❹，頁九。

家，甚至是僞科學；而是一種獨立自主的研究，不受自然科學統治的自律的科學），(3)歷史的價值（亦即歷史學是做什麼用的？對我們的價值何在？）當然不同的史學家可能有不同的答案，但可以肯定的，絕對不會是「歷史目的論哲學」或任何的「歷史決定論」或「歷史命定主義」的答案。我個人認爲這三者之中，尤以歷史的認識論爲最重要的核心問題，事實上它確實是長久以來批判歷史哲學家最關注的根本問題；設若比一問題獲致確實的解決，歷史自律自然可以依它而証成，而歷史的價值的探究也必然可迴異於思辯的歷史哲學，避免各種肢解歷史，缺乏論證的武斷的「洞見」。

簡言之，有效地建立歷史的認識論，有力地証成歷史自律是西方批判歷史哲學家的根本要務。有趣的是我們只要稍有涉獵章學誠的歷史思想都將會發現，這兩項西方批判歷史哲學家的根本要務，恰好也正是章學成最關注、最用心的所在；同時在他建立、証成之後，也同樣地以上述努力成理爲基礎，進而去探究歷史之道（雖然他所使用的語言、辭彙是中國傳統式的，但他的歷史思想卻和現代西方的批判的歷史哲學有著相當程度的一致性，或可說是深刻的契會）。基於此，我的問題意識和基本的預設就逐漸清晰了。

簡言之，我的問題意識是受余先生的啓發而來，打算順著他的研究「照著講，接著講。」而我的基本預設是：第一、章學誠的歷史思想中，其基本核心概念與西方批判的歷史哲學有一種深刻契會，因此，二者具備可比較的基礎。第二、在可作比較研究的部分中，尤以歷史認識（相當於史學致知）、歷史自律（相當於史之爲史，別出心裁……），歷史的價值（相當於六經皆史，即器明道，綱紀天人，推明大道，史義……）最具關鍵性與優先性。第三、我認爲若只是將章氏的歷史思想擺在中國史學傳統中加以析論比較，固然有其價值，但很可能有部分意義與價值不易彰顯，其中一個理由是，在中國學術史上，章氏可能是唯一建構有系統的歷史哲學家，且其學術特質近於西方批判的歷史哲學，在中國傳統中較難找到可比較的對象；因此，如欲彰顯章氏的學術特色與傑出成就，實應採他擺在中西歷史哲學比較的範疇來評析，才能突出他及中國又世界的傑出成就。因此，擬定的題目爲：「就史學致知、史之爲史，歷史之道，試析章學誠的歷史思想及其在中西歷史哲學比較上的意義」。（這是站在中國本位的立場；其實若站在西方本位的立場，本文的題目當爲：「就歷史認識、歷史自律、歷史的價值，試析章學誠的歷史思想……」。二者是同樣的實質意義不同的表述而已。）故本文不擬對章學誠的歷史思想作全面的論析，而係就針對研究主題選擇個人認爲具優先性，可比較、相契會的部分來作一對比分析。

二、研究方法與觀念架構

由於這是一篇會議論文，篇幅有限，只能以最精簡的方式，將本文的研究方法略作說明。茲以圖表方式說明（在展開研究前我心中所浮現的一個簡要的對照分析表）：

思想家	章學誠的歷史思想	某些批判歷史哲學家的歷史思想
比較項目	一、史學致知	一、歷史認識
	二、史之爲史	二、歷史自律
	三、綱紀天人，推明大道	三、歷史的價值

這就是本文最主要的研究方法和觀念架構。在以下各節的論析中，將以文字敘述，分析的形式表現。依序爲：略論歷史概念的兩種意義及歷史的各種層次，章氏的史學致知與歷史認識之比較，章氏的史之爲史與歷史自律之比較，章氏而推明大道與歷史的價值之比較，最後作一結論。

另外，我要很誠懇的說，這項研究對我而言是相當吃力的，可預見地，研究的成效一定是欠佳。主要的原因是如欲執行本研究，研究者本身必須具備足夠的條件：至少必須一方面對章學誠的歷史思想及中國史學傳統要有深厚的學識基礎，同時亦須對西方批判的歷史哲學及史學傳統要有充分的理解，而且最好要具備閱讀西方歷史哲學相關經典原著的能力（包括語文能力、理解能力；閱讀哲學經典的語文能力已甚難，而理解能力則更難，它至少包括史學、科學、哲學、歷史及文化的了解），而這些我都極爲不足，所以我曾嘗試去搜尋一些用中文寫作的有關中西歷史哲學比較的研究論文，一方面由於搜尋時間太短，不夠全面，另一方面很可能因上述條件在客觀上造成的困難，從事相關研究者不多，到目前爲止，蒐得者極爲有限。因此，對於西方歷史哲學的理解，我只能去參考一些中文寫作的通論性的書籍以及將外文原典翻譯爲中文的譯者；再加上學識基礎薄弱，只能稍稍涉獵，泛覽，理解自然有限，相關觀念的把握也不可能精確，但這是我目前所能作的最大努力。雖然如此，但之所以仍勉強去嘗試，主要是有一個很重要的理由一這不但是一個有價值的問題，更重要的是它還代表了一個很值得努力的發展的方向，就是時至今日，中國的史學實應致力於與西方史學從事史學理論的對話（亦即中西史學理論的比較研究），這麼可作爲中西史學交流一個新趨向或新選擇。我的學識能力不夠，但盼能拋磚引玉。

現根據本文的觀念架構，依序試作析論。

三、西方「歷史」概念的兩種意義及有關歷史的各種層次

既然本文欲採中西歷史哲學比較研究的方式進行，那麼，就應對西方「歷史」一詞的概念及有關歷史的各種層次略作說明，以作爲討論的基礎之一。

「在西方語言中『歷史』這一概念往往同時包含了兩種意義，如法語中的 historie、英語中的 history、和德語中的 Geschicht，都是即指人類的過去，也指關於人類過去的知識。」❼「這樣一來，我們便有了兩種歷史，一種是人類過去生活的實在過程，如果你是一位哲學家，或許會稱它爲『歷史的本體』；另一種是歷史學家依據過去的各種材料用文字寫下來的歷史，它呈現了人類對自己過去生活的一種認識上的努力。用哲學的語言來說，是『歷史的認識』。」❽爲了避免誤解，有人試圖將這兩種不同涵義用不同的辭彙加以區分。例如黑格爾就曾用拉丁語 Res gestae 和 historiareum geatarum 分別稱呼爲「發生的事情本身」和「發生事情的歷史」；又如在現代德語中則以 Geschicht 指稱歷史事實，以從法語借來的 Histoire 指稱關於歷史實在的知識；又如法國人則用不同的書寫方式來進行區分，像亨利·柯爾班就用大

❼ 同❹，頁六。

❽ 同❼。

寫的 Histoire 代表前者，而用小寫的 histoire 代表後者；在英語中，直到最近也採用定冠詞和不定冠詞來區分，例如美國的菲利浦·巴格比（Philip Bagby）以加定冠詞的「the history」意指過去本身，而加不定冠詞的「a history」則指過去的紀錄和知識❾。

基於上述，簡言之，歷史一詞包括了絕對眞實，整全的過去—「歷史的本體」或「歷史自身」，以及由人（史學家）所建構的關於人類過去的知識—「歷史的認識」。正因爲這樣，關於歷史，我們也看到了各種不同層次的內容❿。

西方史學傳統中，或歷史的研究中，有關「什麼是歷史？」的論著可爲多的汗牛充棟，簡要的說，確實和中國不同。西方的史學傳統是將歷史研究明確地分層次而予以相關的限定，不似中國人講求「就天人之際，通古今之變，成一家之言」，經史交融於一體，而將歷史分爲「絕對的歷史」、「哲學的歷史」、「知識的歷史」，而其中尤以知識的歷史爲基礎，爲主要。

所謂「絕對歷史」係可指絕對眞實、整全的過去，亦即「歷史的本體」，此一層次的的歷史，實非人所能完全理解，亦無人爲研究之道可企及，係非人類所能知曉者；能知曉者惟其自身及上帝。然而歷史自身不會說話，人無法透過「絕對的歷史」以知曉之，惟上帝知曉，因上帝乃全知全能者，依此定當知曉。故「絕對的歷史」非人類所能確知，亦不必、不能成爲認知、研究之對象。

---

❾ 同❼。

❿ 參見王樾，《歷史發展中的天人關係——對王船山史論中理勢關係之省思》載《淡江人文社會學刊》，第十三期，頁三十七~八。

而「知識的歷史」，亦即「歷史的認識」，則為人認識歷史的基礎，是了解過去最主要的憑據。歷史的研究中以「知識的歷史」最多，也最主要。何謂「歷史」？通常一般人提此一問題，通常被認定為「知識的歷史」。什麼是「歷史（知識的歷史）」呢？歷來史學家的定義極多，各有優劣，但整體而言，有一核心或共通性的概念，那就是所謂「歷史」是史學家依據所該能蒐集到的史料，經史料的「外部批評」「內部批評」（考證其真偽），作一去偽存真的考據後，以為證據，再依此證據，將過去作一有系統的、合理的重建。簡要的說，所謂「知識的歷史」，是透過上述程序，是「一種人為的、有系統的、重建的過去」。證據雖經批評、考訂，即便去偽存真，然而所存之真必與原貌不同且少於原貌，過去以逝，無法如自然科學實驗透過「還原、分解」、「分解、還原」的雙向合、解來觀察、檢驗，又必須重建，於是所謂有『系統的重建』，只是依賴在證據的基礎上依史學家合理的系統化建構能力（邏輯與經驗事實外亦包含創造性但又必須近理的劇情想像力）來加以重建過去。而過去是一整體，林林總總，何者宜優先重建？既不可能全部重建，故史家隨時在，也面臨必須要依其價值意識作選擇。因此，所謂『知識的歷史』是一種人為建構、有系統的重建過去的知識。是一種基於證據的、有系統的、合理的（近理）人為的詮釋。就認知上來看，人其實就是透過「知識的歷史」去認識過去的，是透過歷史著作（history writings）去認識歷史的。此一「知識的歷史」不可能與真實的過去全等，不可能掌握所謂的「真相」或「真實」，它的極限是「高度的近真性」，而非「必然的真實性」。它是人為致知後的結果，是一種知識，固然有其價值，但它是有限度的，更何況它係經過某種人為的、人的價值意識的選擇，才被選擇重建的。簡言之，

「知識的歷史」是一種人爲的建構物（一套人爲建構的觀念，而奠基在經驗事實和邏輯上），人固然可藉它認識過去，但仍有其命定的限制。換言之，人雖能藉「知識的歷史」某種程度的認識歷史，但人仍無法深切地對整體歷史的發展、流變有所了解、有所體會，也不易對歷史整體發展的意義、精神有所體悟或領會或被感召。因此，在「知識的歷史」之基礎上，「哲學的歷史」就有其必要性了。亦即人實應對歷史作一哲學的省思以明歷史之精神與意義。亦即人有其必要在「知識的歷史」的基礎上，突破經驗事實及邏輯所不能企及的精神之體悟，於是對歷史展開一哲學的探究，去探究歷史整體的發展、流變、歷史規律乃至於精神的體悟與實踐，這就是「歷史哲學」的層次了。

「歷史哲學所著眼的不是歷史過程中具體的個別細節，而是超越這種具體性和個別性，將人類歷史作爲一個整體，採取一種批判的思維，採尋出人類歷史發展的一致性及其制約這種一致性的規律。」⓫如果將整體人類的歷史比喻爲一場戲，「歷史哲學家的責任是用自己特有的哲學洞悉力，超越具體情節的約束，去揭示出這場戲劇的眞實意義。」⓬這種對歷史作哲學思考的歷史哲學，被稱爲思辯的（Speculative）歷史哲學，它雖與歷史相關，但不屬於歷史學的研究範圍，確切地說，應屬於哲學研究的範圍。它是超歷史的，「思辯的歷史哲學家……企圖通過把握它（歷史）的整體來揭示人類文明演化的……普遍意義的眞理，具體的歷史事實在它這裡只是一種證明自己理論體系的……例證。」⓭「……歷史哲學家只是把歷史事實看作構

⓫ 同❹，頁七。
⓬ 同⓫。
⓭ 同❹，頁九。

築其哲學理論的素材。他們的歷史理論本質上是先驗的而非經驗的，他們的理論並不是為了證實或解釋歷史事實，而是對整個客觀歷史進程的一般哲學思考，是超歷史的哲學理論體系。……是後設歷史學（metahistory）是哲學發展到一定階段的產物。」⓮其哲學體系的構成，在觀念結構上通常包括歷史的目的、歷史的價值、歷史的模式，以及三者之間的互動聯繫⓯。而其哲學特徵為何？則是大多數歷史目的論哲學，「都賦予歷史發展進程以某種最終目的，通過歷史整體進程以達到某種最高境界。」⓰而這些目的或來自上帝的旨意，或是萬物存在的本源的「絕對理性」或「絕對精神」……，歷史的發展過程必然趨向於此一目的，「通過整個歷史過程以實現歷史的最終目的。整個歷史過程、歷史人物的活動和歷史事件都是為了實現歷史的最終目的而作準備，因而具備了必要性；同樣，因為它們符合了歷史的最終目的，是註定要發生的，因而具備了必然性。」⓱同時，因其必然邁向最終目的的實現，因此，人類歷史的發展過程必然是一「合目的性」的發展⓲，亦即必應「按一定模式展開……有其內在的運動機制⓳，換言之，有其一定的規律（明確的模式）。」

在西方思辯的歷史哲學的論著亦不少，在西方的史學傳統中，以

⓮ 同⓭。

⓯ 同⓭。

⓰ 同⓭。

⓱ 同❹，頁十六。

⓲ 參見王連喜，《黑格爾歷史哲學》，廣東人民出版社，一九九八年一月，初版，頁四十五。

⓳ 同❹，頁十六。

基督教歷史哲學爲例，因有上帝可依靠，歷史發展中的應然與實然，縱有極大落差，縱有任何幽暗陰沉，縱有極度不可靠、不合理，亦可以全知全能的上帝（無論是宗教上的上帝或是哲學上的上帝）依靠，取得應然、實然的統一——必然的規律。

茲舉二例作一明，說明上帝在「哲學的歷史」中的重要性。

先以聖奧古斯丁（St · Augustine ，354~430A.D）爲例[20]。他在「上帝之城」（City of God）中顯示出在人類的歷史發展中上帝係一終極的依靠，歷史的發展都由上帝所決定。他的理想是在另一個世界，他看出世界上有兩種不同的人，兩種不同的社會。他採聖經「兩個城市」之說，及耶路撒冷爲「天堂之城」，巴比倫爲「地獄之城」，等到人類末日最後審判，一半的人要進天堂，一半的人要進地獄。

儘管世界上存在有許多不同的民族、禮俗、風尚、語言、服飾、武備……，但歸納起來，只有兩種人：一類，希望生活在肉慾之中，另一類希望生活在性靈裡；世上亦只有兩種愛：一種爲污穢的愛，一種爲神聖的愛；前者爲自己的私利著想，後者爲社會福利者；前者總與上帝作對，而神聖的愛永遠服從上帝的指示，是天使般的寬恕。上帝創造這兩種人，直到最後審判到臨，再將他們隔離，神聖之城將由神聖之人居住，污穢之城將由污穢之人居住。

歷史的興衰，都是由上帝安排的歷史過程，爲最後區分作準備而已。歷史是一所學校，上帝是這所學校的老師，基督教是這所學校的教材。歷史不被時間必然的限制，時間乃是上帝心意的逐漸啓示。時

---

[20] 參見蔡石山，《西洋史學史》，國立編譯館，台北，一九七五年九月初版，頁六十一～二。

間、空間、物與形都是上帝賜給人類的機會和禮物。歷史的重心不在過去，不在現在，而是在人類的未來。一切爲最後的審判預作準備。

再以黑格爾（Georg W.f.Hegel 1770~1831）爲例㉑，黑格爾被認爲是西洋史中最後一位基督歷史哲學家。黑格爾認爲，世界是精神的體現。這個就是眞實神意的表達與上帝存在的理由。只有本此體認才能溝通精神與世界歷史。如是者，凡是已經發生過的，跟每天正在發生的，不但不能沒有上帝存在於其間，而且主要都是上帝的功能使然。

歷史是精神的表現與發展，發展的過程，精神的體現不是沒有阻撓的，亦非和平的，歷史的發展需要不斷的奮鬥（Strif）。所謂的人類的歷史，根本就是偉大的鬥爭，人生亦是一連串的奮鬥。在此歷史發展的過程中，「精神」一再地奮鬥不休，一再地接受薰陶、教育，終於成爲具體事實，人類對自由終於有了體認。「理性」（Reason，非啓蒙文人所指之理性，非指悟性 understanding）是歷史過程的原動力。他認爲一個民族，乃至於一切人，都不知道他們眞正要走的道路。他們只是歷史上的「行動」，他們的「行動」只是這個「世界精神」的具體表現而已，他們是這個「世界精神」的代理人。當民族或個人行動發生歷史的變動期時，就是預報著「世界精神」更形發揮、更加榮耀，使此精神更能爲人類所體認，產生更新的效果。

雖然人總常爲自己的私利、私慾而有不作爲，但上帝卻同時予人類一種 Cuuning of Reason（詭譎奧秘難言傳的理性）來支配他的代理人。在此支配之下，任何民族或個人都無法使歷史要發生或不發生。任何人，即使是英雄豪傑都得依循「世界精神」的計畫，爲發揚、體現這

㉑ 同⑳，頁一六五～一六九。

個精神而行動。如若欲違背，則必將被 Cuuning of Reason 所壓倒，Cuuning of Reason 是上帝理性的表達。

以上兩例，我雖不完全認同其主張、見解，本人亦非信仰上帝之基督徒，但對聖奧古斯丁、對黑格爾二人或亦對上帝的虔信忠實（Faith）、或願受且必受上帝的引導（Cuuning of Reason）來建構其「哲學的歷史」以揭示出人類歷史的發展將必克服種種的幽暗起伏而達成光明的大願力和虔誠的信念，在情感是深深感動的。但若加以理智的思考則卻實難「虔誠」、「信服」地完全接受。

我並不否認思辯的歷史哲學或有一定程度的價值，也不刻意忽略仍有一些人願意「服膺」或相信它的事實，但是他確實裸露出「過分強調理性、整體、邏輯的必然性、目的、上帝等，而忽視人類的熱情—活動、個體、特殊、偶然多樣性、手段、詩性……的弊端」㉒，而「以泛邏輯的語言和神本主義形式表達了宿命論的決定論……。」㉓如是，它對人類社會的作用僅限於一種純學術的思辯或見解，那麼它僅是一種可討論的學術意見，不對人造成必然的強制性，但若結合了某種政治上的意識形態和政治權利，那麼它造成的不合理強制性與專斷性實令人憂慮而不安。例如，克羅齊（Croce・B）就從「一切歷史都是當代史」的觀點出發，認爲「哲學是不能按照黑格爾把一種哲學的歷史學強加在通常歷史學頭上的公式來干預歷史學的」㉔，「全部

㉒ 同⑱，頁二三六~七。

㉓ 同⑱，頁二三七。

㉔ 見何兆武、張文杰譯，《歷史的觀念》，北京，商務印書館，一九九七年一月初版，頁二八五。（原書 Collingwood，R.G. 1962，The idea of history，Great Britain：D.R.Hillman ＆ Son Ltd）。

的歷史（按：那是人所無法確切認識的），……都是一團漆黑。」㉕「……歷史像詩一樣，像道德意識一樣，沒有規律。」㉖「如果脫離了當代人的思想選擇或對歷史的主觀興趣，就無所謂歷史。」又如科靈烏也指出：「社會歷史領域並不存在什麼客觀的歷史規律，倘若存在歷史的進步及其規律，也無非是人類活動本身的別名。」㉗

作爲歷史發展基礎的意識、思想、主觀選擇的創造性和發展是沒有規律的。「而任意肢解歷史，割斷歷史的過程，給它加上一個虛假的重點，並且歪曲了它的普遍意義，（是）……教條主義的形而上學，……眞正的歷史哲學應當放棄這種不切實際的幻想」㉘。他用反諷的方式譏嘲種種不切實際的幻想「企圖知道我們無法知道的事務，乃是產生錯覺的一種可靠方式。」㉙這種「錯覺」的結果，即是拙劣的史學，又是拙劣的哲學。此外，又如近代反歷史決定論最力的卡爾·波普爾（Carl·Popper）也強烈否定歷史的發展有不依靠人意志爲轉移的客觀規律；他否認預言歷史事件的可能性，否認歷史有它自身的意義與意志，認爲歷史的意義或價值是主體（人）所賦予的㉚。在他看來，「儘管歷史發展有一定的趨勢，但並沒有嚴格意義上的規律，儘管特定的條件下我們可以作局部的社會預測，但從邏輯上來看，眞正的意義上的社會預測是不可能的。他作了以下的論證：「一.人類歷史

㉕ 同⑱，頁二四二。
㉖ 同㉕。
㉗ 同㉔，參見頁四四四。
㉘ 同④，頁一五三。
㉙ 同㉔，頁四四八。
㉚ 同㉔，頁二四八。

的行程受著人類知識的強烈影響。二.我們不能用合理的或科學的方法來預告我們的科學知識的未來成長。三.因此，我們不能預告人類歷史的未來行程。四.這就意味著，我們必須摒棄立論歷史學（指思辯的歷史哲學）的可能性；也就是說，……不可能有歷史發展的任何理論可以構成歷史預告的基礎。五.歷史主議（歷史命定主義）的方法的基本目的，因此就是錯誤的構想，於是歷史（命定）主義也就崩潰了。」㉛在上述「對反思的反思」之下，批判與分析的歷史哲學興起了，把眼光從歷史本體轉移到人對歷史的認識上來，不同於以往以歷史本體作爲研究對象，而是以歷史認識作爲對象。於是歷史認識論成爲主題，亦即「歷史知識如何是可能的？」圍繞這個命題展開了一系列的探究……。

四、試就章氏歷史思想與批判的歷史哲學作一比較分析

現依本文一、二節所述之理由，試就章氏的歷史思想與西方批判的歷史哲學相契會的部分作一對比的分析。首先就章氏的「史學致知」、「史之爲史」與批判歷史哲學的「歷史認識論」、「歷史自律」作一比較分析。

如眾所週知，就中國學術史來看，章學誠生長在乾嘉史學的時代。乾嘉史學的史學成就和學術價值當然有一定的意義與貢獻，但就整體看來，其學術上的特徵係以史料學或歷史考據學爲主流，其成就

㉛ 同❹，頁一七三。

亦受其方法所限而有一定限制，章氏對考據、校讎功夫亦有相當的研究，亦深知其重要性，但他對史學的認識卻超過了史料學或歷史考據學的高度。換言之，他站在乾嘉史學的基礎上，更進一步反思、批判，對史學作了更具高度的研究。

章學誠首先將「史學」與「史纂」、「史考」加以區分，認為史纂、史考皆非史學。這是他對乾嘉史學缺失所在極具關鍵性的批評，也是他對史學致知、史之為史作反思的基點。他指出：「整輯排比，謂之史纂；參互搜討，謂之史考；皆非史學。」㉜他又說：「……記誦家精考核，其於史學，似乎有所小補，而循流望源，不知大體。」㉝

對照於西方的歷史哲學家克羅齊，他亦有相通的看法。他認為：「歷史學的題材並不是過去本身，而是我們對它的掌握著歷史證據的那種過去。……過去遺留下來了它自己的遺跡，……我們保留這些遺跡，希望將來它們可以變成它們現在還不是的那種東西，即歷史的證據。……為了它們將來會變成歷史資料而保存起來這些遺跡的工作，乃是（一般）純學者、檔案學家和古物學家的工作（非史學家的工作）。正像古物學家在它的博物館裡保存著各種工具和罐子而並不必然根據它來重建歷史；正（也）像檔案學家也以同樣的方式在保存公共文獻，同樣地純學者們就在編纂、校訂和重印古代哲學的本文而不並不必然理解它們所表達的哲學史，因此也就不能夠重建這些哲學史。」㉞

㉜ 見章學誠，《文史通義》，內篇二，「浙東學術」，章氏註。華世出版社，一九八〇年九月，初版。（新編本，含《方志略例》，《校讎通義》、頁五十四。）

㉝ 見《文史通義》，內篇四．「申鄭」，頁一三五。

㉞ 同㉔，頁二八七~八。

克羅齊認爲將歷史學視爲「接受並保留證詞」是一種誤解㉟，若眞如此，史學家的工作就只在於抄錄，翻譯與編輯……，雖然這類工作是有用的，但它不是歷史學；因爲「歷史學遠非依賴於證詞，證詞只不過是編年（亦指遺跡）而已。就人們在談論權威或接受各種陳述……，它們都是在談編年（遺跡）而不是在談歷史。歷史以兩種東西綜合爲基礎，這兩種東西指存在於那種綜合中—即證據和解釋。證據只有他作爲證據來使用，換言之，根據批判的原則來解釋時，才是證據。」㊱因此，若只是保留遺跡，抄錄整理、編輯，並不是歷史學，是因爲「這裡在人們自己的心靈中並沒有批判，並沒有解釋，並沒有復活過去的經歷。」㊲簡言之，只是保留過去的遺跡，而並未重建過去，因而不能成爲史學。

又如另一重要的批判歷史哲學家科靈烏則將排比過去的現成史料，再綴以幾句史家本人的詮釋稱之爲「剪刀漿糊歷史學」或「剪貼史學」。他批評這種「剪貼史學」「全靠引證權威，事實上，這根本就不是史學。在剪貼史學家看來，彷彿史學家的任務只在於引述各家權威對某個歷史問題都曾說過些什麼話，......換句話說剪貼史學對它的題目的全部知識都要依賴前人的現成論述，而他所能找到的這類論述的文獻就叫做史料。」㊳

但「眞正的史學法非以剪貼爲能事。……眞正的史學必須就是史

㉟　同㉞。

㊱　同㉔，頁二八七。

㊲　同㊱。

㊳　同㉔，見何兆武、張文杰撰，《譯序—評柯林武得的史學理論》，頁二十五。

學家心目中所提出的具體問題，根據證據來進行論證。」[39]換言之，史料學以及史料的排列組合並不等於是史學；史料與史學不等值，史料學與史學亦不等值。若無通過「證據與解釋的綜合」、「在心中復活過去的經驗」並加以重建過去，實不足以稱之為史學。上述種種見解，都印證了章學誠「史纂」、「史考」非「史學」，若僅「精考核，雖有小補，但『循流忘本，不知大體』」，亦不足以作為史學的論斷。

既然章學誠指出上述區分—史纂、史考非史學，若僅精於考核不知大體亦不足以言史學，那麼什麼才算是眞正的史學呢？對此，章學誠進一步指出下列要點：

一、史有書法，當如孔子春秋之書法：「……夫子敘而述之，取其疏通知遠，足以垂教矣。」[40]然而此一「疏通知遠」於史家於主觀方面應有所警惕，於客觀方面與史料之間的互動亦應自覺地「受嚴格的科學方法的限制，……（避免）走上曲解史實以勉強求通的路……。」[41]亦即必須「疏通知遠而不誣」（不失之誣妄），是「深於書者也」。

二、歷史的意義在於能「綱紀天人，推明大道」[42]以「通古今之變，成一家之言」；然而不能「空言著述」，而宜「切合人事」，歸之於「經世」。他說：「三代學術知有史而不知經，切人事也。後世貴經術，以其即三代之史耳！」「史學所以經世，故非空言著述也。且如六經同出於孔子，先儒以為其

[39] 同[38]，頁二十六。

[40] 見《文史通義》，內篇一，「書教上」，頁七。

[41] 同[1]，頁一七九。

[42] 見《文史通義》，內篇四，「答客問上」，頁一三八。

功莫大於春秋，正以切合當時之人事耳！後之言著述者舍今而求古，舍人事而言性天，則吾不得而知之矣！學者不知斯義，不足以言史學也。」㊸

三、史家當深體史之「義」，「……取遺文故冊，運以別識心裁」㊹，「兼以審慎『闕疑』以發爲『撰述』，承通史家風，成一家之言。」

在他看來，史家不應以史纂、史考自限，也不應被自限於絕對客觀、科學的迷思中，史家當深明史義，「載筆之士，有志春秋之業，固將惟義之求，其事與文所以藉以存義之資也。」㊺故「非識無以斷其義」，……能具史識者必知史德。德者何？爲著書者之心術也。㊻此一「史德」並非就歷史之事實的眞僞問題而發，而是站在中國傳統史學的倫理層面上說的㊼，這點與西方批判的歷史哲學的歷史認識論有所不同。但是，在如何取材、取証（取遺文故冊），如何進行「證據與解釋」的綜合（運以別識心裁），兼以審慎「闕疑」，如何達成歷史認識，揭示其意義（發爲「撰述」，「欲其圓而神」，以鑑往知來，使「往事不忘」，啓發「來者之與」……）這些方面，都是「史學致知」的關鍵所在！質言之，先暫將「史德」牽涉倫理層面的問題不論（按：擬日後另撰一文再談），先就史學如何致知的問題來看，依「章氏的看法，史學能否成爲一種專門的學問，要視撰史者（史家）是否於事與文之外尚能

㊸ 見《文史通義》，內篇二，「浙東學術」，頁五十四。

㊹ 見《文史通義》，內篇四，「申鄭」，頁一三五。

㊺ 見《文史通義》，內篇四，「言公」上，頁一〇七。

㊻ 同㊺，頁一〇七。

㊼ 同❶，頁一八七。

得史義而定。這種『義』，就史家本身而言，就是要具備一種特殊的心靈能力一章氏常說的『別識心裁』。」而此一「別識心裁」必須適切運用，一方面超乎於實証之上，又須受到證據的適當制約，史學致知才能合理、有效驗的完成，否則不是不能成爲史學，就是「必多失平」。這就是他所說的：「史無別識心裁便如文案孔目；苟具別識心裁，不以闕疑以存其補救（按：係指史家與史料之間，證據與解釋之間適當的內在聯繫及適當的相互制約），則非素王筆削，必多失平。」㊽

關於上述見解與論點，我們也可從它與西方批判的歷史哲學對比的分析中，指出深深的契會所在，而證明其歷史思想的精彩。

對照於西方批判的歷史哲學來看，如前文所述，史料非史學，史料學亦非史學，歷史知識須賴史家透過證據與解釋的綜合才能進行。然而，歷史研究的對象是「已逝的過去，歷史學家必然要與一個自己並不生活於期間的世界打交道。」㊾過去只有「一次性」，不可能百分之百的再現，史家研究已逝去的過去，不可能像自然科學家研究自然現象可以反覆地、直接地觀察並進行檢証。基於此，科靈烏對自然科學與史學在認識論與方法論的層面上，他從三方面作了區分：「第一、從兩者研究的對象上來看，科學思維是一種抽象的思維，其對象具普遍的性質，它並不特指某個眞實存在的事實，而是一種抽象的形式……，由此，它的判斷也是一種假設的判斷，當它說『如果A，則B』時，現實中有沒有A並不重要；而歷史的判斷是對眞實、獨特的事實的判斷，它是不允許假設的。第二、兩者的性質不同。科學知識

㊽ 《方志略例》～〈永清縣志闕訪列傳序例〉，頁四五八（華世版新編本）。
㊾ 同㉔，頁一六九。

是一個抽象的共相世界，其結論通常可以適用於所有的時空條件；而歷史知識則是具體的，它受到具體的時間和空間的制約，因而其結論也只能適用於某個特定的時空範圍中。第三、……兩者所使用的方法也不同。……自然科學研究的對象是直接呈現在研究者的知覺前面，而研究者可以對它進行直接的推理；而歷史學研究的是已逝去的過去，……他只能通過對被看作是證據的文獻的解釋來進行；也就是說他必須依賴『史料』這個中介物對歷史世界進行間接的推理。從通過推理來解答問題這個意義上講，歷史也是一種科學，但他是依靠間接推理進行解釋的特殊科學。」㊿

由於自然科學的對象是直接呈現在研究者的「知覺」面前，亦可對它進行直接推理，而推理的標準（依據）又以適用於所有時空條件抽象的律（Law）來作標準，因此，自然科學的眞理，是發現「律」，而加以「說明」的；和歷史學是要透過「證據」的中介，批判與解釋的「理解」是不同的。迪爾泰（Wilhelelm Dilthey）就曾因此而留下哲學史上的一段名言。他說「『說明』（Erklarung）就是透過觀察和實驗把個別事例歸入一般規律之下，即自然科學通用的因果解釋方法；而『理解』（Verstehen）則是通過自身內在的體驗去進入他人內在的生命，從而進入人類精神世界。自然科學是說明自然的事實，而精神科學則理解生命和生命的表現。」[51]

科靈烏亦有類似的看法，他認爲「知覺」並不是理解，「歷史知

㊿ 同㉔，頁一六七～八。

[51] 見洪漢鼎，《詮釋學—他的歷史和當代發展》，北京，人民出版社，二〇〇一年九月初版，頁一〇五。

識……不是知覺，它乃是對於事件內部的思想剖析。」[52]「科學眞理的發現主要是通過外部觀察和實驗的方法來進行；而歷史的過程是由人的行動構成的，行動後面必然有行動者的思想動機，……歷史學家在做科學家不需要做而且也不可能做到的事！……對歷史家來說，所要發現的對象，並不是單純的事件（而已），而是其中所表現的思想，發現了這種思想也就已經是理解它了。」[53]也就是說，史家必須通過內部洞悉先和透視的方法，去理解構成行爲背後的思想。

基於上述可知，「自然科學研究的方法是靠觀察和實驗，但對過去的歷史事件卻不能進行觀察與實驗，而只能靠『推論』來加以研究。」[54]而歷史的過程是由人的行動構成的，行動背後有其思想、動機，而「人的心靈是由思想構成的」，因此，歷史事件則是人們思想所表現出來的行動，因此，只有了解歷史事實背後的思想，才算是眞正了解了歷史；在這種意義上，歷史就是思想史，「一切歷史都是思想史」。[55]而「歷史研究的對象，確切地說來，不外是人類思想活動的歷史而已」。[56]

由是觀之，歷史研究的方法由其特殊性，實非自然科學的方法或實証主義所能規約；質言之，不僅不能規約，若用其方法到史學研究上更是不足的—不足以有效達成歷史的認識。

史學不像自然科學，自然科學在研究方法上是「主客二分的格

---

[52] 同[38]，頁十一。

[53] 同[24]，頁一六八。

[54] 同[24]，頁一二七。

[55] 同[38]，頁二十七。

[56] 同[38]，頁二十八。

局」，所觀察的對象是客觀的自然現象，而史學在研究的方法上具有「客主的同一性」，而且是過去的人的行爲及其背後的思想，是人研究人，是人研究人並加上研究者透過批判與解釋的「心靈重演」而進行的，它不是研究自然現象並從而發現規律，而是人理解人類的自身並揭示其意義。[57]「每一樁自然界的事件都沒有目的，但每一歷史事件都是由人來完成的，而每個人作任何一件事都是有目的的。……每一歷史事實都包括著主觀的目的，把這主觀的目的置之於不顧，那將是最大的不客觀，排斥主觀於歷史之外的人事實上是最不客觀的。……這並不是說應該把自己的主觀強加在客觀之上，而是說必須承認主觀本身乃是一種客觀的存在，只有承認這一點，才是……眞正的史學。」[58]故「要做到重建（過去），就非有特殊的（有別於自然科學的）的史學思想方法不爲功」[59]。因此，章學誠強調的「別識心裁」與柯靈烏所強調的「心靈重演」（re-enact），不僅不是違反自然科學、實證主義的錯誤，反而是企圖建立眞正的科學的史學的必須的、必要的方法。

科靈烏指出：「歷史家先以某些權威著作爲根據，這些權威告訴他這個或那個歷史過程中的某一階段，但在此過程中尚有許多其他中間階段而爲這些權威所略而不論者；歷史家就得自己把這些階段添增上去。因之，他對他的研究主題所描繪的全景，其中雖有部分陳述係直接採自以往的權威，但還有一部分陳述則是他自己的標準、方法和價值系統而推論得之；而且歷史學家史才愈高則其後一部分在全景中

---

[57] 同[24]，頁三九一。

[58] 同[38]，頁二十六。

[59] 同[58]。

所佔的份量也愈多。」[60]「思想史以及一切歷史著作都是史家在自己頭腦（心）中對以往的思想加以重演的結果。」[61]「史學家這種重演前人的思想，並不是，也不能是簡單的重複，其中必然包含著他自己的思想在內。……史家對外界的知識和他對自己的知識，這兩者並不是互相對立或排斥和不相容的；他對外界的知識也是他對自己的知識。在重行思想前人的思想時，是他本人親自在思想它們的，前人的思想也就被囊縮在它的思想中，所以他本人就是……他所知道的全部歷史（他所正研究的問題的過去）的一個濃縮的世界；於是過去之所以可知，正因為他已經被囊縮於現在之中，現在之中就包含有過去。……即過去和現今乃是一連串內在相關的，……儘管他們並不相同，但並不分別獨立，而是一個包羅在另一個之中（亦即）過去的一切都活在史學家的心靈之中」。[62]也就是說，「這一重演只有在史家使問題賦有他本人心靈全部的能力和全部的知識時，才告完成。它並不是消極的委身於別人心靈的魅力；它是一項積極的，……批判思維的工作，他之重演它，乃是在他自己的知識結構中進行的，因而重演它就是批判它並形成自己對它價值判斷。」[63]

上述所謂「積極的、批判思維的重演」，「在自己的知識結構中進行重演、批判」，也正好說明了歷史著述中「敘述體系」或「結構」的來源。質言之，誠如蓋利（W.Gallie）所言：「歷史事件本身沒有形態，（史料）也不構成一種能被連貫敘述的結構。歷史敘述的故事框

---

[60] 同[1]，頁一九〇。

[61] 同[60]。

[62] 同[4]，頁三十一。

[63] 同[4]，頁二十九。

架是歷史家給予的」[64]。又如沃爾什（Walsh.W）所言：「（史家）通過尋找並運用一些範疇概念，使所研究的歷史事件概念化，從而使這些事件得到說明。歷史家也通過把這些事件至於經由這些概念所構築的關於那個特定歷史時期歷史發展的敘述框架中使其變的可被理解。」[65]又如奧拉夫森（Frederick A.Olafson）所言：「歷史敘述的體系……源於（史家）對這些（歷史事件）聯繫性的分析和重構的結果[66]。總之，『作爲過去經驗重演的歷史學』是史家透過證據和解釋在心中重演而重建的。換言之，歷史知識是被史家透過特殊的心靈重演所構造出來的。」科靈烏認爲這種有別於自然科學的歷史認識論（獨特而有效的致知論）確立了歷史乃是一種自律的科學，它使我們看透歷史學的本性並發現：一、歷史思想是不受自然科學統治的，並且是一種自律的科學。二、理性的行爲不受自然科學的統治，並且依據他自己的命令以他自己的方式在建築他自己有關人類事務（Res Gestae）的世界。三、（上述）這兩個命題之間有一種密切的聯繫。」[67]換言之，透過上述歷史認識論的建立，「歷史學終於擺脫了對自然科學的學徒狀態」，也擺脫了不當的玄學或哲學理論的籠罩，爲自己建立了獨立自主的地位—「歷史就是歷史！」「歷史有其自己的方法和目的，有其自己的含義和作用。」[68]「歷史不是藝術、科學或文學，而是一門獨特的學科。

---

[64] 見何平，〈何謂歷史解釋－分析歷史哲學觀點述評〉。「淡江講座」演講紀錄，二〇〇一年五月十四日，於淡江大學歷史系。

[65] 同[64]。

[66] 同[64]。

[67] 同[24]，頁四三七。

[68] 同[66]，頁一九七。

它是知識的一門分支，它有自己的特徵和方法。」[69]

如我在前文（第一節部份）所述，就章學誠及西方批判的歷史哲學而言，史學致知（亦即歷史認識論）是最核心的問題，若此一問題獲致確當的解決，歷史自律（史學是一門獨立的學科）自然即可依它而証成。在析論西方批判的歷史哲學的歷史認識論與歷史自律後，我們反觀章學誠的「史纂」、「史考非史學，史家當深體史『義』，」「取遺文故冊，運以別識心裁」，同時間以審慎地「闕疑」以發爲「撰述」，「承通史知家風，成一家之言」，以「綱紀天人，推明大道」的歷史思想時，誠如余英時先生所指出的，章實齋和柯靈烏兩人在歷史觀念上如此地不謀而合，自然不是全出於偶然的。這正象徵著中、西史學思想發展過程中有大體相似之處，[70]我認爲甚或是說有一種共通性的對史學的要求—都採承繼史學傳統，分析批判當代史學思潮，進而要建立有效的史學致知論，達到史學自立（autonomy of history）亦即歷史自律的要求；在不同的歷史處境與思想流派中，章氏是對中國史學發展到乾嘉史學考據主義的批判與反省以及中國學術傳統「重經輕史」的商榷；而西方批判歷史哲學則是要將史學從十九世紀自然科學或實證主義的不當歧視以及思辨式歷史哲學那種武斷的籠罩、不當的入侵歷史提出批評與反思。二者致力於史學致知或歷史認識論的目的，不僅是要求建立歷史研究的方法論上的合法依據，並透露出強烈的史學自主（歷史自律）的要求，而有效的史學致知與有力的建立歷史自主是一體兩面，互爲保證的。關於此，我認爲這裡在分析上是分別就中、

---

[69] 同[68]。

[70] 同[1]，參見頁二〇一。

西史學來評比析論，但在人類面對歷史以及「歷史學之所以爲歷史學」的角度來看，則是不分中西的，而是人類面對歷史的共通性的一種必然的契合，否則，歷史將不是一門自律的科學（按：我的意思是中、西史學研究，固然有因題材不同而導致歷史、文化、傳統等內容上的差異，但不論中國的歷史研究或西方的歷史研究，在歷史的本質上以及在如何有效、合理的研究方法上，即如何致知上，應是一致的。也唯有如此，歷史認識論才足以是歷史認識論；歷史自律才足以是歷史自律。換言之，歷史認識論的有效性以及歷史自律的獨立性是一致的，是不分古今中外的；在這一點上，都要服膺「歷史就是歷史」，「依據它自己的命令和它自己的方式去建築它自己有關人類的事物。」）從這一點看，章氏的「史學致知」與「史之爲史」的歷史思想，不僅是中國史學中的異彩，也同時是人類歷史中的重要貢獻—他在傳統中國歷史之中是具有世界性意義的史學家或學者之一。

最後，我們簡要的來就歷史之道（或歷史的價值）來比較章學誠與西方批判歷史哲學家的看法。如前所述，由於批判的歷史哲學是反對一切目的論的歷史哲學，亦即反對一切的歷史決定論，因此，反對（否認）歷史本身含有一個終極的（根本的）目的，依此目的展開一連串必然的歷史過程來達到此一目的；或依此目的規定了必然的歷史規律推動了歷史進程；因此，批判的歷史哲學家不從目的論的角度看歷史的價值，而係從人的角度看歷史對人有什麼功用。從這一點來看，批判的歷史哲學家並非將歷史的價值視爲一種高於人之上，或獨立於人之外的對人展開必然規定的崇高、神聖的東西，但仍肯定歷史對我們的價值與意義—不過，深值注意的是，他們認爲歷史既爲人所創造，那麼歷史的價值與意義也應當由人來賦予，來揭示。因此都承認歷史對人有人類自我啓示的功能。茲以科靈烏爲例。他認爲「歷史學是爲了

『人類的自我認識』。……人類至關重要的就是，他應該認識他自己，……而且……要認識他之作爲人的本性。……首先，認識成其爲一個人的是什麼；第二、認識成爲你那種人的是什麼；第三、認識你成爲這個人而不是別的人是什麼。……因而歷史學的價值就在於它告訴我們人已經做過了什麼，因此就告訴我們人是什麼。」(71)

很明顯的，科靈烏是以人爲歷史的中心的（或歷史學是以人爲中心的），人的歷史的過程中成其自己，並認識自己。這是具有人文精神的歷史觀，但我認爲它遠遠不及章學誠。章學誠的歷史之道，承繼了自孔子、司馬遷以來偉大的人文精神的傳統，司馬遷「究天人之際，通古今之變，成一家之言」是中國史學傳統中共通的理想，章學誠也繼承了這個理想，他認爲歷史的價值就在於「綱紀天人，推明大道」，我們很明顯的從字面上、觀念上都能看出這是與孔子、司馬遷……的歷史精神一貫相承的。但在相承的同時，章學誠對他所謂的「綱紀天人，推明大道」的「道」亦有他特別的用心和見解─除了關切歷史之道之外，並盼能藉此歷史之道箴砭經學家論道空疏之弊。錢穆先生就指出：「實齋（章學誠）著述最大者，爲文史、校讎兩通義，近代治實齋之學者，亦率以文史家目之。然實齋著通義，實爲箴砭當時經學而發此意……。」(72)我認爲章學誠除了確爲一偉大的史學家、歷史哲學家之外，也正如錢先生所言，他除了對史學有傑出貢獻之外，也確有藉歷史之道的闡發來修訂經學家空疏的用心。他在論「浙東學術」中

(71) 同㉔，頁三十八。

(72) 見錢穆，《中國近三百年學術史》上冊，台灣商務印書館發行，一九九〇年十月十版，頁三八〇～一。

特別強調說：

> 「天人性命之學，不可以空講也。故司馬遷本董氏天人性命之說而爲經世之書。儒者欲尊德性，而以空言義理以爲功，此宋學之所以見譏於大雅也。夫子曰：『我欲托之空言，不如見諸行事之深切著明也。』此春秋之所以經世也。聖如孔子，言爲天鐸，猶且不以空言制勝，況他人乎！故善言天人性命，未有不切於人者。三代學術，知有史不知有經，切人事也。後人貴經術，以其即三代之史耳；近儒談經，似於人事之外別有所謂義理矣。浙東之學，言性命者必究於史，此所以卓也。」[73]

在此我們暫不論浙東、浙西學術的分判是否得當，在本文中上述引文的中重點在於「天人性命之學，不可以空講」，「托之空言……不如見諸行事之深切著明」，「……善言天人性命，未有不切於人事者」，而欲切人事，則言天人性命必究於史！換言之，史不但切人事，也是究天道性命最可靠的依據（憑藉），捨此，將無由上窺（推明或推究）天道。所以他緊接著說：「史學所以經世，故非空言著述也。……捨人事而言性天，則吾不得而知之矣。」[74]在「六經皆史」的論斷下，章學誠的看法當可被我們理解爲道不盡在六經，而在人類具體生活的一切「六經不足以盡道，文史不在道外」[75]；我認爲甚至可以這麼說，道不盡在六經，六經不足以盡道；但是道盡在歷史，人可究史而推明

---

[73] 見《文史通義》，內篇二，「浙東學術」，頁五十四。

[74] 同[73]，頁五十五。

[75] 參見余英時，《戴震與章學誠——清代中期思想研究》，台北華世出版社，一九八〇年，頁四十九。

大道。質言之，道不在歷史之外，道就在我們具體生活的歷史進程之中，只是有待人的推明，人的揭示。而人的歷史不僅僅是過去，亦是當下（現在），人亦應對此具體的生活、生命進程做不斷地推明與揭示。換言之，「道」不是超然於歷史進程之外的、固定化的永恆價值或高於歷史進程之上的某種崇高的、必然的主宰，而是它就在歷史之中，是在人類歷史進程中經由人的參與、創造、實踐、推明或揭示所呈現（或開顯）的價值與意義。章學誠所謂的「道」不是虛懸的道，他說：「……道者，非聖人智力之所能爲，皆其事勢自然，漸形漸著，不得已出之，故曰天也。」⑯而聖人體道、建制，均係因應歷史發展過程中人類社會的需要，皆時會使然，「故自古聖人，其聖雖同，而其所以聖，不必盡同，亦時會使然。」⑰可見，「他在重釋儒家所謂『道』時，也特別賦予了『道』以歷史的性格。」⑱我個人認爲他的「道」，是以史概經，經史交融的「歷史之道」一切人事，究歷史而層層上達於天人之際的「歷史之道」，而「道」的價值與意義正來自於人在歷史進程中的參與、創造、實踐與自我揭示，「道」不是憑空講的，也不是高懸於生命之外的，而是人在具體歷史活動中實踐而得到的智慧，換言之，「道」是經人體驗、實踐而來的，人既然與道有如此密切聯繫，就應該尊重自己對自己負責，也應該重視歷史對歷史負責；人不外於歷史，人也不外於道。於是人、歷史、道在具體的歷史進程中就交融爲一體……。簡言之，人的價值經由歷史而創造，而完成，

---

⑯ 見章學誠，《文史通義》，内篇二，「原道上」，頁三十五。

⑰ 同⑯，頁三十八。

⑱ 同❶，頁二〇三。

歷史的價值由人創造而賦予，而「道」則在人與歷史的動態的、延續性的、實踐的互動中，在不同的「時會」中而呈現。

由是觀之，章學誠的歷史之道它的意義的豐富與深刻與柯靈烏的歷史的「功用」來看歷史的價值比較起來，顯然前者明顯地優於後者。我認爲科氏從歷史對我們有什麼用的功能性的角度論歷史價值(或歷史是用來做什麼的—用來告訴我們已經做了什麼，因此就告訴我們人是什麼。)除了是反對思辯歷史哲學玄學式、武斷的歷史決定論之外，其實和英、美的哲學傳統有關，亦即他之所以以「功用」、「功能」的角度來論歷史的價值，顯然是受到在他背後的歷史文化傳統，尤其是哲學傳統經驗論、功利主義的影響；所以他的歷史觀固然以人爲主，具人文精神的特質，但畢竟有就「功用」決定「價值」的限制。而章氏的歷史之道的背後，承續了中國偉大的歷史傳統精神與人文化成的道德理想，因此，固然堅守了人文精神論歷史價值，更結合了中國傳統哲學中道德的理想主義與天人合一的宇宙人生觀；雖然他反對天人性命憑空講，但卻主張天人性命要究於史來推究，是從「由事顯理」、「即器明道」的哲學思想進路來推究道的。從這點看，他雖然批判了經學，但並非完全否定，而是「以史概經」用具體的歷史爲憑據，由事顯理，即器明道來推明大道；繼承並發揮了中國歷史精神中經史交融的精神與特色，而彰顯了中國歷史精神中特有的歷史的價值。簡言之，章氏的歷史之道，不是西方批判歷史哲學家所認爲的歷史的功用，也不是思辯歷史哲學家所獨斷的玄學思考；換言之，並非可以就批評的歷史哲學與思辯的歷史哲學這種西方學術的分判標準來歸類或分判；我認爲在歷史之道方面他兼具兩者的優點，而無兩者的缺失，而呈現了中國史學中特有的，優越的歷史精神。

五、結　論

經由前面各節的分析、討論，再此簡要的作一結論如下：

一、章學誠確實是一位學術奇才，他不僅長於史料、校讎、撰史，而且也精於史論，他的《文史通義》，即其中的歷史思想，是他承繼《春秋》以來中國史藉中的種種歷史思想並加以分析、批判，進而將這些零零碎碎的思想加以有系統的建構成一套有系統的中國歷史哲學。我不敢像余英時先生說得那麼地絕對，他認爲章氏是中國兩千年以來唯一的歷史哲學家，但我堅信他是中國兩千年以來最有系統、最有建構能力、最具創造力的歷史哲學家之一！同時他的《文史通義》亦是中國歷史哲學中最有系統、最具完整體系、析論嚴謹有充分論證力的中國歷史哲學的專著之一。

二、章氏的歷史思想相當全面、豐富、深刻，本文並未對它作全面的探究與分析，而是優先選擇了他的史學致知、史之爲史以及歷史之道三方面和西方批判歷史哲學的歷史的認識論、歷史自律和歷史的價值（功用）做對比分析。對比分析的結果，我們可以確認章氏在史學致知、史之爲史的論述與論證上和西方批判歷史哲學的歷史認識論、歷史自律、有極深的契會，甚可說具有一種一致性。而其中史學致知（歷史的認識論）是最根本的核心問題，此一問題章氏獲得了確當的解決，因而也依它証成的史之爲史（歷史自律）。這項傑出的成就，不僅使章學誠奠定了他在中國史學、歷史哲學中崇高的地位，對中國史學、歷史哲學做出了重大的貢獻，更深層地說，更同時具有世界性的，對人類歷史學發展的傑出貢獻。因爲就世界的眼光看來，歷史是否能成爲一門獨立自主的學科？歷史學有沒有具備一套有別於其他學科的方法來保證自己知識的合法性、有效驗？這兩個問題攸關歷史學是否能屹立於人類知識的領域，是否能在人類知識研究的學問園地中有一席之地，而持續開花結果對我們產生意義。就這層意義上來看，歷史認識的有效性和歷史自律的証成（獨立性），是不分古今中外的，這是世界人類各民族、文化、種族……在面對歷史史學時必須同時面對的，本質上完全相同，一致的問題。在本文研究中，我們可以確認，西方的批判歷史哲學家和章學誠，在這個問題上，二者各自在自己的文化體系中，同時做到了；也在面對世界一致的歷史學本質的反思中，二者也同時做到了。所以，從這一點來看，章學誠不僅是中國史學與歷史哲學的異彩，也是世界史學、歷史哲學的瑰寶，他是中國史學傳統中極少數具有世界性意義的傑出學者之一。這也是我在本文第一節部分中之所以提出如此的預設—如欲彰顯出章學誠的學術思想的特色與傑出成就，（不應再只侷限在中國史的範疇中來評析）實應將他擺在中西史學理論或中西歷史哲學比較的範疇來評析，才能突出他既具中國特色又具世界性的傑出成就與特殊意義。

三、不過就章氏的史學致知、史之爲史與西方批判哲學的歷史認識論和歷史自律之評比來看，章氏的論證合理、井然有序、合理，堪稱嚴謹，確能証成一套史學致知論，且與西方批判歷史哲學深深契會；但由於中國傳統哲學偏向於生命的學問的實踐進路，對於抽象的思辯、概念的思考及推理方面實不及西方哲學傳統那樣精細、精微；故二者相較之下，我認爲章氏在這方面，固然堪稱論證嚴謹，有條有理有據，足以有效達成他的推論；但是相對於西方批判的歷史哲學家而言，後者在論證過程中的思辯之精密、精微、精嚴，在這方面是優於章氏的（按：我用「嚴謹」和「嚴密精微」來形容二者論證程度上的差異）。但是在歷史的價值方面的比較上，二者有所同，亦有所不同。所同者係皆以人爲主的歷史人文精神；所不同者，西方批判的歷史哲學家僅從歷史的「功用」（或功能、效用）的角度論歷史的價值，顯然受到英、美傳統哲學經驗主義、功利主義的侷限，在人文精神的高度上，遠遠比不上章氏的「綱紀天人，推明大道」的歷史之道—此一以史概經、經史交融，將天人性命必究於史的歷史之道，是章氏承繼發揚中國偉大史學傳統精神的表現，實非西方的學術分類所能分判、歸類，亦非西方的批判歷史哲學或思辯的歷史哲學所能比擬。此一歷史之道，不是超然於歷史之外的、固定化的、一成不變的永恆價值；也不是高於歷史、高高在上，遙不可及的，對人類歷史發出命令的主宰；而是道義就在歷史中，在我們具體存在的生命歷程與歷史進程中，藉由我們的自我揭示（推明、推究）而呈現！

以上是本文簡要的結論。最後我要說的是本文由於牽涉的層面實在太廣，問題實在太多，而學識能力實在太有限，缺失不足之處也必然極多，只有留待以後持續努力，並盼能拋磚引玉，希望能在將來看到比我優秀，眞正具有專業水準的作品。

史意——章學誠史學的神髓

林時民*

提　要

章學誠（1738-1801）提出「史意」一說，是中國傳統史學理論中的一個高峰，與唐代劉知幾（661-721）的「史法」，同為後世學者所並稱。然章氏自謂劉知幾知史法而不得史意，故撰作《文史通義》提倡之，以自別於劉氏。

因其書並無「史意」專篇，故本文主要目的即從不同層面、不同篇章來糾出或釐清貫串於全書之中的「史意」，並同時探討其所形成的史論。或謂從書中體察或揚抉其「史意」亦可。文中除述略章氏提出史意的背景及其內涵，並對其史論所欲達致的境界和目標，作一較為充分的說明；暨而申明其「史意」一說對中國傳統史學的提昇與發展確有裨助，以驗證「史意」確係章氏史學的靈魂或精髓。

* 國立中興大學歷史學系教授

關鍵詞　史法　史意　劉知幾　章學誠　史通　文史通義

壹、前　言

傳統中國史學中，唐代劉知幾（661-721）的《史通》與清代章學誠（1738-1801）的《文史通義》，素來被視爲史學理論的「雙璧」。清代百科全書式的《四庫全書總目提要》置之於史評類。在汗牛充棟、浩瀚無垠的史籍中，兩書無疑是獨樹一幟，別具特色。其主要理由即在於兩書並非是編年古史、紀傳國典抑本末紀事之專史，而是專門批評上古迄於清初這些不同體裁專史的專史，並且是最具批評性、系統性及理論性者。在中國古代史籍中，洵爲難得之作，中國史學之發展與進化，兩書亦與有功焉。

兩書雖俱屬史評類的著作，但規模、格局、氣質並不完全相同。劉知幾的《史通》是史學史上第一部史評專作，代表史學批評理論從其前文人的散論與史籍的附論中獨立出來而單獨成冊，從史學發展角度而言，無異是跨出一大步。《史通》分內外篇，內篇「皆論史家體例，辨別是非」；外篇「別述史籍源流及雜評古人得失」❶，亦即從評述唐代以前各家史著的得失優劣入手，以至於建立其個人的一家之言。章學誠則繼《史通》之後，撰《文史通義》對清代以前之史書體

❶ 《四庫全書總目提要》，卷88。《史通》分內、外篇，或本諸古書成例，蓋古多已有之，如《莊子》、《淮南子》、《抱朴子》，皆分內外篇，一般內篇是書中菁論，外篇則是補充或雜論。近人著書，如余英時，《論戴震與章學誠》（香港：龍門書局，1979）亦效古書分法，置內、外篇，即是一例。

例有更廣泛的評述與更精深的探討，深度廣度甚至高度俱勝過劉知幾甚多。

章學誠晚出劉知幾千年左右，史學隨之變化亦多，偌長時間，歷經宋元明史學之發展，足資爲章學誠史學的憑藉與食糧，故章學誠得以踵肩於古人之上，放眼遠視，提出高論，形成中國傳統史學批評理論的另一個高峰，理應至常。唯其論實有出自劉知幾之影響甚深而終能另闢蹊徑，成就其一家獨斷之學者，誠不能不於此辨明之，並轉而得識其史學之高處。以下本文即針對此則分段專述之。

貳、由「史法」至「史意」

劉知幾撰述《史通》之緣由，在其書〈自敘〉篇有云，乃欲「辨其旨歸，殫其體統」。❷句中的「其」，泛指史書，劉知幾欲從古來史籍辨明宗旨歸趣，窮盡史書之體裁綱統，其中「有與奪焉，有褒貶焉，有鑒誡焉，有諷刺焉」，劉知幾予以一一評析，建立規範，成爲後世史學之藥石。書成之後，其好友徐堅即說：「居史職者，宜置此書於座右」❸，清人錢大昕（1728-1804）亦說：「叢亭（劉知幾爲彭城叢亭里人）之說，一時雖未施行，後世奉爲科律」❹，可見劉知幾藉《史通》，展示其「史法」，而爲後代史學之指南，可見其重要性。

---

❷ 《史通釋評・自敘》（台北：華世出版社，1981），頁334。

❸ 《舊唐書・劉子玄傳》（台北：鼎文書局，1978），頁3171。

❹ 錢大昕，《十駕齋養新錄》（台北：世界書局，1977，再版），卷13，史通條，頁303~304。

從史學的角度觀察，劉知幾「史法」的提出，簡單地說，主要是由於魏晉史學發達，質、量均提升甚多，❺加之唐初修五代史志，多用文人，且由史館官修，斷送古來一家著述的史統，故私撰《史通》，揭櫫「史法」。從史體的長短得失，到史書編纂的形態與內容；從史料的搜集、鑒核與選用，文筆的技巧與方法，都備論無遺。大抵《史通》對唐代以前的史學作了全面的總括批評，但在史學思想上卻著墨較少。這點對後代的章學誠而言，似正是劉知幾留給他的「餘地」，供他繼續闡揚而發揮。

從史學史的立場來說，唐代自史館官修歷史確立之後，章學誠即認為古來的史學絕矣，其言曰：

> 獲麟而後，遷、固極著作之能，向、歆盡條別之理，史家所謂規矩方圓之至也。魏晉、六朝，時得時失，至唐而史學絕矣。

接著又說：

> 其後如劉知幾、曾鞏、鄭樵皆良史才，生史學廢絕之後，能推古人大體，非六朝、唐、宋諸儒所能測識，餘子則有似於史而非史，有似於學而非學爾。然鄭樵有史識而未有史學，曾鞏具史學而不具史法，劉知幾得史法而不得史意，此予《文史通義》

❺ 參逯耀東，〈從隋書經籍志史部的形成論魏晉史學轉變的歷程〉，《食貨月刊》復刊 10：4（1980.7）；另參氏著，《勒馬長城》（台北：言心出版社，1977），頁 141~171。或《魏晉史學的思想與社會基礎》（台北：東大圖書公司，2000），頁 1~28。另拙著《劉知幾史通之研究》（台北：文史哲出版社，1987）第一章第二節「唐代以前史學的特色」，亦參引梁任公、呂謙舉諸氏高見而寫成。可悉魏晉史學的發達，突過前代。

所爲作也。❻

此段話一來明確表明自己撰作《文史通義》即是要闡發史意。二來他談到劉知幾、曾鞏、鄭樵雖生在唐代史學廢絕之後，但還能推溯古人史學的大體，而得史識、史學、史法。然則古人史學之大體是何？則於茲又可追敘。章學誠在《文史通義·申鄭》有謂：

> 孔子作《春秋》，蓋曰其事則齊桓、晉文，其文則史，其義則孔子自謂有取乎爾。夫事即後世考據家之所尚也，文即後世詞章家之所重也，然夫子所取，不在彼而在此，則史家著述之道，豈可不求義意所歸乎？

他探求淵源，上溯至孔子《春秋》。孔子寫《春秋》特重史「義」，比較不重視「事」、「文」。雖章學誠所撰《文史通義》，絕不類於《春秋》，但他效法《春秋》著述之道，求「義意之所歸」，也就是重視史意，仍秉承孔子而來的。

因而，章學誠的史意，必須與上古孟子所說的事文義相結合來看，才能得其旨，尤其是夫子的「其義則丘竊取之」。孔子重史義，雖歷經後世各代史家，卻少有人進一步發揮，特別從唐代以後史學廢絕，除廬陵、晦菴之外更是乏人提起，章學誠有感於此，乃起而以撰述其《文史通義》重彈「史義」。他自信闡發史義，是一件發凡起例，爲後世開山的工作。他說：「吾於史學，蓋有天授，自信發凡起例，多爲後世開山，而人乃擬吾於劉知幾。不知劉言史法，吾言史意；劉

---

❻ 《文史通義·和州志隅自敘》（台北：華世出版社，1980），頁398。

議館局纂修，吾議一家著述，截然兩途，不相入也」。❼

在《文史通義》問世之後，有人即以之與《史通》相比，而曰可相媲美，謂爲雙璧。甚至有人因而稱呼章學誠爲「國朝之劉子元」，但他不僅不高興，反而一違常情而以「史意」極力自清有別於劉氏之「史法」，並兩度重複申辯。❽

再從清代乾嘉時期章學誠所處的時代學風來看，當時考據學勢如中天，學者多埋首於古史的考校，獲得極大的成就，有名者如錢大昕的《廿二史考異》、王鳴盛（1722-1797）的《十七史商榷》、趙歐北（1727-1814）的《廿二史箚記》、朱彝尊（1629-1709）的《經義考》等等都極有貢獻。他在《文史通義·答客問中》對這種學風甚不以爲然，而說：

> 高明者多獨斷之學，沉潛者尚考索之功，天下之學術，不能不具此兩途。譬猶日晝而月夜，暑夏而寒冬，以之推代而成歲功，則有相需之益；以之自封而立畛域，則有兩傷之弊。

章學誠認爲考據學之外，尙有所謂的「獨斷之學」，也就是以體現史意爲主的一家著述。他並指出高明與沉潛之間，或考據與史義之間是合則雙美，分則兩傷。章學誠倡史意之學，很明顯對當時的學風有挽正的作用，至少免於偏頗。雖然他的學說在當世並不熾盛，但他認爲古來學術的發展，多一陰一陽，交相興替；一文一質，循環往復。❾

---

❼ 《文史通義·家書二》，頁 365。

❽ 即注❻及❼所引兩份資料。

❾ 《文史通義·原學下》，頁 48。

其時「質」樸的考據學風，後來可能被多「文」的重義史風所替代。所以他以爲有識之士，不當隨波逐流，人云亦云，而應當挽末世之頹風，開一代之新學。

從史學史和清初的時空背景來看，章學誠提倡史意，不僅對日趨僵化的考據學風具有挽正的現實意義，也有利於矯正唐代以後正史形同類纂的弊端，⑩他在《文史通義》的許多篇章，都從不同角度來論述史意，要求史家「作史貴知其意」，如在內篇〈言公上〉說：

> 載筆之士，有志《春秋》之業，固將惟義之求，其事與文，所以藉爲存義之資也。……作史貴知其意，非同於掌故，僅求事、文之末也。……此則史氏之宗旨也。苟足取其義而明其志，而事次文篇，未嘗分居立言之功也。

「貴知史意」乃是關係到「史氏之宗旨」的重點問題，確實是史之大體所在了。〈史德〉篇也說：「史所貴者，義也；而所具者，事也；所憑者，文也」。外篇〈方志立三書議〉亦云：「譬之人身，事者其骨，文者其膚，義者其精神也。斷之以義，而書始成家，而後有典有法，可誦可識，乃能傳世而行遠」；同外篇〈爲張志甫司馬撰大名縣志序〉又云：「志者，志也。其事、其文之外，必有義焉，史家著作之微旨也」。章學誠在上文裏，都明確指出史事、史文、史意三者之中都互有關聯，他形象地比喻史意最爲重要，猶如人之精神，而事、文則僅如膚、骨，乃受精神意志所左右所指揮的。以此觀之，章學誠

⑩ 《文史通義·答客問上》：「唐後史學絕，而著作無專家，……於是史文等於科舉之程式，胥吏之文移，而不可稍有變通矣。」見頁139。

強調史意是非常明顯而強烈的，因而有的學者直稱其學爲「尙意史學」，以尙意思想作爲其史學理論的核心，實際上是可以說得通，並能彰顯其治史宗旨的特色所在。⓫

章學誠的史意，可解爲史義，前引〈申鄭〉篇有云：「史家著述之道，豈可不求義意所歸乎」，是義、意並用之處，餘則或用「意」或用「義」，端視不同篇章不同場合而定，然其意均同。故歷來學者多通用之而無異議。他提倡的「史意」或用於論述國史，如歷代正史；亦用之於述地方之志，皆是精神指標。他最終則是「以夫子義則竊取之旨觀之，固將綱紀天人，推明大道，所以通古今之變而成一家之言者」⓬，成就其《文史通義》。

就上述來言，則章學誠的史意，確實在大部分的內涵上與劉知幾的史法有所不同，至少論述方法上，兩家的取徑是截然不同的。劉知幾透過批評唐代以前的史書編纂方式而建立其史法的理論；章學誠則又批評了劉知幾，文中還包括了曾鞏、鄭樵等人，而後自述他的獨斷一家之學原是繼承孔子春秋史義而來。他批評了舊有傳統的史學，而又開發了它的新生命。

參、「史意」的遍陳敷設

「史意」既爲章學誠史學大端要則，其滲透、浸潤於其史學各方面

⓫ 廖曉晴，《史林巨匠：章學誠與史著》（瀋陽：遼海出版社，1997），頁 156~161。

⓬ 《文史通義・答客問上》，頁 138。

主張之中，經剖析揚抉之後遂可明見，其犖犖之大要者，可臚舉如後。

一、史學體例

古史有編年、紀傳兩體，宋後又增本末、綱目，近代則復加章節一體，是史書體裁的主要形式。雖各體皆曾獨領風騷若干年，但平心而論，影響最大，時間最長者莫過於紀傳體。然紀傳體有通古型者若《史記》，斷代型者若《漢書》，《漢書》而後，斷代即爲史體大宗。劉知幾、章學誠論馬、班通史斷代者頗多，大致劉主乙馬甲班，章則適反之。何以若此？粗略言之，大抵唐代以前，《漢書》名氣在《史記》之上，宋代而後，則馬在班上。劉、章兩氏之見解，皆與時代背景若合符節，反映眞實。然稍細再言，則劉、章之中出有宋代鄭樵（1104-1162）一氏，力倡著述通史亦甚有關聯。基本上，鄭樵以爲斷代爲書，必失「相因」之義，以致史事無法「會通」，而無法了解整個歷史發展脈絡，亦看不出前後因果關聯，所以他立意著作通史，欲恢復古有傳統，最終「獨取三千年來遺文故冊，運以別識心裁，蓋承通史家風，而自爲經緯，成一家言者也」⓭，撰就了《通志》，復興了「其體久廢」的「史記家」⓮，成爲史學史上現存的第二部紀傳體通史。

然鄭樵在《通志》上批評歷代史家史事，招致後人詰難，如南宋陳振孫謂其「博物洽聞，然頗迂僻」、「雖自成一家，而其師心自是」；馬端臨（1254-1323）說他「譏詆前人，高自稱許」，清代錢大昕、王

⓭ 《文史通義·申鄭》，頁136。

⓮ 《史通通釋·六家》，頁23。

鳴盛、戴震（1724-1777）、周中孚對鄭樵的言論也很反感，故有謂之「樵獨以博洽著稱，傲睨一世，縱論秦漢以來著述家，鮮有當其意者」，甚至說他「大言欺人」「賊經害道」的。⑮此其中，尤以戴震對鄭樵的批評更是章學誠想奮起而爲鄭樵辯護的。他自述癸巳（1773）在杭州，「聞戴君震，與吳處士穎芳談次，痛詆鄭君《通志》，其言絕可怪笑」，⑯因而他爲鄭樵抱不平，而說：

> 學者少見多怪，不究其發凡起例，絕識曠論，所以斟酌群言，爲史學要刪；而徒摘其援據之疏略，裁翦之未定者，紛紛攻擊，勢若不共戴天。……夫鄭氏所振在鴻綱，而末學吹求，則在小節。……自遷固而後，史家既無別識心裁，所求者徒在其事其文，惟鄭樵稍有志乎求義。⑰

章學誠在爲鄭樵辯護之餘，並申論了自己的學說見解，他指出馬、班之後的史家，只在史事、史文上下工夫，而無別識心裁，只有鄭樵稍有志乎史義，終於點出他支持鄭樵的最大原因即在於史義（意）。衡諸上節所言，可以看出章學誠的批評與護衛，是有理論做基礎的。鄭樵的排斥斷代倡導通史，在理學當道的宋代並不吃香；章學誠寫《文

---

⑮ 陳振孫，《直齋書錄解題》卷二；馬端臨，《文獻通考》；戴震，《戴震文集》卷九〈與任孝廉植書〉；丁丙，《善本書室藏書志》卷三十。並參吳懷祺，〈通志的史學批評〉，《史學史研究》1988：4，頁 20。

⑯ 《文史通義・答客問上》，頁 137，章氏雖然很多地方反對戴震，但事實上受戴氏影響很深。學誠以爲時人達儒當中唯戴氏可以「深悉古人大體，進窺天地之純」，見〈答邵二雲書〉，頁 320。另可參劉節《中國史學史稿》（河南：中州書畫社，1982）十九、〈章學誠的史學〉，頁 337-381。

⑰ 《文史通義・申鄭》，頁 136-137。

史通義》、《校讎通義》在乾嘉考證學風之下，亦不盛行，然兩人的史論卻一脈相承。章學誠申鄭揚馬即在於「通義」，他曾在《文史通義·釋通》說：「夫通史人文，上下千年，然而義例所通，則隔代不嫌合撰」，並進而指出通史有「六便二長」和「三弊」⑱，其中「三弊」則是一味提倡通史的鄭樵所未詳悉的。

通史體例並不限於政軍情事，典制史亦有通史。章學誠對《三通》之中的《通志》與《文獻通考》也有批評。他對鄭樵的《通志》評價說：「其範圍千古，牢籠百家者，惟創例發凡，卓見絕識，有以追古作者之原。自具《春秋》家學耳」；⑲對馬端臨的《通考》則評曰：「此乃經生決科之策括，不敢抒一獨得之見，標一法外之意，而奄然媚世爲鄉愿，至於古人著書之義旨，不可得而聞也」，⑳兩部同爲通史體裁的典制史，卻因史義的因素，而有霄泥之判。

綜上可悉，史學體例有斷代、通貫之別。章學誠申鄭揚馬而主通史，但他亦不反對斷代史，他評定史書的好壞，並不必然決定於體例，而是在於「史意」的有無。

二、史學宗門

劉知幾談「爲史之道，其流有二」，一是後來筆，一是當時簡。

---

⑱ 《文史通義·釋通》，頁 13。章氏云：「通史之修，其便有六：一曰免重複，二曰均類例，三曰便銓配，四曰平是非，五曰去牴牾，六曰詳鄰事。其長有二：一曰具剪裁，二曰立家法」三弊則是「一曰無短長，二曰仍原題，三曰忘標目」。

⑲ 《文史通義·申鄭》，頁 137。

⑳ 《文史通義·答客問》，頁 141。

㉑前者指史學，後者指史料。劉氏說法主要是按史體，即從形式上不同來區分的；到了章學誠則明確從史籍性質與作品的不同，將之區分爲「撰述」而「記注」兩大類，其言曰：

> 三代以上，記注有成法，而撰述無定名，三代以下，撰述有定名，而記注無成法。夫記注無成法，則取材也難；撰述有定位，則成書也易。㉒

簡單說：「記注」即是史料，「撰述」則是一種著作。兩者之間，有一定的分別和連繫。其連繫在於記注是撰述的憑藉，根據記注，由作者寫成「專家之學」的「撰述」，兩者相因相成。其分別在於記注是原始材料，是纂輯、類比之書；撰述在其觀念中，則必須合乎獨斷之學、一家絕學。兩者雖殊途而不相害。

章學誠論述兩大宗門的區別時，還常以「圓而神」和「方以智」，「藏往德方」「知來德圓」形容撰述與記注應具備或到達的境地。㉓換言之，「撰述」、「記注」與「藏往」、「知來」、「圓神」、「方智」都要完全相應配合，章學誠的用意，不外乎要讓人明白史學有此兩大宗門。甚至他還使用過「著述」、「比類」兩詞㉔，其實也是撰

㉑ 《史通釋評·史官建置》，頁371。

㉒ 《文史通義·書教上》，頁7。

㉓ 詳文請參《文史通義·書教》，頁12及同書〈禮教〉篇，頁25-26。可悉。

㉔ 《文史通義·報黃大俞先生》有云：「古人一事必具數家之學。著述與比類兩家，其大要也。……兩家本自相因，而不相妨害。拙刻〈書教〉篇中所謂圓神方智，亦此意也。但爲比類之業者，必知著述之意，而所次比之材，可使著述者出，得所憑藉，有以恣其縱橫變化。又必如己之比類與著述者各有淵源。而不可以比類之密，而笑著述之或有所疏。比類整齊而笑著述之有所

述與記注的同義詞。這些名詞都由「撰述」與「記注」所衍發而來的。

兩大宗門之間的關係，章學誠在〈報黃大俞先生〉一文中說：「兩家本自相因而不相妨害。……蓋著述譬之韓信用兵，而比類譬之蕭何轉餉，二者固缺一而不可。」蕭、韓兩人的合作，終致擊敗西楚霸王，爲西漢王朝奠定勝基。學誠舉出此例，實貼切而又傳神，既說明了兩者的主次地位，也說明兩者交相爲用的密切關係。對章學誠而言，史學是用來「明道」，即「即器以明道」，故其用意在推崇「撰述」，提倡獨斷，反對因循；肯定家學，藐視官修，這對乾嘉時期以苴襞績，鈔纂排比爲絕大學問的漢學家，無疑是一嚴重批判，因而極具現實意義。總之，史學兩大宗門的說法，可說是章學誠的非常特識，也是他在史學史上的一大貢獻。[25]

章學誠運用兩大宗門的分類原則，重新審定一些有名的史籍，如他對《通志》即認爲是一部「撰述」之書，但對《通考》則評：「鄭君……不幸而與馬端臨之《文獻通考》並稱於時，而《通考》之疏陋，轉不如是之甚，末學膚受，本無定識，從而抑揚其間，忘相擬義，遂與比類纂輯之業，同年而語，……豈不誣哉？」[26]。章學誠爲世人並列《三通》，而替鄭樵抱屈，深感不平。這兩本書最大的不同點，即在《通志》講究「會通之旨」，而馬書則在「博聞而強識」而已。對於

畸輕畸重，則善矣。蓋著述譬之韓信用兵，而比類譬之蕭何轉餉。二者固缺一而不可。而其人之才，固易地而不可爲良者也」，見頁 297。又〈與邵二雲論修宋史書〉亦云：「圓神方智，定史學兩大宗門。而撰述之書不可律以記注一成之法」，見頁 316。

[25] 吳天任，《章學誠的史學》（臺北：商務印書館，1979），頁 12。

[26] 《文史通義·申鄭》，頁 137。

章學誠平生治學講究「成一家之言」來說，當然就會有不同的評價了。

再說二十四正史，章學誠只承認「前四史」是撰述之業，而唐後官修之正史則皆爲記注。他在《文史通義·答客問上》有說：

陳、范以來，律以《春秋》之旨，則不敢謂無失矣。然其心裁別識，家學具存，縱使反唇相議，至謂遷書退處士而進姦雄，固書排忠節而飾主闕，要其離合變化，義無旁出，自足名家學而符經旨；初不盡如後代纂類之業，相與效子莫之執中，求鄉愿之無刺，侈然自謂超遷軼固也。若夫君臣事蹟，官司典章，王者易姓受命，綜核前代，纂輯比類，以存一代之舊物，是則所謂整齊故事之業也。開局設監，集眾修書，正當用其義例，守其繩墨，以待後人之論定則可矣，豈所語於專門著作之倫乎？

文中指出前四史足稱撰述，是因爲基本上能上稟孔子的《春秋》遺風，重視史義的經世作用，而唐代以後諸正史，卻如政府公文一樣，雖有內容，但思想、觀點卻十分貧乏，所以只能算是記注。[27]

由上顯見，章學誠的「撰述」之道，其核心內容還是他歷來所反覆強調的史意或史義。

三、史才三長

三長論原是劉知幾所提出的，他入史館爲正式史官二十年來，對

---

[27] 《文史通義·書教下》：「後史失班史之意，而以紀表志傳，同於科舉之程式，官府之簿書，則於記注撰述，兩無所似，而古人著書之宗旨，不可復言矣。」見頁13~14。

官修史書制度弊害有一定的認識和批評，他特別感受到史官是要有一定的素質和條件才能勝任，因而提出三長說。至清代章學誠，承襲其說，以〈史德〉爲題，正式抒論三長之說，是重要相關文獻之一。

以往劉知幾對才、學、識三長，並沒有詳密的定義，因而其內涵外延並不十分清楚，因而引來後世不少爭議，迄章學誠乃在〈史德〉篇中指出：「記誦以爲學也，辭采以爲才也，擊斷以爲識也。」予才、學、識一簡單明確的概括，不再是一模糊不清的概念，並從此論述三者之間的關係。他以爲三者關係密切而缺一不可，但以「識」最爲重要，處於主導地位，而「才」與「學」則處於附屬地位。他曾形象地比喻說：「文辭，猶舟車也；志識，其乘者也」又說：「學問文章，聰明才辨，不足以持世；所以持世者，存乎識也」，❷❽都說明了才、學、識三者的關係並強調「識」的重要。他的論說、界定、比喻都與劉知幾不同，但神旨是一致的，尤其他把三長論與孔子的作史之道「事」、「文」、「義」作一結合，並展衍其說，可知章學誠深化了三長論，其說大致可以寫成「才／文／辭章」、「學／事／考據」、「識／義／義理」這樣一個簡略的系統，便於理解。他以爲史家具備史才者必長於史文，具史學者必長於史事，具史識之素質者必長於史義。身爲史家，兼具三長，是最理想的標準，三長亦須相輔相成，廢一不可，但劉知幾已言：「自敻古已來，能應斯目者，罕見其人」，❷❾章學誠也說：「主義理者拙於辭章，能文辭者疏於徵實，三者交譏

---

❷❽ 《文史通義·說林》，頁 122。

❷❾ 《舊唐書·劉子玄傳》（台北：鼎文書局，1979），頁 3172。

而未有而已也」㉚，兩人之論辭，誠有其至理，揆之今世，其理恆通。

章學誠論述三長時，並未另立「史德」一目以成其所謂的「四長論」，他在〈史德〉篇有云：「能具史識者，必知史德」，這點隱然受到劉氏影響可知。〈史德〉篇之外，他在〈雜說〉、〈說林〉、〈申鄭〉等篇中，每提到史家條件時，都指稱才、學、識而已，不曾言及「史法」。即使後於〈史德〉篇之後才撰寫的〈文德〉篇，仍然只稱三長，並未多加一長，可知素來以爲劉氏三長，章氏則有四長之論者，其實是未必正確的。然章學誠以「史德」來展論三長，確實是以新的角度切入重新發論，加之梁任公等人的提倡與使用，使得才、學、識、德頗似一新的組合。此處專看其「德」是否有新意？章學誠說：「德者何？謂著書者之心術也」，他指的是史家著史時應秉持的公正心態之謂。章學誠以爲舊史多有曲筆迴護、不據事直書之例，前人多所揭露和批評，其書也就不可能造成大害。有如他所舉例的：

> 夫穢史者所以自穢，謗書者所以自謗，素行爲人所羞，文辭何足取重！魏收之矯誣，沈約之陰惡，談其書者，先不信其人，其患未至於甚也㉛。

反而可怕的是所謂「所患夫心術者，謂其有君子之心而所養未底於粹也。」也就是那些自以爲持有公心，但學養火候還不到家的人。章學誠認爲學養不底於粹確實會影響到史德。他另句話說的很好：

> 陰陽伏沴之患，乘於血氣而入於心知，其中默運潛移，似公而

㉚ 《文史通義・說林》，頁 122。
㉛ 《文史通義・史德》，頁 147。

> 實逞於私，似天而實蔽於人，發爲文辭，至於害義而違道，其人猶不自知也。固曰心術不可不愼也。㉜

這種「猶不自知」的情況下，寫出來的史事，比起有意曲筆迴護、不據實而書危害是更大的，因爲是人讀其書反而認爲合情入理，難於發現內部的不實之處。所以，章學誠最後提出一個高標準的看法：

> 蓋欲爲良史者，當愼辨於天人之際，盡其天而不益以人也。盡其天而不益以人，雖未能至，苟允知之，亦足以稱著書之心術矣。而文史之儒，競言才學識而不知辨心術也，以議史德，烏乎可哉！㉝

至此，可以發現章學誠論「史德」「史識」，已跟劉知幾大有不同。此處應先了解「愼辨於天人之際」。由前述已知章學誠本亦以爲史德喻於史識之中，而「識」是用以「斷義」的，亦即「非識無以斷其義」。他又說：「史之義出於天」，以今語釋之，即「史義」是存在於客觀史實當中，這是史識史德所要達到的目標。但如何將客觀史事眞實地反映在人之主觀當中呢？此則需要處理「天」與「人」之間的關係，故「盡其天而不益以人」即是處理好這種關係的重要原則。這句話是什麼意思？茲借錢穆先生的話來解釋：「拿現在話講：只是要客觀地把事實眞相寫出，這即是『天』了，但不要把自己人的方面加進去，這事極不容易」。㉞這是章學誠史德論的核心，素爲學界所推重㉟，

㉜ 《文史通義·史德》，頁 148-149。

㉝ 《文史通義·史德》，頁 147-148。

㉞ 錢穆，《中國史學名著》（台北：三民書局，1973）第二冊，頁 329。又可

即因此事不容易，故須具有三長論者始能達之。此即所謂的辨心術的史德觀。簡單言之，其邏輯關係即史識用以斷義，史識包括（含「等於」之意）史德。故「辨心術」即是「斷義」不可缺少的一項基本前提和態度。在論證之間，正是學誠深化或展衍知幾的史德說。兩者相較之下，知幾的史德說似乎單純許多，他未提及天人之際。至於著書者之心術如何影響其所撰述之史？〈史德〉篇又說：

> 史之義出於天，而史之文不能不藉人力以成之；人有陰陽之患，而史文即忤於大道之公，其所感召者微也。……史之賴於文也，猶衣之需乎采，食之需乎味也。采之不能無華樸，味之不能無濃淡，勢也；華樸爭而不能無邪色，濃淡爭而不能無奇味；邪色盲目，奇味爽口，起於華樸濃淡之爭也。文辭有工拙，而族史方且以是爲競焉，是舍本而逐末矣。以此爲文，未有見其至者；以此爲史，豈可與聞古人之大體乎！

撰史的義例是客觀存在的，而撰述的過程中必然要通過主觀的抉擇，此時「著書者的心術」即是關鍵，能否符合「大道之公」即是問題，也是目標。學誠也認識到史家在認識或撰寫歷史時不可能不會遇到一些主客觀的矛盾，按照他的話即「天與人參」的現象，那就要設法解決天人一致的問題，爲此，他反對「違理以自用」「汩情以自恣」等

參甲凱，〈史法與史意〉，《輔大人文學報》第六期（1977，6），頁14。

㉟ 施丁認爲：「當慎辨於天人之際，盡其天而不益以人」這個看法，在古代史學上是一個新的光輝思想，比劉知幾的『直書』論前進了一大步。見氏著，〈章學誠的史學思想〉，《史學史研究》1981：3，頁61。

主觀偏激行爲，而強調態度平正，「氣合於理」「情本於性」㊱，從而力求「盡其天而不益於人」，就可達到天人一致的公正大道了。

由以上的論述可知，自劉知幾倡三長論以來，其中還是以章學誠的發明最多，尤其將三長說之中的史識史德史義的關係，闡發無遺，而窮於天人之際，蓋爲三長說之極致也。

四、史官立傳

劉知幾、章學誠對史官的要求，是史才三長俱備最佳，若無法完全達到，則以史識最要，備之即可稱爲良史。有關史官來源，兩氏皆有嚴格之評議，皆以爲文人不可爲史官，蓋因文人撰史，只能苟衒文采，不知史法史意，忽略大體，只取小道，做不到劉知幾所謂的「銓綜之識」㊲或章學誠所稱之「陶鑄成文」㊳，結果反致以文害義，不達史旨。因而主張不應簡選經生、文士入館參與修史，這種現象必須終止，否則將嚴重影響史學發展。

另外，章學誠還主張正史應爲史官立傳，爲何？章學誠在與子孫家書中提到：「廿三、四時所筆記者，今雖亡失，然論諸史，於紀、表、志、傳之外，更當立圖；列傳於〈儒林〉、〈文苑〉之外，更當立〈史官傳〉。此皆當日之舊論也，惟當時見書不多，故立說鮮所徵引耳，其識之卓絕，則有至今不能易者」。㊴在唐代開設史館之後，古來私門撰述之史學傳統幾致廢絕，反映史家的內容，只能附錄於他

㊱ 《文史通義·史德》，頁148。

㊲ 《史通釋評·覈文》，頁290-291。

㊳ 《文史通義·跋湖北通志檢存稿》，頁159。

㊴ 《文史通義·家書六》，頁369。

人列傳之後，或是文士閑談時偶爾提及，學誠對此現象殊爲不滿，以爲不立〈史官傳〉，不僅無理地剝奪史家應有的學術地位，使中國幾千年來代代相承的史學發展脈絡，因人爲因素而源流不明，尤其唐宋官局修書，乃出於眾手輯組，良莠不齊，反映參加編寫者的背景資料就變得十分重要，因而如果正史之中，能立〈史官傳〉，就可考察出編撰者的學識與人品的高低，且符合文責自負的原則，藉此分辨出其中的曲筆不實、剽竊迴護之處。然而唐、宋史館監領不知〈史官傳〉之重要，遂使「經生帖括，詞賦雕蟲，並得啁啾班、馬之堂，攘臂汗青之業者矣」㊵，因此，章學誠主張增設〈史官傳〉，增設自可擴大史域，唯此則亦可歸之於新史體之一。

所可注意者，學誠主張增設〈史官傳〉，與其歷來強調之史意，亦有密切關係。其云：

> 墳籍具存，而作者之旨，不可不辨也。古者史官，各有成法；辭文旨達，存乎其人。孟子所謂其文則史，孔子以謂義則竊取。明乎史官法度不可易，而義意爲聖人所獨裁。然則良史善書，亦必有道矣。㊶

文中之「旨」，即指史意，說明史意存乎史家心中，故應立〈史官傳〉，以昌明史意。又說立〈史官傳〉，「則《春秋》經世，雖謂至今存焉可也」；不立，「乃使《春秋》家學，塞絕梯航，史氏師傳，茫如河

㊵ 《文史通義·和州志前志列傳序例》，頁417。
㊶ 《文史通義·和州志前志列傳序例》，頁415-416。

漢」㊷是知學誠主張立〈史官傳〉，乃希望孔子《春秋》之義的精神注入其中，使之代代相傳，發揚光大。以重新恢復中國古代史學重史意之優良傳統。

肆、結　論

章學誠自述其撰作《文史通義》是因爲劉知幾只知「史法」而不知「史意」，故就「史意」歸趨於孔子《春秋》之意，「固將綱紀天人，推明大道，所以通古今之變，成一家之言者」而撰就其名山之作。然史法史意是否截然可分？則似又不盡然。許冠三言劉知幾所言之史法史例，何者不與「秉筆直書，善惡畢彰，眞僞盡露」的史意爲依歸？史家不盡此責，又何以能達天道之公意？故許氏以爲「言史法者，必有其史意或史義存焉。苟無其意，法固無歸」㊸，相對而言，章學誠亦非盡言史意，而完全不提史法。瞿林東亦以爲劉氏之「史法」與章氏之「史意」，是古代史學批評中兩個相互聯繫的不同側面，也是兩個相互作用的不同層次，兩者俱有重要的理論價値。㊹

由上知章學誠提出的「劉言史法，吾言史意」，事實上並非絕對。但章學誠在論述方法的取徑以及大部分內涵上，是與劉知幾的史法相當的不同。從前文所析述的，可知劉章兩氏在史學理論上都很主張

㊷ 《文史通義·和州志前志列傳序列》，頁416。

㊸ 許冠三，《劉知幾的實錄史學》（香港：香港中文大學出版社，1983），頁163-164。章氏之《方志略例》，多篇論及史法。

㊹ 瞿林東，《中國古代史學批評縱橫》（北京：中華書局，1994），頁58-59。

「通」，但章學誠更重視「義」，他的文史觀是要通達到史義的，他結合孔孟的事、文、義與當時學風之「考據、辭章、義理」而形成其「尚意史學」，他強調史學之「義意所歸」，須與「別識心裁」、「獨斷之學」、「一家之言」相一致。在史學體例上，他以爲劉知幾對《史記》的批評或對《漢書》的推崇，都著眼於「史法」，即注重其形式和內容，而未觸及「撰述之旨」，他以爲應重後者。在史學宗門上，劉氏從史體形式區分史料與史學，稱爲「當時簡」與「後來筆」；章氏則從史籍性質與功能作用區分「記注」與「撰述」，但他的目的主要還是在「撰述之道」，也就是核心內容仍在史意或史義上。在史才三長論上，章學誠在劉知幾提出的才、學、識之基礎上，又結合事、文、義及義理、辭章、徵實，賦予新內涵，尤其史識、史德與史義的整合論述，特別值得吾人注意。至於主張在正史裏立〈史官傳〉亦不外乎將孔子《春秋》之義的精神灌注其中，使之代代相傳，以恢復中國古代史學重史意之優良傳統。

章學誠自言其《文史通義》義論廣闊，乃「爲千古史學闢其蓁蕪」，㊺雖略嫌自我標榜，但實際由其書中所論，卻可感受到字裏行間充滿誠懇願望和良苦用心，他以「史意」爲神髓的史論，貫串於其《文史通義》之中，確實提昇了中國史學特別是史學理論的層次和高度，值得再三肯定。

㊺ 《文史通義·與汪龍莊書》，頁329。

乾隆年間的文人史論

——論章實齋的「文史學」

龔鵬程 *

提　要

本文的題目是呼應我另有一篇〈乾隆年間的文人經說〉。那一篇是談乾隆年間專業經學家之外，還存在著一大批文人的經說，兩者不同。本文則要說乾隆年間史學方面也有這樣的區分，一種是史學或以經學方法治史者，如錢大昕王鳴盛，另一種則可以章學誠為代表。章氏之學，夙為史學界所重，甚或謂其重大貢獻即在於區分文史、史學獨立，但其實章氏是講文史通義的。文史相通，其史學乃是一種「文史學」。不了解他的文學觀，就無法了解其史論，只從史學說，是不能了解他的。因此那是文人的史學。本文即以此重新討論久

* 佛光大學人文社會學院教授

遭誤解的實齋，並溯其說之源於黃宗羲，以見清代文人史學之流衍。

關鍵詞　學術史　乾嘉學術　文史學

一、文史通義

「清代史學界之有章學誠，清代史學之光也。迄至今日，集中國史學大成之人物，惟有章氏當之無愧，章氏亦爲中國唯一之史學思想家」（杜維運《清乾嘉時代之史學與史家》第三章·一九八九·台灣學生書局）。這是史學界標準的口吻，推崇實齋之史學。但章實齋眞的是史學嗎？非也，實齋之學，是「文史學」。其著作叫做《文史通義》，而非《史通》。僅知其爲史學，非眞能知實齋者也。

實齋之學，得力於在朱筠門下從遊之際。其子華紱序其遺書時，說實齋「自遊朱竹君先生之門，先生藏書甚富，因得遍覽群籍，日與名流討論講貫。備知學術源流同異」。這時實齋與名流討論講貫的情形與內容是怎麼樣的呢？

據實齋自己描述道：乾隆三十六年辛卯（西元一七七一年），邵晉涵至京師，禮部會試第一，隨即與學誠相識。時學誠在京師，從朱筠習爲古文辭，苦無藉手。晉涵輒據前期遺事，俾學誠與朱筠各試爲傳記，以質文心（章氏遺書·卷十八·文集三·邵與桐別傳）。晉涵又時出宋介三文鈔，指其明季遭亂而婦女死節者數通，俾學誠與朱筠，據而改作，以資練習（章氏遺書·外編三·丙辰箚記）。可見實齋在京從學於朱筠時，主要是與邵晉涵等人練習寫文章。後來實齋論文，談「文律」、貴清眞，又推崇邵晉涵祖父邵念魯，均與此一經歷有關。《遺書》卷五，《文史通義・外篇三》錄〈與邵二雲書〉云：

> 君家念魯先生，嘗言「文貴謹嚴雄健」。夫謹嚴存乎法度、雄健存乎氣勢。氣勢必由書卷充積，不可貌襲而強爲也；法度資乎講習，疏於文者，則謂不過方圓規矩，人皆可與知能。不知法度猶律令耳。文境變化，非顯然之法度所能賅，亦猶獄情變化，非一定之律令所能盡。故深於文法者，必有無形與聲而又復至當不易之法，所謂文心是也。精於治獄者，必有非典非故而自協天理人情之勘，所謂律意是也。文心律意，非作家老吏不能神明，非方圓規矩所能盡也，然而用功純熟，可以旦暮遇之。

邵魯涵是實齋最重要的朋友，其子即拜晉涵爲師。二人論學，以論文始。厥後實齋亦以善文名，故邵氏於《文史通義・內篇二・原道下》有按語稱：「京師同仁素愛章氏文」。實齋亦以能文自喜，且以此規勸邵晉涵，惜其不文，曰：

> 君家念魯先生有言：「文章有關世道，不可不作，文采未極，亦不妨作」。僕非能文者也，服膺先生遺言，不敢無所撰者，足下亦許以爲且可矣。足下於文，漫不留意，立言宗旨，未見有所發明，此非足下有疏於學，恐於聞道之日，猶有待也。足下博綜，十倍於僕；用力之勤，亦十倍於僕，而聞見之擇執、博綜之要領，尚未見其一言蔽而萬緒賅也。足下於斯，豈得無

意乎？

他認爲邵晉涵聞見雖博、用功雖勤，但不重視寫文章，所以不能用自己的話把所知道的東西擇精舉要講出來。這樣的批評，裡面蘊涵了一個類似王充的說法。王充認爲經生跟文人不同，經生是述者，重在箋注詮釋古人之言；文人能著作，自己立言，所以文人高於經生。章實齋也是如此，故說邵晉涵：「足下既疏《爾雅》，則於古今語言能通達矣。以足下之學，豈特解釋人言，竟無自得於言者乎？」（同上）。

章實齋把他的著作定名爲「文史通義」，又把這幾封信收入《文史通義》，且區分注記與著作之不同，都與此有關。《文史通義》中特錄〈古文公式〉〈古文十弊〉等，又說：「余論古文辭義例，自與知好諸君書，凡數十通。筆爲論著，又有〈文德〉〈文理〉〈質性〉〈黠陋〉〈俗嫌〉〈俗忌〉諸篇，亦詳哉其言之矣」（古文十弊），也都可見他重文之意。上述各篇，都編入《文史通義·內篇》足徵實齋對其著意之深。可惜世之論實齋者，但云彼爲史學而已，於其論文重文之旨，茫然未曉、漠焉不察，無怪乎談實齋多不中竅也。

實齋〈答甄秀才論修志第一書〉曾自述平生志趣云：「丈夫生不爲史臣，亦當從名公巨卿，執筆充書記，而因得論列當世，以文章見用於時。如纂修志乘，亦其中之一事也」。這一段，表明他以作史爲志業，固無疑義。但應注意的，是寫史修志這些事，他是放在什麼地位上看。顯然他是把寫史修志跟替公卿做文書幕僚併爲一談，自我期許「以文章見用於世」的。寫史修志，在此便成爲文章之業。實齋持論，與其他史家頗爲不同，正在於這樣的認定。

因此，他在〈州縣請立志科議〉中說：「無三代之文章，雖有三代之事功，不能昭揭如日月也」。寫史，光有事實沒有用，主要是文字工夫。所以州縣應「特立志科，僉典吏之稍明於文法者。以充其選。而且立爲成法，俾如法以紀載，略如案牘之有公式焉，則無妄作聰明之弊矣。積數十年之久，則訪能文學而通史裁者，筆削以爲成書」。文字記載皆有成法、公式，是作史的基礎。最後筆削成史，亦非擅文章者不能辦。這樣的講法，不就是以史撰爲文事嗎？包括他論記載之成法、案牘之公式，也跟他論「文律」「古文公式」相似，史筆上的相關要求與想法，仍須經由其文學觀去了解。

二、歷史寫作

實齋〈上朱大司馬論文〉說：

> 唐宋至今，積學之士，不過史纂史考史例；能文之士，不過史選史評。古人所爲史學，則未之聞矣。昔曹子建薄詞賦，而欲采官庶實錄，成一家言。韓退之鄙鴻辭，而欲求國家遺事，作唐一經。似古人著述，必以史學爲歸。蓋文辭以敘事爲難，今古人才，騁其學力所至，辭命議論，恢恢有餘，至於敘事，汲汲形其不足，以是爲最難也。……古文必推敘事，敘事實出史學，其原本於春秋比事屬辭。左史班陳，家學淵源，甚於漢廷經師之授受。馬曰：「好學深思，心知其意」，班曰：「緯六經，綴道綱，函雅故，通古今」者，春秋家學，遞相祖述。雖沈約魏收之徒，去之甚遠，而別識心裁，時有得其彷彿。

一般史學家都會注意到這篇文章後面說：「六藝之教，通於後世有三：《春秋》流為史學、官禮流為諸子論議、詩教流為辭章辭命」這一段，以此見文史之分、文史不同源。殊不知後世之分，適可用以說明源頭之合。實齋的意思是說：後世辭章出於詩教，此固為一路，但還有文史可合的一路，那就是把古文推源於《春秋》。文人應當要像曹植韓愈那樣，不只以辭賦（即出於詩教的那一部分）為滿足，更要能汲取於《春秋》，得屬辭比事之法。

這一方面是重新把文學拉回到屬於史學的陣營，謂其源除了《詩》以外亦出於《春秋》。一方面則是說史比詞賦更高，文人應致力於史。另一方面，又界定了文學與史學相通之處，主要在敘事❶。

這幾點，乃是實齋史學的重心所在。因為實齋論史，其實最重視的就是史文。史文，一般史家咸不在意，謂為書寫的文字技巧而已。民國以來，實證史學、考史風氣熾盛，更是只論文考史而不重視寫史，故一談史學，就高談史識、史料、史考等等，並以為實齋也是如此。實齋豈如是乎？請繼續看下文：

> 故六經以還，著述之才，不盡於經解諸子詩賦文集，而盡於史學。凡百家之學，攻取而才見優者，入於史學而無不絀也。記

---

❶ 實齋論文，亦以敘事為極，謂：「序論辭命之文，其教易盡；敘事之文，其變無窮。故今古文人，其才不盡於諸體，而盡於敘事也。蓋其為法，則有以順敘者，以逆敘者，以類敘者，以次敘者，以牽連而敘者，斷續敘者，錯綜敘者，假議論以敘者，夾議論以敘者；先敘後斷，先斷後敘，且敘且斷，以敘作斷；預提於前，補綴於後，兩事合一，一事兩分；對敘、插敘、暗敘、顛倒敘、迴環敘。離合變化，奇正相生。如孫吳用兵，如扁鵲用藥，神妙不測，幾於化工」（章氏遺書補遺·論課蒙學文法）。

> 事之法，有損無增，一字之增，是造僞也。往往有極意敷張，其事弗顯，刊落濃辭，微文旁綴，而情狀躍然，是貴得其意也。記言之法，增損無常，惟作者之所欲，然必推言者當日意中之所有，雖增千百言而不爲多；苟言雖成文，而推言者當日意中所本無，雖一字之增，亦造僞也。或有原文繁富，而意未昭明，減省文句，而意轉刻露者，是又以損爲增，變化多端，不可筆墨罄也（與陳觀民工部論史學）

這是對寫史的方法的討論。左史記言、右史記事，記言記事各有其筆法，怎樣刊落浮辭、怎樣刪繁就簡、怎樣增損變化、怎樣敷張旁綴，都是文字上的工夫。這種工夫，考史者不會注意，但像實齋這類強調作史「須成一家著述」的人卻格外重視。甚至把寫史比喻爲天帝造化世界，陶鈞鎔裁，至爲神妙：

> 工師之爲巨室度材，比於燮理陰陽；名醫之製方劑炮炙，通乎鬼神造化。史家詮於群言，亦若是焉已爾。是故文獻未集，則搜羅咨訪不易爲功，觀鄭樵所謂八例求書，則非尋常之輩所可能也。觀史遷之東漸南浮，則非心知其意不能迹也。此則未及著文之先事也。及紛紛雜陳，則貴抉擇去取。人徒見著於書者之粹然爲善也，而不知刊而去者，中有苦心而不能顯也。既經裁取，則貴陶鎔變化，人第見誦其辭者之渾然一也，而不知化而裁者，中有調劑，而人不知也。即以刊去而論，文劣而事庸者，無足道矣。其間有介兩端之可，而不能不出於一途；有嫌兩美之傷，而不能不忍於割愛；佳篇而或乖於例；事足而恐徇於文，此皆中有苦心，而不能顯也。如以化裁而論，則古語不

可入今，則當疏以達之；俚言不可雜言，則當溫以潤之；辭則必稱其體；語則必肖其人；質野不可用文語，而猥鄙須刪；急遽不可以爲婉辭，而曲折仍見；文移須從公式，而案牘又不宜徇；駢麗不入史裁，而詔表亦豈可廢？此皆中有調劑，而人不知也（同上）。

這一大段，講的是一種文學創作的工夫，只不過其寫作非虛構性的罷了。整個收集素材、裁融變化而出之的過程，與〈文賦〉《文心雕龍》所述者，適可相發。實齋於此，引杜甫爲說，尤足以見其用意：

杜子美曰：「文章千古事，得失寸心知」，史家點竄古今文字，必具天地爲鑪、萬物爲銅、陰陽爲炭、造化爲工之意，而後可與言作述之妙。當其得心應手，實有東海揚帆，瞬息千里，乘風馭雲，鞭霆掣電之奇；及遇根節蟠錯，亦有五丁開山，咫尺險巇，左顧右睨，椎鑿難施之困。非親嘗其境，難以喻此中之甘苦也（同上）。

對史家文字工夫的重視，莫甚於此。本此見解以論史，重文之語，自然極多。何炳松在〈讀章學誠《文史通義》札記〉說：「章氏力主史學應離文學而獨立，廓清數千年來文史合一之弊」（何炳松論文集，頁三三）。眞不知何所見而云然，可說完全弄擰了。

實齋云：「古人記言與記事之文，莫不有本。本於口耳之受授者，筆主於創，創則期於適如其事與言而已；本於竹帛之成文者，筆主於因，因則期於適如其文之指」（答邵二雲）。無論記言或記事，是創文還是因據文獻，都需要文筆能夠達旨適事，史學能脫離文學嗎？歷史寫作不就是文學作品嗎？在〈和州志列傳總論〉中，他又說：

> 司馬遷曰：「百家言不雅馴，搢紳先生難言之」。又曰：「不離古文者近是」。又曰：「擇其言尤雅者」。「載籍極博，折衷六藝。《詩》《書》雖闕，虞夏可知」。然則旁推曲證，聞見相參，顯微闡幽，折衷至當，要使文成法立。……夫合甘辛而致味、通纂組以成文，低昂時代，衡鑒士風，論世之學也。同時比德，附出均編，類次之法也。情有激而如平，旨似諷而實惜，予奪之權也。或反證若比，或遙引如興；一事互爲詳略，異撰忽爾同編，品節之理也。言之不文，行之不遠。聚公私之記載，參百家之短長，不能自具心裁，而斤斤焉徒爲文案之孔目，何以使觀者興起，而遽欲刊垂不朽耶？

實齋此處所謂的「心裁」，從上下文關係看，不正是《文心雕龍》所謂鎔裁之裁嗎？鎔裁於心，故曰心裁。其引述司馬遷語，專挑史遷談立言之雅者說，更可以看出他的祈嚮所在。故特言：「言之不文，行之不遠」。〈和州志缺訪列傳序例〉說自己修志：「今用史氏通裁，特標列傳。務取有文可誦，據實堪書」，亦是重文之旨。他在〈永清縣志職官表序例〉中感慨：「官儀簿狀、列表編年等，歷官記數之書，每以無文而易亡」，則恰好呼應了言之不文，行之不遠之說。

三、文章義法

另外，〈與石首王明府論志例〉有云：

> 志爲史裁，全書自有體例。志中文字，俱關史法，則全書中之命辭措字，亦必有規矩準繩，不可忽視也。……惟是記傳敘述之人，皆出史學。史學不講，而記傳敘述之文，全無法度。以至方志家言，習而不察，不惟文不雅馴，抑亦有害事理。曾子曰：「出辭氣，斯遠鄙倍矣」。鄙則文不雅也，倍則害於事也。文人囿於習氣，各矜所尚，爭強於無形之平奇濃淡。……惟法度義例，不知斟酌。不惟辭不雅馴，難以行遠；抑且害於事理，失其所以爲言。今約舉數端，以爲梗概。則不惟志例潔清，即推而及於記傳敘述之文，亦無不可以明白峻潔，切實有用，不致虛文害事實矣。

談寫史，當然重文。重文，就會強調陶鈞鎔裁、神變無方，以此見史家爲文之用心。但如此說，文章寫作就變成天才的創造，一切斷之於心。像他說：「必具天地爲爐、萬物爲銅、陰陽爲炭、造化爲工」的手段那樣，全屬心裁，有點巧不可階。故實齋對此，也僅是藉此說以示爲文之神妙而已，眞講到作文寫史，不能只在這裡講，還必須經示人以規矩。這規矩，就是他所謂的史法、史例，或稱爲法度義例。必須要具有這些規矩繩墨，史文寫作才有規範可言，才不會鄙倍傷雅。

心裁與史例，兩相輔貳，歷史寫作，才有可觀。既有文采，又不致於畔鄙無歸或華而傷質。如〈和州志前志列傳序例下〉說：

> 書無家法，文不足觀，易於散落也。唐宋以後，史法失傳，特言乎馬、班專門之業，不能復耳。若其紀表成規，志傳舊例，歷久不渝，等於科舉程式、功令條例，雖中庸史官，皆可勉副繩墨，粗就櫽括；故事雖優劣不齊，短長互見，觀者猶得操成

格以衡筆削也。外志規矩蕩然，體裁無準，摘比似類書、注記如簿冊、質言似胥吏、文語若尺牘，觀者茫然，莫能知其宗旨。

這就是講史法的。實齋〈與邵二雲論文書〉說：「不知者以謂文貴抒己所言，豈可以成法而律文心。殊不知規矩方圓，輸般實有所不得已，即曰神明變化，初不外乎此也」，與此段論史法正相發明。史法，猶如「文律」，具有定式。史家或文章家要如何明白這些定式呢？實齋認爲須知學術之源流，此即彼所云校讎之法：

凡一切古無今有、古有今無之書，其勢判如霄壤，又安得執〈七略〉之成法，以部次近日之文章乎？然家法不明，著作之所以日下也；部次不精，學術之所以日散也。就四部之成法，而能討論流別，以使之恍然於古人官師合一之故，則文章之病，可以稍救。……〈七略〉之古法終不可復；而四部之體質又不可改，則四部之中，附以辨章流別之義，以見文字之必有源委，亦治書之要法。（校讎通義·宗劉）

知古今學術之流別，文章才能知倫類、具規矩，各種文體的寫作才能合乎義例。例如「論」體，原是先秦諸子立論之遺風，後來文人集中有論、說、辨、解各體，以及書牘題跋，都屬於論這一體的派別，重在因事立言。詩賦之體，源於《詩經》，故後代詩賦溺於辭采，就非古史序詩之旨了（見〈和州文徵序例〉）。奏議，則是敷陳治道的文體，最爲重要，所以應該像寫史書以「本紀」開頭那樣，編文選也應列奏議爲首，而不當如《文選》般以賦居先（永清縣志文徵序例）。他批評《元文類》「條別未分，其於文學源流，鮮所論次」，又說《中州》

《河汾》諸集，「編次藝文，不明諸史體裁，乃以詩辭歌賦、紀傳雜文、全倣選文之體，列於書志之中，可謂不知倫類者也」（和州文徵序例），也都基於這種重視源流的看法。透過這種源流觀，文史又通而爲一。因爲源流條別，正是歷史的。作文、選文，均該具備源流觀，即是說作文選文皆應具史義。作史時，對此等源流派別分合之故，更應注意，那就不用再說了。

文史因此而具規矩有成法之後，則要求神而明之、變而化之，此即實齋所謂「心裁」的部分。但別識心裁，他仍從源流上講，推其源於《春秋》。〈答客問上〉說：

> 史之大原，本乎春秋，春秋之義，昭乎筆削，筆削之義，不僅事具始末、文成規矩已也。以夫子「義則竊取」之旨觀之，固將綱紀天人，推明大道，所以通古今之變，而成一家之言，必有詳人之所略，異人之所同，重人之所輕，而忽人之所謹，繩墨之所不可得而拘，類例之所不可得而泥，而後微茫杪忽之際，有以獨斷於一心。及其書之成也，自然可以參天地而質鬼神，契前修而俟後聖，此家學之所以可貴也。

《春秋》不僅具史法，更具史義。義存乎心，故於微芒杪忽之際，有以獨斷於一心。這是實齋論別識心裁第一個重點，他談史識史德，即針對這一點而說。〈史德篇〉云：

> 史所貴執者義也，而所具者事也，所憑者文也。……非識無以斷其義，……能具史識者，必知史德。德者何？謂著書者之心術也。夫穢史者所以自穢，謗書者所以自謗，素行爲人所羞，

文辭何足取重？……陰陽伏沴之患，乘於血氣，而入於心知，其中默運潛移，似公而實逞於私，似天而實蔽於人，發爲文辭，至於害義而違道，其人猶不自知也。故曰心術不可不愼也。

心術正，則識見明，自然不會違道害義。這是史識，也是文德。〈文德篇〉呼應之曰：「凡爲古文辭者，必敬必恕。知臨文之不可無恕，則知文德矣」。文德既同乎史德，文史又通而爲一了，所以〈文德〉繼云：「古文辭不由史出，是飲食不本於稼穡也」。

論文章而強調心術，其言論便會正視一種超越文字辭藻層面的性質，認爲寫文章的人重要的不是修辭，而是作者的道德、見識或主張。這些內涵，先於或重於文辭。實齋論文法文律時，談的是修辭層面的事；此類論心裁別識之言論，著重的卻正是才、學、識、意、德等這些屬於內涵的東西。像〈言公上〉說：「作史貴知其意，非用於掌故，僅求事文之末也」，〈答問〉說：「文人之文，與著述之文，不可同日而語也。著述必有立於文辭之先者，假文辭以達之而已」，都是如此。運用本末、先後、內外等思維架構，界定文字修辭跟心術、才、學、識、意的關係。在這方面，實齋其實非常像唐宋古文家。而若再把他談文法史法那一部分合起來看，則他既講法又講義，豈不也甚似同時代的桐城派古文家嗎？桐城派論「義法」，義謂言有物、法謂言有序，實齋之說，未能外之。其不同者，在於實齋是把文章義法關聯於史學上說。但桐城也未必就不論史學，其說多就《史記》揣摩研練而得，與實齋高舉《春秋》，挾天子以令諸侯者固或有異，然義法通用於文章史乘則是一致的。

實齋眞正立論獨到之處，是把別識心裁的工夫，聯類於《詩》《書》

《易》。〈史德〉：「子嘗謂『有〈關雎〉〈麟趾〉之意，而後可以行《周官》之法度』。吾則謂通六義比興之旨，而後可以講春王正月之書」。〈和州志列傳總論序例〉：「或反證若此，或遙引如興，一事互爲詳略，異撰忽爾同編」。都是說比辭屬事之中，比興存焉。〈書教下〉：「夫史爲記事之書，事萬變而不齊，史文屈曲而適如其事，則必因事命篇，而不爲常例所拘；而後能起訖自如，無一言之或遺而或溢也。此《尚書》之所以神明變化，不可方物」。此則以《書》教疏通知遠，而其體錯綜變化，則與《易》象相通也。又章氏〈與喬遷安明府論初學課蒙三簡〉亦云：「馬、班諸人論贊，雖爲《春秋》之學，然本《左氏》假說君子推論之意。其言似近實遠，似正實反，情激而語轉平，意嚴而說更緩；尺幅無多，而抑揚詠歎，往復流連；使人尋味於中，會心言外，溫柔敦厚，《詩》教爲深」（劉刻《遺書》卷九）。而〈亳州志人物表例議下〉則說：「夫志者，志也。人物列傳，必取別識心裁，法《春秋》之謹嚴，含詩人之比興。離合取舍，將以成其家言」。《校讎通義》卷三〈漢志六藝〉更說：

> 《詩》部韓嬰《詩外傳》，其文雜記春秋時事，與詩意相去甚遠，蓋爲比興六義，博其趣也。當互見於《春秋》類，與虞卿、鐸椒之書相比次可也。孟子曰：「《詩》亡，然後《春秋》作」。《春秋》與《詩》相表裡，其旨可自得於韓氏之《外傳》。史家學《春秋》者，必深於《詩》，若司馬遷百三十篇是也。

在單獨說《春秋》時，實齋以《春秋》爲「法度」與「心裁」兼合的典範。可是在併說五經時，《春秋》屬辭比事之學，就主要代表著法度那一面，其神明變化、別識心裁者，輒當於《詩》《易》求之。《易》

之象、《詩》之比興，與《春秋》的謹嚴，《周官》的法度相配合，才足以爲史學寫作的最高境界，故云：「史家法春秋者，必深於詩」❷。

四、自成一家

實齋如此通義文史、持論其實大異於一般史家。他論修志，特重藝文，曰：「州縣志乘，藝文之篇，不可不熟議也」（和州志藝文書序例），又欲「倣《文選》《文苑》之體而作文徵」，與志相輔（見外篇一〈方志主三書議〉），且謂：「近世多倣《國語》而修邑志，不聞倣〈國風〉彙輯一邑詩文以爲專集」（天門縣志藝文考序），又說：「人物之次、藝文爲要」（修志十議）「志既倣史體而爲之，則詩文有關於史裁者，當入紀傳之中」（方志立三書議）凡此之類，均可見其重視藝文之意，認爲在史書體製方面，文史可以互輔、交相裨益，故〈答甄秀才論修志第二書〉云：

---

❷ 實齋論《易》，認爲它兼有《詩》《春秋》之長。但其說旨不在推尊易學，而在把易學融進《詩》《春秋》二教之中：「《易》象通於《詩》之比興，《易》辭通於《春秋》之例。嚴天澤之分，則二多譽，四多懼焉；謹治亂之際，則陽君子，陰小人也；杜微漸之端，〈姤〉一陰而已惕則女壯，〈臨〉二陽而即慮八月焉；愼名器之假，五戒陰柔，三多危惕焉；至於四德尊元而無異稱，亨有小亨，利貞有小利貞，貞有貞吉貞凶，吉有元吉，悔有悔亡，咎有无咎，一字出入，謹嚴甚於《春秋》，蓋聖人於天人之際，以謂甚可畏也。《易》以天道而切人事，《春秋》以人事而協天道，其義例之見於文辭，聖人有戒心焉」（文史通義・易教下）

文選宜相輔佐也。詩文雜體入藝文志，固非體裁，是以前書欲取各種歸於傳考。然兩漢文字甚富，而班史所收之外，寥寥無覯者，以學士著撰，必合史例方收，而一切詩文賦頌，無昭明、李昉其人，先出而採輯之也。史體縱看，志體橫看，其爲綜核一也。然綜核者事詳，而因以及文。文有關於土風人事者，其類頗夥，史固不得而盡收之。以故昭明以來，括代爲選，唐有《文苑》，宋有《文鑑》，元有《文類》，明有《文選》，廣爲銓次，鉅細畢收，其可證史事之不逮者，不一而足。故左式論次《國語》，未嘗不引諺證謠；而十五《國風》，亦未嘗不別爲一編，均隸太史。此文選志乘，交相裨益之明驗也。

此爲實齋詩識之處，然論史志者頗不謂然，如王闓運即云：

閱章學誠《文史通義》，言方志體例甚詳，然別立〈文徵〉一門，未爲史法。其詞亦過辨求勝，要之以志爲史，則得之矣。《詩》亡然後《春秋》作，此特假言耳。《春秋》豈可代《詩》乎？孟子受《春秋》，知其爲天子之事，不可云王者微而孔子興，故託云《詩》亡。而章氏入詩文於方志，豈不乖類！（《湘綺樓說詩》卷二）

此說著眼於文史之分，自與實齋主張文史相通、文史相輔、文史交相裨益、詩與春秋並兼者異趣。

實齋同時史家，亦罕有如此取徑者，大抵均就經史論分合，不由文史談通義。例如錢大昕，以經合史，謂經史非二學：

經與史豈有二學哉！昔宣尼贊修六經，而尚書春秋，實爲史家之權輿；漢世劉向父子，校理秘文爲六略，而世本楚漢春秋太史公書漢紀列於春秋家，高祖傳孝文傳列於儒家，初無經史之別。厥後蘭台東觀，作者益繁，李充、荀勗創立四部，而經史始分，然不聞陋史而榮經也（廿二史箚記序）。

而王鳴盛則認爲經史有同有異，〈十七史商榷序〉說：

予束髮好談史；將寇，輟史而治經。經既竣，乃重理史業，摩研排纘。二紀餘年，始悟讀史之法，與讀經小異而大同。何以言之？經以明道，而求道者不必空執義理以求之也，但當正文字，辨音讀，釋訓詁，通傳注，則義理自見，而道在其中矣。……讀史者不必以議論求法戒，而但當考其典制之實；不必以褒貶爲予奪，而但當考其事蹟之實，亦猶是也。故曰同也。若夫異者則有矣：治經斷不敢駁經，而史則雖子長孟堅，苟有所失，無妨箴而砭之，此其異也。抑治經豈特不敢駁經而已，經文艱奧難通，若於古傳注憑己意擇取融貫，猶未免於僭越，但當墨守漢人家法，定從一師，而不敢他徙；至於史則於正文有失，尚加箴砭，何論裴駰顏師古一輩乎？其當擇善而從，無庸偏徇，固不待言矣。故曰異也。要之，二者雖有小異，而總歸於務求切實之意則一也。

結論是經與史小異而大同。錢王兩家，是乾隆年間治史的代表，以考史爲主，如王鳴盛所言，考其典制、考其事跡、考其文字、音讀、訓詁。是以治經之法治史，故亦以尊經之說尊史，謂經史非二學，經史小異大同，以批判揚經抑史之習。這樣的史學，是與當時的經學樸學風氣相呼應的。

在這個時代風氣中，章實齋顯然是個異類。他從文學的角度看，就覺得這批經史考證家都不懂文章：「近人不解文章，但言學問，而所謂學問者，乃是功力，非學問也。功力之與學，實相似而不同。記誦名數、搜剔遺逸、排纂門類、考訂異同，途轍多端，實皆學者求知所用之功力爾。即於數者之中，能得其所以然，因而上闡古人精微，下啓後人津逮，其中隱微可獨喻，而難爲他人言者，乃學問也。今人誤執古人功力，以爲學問，毋怪學問之紛紛矣」（又與正甫論文）。「方四庫徵書，遺藉秘冊，薈萃都下，學士侈於聞見之富，別爲風氣，講求史學。非馬端臨氏所爲整齊類比、即王伯厚氏之所爲考逸搜遺，是其研索之苦、襞績之勤，爲功良不可少。然觀止矣。至若前人所謂決斷去取，各自成家，無取方圓求備，惟冀有當於《春秋》經世，庶幾先王之志焉者，則河漢矣」（邵與桐別傳）

「近人不解文章，但言學問」，指的就是時人只會整齊類比，考逸搜遺，而不能著述以成一家之言。著述才是史學，整齊類比、考逸搜遺僅僅是史纂史考。

在這樣的觀念中，文章著述、史學其實是同一件事。文章最高的標準，就是史學。一般尋常文士的文章，到不了這個標準，故亦爲他所批判：

> 文人之文與著述之文，不可同日語也。著述必有立於文辭之先者，假文辭以達之而已。……故以文人之見解而議著述之文辭，如以錦工玉工議廟堂之禮典也（問答）。

> 一切文士見解，不可與論史文。……文士撰文，惟恐不自己出；

史家之文，恐出之於己。……史體述而不造，史文而出於己，是爲言之無徵，無徵且不信於後也。識如鄭樵而譏班史於孝武前多襲遷書，然則遷書集《尚書》《世本》《春秋》《國策》楚漢牒記，又何如哉？（與陳觀民工部論史學）

今之所謂方志，非方志也。其古雅者，文人遊戲，小記短書，清言叢說而已耳。其鄙俚者，文移案牘，江湖遊乞，隨俗應酬而已耳（方志立三書儀）。

他認爲古來《左》《國》《史》《漢》都符合「良史莫不工文」之旨，而爲一代之鴻文。但中古以下，才藝之士，多舞文弄墨，「溺於文辭以爲觀美之具焉」，不顧史事之正確與否，「以此爲文，未有見其至者；以此爲史，豈可與聞古人大體乎！」（史德篇）若要上復古良史之體，爲文章之正，則須辨明一般詞章文士之文與史家之文有何不同。他主要從兩方面來說，一是事，一是義。

「事」是說一般文人之文皆出於虛構想像，馳幽騁玄，史家則須徵實：「文士撰文，惟恐不自己出；史家之文，惟恐出之於己，其大本先不同矣。史體述而不造，史文而出於己，是爲言之無徵，無徵且不信於後也」（與陳觀民工部論史學），史家必須依據事實來寫。至於「義」，是說文人之文，只表現辭采之美觀即可，史家著述之文則須中有所本，有立於文辭之先者。這個文章之義，前文已有說明。總之是應事有所本、義有所立的。持此標準以衡文士文集，遂多惡評，評方志史乘，亦輒謂其不符史著，僅成文士詞章或短書脞錄。

實齋之文史學，即因此而左不協於同時代的經史學，右不同於同時代的辭章學，拔戟獨立，自成一隊。他一再強調史學著述應成一家之言，可是他並未寫成一部史著，倒是這個理論在當時同聲者少，確實是成一家之言的。

五、浙東淵源

但在乾隆年間史學上獨樹一幟的章實齋，放在一個更大一點的視野中，卻又並不孤獨，可視為一個脈絡發展中的小環節。

因為現在我們看清代學術，主要的焦點大抵都放在乾嘉樸學上。以這一點為基準，看清代學術，自然會以經學考證為中心。史學，就被視為經學發展以後繼起的波潮，錢大昕王鳴盛等以治經之法治史，力矯尊經抑史之風；章實齋云六經皆史，則折治經之風以入史途，故經學昌明之後，史學繼盛。如斯云云，可說是我們對清代學術史的基本描述。但若依章實齋「辨章學術，考鏡源流」的要求來看，此說所描繪的地圖，頗不正確，未能窮源竟委，遂令家數不明矣。

論者忽略了：清代史學不是在乾嘉以後才發展起來的。乾隆年間，治經者也許會像錢大昕所說，頗有尊經抑史之見，但從整個大的時代社會看，治經或許才是新風氣。在乾隆以前，大約二百年間，史學事實上恐怕才是主流。

《四庫全書總目提要》傳記類二《今獻備遺》中說：「明人學無根柢，而最好著書，尤好作私史。其以累朝人物匯輯成編者，如雷禮之《列卿記》、楊豫孫之《名臣琬琰錄》、焦竑之《國史獻徵錄》卷帙最為浩博」。《明史例案》卷二〈橫雲史稿例議〉也說：「明代野史、雜記、小錄、郡書、家史，不下數百種，然以編年紀事者多。求其帝紀列傳，纂輯成集者絕少，惟鄭曉之《吾學編》王世貞之《史料》、何喬新之《名山藏》，間備其體」，它們評價明代史學，各有觀點，但由他們的敘述中便不難發現：明代史學是極盛的，作史之風尤盛。

其間野史不下千家，足爲世重者不下百家，如王世貞的《弇山堂別集》《弇洲史料》《嘉靖以來首輔傳》《明野史匯》《皇明名臣琬琰錄》，沈德符的《萬曆野穫編》，陳建的《皇明從信錄》《皇明通鑑輯要》，鄧元錫的《明書》、談遷的《國榷》等等，均爲治史者所稱。

明清易代之際，史學更盛。張岱的《石匱藏書》《石匱書後集》、谷應泰的《明史紀事本末》、吳梅村的《綏寇紀略》、查繼佐的《罪惟錄》、計六奇的《明季北略》《明季南略》溫睿臨的《南彊逸史》、傅維麟的《明書》等等，多不勝數。特別是明清易代滄桑之感，格外令人激生歷史寫作的意願。而從順治二年（1645）年開始開設明史館修明史，廣徵天下才彥修史，修到乾隆四年才正式進呈，其間又長達十九年。講乾嘉樸學的人，無不注意到乾隆修四庫全書，設四庫館，對考證學的發展具有決定性的影響，而卻忽略了長達九十年的大規模修史活動會對學術產生什麼影響，這不是很奇怪嗎？何況，在官方史之際，民間私修史書也未停止，莊廷隴、戴南山案，都跟修史有關，其風氣不難想見❸。

在這個風氣中，最值得注意的是黃宗羲，黃宗羲的《明史案》《明

---

❸ 章學誠論方志，也是清初大規模修志的結果，或理論反省。因康熙康正朝開館修史時，也同時命各省督撫修省志。修成之書，見《四庫全書》史部地理類一者，凡十六部，1771卷。其後並詔各省縣六十年須續修。實齋的工作即與此一制度有關。

儒學案》《明文海》，以及黃百家續成的《宋元學案》，下啓全祖望乃至江藩的學術史寫作，是大家都知道的。黃氏重史例，則下啓萬斯同。明史開館，既以他的《明史案》爲基礎，又有萬斯同、黃百家的參與，更時時咨詢於他，他在整個史書修撰工作中居核心地位，亦無庸置疑。而章學誠的學術，他自己即是溯源於浙東學派的。他本人對浙東史學或黃宗羲者多少了解，當然難說的很，因爲他講浙東浙西，是關聯著博雅與專門、朱與陸而說的，談到自己的史學，也並未與黃宗羲攀上關係。但從學術史的發展脈絡看，章實齋恰好接上黃宗羲這一路。

這一路，重點與乾嘉以後著重於史料纂輯和史考者不同，重在作史。作史須有文采，但又不僅止於有文采，故自王世貞以來，就批評：「《晉書》《南北史》《舊唐書》稗官小說也」。可是既要修史，本身又不能不是文學家。王世貞、沈德符、張岱、吳梅村、錢牧齋、黃宗羲這些人就是榜樣。這些文學家的史學理論，當然會與乾嘉以後那些只懂得講史料考據者不同。那些人用章實齋的話來講，就是：「今人不解文章，只知學問」。實齋的文史學，是不與之同調的❹。

---

❹ 對實齋文史學的詳細分析，另見龔鵬程《文學的歷史學與歷史的文學：文史通義》，收入1992，學生書局，《文化符號學》，頁197-304。

章學誠「史學經世」之理論與實踐

——以方志纂修為討論重點

蔡琳堂*

提　要

「史學經世」說是章學誠學術思想中極為重要的組成部分之一，在其整體的學術架構中，史學經世之說是與其他主張彼此相通。此說是由「六經皆史」觀所導引出來的概念，其理論中心亦在「六經皆史」上；而在經世思想的實踐層面上，章學誠透過編纂方志來達成此一目的，從其訂定方志體例、纂述方志內容、提高方志價值等多項作為來看，史學經世之說是藉由方志來完成。因此，本文試就其方志體例與相關方志論述之文章為討論對象，藉以說明其「史學經世」之理論與實踐。

* 淡江大學中國文學系博士生

關鍵詞　章學誠　方志學　史學經志

一、前　言

「史學經世」之說，爲清代章學誠所特爲標舉者，亦是其經世致用思想之重要組成部分。章學誠對學問之所有事，均認爲有經世之作用，且學問之要在闡明大道、補正世風，在其學說思想趨於成熟之際所撰述之文章中，清楚地表明此一觀點，如在〈與朱滄湄中翰論學書〉（乾隆四十八年，1783，46歲作）中他談論舉業之事時，認爲舉業雖於世人眼中是無當於學問，但他認爲舉業亦是學問中之一事，並且同樣可以就此而明道，文中陳述學問途轍多端，但目的則一，他說：

> 學問之事，非以爲名，經經史緯，出入百家，途轍不同，同期於明道也。……學術無有大小，皆期於道。若區學術於道外，而別以道學爲名，始謂之道，則是有道而無器矣。學術當然皆下學之器也，中有所以然者，皆上達之道也。器拘於跡而不能相通，惟道無所不通。是故君子即器以明道，將以立乎其大也❶。

文中統言學術皆爲形下之器，旨在闡述學術無分大小精粗，均以明道爲主，學者志學問業之方法不盡相同，但其目的皆在明道。此篇論述學問之觀點，大體與其後來所言相近，在〈與吳胥石簡〉（嘉慶三年，

---

❶　見《章學誠遺書》（北京：文物出版社，1985年8月一版），頁84。

1798，61歲作）中亦言曰：

> 古人本學問而發爲文章，其志將以明道，安有所謂考據與古文之分哉？學問文章，皆是形下之器，其所以爲之者道也❷。

此文中亦認爲學問無分考據或古文等區別，學問文章之最終目的在於明道，亦是學者志學問業之意義所在。而學問既以明道爲主，故其作用之一即在經世方面彰顯，如他在〈與史餘村〉（約乾隆五十四至六十年間，1789-1795，52-58歲作）一信中對於文章經世致用之價值肯定，即要有補於世教，文中說：

> 文章，經世之業，立言亦期有補於世，否則古人著述已厭其多，豈容更益簡編，撐床疊架爲哉❸？

又〈與邵二雲論文〉（乾隆五十四年，1789，52歲作）中亦提到說：

> 夫立言於不朽之三，苟大義不在於君父，推闡不爲世教，則雖斐如貝錦、絢若朝霞，亦何取乎❹？

二文皆強調文章在求有用，文辭之美或著述之多，若均無用於世，則雖多雖美亦無補於世教。古人立言均求能有用於世，今人之著作亦應以此爲準繩，無用之文或無關世教之著作，是學業不能經世致用、徒耗精神於無用之處。因此他對時人所作之應酬文字，便有所抨擊，認爲常人所謂應酬文字者，皆可借題發揮用以志道明理；若視應酬文字

---

❷ 《章學誠遺書》，頁79。

❸ 《章學誠遺書》，頁643。

❹ 《章學誠遺書》，頁613。

爲無用之文，正坐不知文章經世之用❺。

章學誠學問經世之說，不僅是希望能落實學問之明道功能，並且要推及至各個學術層面，其中尤爲重要者爲挽救學術風氣之弊。〈天喻〉（乾隆五十四年，1789，52 歲作）中說：

> 學業將以經世也，……孔子生於衰世，有德無位，故述而不作，以明先王之大道。孟子當處士橫議之時，故力距楊、墨，以尊孔子之傳述。韓子當佛老熾盛之時，故推明聖道，以正天下之學術。程、朱當末學忘本之會，故辨明性理，以挽流俗之人心。其事與功，皆不相襲，而皆以言乎經世也。故學業者，所以闢風氣也。風氣未開，學業有以開之；風氣既弊，學業有以挽之❻。

文中舉孔、孟、韓、程等人在學術上之事功爲例，以另一種角度說明各人學業雖不相同，但對轉移學術風氣、開啓後世學風均有貢獻。此點除顯示出章學誠對諸人學術價值之肯定，是以經世觀點來衡量之外，他對自身學業在乾嘉時期學術發展之價值，亦以經世爲衡量標準，

---

❺ 章學誠對於應酬文字之看法，認爲只要寄予實質之內容、賦予其新的意涵，便可改變士人對應酬文章之價值觀，在〈貶俗〉（約作於嘉慶二年左右，1797，60 歲時，確切之年未詳）一文中，章學誠就曾對壽祭文章之實用性質有所說明，文曰：「文章家言及於壽屏祭幛，幾等市井間架，不可入學士之堂矣。……文生於質，視其質之如何而施吾文焉，亦於世教未爲無補。」（葉瑛《文史通義校注》，台北：漢京文化事業有限公司，民國 75 年 9 月初版，頁 452。）章學誠對壽祭文章之意義與價值肯定，在其他論述中均有提及，如〈答朱少白書〉（《遺書》頁 609）、〈與朱少白書〉（《遺書》頁 691）中均有論之，可與〈貶俗〉一文參看。

❻ 葉瑛《文史通義校注》，頁 310。

在他多處文章中屢屢抨擊時風、矯正當時學者偏重考據治學之說，即是對風氣之弊提出建言，如〈說林〉（乾隆五十四年，1789，52歲作）中亦提到說：

> 學問經世，文章垂訓，如醫師之藥石偏枯，亦視世之寡有者而已矣。以學問文章，徇世之所尚，是猶既飽而進粱肉，既煖而增狐貉也❼。

文中所論同樣是以學問經世作爲扭轉學術風氣之利器。由此可知其經世思想之重點所在，要以闢風氣爲首要目標，其所論除對前人學術作肯定之外，亦可知其對自身學業之價值極具信心，認爲自己能轉移時風、有俾世教❽。

章學誠對經世致用思想之落實，表現在其「史學經世」之主張上，此說有承襲自浙東學派之精神者，然在實踐層面上章學誠以其特有之史志專才，將此一思想藉由方志編纂予以落實，使得經世之說非止於理論建構而已，乃使之成爲確實可行之方式。章學誠史學經世之觀點，表現在理論闡述與實際應用兩部分，此二部份均以「六經皆史」說爲內在依據。在理論闡述方面，他藉由六經記載一代典章制度、政治教

---

❼ 葉瑛《文史通義校注》，頁354。

❽ 章學誠對一代習尚之弊，深有感觸，在許多文章中均對乾嘉學術之弊提出個人意見，此部份可參見〈葉鶴塗文集敘〉（《章學誠遺書》，頁207）、〈答沈楓墀論學〉（《章學誠遺書》，頁85）、〈又與正甫論文〉（《章學誠遺書》，頁337）、〈與朱少白論文〉（《章學誠遺書》，頁336）等文。此外，他對同時代人之批評，亦有以世教風俗爲評議觀點者，如對袁枚之評論，以其敗壞善良風俗爲駁斥焦點，顯示其對世教風俗之重視，所以他也呼籲學者文章學業要有補於世教文風，不可增長風氣之腐敗。

化與風俗民情等內容，用以比擬史書在紀錄時代現況以作爲後世教化鑒戒之功能性方面，兩者等同，著重申明史學明道之功能與彰顯政教風俗之作用；而於實際應用部分，他則以方志編纂來落實「史學經世」之說，並將方志編纂之體例依據，歸結於「六經皆史」說中所闡發之史書撰述體例，且將方志中許多類目如「氏族」、「譜牒」、「表」、「略」、「列傳」等，重新賦予新的詮釋意涵，使其更具有學術價值而更能彰顯政教之跡，此均是章學誠在經世理念下所致力之處。以下諸節即就其「史學經世」思想之形成與「六經皆史」觀、方志體例等部分進行探究。

二、「史學經世」概念之形成

史學專長是章學誠最引以爲傲者，亦是其學問之精華所在，他初期接觸學問之時，喜好史學之天性，使其終生爲探索史學而努力，在其〈家書六〉（乾隆五十五年，1790，53 歲作）中曾提及年少之時對史學的特殊喜愛：

> 至吾十五六歲，雖甚騃滯，而識趣則不離乎紙筆，性情則已近於史學❾。

又〈家書二〉（乾隆五十五年，1790，53 歲作）中說：

---

❾ 《章學誠遺書》，頁 93。

> 吾於史學，蓋有天授，自信發凡起例，多為後世開山，而人乃擬吾於劉知幾，不知劉言史法，吾言史意；劉議館局纂修，吾議一家著述。截然兩途，不相入也⑩。

此信中對於史學所展露出自信之語氣，顯示出他對史學的雄心壯志與自我肯定。此二封家書所述，雖是追憶年少時光之言，但從其一生治學之經歷覈以信中之內容來看，章學誠之治學方向確實是以史學（或可言史志編纂）為終身之學術依歸。

以史學研究作為自身學術發展之方向，在講求經世致用之功能上，亦多少會受此一研究方向之影響，因此以「史學經世」作為學術實踐之理想，也就有其學術發展之必然性。史學經世之概念，在章學誠早期思想中便已有萌發之跡象，在〈答甄秀才論修志第一書〉（乾隆二十八年，1763，26 歲作）中即曾說過：

> 丈夫生不為史臣，亦當從名公巨卿，執筆充書記，而因得論列當世，以文章見用於時。如纂修志乘，亦其中之一事也⑪。

此時其想法是以身為史臣為職志，且言若不能身任的話，則方志纂修亦是一途。此一想法雖未有進一步的說明是否有「史學經世」的概念存在，但因其後來命運之安排，使其一生事業遂以方志為依歸，並藉此發揮其史學專長，實踐其史學經世之理想。章學誠在初期選擇方志纂修為其學問事業之努力方向，主要是因清代游幕之風頗盛，吸引許

---

⑩ 同上，頁 92。

⑪ 葉瑛《文史通義校注．校讎通義校注》，頁 821-822。

多未第士人一展長才或憑此以求溫飽⓬，加上各地方纂修方志之風氣普遍盛行，而方志又與史事相關，是以造成他早年便有輔助地方官纂修方志的念頭。而且章學誠自負史學理念高出同時代人甚多，並自覺可與前輩學者如劉知幾等分庭抗禮，所以他對自己能否盡展史才一事，頗爲在意，在〈黠陋〉（乾隆五十四年，1789，52歲作）一文中曾說：「負史才者不得身當史任，以盡其能事，亦當搜羅聞見，覈其是非，自著一書，以附傳記之專家。⓭」表明出即使不能任官史臣，亦應自爲撰述以成一家之言。故其屢任方志編纂工作，固然爲生計所驅使，但方志編纂工作能使其史學長才得以盡展，對他來說亦是施展所學之極佳途徑。從此文與〈答甄秀才論修志第一書〉前後文章比較來看，章學誠對史志撰述可說是一生專意於此。

章學誠史學經世思想之形成，除了來自於他所謂「如有天授」之史學專才的實踐外，此一主張亦有承襲自浙東學派之精神者，章學誠在〈浙東學術〉（嘉慶五年，1800，63歲作）中曾論及曰：

> 三代學術，知有史而不知有經，切人事也。後人貴經術，以其即三代之史耳。近儒談經，似於人事之外，別有所謂義理矣。浙東之學，言性命者必究於史，此其所以卓也。……知史學之本於《春秋》，知《春秋》之將以經世，則知性命無可空言⓮。

⓬ 有關清代學術發展與清人游幕之間的關係，可參見尚小明所著之《學人游幕與清代學術》（北京：社會科學文獻出版社，1999年10月一版）一書。書中對有清一朝重要幕府之發展與整個時代學術風氣、文化傳播等方面，均有詳細的論述。

⓭ 葉瑛《文史通義校注·校讎通義校注》，頁429。

⓮ 葉瑛《文史通義校注·校讎通義校注》，頁523-524。

文中點出浙東學術本於《春秋》經世之學，是切人事而言義理，其學術是實學而非空言。前代理學昌明之際，疏忽人事而言天理人性；或者當代專求訓詁考據而漠視其餘，皆非學問之要事。他強調浙東學派之精神，在以史學、史著彰顯天道人事變化之跡，「言性命必究於史」之言，即將義理歸諸於史學上，以史學爲基礎所闡述之義理方爲有根有據，否則僅是空談無根之言，此點即是孔子撰述《春秋》之意義所在，亦是後世史學精神之所在。〈浙東學術〉一文不僅是章學誠自述其學術淵源之所由，同時他也表彰鄉先輩之學術貢獻，雖其所提出之「浙東學派」甚有許多問題，以及此文不免有自抬身價之嫌，然其闡揚「史學經世」之學術傳統，與自述學術理念承傳自浙東學風之部分來看，仍是有其理論依據。不過就章學誠所主張「史學經世」之理論與實踐來看，其所持之論點與浙東學派之先輩亦有些許不同，主要在於他用方志編纂來落實「史學經世」之說，且其方志編纂之體例依據，又源於「六經皆史」說中所闡述之史書撰述體例，較之浙東學者所言，更具有實踐規範，是以其說雖承自浙東學術理念，然在意涵與理論基礎方面卻有加以拓展之處。

章學誠史學經世理念之形成，是歷經長時間醞釀思考而建構出，從年輕時〈答甄秀才論修志第一書〉中所展露出對史志編纂之具體建議與對身任史臣之職的嚮往，到學術成熟時期（乾隆五十四年以後）所提出綜合「六經皆史」觀、「道器合一」說、方志理論而形成「史學經世」之理念。期間其自身學術思想不斷地產生變化演進，對於許多學術問題的思考益加深入拓展，加上纂修方志、編撰《史籍考》之實際經驗累積，促成他對學術理論的建構更加完備。

三、由「六經皆史」觀導引出「史學經世」之說

六經皆史說與史學經世之間的關係，主要是他將六經之著書體例應用在方志之編輯方法上（詳見下節），透過書中所記載政教典章之內容，以彰顯時王之治道，並紀錄一代人物之言行，而用以揚善懲惡、昭炯後人。此一過程所顯示之目的性與意義，即是章學誠所言「經世」作用之所在。在論述「六經皆史」說如何導引出「史學經世」理念之前，有必要對此一主張作交代。「六經皆史」說是章學誠整體學術思想之中心論點，此概念形成的時間頗早，但正式之提出與理論成熟之階段，則始於編纂《史籍考》之後，方明確標舉出此一命題⑮。此說之理論架構，有其結構上的層次進展，首先是以校讎方法釐清學術源流，以「官師合一之制」與「六經爲周公集大成之作」這兩個概念，將六經爲先王之政典的性質凸顯出來⑯，並以六經爲載道之器，評定

---

⑮ 章學誠六經皆史說之形成，請參見拙著《論章學誠「六經皆史」說之理論與實踐》（淡江大學中研所91年碩士論文）第三章第二節〈《史籍考》纂修與六經皆史觀〉。

⑯ 以校讎方法推論學術源流，論述六經爲周官之舊典，主要論述於《校讎通義·原道第一》（乾隆四十四年，1779，42歲作）中，文曰：「有官斯有法，故法具於官；有法斯有書，故官守其書；有書斯有學，故師傳其學；有學斯有業，故弟子習其業。官守學業皆出於一，而天下以同文爲治，故私門無著述文字。私門無著述文字，則官守之分職，即群書之部次，不復別有著錄之法也。……後世文字，必溯源於六藝。六藝非孔氏之書，乃《周官》之舊典也。

其文獻地位與史、子、集相同，均是在紀錄歷史演變過程中之所有事，並藉事寓理以明道之所在，且由此推論出四部典籍在著作意義上是等同、無有差別的。「六經皆史」說之整體結構中最基本的理論之一，即在還原六經爲史書之本來面貌，其目的是在揭開外加於六經之上的神聖面紗，使六經回歸於成書之際的本始意義。在作法上，由校讎方法以「辨章學術、考鏡源流」，藉由《漢書・藝文志》文獻著錄之情形與先秦學術制度爲討論主題，推闡官師合一之說爲學術初始之現況；再者，就經部定名之原因，論述六經之稱謂爲後人所加，是後世推尊聖人之道而有是名，且論及經史區隔乃後世爲求文獻部次之便利而有四部分類法產生，進而影響後人在理解經史文獻時造成判若鴻溝之隔閡⑰。章學誠在釐清六經之意義後，認定六經是周公集大成之作，孔子述而不作，六經僅是彰顯先王之道的工具而已，其政典之性質代表著六經爲史籍，是紀錄一代政治制度之書。〈原道中〉（乾隆五十四年，1789，52歲作）對六經爲載道之器有更加詳細的說明曰：

《易》掌太卜，《書》藏外史，《禮》在宗伯，《樂》隸司樂，《詩》領於太師，《春秋》存乎國史。夫子自謂述而不作，明乎官司失守，而師弟子之傳業，於是判焉。」（葉瑛《文史通義校注・校讎通義校注》，頁951）文中推論六藝皆爲政府典籍，各官掌守一藝以傳諸弟子，是當時並未有經之稱號，而六藝亦與其他諸籍一樣，此方爲六經之本貌。相關論述另可見《校讎通義・漢志六藝第十三》、〈經解上〉、〈與陳鑑亭論學〉等篇。

⑰ 請參見《校讎通義・宗劉第二》（葉瑛《文史通義校注・校讎通義》，頁956）、〈上曉徵學士書〉（章學誠佚文，見《大公報・文史周刊》民國35年11月10日，北京人民出版社1983年影印）、〈論修《史籍考》要略〉（《章學誠遺書》，頁116）、〈釋通〉（葉瑛《文史通義校注・校讎通義》，頁372）等篇。

道不離器，猶影不離形。後世服夫子之教者自六經，以謂六經載道之書也，而不知六經皆器也。……三代以前，《詩》《書》六藝，未嘗不以教人，不如後世尊奉六經，別爲儒學一門，而專稱爲載道之書者。蓋以學者所習，不出官司典守、國家政教；而其爲用，亦不出於人倫日用之常，是以但見其爲不得不然之事耳，未嘗別見所載之道也。夫子述六經以訓後世，亦謂先聖先王之道不可見，六經即其器之可見者也。後人不見先王，當據可守之器而思不可見之道。故表章先王政教，與夫官司典守以示人，而不自著爲說，以致離器言道也。……故夫子述而不作，而表章六藝，以存周公舊典也，不敢舍器而言道也。⓲

文中詳盡說明孔子以六經作爲闡述先王之道的教材，是因六經皆是王者政教施行之實際紀錄，除了代表官府文書之外，更重要是書中所記之事，均切於人倫日用而非空言立說，是事有實據而理有所因，所以孔子以六經作爲傳道之依據。

六經既爲周公之舊典、是載道之器，若回歸當時官師合一之制而言，則六藝掌於史官、其性質爲史書之意，便由此而凸顯出來。他在〈史釋〉（乾隆五十四年，1789，52歲作）篇中對史官掌理文書法式之職責，有作一論述曰：

或問《周官》府史之史，與內史、外史、太史、小史、御史之史，有異義乎？曰：無異義也。府史之史……今之所謂書吏是也。五史，……今之所謂內閣六科、翰林中書之屬是也。官役

⓲ 葉瑛《文史通義校注·校讎通義》，頁132。

之分，高下之隔，流別之判，如霄壤矣。然而無異義者，則皆守掌故，而以法存先王之道也。[19]

文中藉由分析府史與五史職分之不同，來論述紀錄掌故之職與專責治理國事之官的異同。其異者在官位、職掌與作用有別；其同處在於皆守掌故，以存先王之道。文中分別陳述二者職守之不同，但就「明先王之道」的功能來看，二者相輔相成，沒有區別。此文中續言曰：

先王道法，非有二也，卿士、大夫能論其道，而府史僅守其法；人之知識，有可使能與不可使能爾。非府史所守之外，別有先王之道也。……故道不可以空銓，文不可以空著。

各職史官掌理行政事務、典故文書，其功能是一致的，皆在行先王之道，只是分別爲實際施行與文書紀錄兩者，但對彰顯先王之道均有幫助。章學誠言六經爲先王政典，即是指文書紀錄這一部份，這在當時是掌於史官之手，故其文獻性質是屬於史書範圍。此一論述之目的，在使六經回歸史書之本貌，同時將後世有關記載政教典章之書與六經之著作性質聯繫起來，由「彰顯政教之道」之意泯除經史之間的區隔，使後世文史著作之學術價值與六經等同。此點在文中亦有提到說：

《傳》曰：「禮，時爲大。」又曰：「書同文」，蓋言貴時王之制度也。學者但誦先聖遺言，而不達時王之制度，是以文爲鞶帨絺繡之玩，而學爲鬥奇射覆之資，不復計其實用也。故道隱而難知，士大夫之學問文章，未必足備國家之用也。法顯而

---

[19] 同上，頁 230-232。文中所引〈史釋〉之文，皆同於此。

> 易守，書吏所存之掌故，實國家之制度所存，亦即堯、舜以來，因革損益之實跡也。故無志於學則已，君子苟有志於學，則必求當代典章，以切於人倫日用；必求官司掌故，而通於經術精微。則學爲實事，而文非空言，所謂有體必有用也。

即由六經之著作本意，論及當代學者之著作，應求能紀錄典章或闡述制度，如能達到此一目標，則學爲實用而不致空言義理，方是學問經世之作爲，所以文中最後說：「故當代典章，官司掌故，未有不可通於《詩》《書》六藝之所垂。」其意便在說明有關當代典章制度之著作，其撰述本旨實與六經垂訓後世之意是完全相通的。此一觀點在〈原道下〉（乾隆五十四年，1789，52 歲作）中亦有陳述曰：

> 道備於六經，義蘊之匿於前者，章句訓詁足以發明之。事變之出於後者，六經不能言，固貴約六經之旨，而隨時撰述以究大道也。⑳

六經所記載之道，乃爲先王之道；後世道之變化多端，有前代所無法囊括者，因此以六經著述之宗旨爲基本態度，隨時紀錄當代人物史實、典章政教，便能即時反映一代人事之道的變化軌跡，如此方是學者著述之最終目的與其學術價値之所在，而經世致用之實踐意義亦在其中彰顯出來。

章學誠經世思想的理論闡述，遍及學術之所有事，對於各學科、各文體之實用價値，是以其內容可否明道或其作用能否補正世教爲考量依據，至於學科類型與文體形式等外緣問題，則並不過於注重。而

⑳ 葉瑛《文史通義校注・校讎通義》，頁 139。

且在其「六經皆史」說之主張中「以爲盈天地間，凡涉著作之林，皆是史學㉑」之概念裡，不論是何種形式之著作，均可視爲是史學領域中之一部份，是以廣義的史學經世思想，是包含各學科而言，所以他對學問之事，乃採開放的態度去面對，如當時學者分義理、辭章、考據三者爲不同的學術路徑，但他則認爲此三者皆「道中之一事」，其目的皆在明道以求能用於世，他在〈答沈楓墀論學〉（乾隆五十四年，1789，52歲作）中便論之曰：

> 夫考訂、辭章、義理，雖曰三門，而大要有二：學與文也。理不虛立，則固行乎二者之中矣；學資博覽，須兼閱歷；文貴發明，亦期用世。斯可與進於道矣。夫博覽而不兼閱歷，是發策決科之學也；有所發明而於世無用，是雕龍談天之文也。然而不求心得，而形跡取之，皆僞體矣。㉒

學問文章之事，貴在有心得、能爲世用，故以義理、辭章、考據三者來說，只要能求其致用之道，皆可稱爲有用之學，而彼此間亦無輕重優劣之分。此種對學問之態度，本於經世致用之思想，此觀點在清代學者當中是少有的，顯示出其識見在當時確有其獨特之處。

章學誠史學經世之理念是以六經皆史說爲其理論基礎，他藉由還原「六經爲先王之政典」的意義，說明史書在彰顯政教之跡以明大道之作用是與六經之價值相等，如他在〈答客問上〉（乾隆五十六年，1791，

㉑ 語出〈報孫淵如書〉（乾隆五十三年，1788，51歲作），《章學誠遺書》，頁335。

㉒ 《章學誠遺書》，頁85。

54歲作）有言曰：

> 史之大原，本乎《春秋》；《春秋》之義，昭乎筆削。筆削之義，不僅事具始末，文成規矩已也。以夫子「義則竊取」之旨觀之，故將綱紀天人，推明大道㉓。

即強調史學著述之作用其實與六經之旨相同，目的皆在綱紀天人、推明大道，就此一層意義來說，經史二者之學術義涵皆是一致，不應差異視之。所以後世史志著作若能秉持《春秋》大義之原則，詳實記載國家制度、品鑒人物，則史學經世之功能便能展現，是以他在實踐經世致用之理想時，對經世之工具——方志的內容闡述上，也是著重其有俾風教之作用部分，如早期文章〈答甄秀才論修志第一書〉（乾隆二十八年，1763，26歲作）中有說：

> 史志之書，有俾風教者，原因傳述忠孝節義，凜凜烈烈，有聲有色，使百世而下，怯者勇生，貪者廉立㉔。

能使百世之後見書而起而效之者，非史志著作莫屬，此一認知在其初入史學領域之時便有所體悟，故其歷經學問成長、思慮成熟之後，仍以史學作為經世致用之途徑，不得不使人佩服其慧眼獨具與對學問的堅持。

㉓ 葉瑛《文史通義校注·校讎通義》，頁470。

㉔ 葉瑛《文史通義校注·校讎通義》，頁821。

四、方志纂修為「史學經世」理論之實踐

章學誠史學經世之觀點落實在方志編纂上，主要是以正史之著作意旨爲仿效目標，將方志體例與正史相比擬，企圖透過方志的編纂來達成與正史具有相同作用的歷史鑒戒功能。在傳統史學中，歷代正史著作之功能有兩層意義，一是前代史書記載各朝盛衰之因，給予人君政治運作之鑒戒依據，且爲後人研究前代史實留下資料；同樣地，當代史官撰述本朝正史，紀錄典章制度，亦是爲後人提供研究當代政教治跡與人物行止之資料，此爲史書之另一層涵意。無論是以前代歷史作爲鑒戒，或是保留當代史料以作爲後人借鏡，史學著作在彰顯歷史的功能方面，則是相同的。此一部份，正是章學誠方志理論中特別重視之處，故在其相關論著闡述時，都特別強調方志輔政的實際作用，他也以此部份自別於地理學派之方志著作㉕，在〈爲張吉甫司馬撰大

㉕ 與章學誠同時期之方志地理學派的代表學者有戴震、洪亮吉、孫星衍、段玉裁等人，他們彼此之間曾就各自的主張進行學理的討論，包括方志的性質、體例、內容的撰述重點等諸多問題。其中最爲人所熟知的是戴震與章學誠之間的論辯，兩人論辯之過程，章學誠在〈記與戴東原論修志〉（葉瑛《文史通義校注·校讎通義校注》，頁869－871）一文中曾有詳細的紀錄，文中對於兩派的主張多所描述，可清楚見其不同之處。又，章學誠亦曾與多年好友孫星衍、洪亮吉爭執過方志的問題，最後幾乎絕交，此一事件可從乾隆五十九年到嘉慶二年之間的文章書信中得知，如〈與朱少白書〉、〈又與朱少白書〉、〈地志統部〉、〈又答朱少白〉、〈與朱少白〉等，均對於相關情節有所提及。

名縣志序〉（乾隆五十年，1785，48歲作）中即就此點有所陳述說：

志者，志也。其事其文之外，必有義焉，史家著作之微旨也。……知方志非地理專書，則山川都里坊表名勝，皆當彙入地理，而不可分占篇目，失賓主之義也。知方志爲史部要刪，則胥吏案牘、文士綺言，皆無所用，而體裁當規史法也。㉖

其言「史家著作之微旨」，即蘊含史學之傳統精神於其中，此一精神涵義，正有別於方志地理之說，亦是其方志編輯之中心思想。

以史志書籍之纂修作爲史學經世思想之表現，除了因章學誠對史學有特長之外，史學傳統中鑒戒後人、獎風勵俗之實質意義，是最能表彰一代風教、落實經世致用思想之最佳方式。在〈浙東學術〉文中他說道：「知史學之本於《春秋》，知《春秋》之將以經世，則知性命無可空言」㉗一段話，表達出他對《春秋》一書經世作用的看重，而他對方志的編輯理念也依此爲準則，不論是志書中體例之安排或者是方志立三書之議的提倡，其考量依據也都是以經世觀點爲主。就以早期所編之《和州志》各小敘之內容觀察，其撰志之大方向爲落實史學經世之說，而其過程則是利用紀錄史事、彰顯政教之方式以達之。在〈和州志志隅自敘〉（乾隆三十九年，1774，37歲作）有言：

志者，史之一隅；州志，又志之一隅也。獲麟而後，遷、固極著作之能，向、歆盡條別之理，史家所謂規矩方圓之至也。……鄭樵有史識而未有史學，曾鞏具史學而不具史法，劉知幾得史

㉖ 葉瑛《文史通義校注·校讎通義》，頁882。

㉗ 葉瑛《文史通義校注·校讎通義》，頁524。

法而不得史意，此予《文史通義》所爲作也。……由識以進之學，由學而通乎法，庶幾神明於古人之意焉。則《春秋》經世之學，可以昌明。㉘

以一篇方志之自敘而言，其內容所述已超出一般方志自敘的範圍，但從文中可以得知章學誠撰述方志之意，是要「由識以進之學，由學而通乎法」，建立一套史學著作之撰述方法，以昌明《春秋》經世之學，也就是藉由方志編纂以實現其經世致用的理想，因此志中各小敘所言，均不離史法史識之範疇。如〈和州志皇言紀序例〉（乾隆三十九年，1774，37 歲作）言及其創立此紀之意義時，是以《春秋》撰述體例與政教頒行爲準則，文中說：

古者國別爲書，而簡策所昭，首重王命，信可徵也。是以《春秋》歲首必書王正，……王言絲綸，史家所重，有由來矣。後代方州之書，編次失倫，體要無當，而朝廷詔誥，或入藝文；篇首標紀，或載沿革。又或以州縣偏隅，未有特布德音，遂使中朝掌故，散見四方之志者，闕然無所考見。……今裒錄州中所有，恭編爲〈皇言紀〉一，以時代相次，蔚光篇首，以誌祇承所自云爾。㉙

此段言現行方志不載皇言，是編次失倫、體要無當，他舉兩點作說明：一是方志載皇言之例，是承襲《春秋》王正之體例，在史書撰述體例之淵源上，由來有自；二是朝廷所頒行之政教典章是行使於四方，方

㉘ 《章學誠遺書》，頁 552。

㉙ 葉瑛《文史通義校注·校讎通義》，頁 609。

志不載此類史料，無法彰顯政教施行之跡。所以他根據這兩點理由，認爲方志篇首須立〈皇言紀〉，以彰史書體例與政教之事。又〈和州志官師表序例〉（乾隆三十九年，1774，37歲作）言官師表創立之理由時說：

> 班固〈百官公卿表〉，猶存古意，其篇首敘官，則太宰六典之遺也，其後表職官姓氏，則御史數從政之遺也。……夫百職卿尹，中朝敘官；方州守令，外史紀載。《周官》御史數從政之士，則外史所掌四方之志，不徒山川土俗，凡所謂分職受事，必有其書，以歸柱下之掌，可知也。㉚

此文言方志立官師表，是承襲《周禮》敘官紀職之法與史書立職官表之意，說明方志沿用此例，在史書體例淵源與明瞭地方官師職掌之事，均有莫大的聯繫，使後人在理解州縣治事之體制、官吏之遷調等事，能有詳悉的文獻史料可供參考。此二則論述方志科目之理據，來自於《春秋》、《周禮》二書，而此二書正是章學誠所推崇之六經當中，最具史書之體例典範意義的著作㉛，此亦是其六經皆史說所闡述的要點之一。

㉚ 葉瑛《文史通義校注·校讎通義》，頁613。

㉛ 章學誠認爲六經之學術價值之一，是其確立起史書之撰述體例，在其〈方志立三書議〉（乾隆五十七年，1792，55歲作）中將「六經皆史」說與方志三書之體例進行理論層面的串聯，文曰：「古無私門之著述，六經皆史也。後世襲用而莫之或廢者，惟《春秋》、《詩》、《禮》三家之流別耳。紀傳正史，《春秋》之流別也；掌故典要，官《禮》之流別也；文徵諸選，風《詩》之流別也。」此一說法亦見於稍後乾隆五十九年之〈爲畢制府撰湖北通志序〉、嘉慶二年之〈上朱大司馬論文〉與嘉慶三年之〈立言有本〉等文中，顯示其對六經中《春秋》、《詩》、《禮》三書之體例肯定。

章學誠史學經世思想的實踐，以「方志立三書體」之確立最能彰顯此一理念。所謂三書體是指志、掌故、文徵這三種體裁，〈方志立三書議〉（乾隆五十七年，1792，55歲作）中解釋此三體說：

> 紀傳正史，《春秋》之流別也；掌故典要，官《禮》之流別也；文徵諸選，風《詩》之流別也。[32]

又〈爲畢制府撰湖北通志序〉（乾隆五十九年，1794，57歲作）中亦提到此三書體之意義說：

> 方志義本百國春秋，掌故義本三百官禮，文徵義本十五國風，古者各有師授淵源，各有官司典守。[33]

紀傳正史、掌故典要、文徵諸選之意，均是以記載政事爲衡量依據，其中文徵一書是仿《詩》經採風觀俗之精神，以作爲施政參考之用。基本上他是以六經爲傳統學術之精神表徵，將其定爲史志撰述之內在精神主體，並藉由「六經皆史」說歸納出史書著作之三種體例典範，即《春秋》、《周禮》、《詩經》三書，以作爲後世史志書籍撰寫之參考依據。因他認爲六經由於著作體例完備，足以表彰先王之道；後世史志著作若能倣效六經之體例，則對時王之道亦能完全彰顯。所以他在經歷多次方志編纂之實驗後，從實踐中歸結出理論架構，提出方志三書體之說以爲典範，其理論建立之基礎，是以經世致用爲思考對象，希望透過方志編纂達到史學經世的目的。

---

[32] 葉瑛《文史通義校注·校讎通義》，頁572。

[33] 《章學誠遺書》，頁244。

章學誠史學經世的實踐，不僅是在方志三書體的確立方面，對方志中的類目安排，同樣是以實用性質爲考量。如在〈報謝文學〉（著述之年不詳）中提到方志可紀錄一地一時之語言資料，以供學術研究之用，文曰：

> 同時而地隔千里者，音不可齊；同地而時隔千年，音亦不可得而齊也。……鄙意四方文士，各以官韻正定一方土諺，修方志者，必采錄之，彙集一統志館勒爲成書，亦同文之要典也。㉞

即提出方志可紀錄一地方言，以作爲後代審音定訓之參考依據。此說雖後來不見其施行於方志中，但其思考觀點，卻是以實用性質爲出發，誠如他在〈記與戴東原論修志〉（乾隆五十四年，1789，52歲作）文中說：「夫修志者，非示觀美，將求其實用也」㉟之意，顯示他對方志編纂之構想，常是以經世致用爲考量。

在方志類目與內容撰寫之實際表現上，章學誠也特別注重實用性，上述曾引其《和州志》之小序爲例以說明之，現再舉此志中有關之資料以論證之。〈和州志氏族表序例中〉（乾隆三十九年，1774，37歲作）有提到譜牒收於方志之中有十便：

> 一則史權不散，私門之書，有所折衷。……一則譜法劃一，私譜凡例未純，可以參取。……一則清濁分塗，非其族類，不能依託，流品攸分。……一則著籍已定，衡文取士，自有族屬可稽；

㉞ 《章學誠遺書》，頁78。

㉟ 葉瑛《文史通義校注·校讎通義》，頁870。

非其籍者，無難句檢。……一則昭穆親疎，秩然有序。……[36]。

文中列十項對實際施政或文獻考訂上有幫助之事，以證成其方志立「氏族」一類之實用價值所在。此說亦出現在《湖北通志檢存稿‧族望表敘例》（乾隆五十九年，1794，57 歲作）中，其內容與《和州志》中所言幾乎相同[37]，二書在撰述年代上相差近二十年，但其持論之觀點卻完全一致，表明章學誠對方志立氏族表、收譜牒資料一事之態度非常肯定，顯示其對譜牒之實用價值有充分的瞭解，方能將其創立於方志類目中。而在一般方志書中都有的類目方面，章學誠也改變其書寫方式，以實徵實用之角度來重新審視方志之編寫內容，其中尤以人物傳記之撰述，最能表現出此一方面的特點，如在〈亳州志人物表例議下〉（乾隆五十四年，1789，52 歲作）中對一般方志人物傳記之書寫猥濫之弊，有所諷曰：

方志爲國史所取裁，則列人物而爲傳，宜較國史加詳。而今之志人物者，刪略事實，總擷大意，約略方幅，區分門類。其文非敘非論，似散似駢；尺牘寒溫之辭，簿書結勘之語，濫收猥入，無復翦裁。至於品皆曾、史，治盡龔、黃，學必漢儒，貞

---

[36] 葉瑛《文史通義校注‧校讎通義》，頁 628。

[37] 《湖北通志檢存稿‧族望表敘例》云：「今倣《周官》遺意，特表氏族，有十便焉。一則書登柱下，史權不散，私譜有所折衷。……一則譜法畫一，私譜凡例未純，可以參取。……一則清濁分塗，非其族類，不能依託。……一則著籍已定，衡文取士，自有族屬可稽，非其籍者，無難句檢。……一則昭穆親疏，秩然有序。……。」（《章學誠遺書》，頁 247）兩序之論，極爲相同，以下茲不贅引。

皆姜女，面目如一，情性難求，斯固等於自鄶無譏，存而不論可矣。㊳

文中所舉之現象，正是一般方志對人物傳記之不重視，不明瞭傳記寫作之目的與意義，所以才會有千篇一貌之感。方志人物傳記之書寫目的爲何，在〈跋湖北通志檢存稿〉（嘉慶二年，1797，60 歲作）中曾有說明曰：

余撰方志，力闢纂類家之蕪沓，使人知方志爲國史羽翼，故於前古人物，久標史傳，無可疑者，概列於人物表，不復爲傳；所爲傳者，多出宋元而後，史傳所載與他書迥有異同，或史本無傳者方始爲之。㊴

其撰寫人物傳記之目的在補充正史所無者，以作爲國史取裁之用，此觀點在〈修湖北通志駁陳熷議〉（乾隆五十九年，1794，57 歲作）中亦提到說：

方志之於人物，但當補史之缺、參史之錯、詳史之略、續史之無，方爲有功記載。㊵

㊳ 葉瑛《文史通義校注·校讎通義》，頁 808。此部份之觀點，自〈永清縣志闕訪列傳序例〉中即有相同之看法，文曰：「舊志所載，人物寥寥，而稱許之間，漫無區別，學皆伏、鄭，才盡班、揚，吏必龔、黃，行惟曾子。且其文字之體，尤不可通。」表達出他對尋常方志撰寫人物傳記之不滿。同書，頁 776。

㊴ 《章學誠遺書》頁 611。

㊵ 《章學誠遺書》，頁 618。

同樣是聲明其人物傳記主要在補充正史之闕文，講求爲人物立傳須做到實徵實用之目標。

人物傳記之寫作目的，章學誠是以其能獎勵風俗、用爲勸懲之作用爲主，故在撰寫之前，均透過實地採訪以求得眞實的內容，有別於尋常方志千篇一律之面貌，〈周筤谷別傳〉（約於乾隆五十七年以後作，1792，55歲）中曾回憶其撰《永清縣志》人物傳記時之情況說：

> 貞節烈女錄於方志，文多雷同，顧者無所興感，則訪其現存者，安車迎至館中，俾自述其生平；其不願至者，或走訪其家，以禮相見，引端究緒。其間悲歡情樂，殆如人心如面之不同也。[41]

文中敘述其撰寫烈女之經過，其用意在強調徵實，且文中言「興感」者，是指貞節烈女之傳記能引起興發感動之意，間接闡述其人物傳記是寓有興感之意於其中。此點在他所著之《湖北通志檢存稿》各篇文物傳[42]與其他傳記文章後附之贊論可得知，如〈書李孝婦事〉、〈書李節婦事〉、〈書孫氏母子貞孝〉、〈書余貞婦事〉、〈馮室周淑人家傳〉、〈沈氏俞節婦家傳〉、〈黃烈婦傳〉、〈蔡烈女傳〉[43]等等傳記中均有論贊，將文中所記人物之節義處鉤玄提要，以作爲後人效

---

[41] 《章學誠遺書》，頁 179。

[42] 《湖北通志檢存稿》中之〈嘉定蘄難傳〉、〈復社名士傳〉、〈明季寇難傳〉、〈劉湘煃傳〉、〈歐魏列傳〉、〈徐本仙陳良翼傳〉等文，均有〈書後〉論贊傳中人物，並於其中寄託自己的觀點。見《遺書》頁 251　290。

[43] 各篇在《章學誠遺書》之頁碼爲〈書李孝婦事〉頁 657、〈書李節婦事〉頁 658、〈書孫氏母子貞孝〉頁 185、〈書余貞婦事〉頁 186、〈馮室周淑人家傳〉頁 197、〈沈氏俞節婦家傳〉頁 198、〈黃烈婦傳〉頁 200、〈蔡烈女傳〉頁 201。

法之楷模，故可知其人物傳記之著作目的在於獎勵風俗、以爲典型。而在其他類目之安排方面，如〈方志辨體〉（嘉慶二年，1797，60 歲作）曾就有關田賦方面說到：

> 余取賦役全書，布政使司總彙之冊，登其款數，而采明人及本朝人所著，財賦利病奏議詳揭，與士大夫私門論撰之屬，聯絡爲篇，爲文亦不過四五千言，而讀者於十一府州數百年間，財賦沿革利弊，洞如觀火。[44]

此一撰述方式與理念，仍一秉經世思想爲之，以徵實致用爲原則，期以能對政教施行有所助益。

章學誠以方志編纂作爲史學經世思想之實踐，有其自身之特定條件與環境因素，在清乾隆時期私家撰史尚有鉗制之情形下[45]，以史學專才自居的他，既無法進入史館擔任史官之職，又不能隨意撰修私史，加上生活條件頗爲匱乏等諸多狀況，遂使得他選擇遊幕各地，藉方志編纂以完成其史學理想。不過在從事於方志編纂之同時，章學誠亦對方志進行體例與理論的建構，並提昇其學術價值與地位，使原本被視爲酬庸之作、難入學術殿堂之方志得以改頭換面，重新以等同正史著作之身分受後人所肯定，並在清末民初之學術界造成影響。

---

[44] 《章學誠遺書》，頁 121。

[45] 有關清代康雍乾三朝鉗制私家撰史之相關論述，請參見牟潤孫先生之《海遺雜著》（香港：中文大學出版社，1990 年），頁 69-75，〈論清代史學衰落之原因〉，以及何冠彪先生〈清代前期君主對官私史學的影響〉（《漢學研究》，第 16 卷第 1 期，民國 87 年 6 月，頁 155-184）等文。

五、結　論

章學誠對於史學經世之實踐，主要是集中在方志編纂方面，不過對於其他具有史書性質或史學意義之著作，章學誠亦以經世致用之觀點將其含括在內，拓展史書之範疇，使史學經世之作用更擴大層面，比如他將正史、方志、譜牒、文集四者作爲史書不同層次的表現方式來論述，把四者之關聯性貫串起來，形成史書著作之縱貫系統，建立其獨特的史書觀。他在〈州縣請立志科議〉（作於乾隆五十六年以後，嘉慶元年已刻）中說：

> 制度由上而下，采摭由下而上，惟采摭備，斯制度愈精，三代之良法也。……天下政事，始於州縣，而達乎朝廷，猶三代比閭族黨，以上於六卿；其在侯國，則由長帥正伯，以通於天子也。……有天下之史，有一國之史，有一家之史，有一人之史。傳狀誌述，一人之史也；家乘譜牒，一家之史也；部府縣志，一國之史也；綜紀一朝，天下之史也。比人而後有家，比家而後有國，比國而後有天下。惟分者極其詳，然後合者能擇善而無憾也。[46]

從文中所述可見其史書架構爲一有機組合之縱貫系統，從基礎之文集開始，經譜牒、方志再到正史，形成一種文獻徵集之層次性。他認爲

---

[46] 葉瑛《文史通義校注·校讎通義》，頁 587-588。

正史應取材自方志，方志取材自譜牒，譜牒取材自文集，各層級文獻如能掌控得宜，則正史纂修之時，文獻資料美備，一代政教典章均可鉅細無遺地掌握。此一史書架構是其「史學經世」思想之推衍，史學欲為當世所用，就必須要能紀錄當世政教制度之施行，闡發當世之道。要全面熟悉時代之各個層面，則就必須由小而大、由細而略，層層遞進以確實掌握文獻史料，如此方能撰述出合乎六經宗旨之史書著作，也才能彰顯史學經世之功能。

章學誠史學經世之觀點從早期抒發於〈答甄秀才論修志第一書〉（乾隆二十八年，1763，26 歲作）一文中，到晚年撰述〈浙東學術〉（嘉慶五年，1800，63 歲作）時亦重覆申明此說，顯示此一觀點在歷經數十年其學術思想不斷成長變化之後，他仍堅持此說而沒有改變基本立場，表明他對此觀點的認知極為堅定。不過相較於前後時期陳述史學經世思想之文章中，還是可以發現此說在理論闡述部分加強許多，同時也聯繫起其他的學術主張，使得其學術思想呈現出完整的有機結構。

章學誠之學術思想是結構頗為完整的有機組合，其諸多學術主張彼此環環相扣，很難分割出某一部份進行討論，比如六經皆史觀與其所主張之校讎學理、周孔之分、道器合一說、方志理論、史學經世思想等部份均有牽連。在論及方志體例之時，很難不說明六經皆史觀與史學經世思想；在論述道器合一說時，又必須對其校讎學理、周孔之分、六經皆史等方面作一陳述。同樣的情形，亦會出現在論述其他議題上，因此以區區本篇對章學誠史學經世思想進行討論，其實存在著不少顧此失彼的現象，故僅能就相關部分略加闡述，希望能勾勒出其史學經世之說的大概。

《史記》刪述點竄之平議
——章學誠論《史記》辨疑

蔡信發*

提　要

章氏學誠謂《史記》由刪述點竄而成，乃據孔子「述而不作」推論而來，竊以為不無可疑，首據歷來學者論《史記》之成·知其實采前修之見，尤以宋人葉適、明人陳仁錫、何良俊為最。次論太史公據舊史，刪述點竄，無妨其別開生面，故其自謂述而非作，實自謙云爾。又論《史記》十表，乃史公精心之作，有其深義焉，應「作」而非「述」。再論《史》文多創作，非《國策》可及，其文露鋒，應非出自刪存。復論《史記》不唯史學鉅著，亦文學之鴻篇，斷非刪成而回釋之。終則結以其疏略凡十，以期辨裁之。

* 銘傳大學應用中國文學系教授

關鍵詞　史記　司馬遷　章學誠

壹、前　言

章學誠說：「《六經》皆史也。古人不著書；古人未嘗離事而言理，《六經》皆先王之政典也。」❶這是他的史學基本理論。對史書體例的演變，他的主張是：「《尚書》一變而爲左氏之《春秋》……左氏一變而爲史遷之紀傳。」❷由於孔子曾說：「述而不作」、「信而好古」。因此，他認定《春秋》是「述」而非「作」，一路推衍下來，《史記》也不例外；同時，明白指出「己所爲者十之一，刪述所存十之九」❸，不免令人生疑，爰提拙見，予以平議。

貳、刪述點竄，章以史公為能事

章學誠認爲史學有別於文學，譔史須有實證，不可憑空而爲，故史家因襲前人之作是必然的：

遷史斷始五帝，沿及三代，周、秦，使舍《尚書》、《左》、

❶ 見《文史通義》、內篇、〈易教上〉、頁一。臺北世界書局。民國七十三年八月四版。下同。

❷ 見《文史通義》、內篇、〈書教上〉、頁一〇。

❸ 見《文史通義》、內篇、〈點陋〉、頁九六。

《國》，豈將爲憑虛、亡是之作賦乎？（《文史通義》·內篇·〈言公上〉、頁三七）

因襲前人之作，就會牽涉到文辭的沿用，章氏爲建構自己的史學理論，認爲文辭不可占之爲「私」，而須視以爲「公」，就提出「言公」說：

> 古人之言，所以爲公也，未嘗矜於文辭，而私據爲己有也。志期於道，言以明志，文以足言，其道果明於天下，而所志無不申，不必其言之果爲我有也。（《文史通義》·內篇·〈言公上〉、頁三五）

章氏既有此論點，進而認爲文辭不是古人所看重的。其理是起草討論，修改潤色，本已匯聚眾人的力量，鎔鑄文詞，希能達到最好的境地，而不求自誇❹，故不可占爲己有。他循此思維發展，提出《史記》由刪述、點竄而成也就不足爲奇了。接著，章氏切入史學體例的演變，認爲：《書》亡而入於《春秋》，《左傳》是用來輔助《春秋》的❺，依經起義❻，談不上「作」。因此，認爲太史公的《史記》也是秉承這個方法的：

> 司馬遷紹法《春秋》，而刪潤典、謨以入紀傳。（《文史通義》·內篇·〈書教上〉、頁七）

---

❹ 見《文史通義》、內篇、〈説林〉、頁七三。原文作「草創討論，修辭潤色，固已合眾力而爲辭矣。期於盡善，不期於矜私」。

❺ 見《文史通義》、內篇、〈書教下〉、頁一二。

❻ 《文史通義》、內篇、〈傳記〉、頁五〇。

文中的「刪潤」，意謂「刪定述作，修整字句」。觀之章氏其他的議論，即刪述、點竄：

> 《史》因《尚書》、《國語》，及《世本》、《國策》、《楚漢春秋》諸記載，己所爲者十之一，刪述所存十之九也，君子不以爲非也。（《文史通義》·內篇·〈黠陋〉、頁九六）
>
> 司馬遷點竄《尚書》、《左》、《國》之文，……非好異也，理勢之不得不然也。（《文史通義》·內篇·〈說林〉、頁七三）

由於章氏認定刪述、點竄是作史的方法，且強調因襲成文，或稍加點竄，是史家的義例❼，復以「言公」說補強自己的理論，故結以史公「本以刪述爲能事，所以繼《春秋》而成一家之言者。於是兢兢焉，事、辭其次焉者也」❽。

章氏處處強調「刪述、點竄」，卻又指出從太史公以來，史書列傳的體例沒改變過，而強調「人物列傳，必取別識心裁」❾，似又非「作」不可，不甚協調。

參、刪述點竄，原非章氏之首言

章學誠所謂「刪潤」一詞，應是取自明人陳仁錫之評論《史記》

❼ 見《文史通義》、內篇、〈言公下〉、頁四三、自注。

❽ 見《文史通義》、內篇、〈黠陋〉、頁九六。

❾ 見《文史通義》、外篇、〈亳州志人物表例議下〉、頁一八九。

——「可見今之《戰國策》非完書，太史公刪潤 多暢朗」❿——同時，在此基礎上，他由陳氏僅指的《戰國策》擴大到其他史書。因此，力主《史記》由刪述、點竄而成。進而探源其「刪述」說，應首受孔子「述而不作」的啓示。繼之，太史公自序「余所謂述故事，整齊其世傳，非所謂作也」⓫，班固評說「司馬遷據《左氏》、《國語》，采《世本》、《戰國策》，述《楚漢春秋》、接其後事，訖於大漢」⓬，也都籠統提到《史記》是「述而不作」，給了他不少影響。於是，促使他類推班固的《漢書》，斷限在西漢一代，假使武帝以前，不用太史公的《史記》，難道要經生在考試相同的題目下作不同的文章嗎⓭？進而認爲孝武以後，班是據馮商、揚雄、劉歆、賈護的史書，不可責其鈔襲。因「言」是屬之於「公」，未有以文字爲一家私言⓮。時至北宋，歐陽修說得更具體，如論〈五帝本紀〉說：

> 遷所作本紀，出於《大戴禮》、《世本》諸書。（《歐陽文忠公全集》、卷四三、頁九）

接著，黃震指出〈夏本紀〉說：

---

❿ 見《史記一百三十卷》、卷四三、頁三七。國家圖書館藏善本。明崇禎元年刊本。下同。

⓫ 見《史記會注考證》、卷一三〇、頁一三八四。臺北宏業書局。民國六十一年三月出版。

⓬ 見《漢書補注》、卷六二、〈司馬遷傳〉、頁一二五八。藝文印書館。民國八十五年八月初版四刷。

⓭ 見《文史通義》、內篇、〈言公上〉、頁三七。原文作「不用遷史，豈將爲經生決科之同題而異文乎」。

⓮ 見《文史通義》、內篇、〈經解上〉、頁一八。

〈夏紀〉多櫽括〈禹謨〉、〈禹貢〉之書。(《黃氏日抄》、卷四六、〈夏紀〉、頁一)

金履祥也就〈殷本紀〉說:

載〈湯征〉之辭而不類。蓋非〈湯征〉之舊也。(《資治通鑑前編》、卷三、頁三五)

以上諸說都只是就《史記》某篇說的，而葉適則全面認定《史記》是「述」而非「作」：

司馬遷《史記》，有取於《國語》、《戰國策》及他先秦書，皆一切用舊文，無竄定，是則述之而已，無作也。(《習學記言》、卷一八、〈戰國策·趙魏韓〉、頁一四)

綜覽上說，可知章氏的「刪述」說，源自前賢，而非由他首先提出。其中以受葉氏的影響最深，且予以吸納，成了他學術體系的主幹。

至其「點竄」說，章氏曾言：「史家記事記言，因襲成文，原有點竄塗改之法。」⓯而上遡其源，應是得自明人何良俊之論：

太史公作〈五帝本紀〉，其堯、舜紀全用二〈典〉成篇，中間略加點竄，便成太史公之文。……至《史記》季札觀樂一段，全用《左傳》語，但增點數字，而文字便覺舒徐。(《四友齋叢說》、卷之五、〈史一〉、頁四四)

章氏不僅因襲何說，且兼采其「點竄」一詞，以爲己用。復查何氏雖

⓯ 見《文史通義》、內篇、〈古文公式〉、頁一一二。

首言太史公點竄成書，然未續作專文，詳加討論，而章氏則據以爲說，納於他的學術體系，鋪陳推衍，成了論史的要項。

肆、刪述點竄，無妨其別開生面

《史記·五帝本紀》是篇很有爭議的文章。就全書「起首」言，李唐司馬貞以其不爲「三皇」作「本紀」，有欠周全⓰，近人顧頡剛則謂「這件事看似容易，其實甚難；我們只要看唐司馬貞忍不住替他補作〈三皇本紀〉，就可知道他在方士和陰陽家極活動的空氣之中排斥許多古帝王是怎樣的有眼光與有勇氣了」。⓱就「筆法」言，楊慎以該〈紀〉非太史公的極筆，徐與喬則謂堪冠全集⓲。此姑捨而不論，而就章學誠所謂刪述、點竄以說之。

該〈紀〉敘堯、舜之事，幾全采《尚書·堯典》之文，似僅刪述、點竄而已。南宋王觀國曾指史公襲用古典改字之非：

> 大率司馬遷好異而惡與人同，觀《史記》用《尚書》、《戰國策》、《國語》、《世本》、《左氏傳》之文，多改其正文。改績用爲功用，改厥田爲其田，改肆覲爲遂見，改宵中爲夜中，

⓰ 參見《史記一百三十卷·補史記序》、頁七～八。

⓱ 見《古史辨》、第七冊（上編）、〈戰國秦漢間人的造僞與辨僞〉、頁四七。上海開明書店初版。西元一九四一年六月。下同。

⓲ 見清·潘椿重訂《史漢初學辨體》、史記、本紀、〈五帝本紀〉、頁八。《清代稿本百種彙刊》。臺北文海出版社。民國六十三年八月初版。

改咨四嶽爲嗟四嶽，改協和爲合和，改方命爲負命，改九載爲九歲，改格姦爲至姦，改愼徽爲愼和，改烈風爲暴風，改克從爲能從，改濬川爲決川，改恤哉爲靜哉，改四海爲四方，改熙帝爲美堯，改不遜爲不訓，改胄子爲穉子，改維清爲維靜，改天工爲天事，改底績爲致功，改降丘爲下丘，改納錫爲入錫，改孔修爲甚修，改夙夜爲早夜，改申命爲重命，改汝翼爲汝輔，改敕天爲陟天，改率作爲率爲，改宅土爲居土，如此類甚多。又用《論語》文分綴爲〈孔子弟子傳〉，亦多改其文：改吾執爲我執，改毋固爲無固，改指諸掌爲視其掌，改性與天道爲天道性命，改未若爲不如，改便便爲辯辯，改滔滔爲悠悠，如此類又多。子長但知好異，而不知反有害於義也。（《學林》、卷一、〈介雞〉、頁二一～二二）

王氏長於字學，曾倡「字母說」⓳，以言凡形聲字聲母相同者，省其偏旁，只用字母，則眾義兼賅，是承北宋王子韶「右文說」的推衍。明瞭王氏背景後，可知他是站在字學的立場來論史公之非，殊不知時有古今，異時之人，用字就會不同⓴。又《尚書》佶屈聱牙，向以難讀難懂著稱，然太史公采之入史，改以通俗流暢之文，本是順應實際需要，何錯之有？設以王氏之見，照錄〈堯典〉全文，一字不改，半句不易，有幾人識得？王氏實是溺於訓詁注疏而艱澀史文，有清邵保

⓳ 見《學林》、卷五、〈慮〉、頁三七～三八。《景印文淵閣四庫全書》。臺灣商務印書館。民國七十五年三月初版。

⓴ 見《圈點段注說文解字》、頁二二五、下右、「今」字注。臺北書銘出版事業有限公司。民國八十三年十月七版。

和即持異見，推崇史公：

> 《史記》述五帝、三王時事，無不取信《尚書》，宜皆本於古文者也，然取遷書而讀之，凡所引〈堯典〉、〈禹貢〉、〈洪範〉、〈微子〉、〈金縢〉諸篇，文有增損，字有通假，義有補綴，或且隨筆竄易，以成己一家言。（《詁經精舍文集》、卷一一、頁三一五）

章學誠說：「古人文無定體，經、史亦無分科。」㉑即依其說，經、史原本不分，然各書有其意恉與風格，應屬正常，當無可疑。假如太史公在篇中采摭眾籍，全都整篇或大段鈔錄，一字不易，試問將是一部怎樣的書？豈非「大雜燴」！史公又豈不成了「獺祭魚」！又因襲典籍，光是改易字句，增補文義，孤零零地排列在文中，仍屬一堆死資料，起得了什麼作用？史公則是將它們轉化成為自己的語言，穿插在敘事中，「別開生面」，「推陳出新」，使史料轉為史書，成一家之言，這是正途，也才能顯示他的才識；反之，像班固采錄《史記》，大同小異，甚至全同，雖在理勢上不得不然，符合章氏的理論㉒，然手法則顯欠高明。像他的〈司馬相如傳〉，不但全文照鈔，甚至連贊語也不放過。說得好，是服善；說得不好，是太無見地，怎能比肩史公？因此，南宋呂祖謙評說：

> 遷之學雖未粹，感憤舛駁，往往有之，然二帝、三王之統紀，周、秦、楚、漢之世變，孔子、孟子之所以異於諸子百家者，

㉑ 見《文史通義》、內篇、〈傳記〉、頁五〇。

㉒ 見《文史通義》、內篇、〈說林〉、頁七三〇。

於其書猶有考焉。高氣絕識，包舉廣而興寄深，後之爲史者，殆未易窺其涯涘也。固特因遷之規摹而足成之耳。其竄定遷《史》諸篇，漢初豪傑之所存，尚未深究，況前於此者乎？（《大事記解題》、卷一二、頁一三四～一三五）

呂氏持論允當，足見史公之作，是取材轉化，而非班氏之仍舊鈔襲。至於蘇洵評史公說：

遷之辭，淳健簡直，足稱一家，而乃裂取《六經》傳記，雜於其間，以破碎汩亂其體。五帝、三代紀，多《尚書》之文；齊、魯、晉、楚、宋、衛、陳、鄭、吳、越世家，多《左傳》、《國語》之文；〈孔子世家〉、〈仲尼弟子傳〉，多《論語》之文。夫《尚書》、《左傳》、《國語》、《論語》之文，非不善也，雜之則不善也。（《蘇老泉先生全集》、卷九、頁六）

諦究蘇說，是全然不明說理與敘事之別，誤以取材與譔述爲一，且忽視史公之善用史料，以爲僅渾同排比而已。

太史公記事起自黃帝，以〈五帝德〉、〈帝系姓〉爲依據，對百家之言，長老口碑，則擇其雅訓者記載㉓；堯、舜二傳，則純用《尚書》、《孟子》，這是他取材之原，進而在組織的過程中，相信他一定離不開刪述與點竄，然絕非單純刪刪章節、順順詞句而已，像事涉欠正者，必予芟除，以提昇史事的可信度，這是作史，不是改寫。又其搜材眾書，在損益之際，能精擇慎用，透過自己的筆鋒，將它們融

㉓ 見張大可《史記文獻研究》、頁一一一。北京民族出版社。西元一九九九年十二月第一版。

於一爐，化成自己的文字，當然是「作」而不是「述」了。這就好比國劇中的余叔岩，師承譚鑫培，而別開蹊徑，自成宗派㉔，又好比梅蘭芳奉手陳德霖，而後出專精，再造風華㉕。有鑑於此，章氏說太史公的《史記》刪存占十之九，誠難苟同，而察其所以誤解，實是緣於太過簡單化，純以史料爲史書。至於史公〈自序〉說「余所謂述故事，整齊其世傳，非所謂作也」。清人王鳴盛的解釋是，「自言述而非作，其實以述兼作者」㉖，近人梁啓超更直截認爲是，「遷自謙云爾」㉗。二氏持論平允，應是很正確的。他如《史記》中的「書」、「世家」也當作如是觀，容不贅述。

伍、《史記》十表，乃史公精心之作

鄭樵說：「《史記》一書，功在十〈表〉，猶衣裳之有冠冕，木水之有本原。」㉘《史記》十〈表〉，采之牒記、譜牒與公令，以徵信爲主，不可憑虛而爲，私自妄作，然太史公創製「表」例之前，這些作品都星散異處，各自獨立，無從連貫交通，難以發生作用，見其

㉔ 見金耀章主編、《中國京劇史圖錄》、頁九八。河北教育出版社。西元一九九四年十一月第一次印刷。下同。

㉕ 見《中國京劇史圖錄》、頁五四、一四六。

㉖ 見《十七史商榷》、卷一、史記一、〈史記刱立體例〉、頁五。臺北大化書局印行。民國七十三年五月再版。

㉗ 見《要籍解題及其讀法》、史記、〈史記之史的價值〉、頁三六。臺北華正書局。民國六十三年九月臺一版。

㉘ 見《通志二十略·總敘》、頁一。臺北世界書局。民國四十五年二月初版。

功效。迄太史公創製「表」體，作十〈表〉，分爲三種：〈世表〉表世，〈年表〉表年，〈月表〉表月。又分其類別爲三：〈三代世表〉自爲一例；〈十二諸侯年表〉、〈六國年表〉、〈漢興以來諸侯年表〉、〈將相名臣年表〉與〈秦楚之際月表〉爲一例；〈高祖功臣侯者年表〉、〈景惠間侯者表〉、〈建元以來侯者年表〉與〈王子侯者表〉爲一例㉙，而後將牒記、譜牒與公令逐一擇要納入，取精而列，以志其要。於是，可知其治亂興亡、終始繼絕、功過是非、禍福得失，在在展露太史公的微言精識。茲舉清儒錢大昕之論〈秦楚之際月表〉，以見其一斑：

> 即舉〈月表〉一篇，尋其微恉，厥有三端：一曰抑秦，二曰尊漢，三曰紀實。何謂抑秦？秦之無道，史公所深惡也。秦雖幷天下，附書於〈六國表〉之後，不以秦承周也。及陳涉起事，秦猶未亡也，而即儕諸楚、齊、燕、趙之列，則猶六國視之也。雖稱皇帝者再世，與楚之稱霸王等耳！〈表〉曰「秦楚」，言秦之與楚匹也。
>
> 何謂尊漢？史公以漢繼三代，不以漢繼秦。若繫漢於秦之下，是尊秦而貶漢也。〈十二諸侯年表〉不題周而周尊，〈秦楚之際月表〉不題漢而漢尊。秦、楚皆亡國之餘，以漢承之，失立言之體矣。陸賈《楚漢春秋》，其命名不如《史》表之正也。何謂紀實？楚雖先亡，覆秦之社稷者，楚也。漢高初興，親北面義帝。漢王之國，又項羽封之。秦亡之後，主天下命者，非

㉙ 參見潘永季《讀史記箚記》、頁三～四。國家圖書館藏善本。清道光十三年刊本。

> 楚而何？本紀既述其事，而〈表〉又以「秦楚之際」目之，言天下之大權在楚也，此亦實之，不可沒者也。（《潛研堂文集》、卷三四、頁五四三～五四四、〈與梁燿北論史記書〉）

自秦迄漢，楚曾參預角力，個中關係，盤根錯節，至爲複雜，而觀諸上說，察以〈月表〉，可知秦雖稱帝，然史公僅以與楚並稱，以示其惡，其恉可謂遠矣！漢雖不列名於表，實已超軼秦、楚，以立帝業，其言可謂微矣！楚亡秦，雖壽祚不永，然劉邦曾受命項羽，故以楚接秦，其識可謂精矣！掌此關鍵，必能有助了然此段史實。

從十〈表〉的內容來看，導源於《春秋譜牒》、《周譜》與漢之功令，確屬舊文，無疑經史公刪述、點竄，然當其去取之際，匠心獨運；予奪之時，隻眼別具。繼之，將精柬的史料納入一己創例之「表」，清儒顧炎武曾指陳其功用有三：得其綱領，與紀、傳相出入，此其一；年經月緯，一覽便知，此其二；省傳節文，而事反可全，此其三[30]。換言之，這些資料經太史公轉化後，已「推陳出新」，「脫胎換骨」，有「縱橫交集而不亂之功，上下相貫而明晰之效」[31]，不可只以刪述、點竄視之。因此，清人牛運震稱以「《史記》十〈表〉，誠不易作」[32]，梁啓超讚以「自《史記》創立十〈表〉，開著作家無量法門」[33]，

---

[30] 見《日知錄》、卷二六、〈作史不立表志〉、頁一〇二。《萬有文庫薈要》。臺灣商務印書館。民國五十四年八月臺一版。

[31] 見拙著《話說史記·正史之父太史公》、頁八。臺北萬卷樓圖書有限公司。民國八十四年十月初版。

[32] 見《史記評注》、卷三。空山堂乾隆辛亥刻本。

[33] 見《中國歷史研究法》、第六章、〈史蹟之論次〉、頁一九二。臺北旋風出版社。民國四十七年八月初版。下同。

均許之以「作」，豈是「刪存」二字所能定論！至於十〈序〉文字之古雅，史識之透闢，則猶章氏所謂「事、辭其次焉者也」㉞，無庸在此斷斷焉。

陸、《史》文露鋒，或非出自於刪存

北宋黃庭堅說：凡為文須熟讀司馬子長之文，每作一文，皆須有宗有趣，終始關鍵，有開有闔。如四瀆，雖納百川，或匯而為廣澤，汪洋千里，要自發源注海耳㉟。其對史公之文，推崇備至，然章學誠卻謂太史公自為者十之一，刪存者十之九。由於其未嘗分別明確指出「自為者」與「刪存者」，故黃氏的讚譽，太史公能否全然擔當得起，是不無疑問的。試以黃氏之說，推論史公之作，有三個可能：太史公依據的粉本極佳，其才氣也大，故一經刪述、點竄，聲華益顯，自成逸品，此其一；太史公依據的粉本尚可，其才情也可，故一經刪述、點竄，砥礪生輝，遂成精品，此其二；太史公依據的粉本未必好，然其才氣大，故一經刪述、點竄，能去蕪存菁，終成名篇，此其三。茲查太史公依據的粉本，舉其犖犖大者，不外《尚書》、《左傳》、《國語》、《世本》、《國策》與《楚漢春秋》。這些作品多半偏重說理，僅《左》、《策》文學性較高，似也擔不起黃氏的讚譽。因它們「多

㉞ 見《文史通義》、內篇、〈黠陋〉、頁九六。

㉟ 見宋·王正德撰《餘師錄》、卷二、頁七。《四庫全書珍本別輯》。臺灣商務印書館。民國六十四年。下同。

零簡斷篇，沒有系統可說」㊱。這樣說來，以上三個推論，只有第三個始能成立。進言之，以章氏所謂刪存來看《史記》，似不只是刪述、點竄而已，而應含次第的更動、己意的輸進、感情的注入。換言之，須視以「抽梁換柱」，乃至「全面翻新」，絕非籠統「刪存」二字所能含覆。當然，世有以《史》文取自古籍，而誤以爲刪述、點竄的。

太史公記載戰國人事，多半與《國策》近似或相同，其刪述、點竄之跡，似不可謂不顯，像〈刺客列傳〉即是，尤以記敘荊軻爲最。該〈傳〉記載曹沫、專諸、豫讓、聶政、荊軻五大刺客，另附高漸離於後，文字激烈㊲，是篇很出色的傳。茲查曹采自《公羊莊公十三年傳》、專取自《左昭公二十七年傳》、豫、聶、荊見自《國策》的〈趙策一〉、〈韓策二〉、〈燕策三〉，分見三書，難顯精義。迄史公彙五人於一傳，始彰顯「士爲知己者死、女爲悅己者容」之指，是天地間難得而可貴之人。全傳以「知」爲線索，「刺」爲聚焦，忼慨捐軀，可泣感人，符合章學誠的「別識心裁」㊳，而太史公名以〈刺客列傳〉，即章氏所謂「列傳之有題目，蓋事重於人」㊴。曹、專二記，《史記》比《左》、《公》爲詳；豫、聶二記，《史記》較《策》爲簡，進而核之謀篇，史公都增以首尾，合乎紀傳之例，且行文也較三書勁截有

㊱ 見楊蔭森《中國文學史大綱》、第五章、〈散文的發展〉、「漢代的史作家」、頁六〇～六一。商務印書館香港分館。西元一九八五年八月第一版第二十三次印刷。

㊲ 見吳見思《史記論文》、第三冊、〈刺客列傳〉、頁四六九。臺灣中華書局。民國五十九年十一月臺二版。下同。

㊳ 見《文史通義》、外篇、〈亳州志人物表例議下〉、頁一八九。

㊴ 見《文史通義》、外篇、〈永清縣志列傳序例〉、頁一七六。

力，足證史公有錘鍊成金之功。至於荊記則與〈燕策三〉彫有差異，近乎全同。其易水送別，細致生動，宛如身歷其境；秦廷行刺，驚心動魄，酷似目睹其情，世或以錄自《燕策》，如近人劉咸炘說：「至於戰國，則本諸《國策》。其文本軼麗，非遷之露其鋒也。」㊵似與章氏刪述、點竄之說相應和，然該〈傳〉末太史公有說：「始公孫季功、董生與夏無且游，具知其事，爲余道之如是。」屬口碑性質的史料㊶，最直接可信。據此，該〈傳〉出自太史公的手筆，可信度應很高；不然，史公何必說這些話？清人吳見思即疑該文是劉向之徒，摭史公之文，以附益《國策》㊷，而後方苞更據一己讀書體驗，發爲文章，力言是史公之作：

> 余少讀《燕策·荊軻刺秦王》篇，怪其序事類太史公，秦以前無此，及見《刺客傳·贊》，乃知果太史公文也。彼自稱得之公孫季功、董生所口道，則非《國策》之舊文，決矣。蓋荊軻之事雖奇，而於《策》則疏，意《國策》本無是文，或以《史記》之文入焉，而削高漸離後事，以事在六國既亡耳。（《望溪先生文集》、卷二、頁一二、〈書刺客傳後〉）

方氏之說，甚有見地，非熟諳古文義法者，難以道出！尤以荊軻殉難後，太史公附以高漸離由隱匿而現身，兩度行刺秦王失利，細膩生動，搖曳生姿，使全傳平添無限光彩，眞有畫龍點睛之妙，而〈燕策〉則

㊵ 見《史學述林·史通駁議》。成都尚友書塾。民國二十六年。

㊶ 見梁啓超《中國歷史研究法》、第四章、〈說史料〉、頁七〇。

㊷ 見《史記論文》、第三冊、〈刺客列傳〉、頁四七〇。

寥寥幾筆，置於文末，了無精神，應是刪《史》文未盡所致，其痕甚顯。

進言之，史公記述戰國之事，屢見《國策》，因襲舊文，有清吳汝綸曾歎史公何至乖異如是？而旋提己說，予以解析：

> 獨至《戰國策》，則一因仍舊文，多至九十餘事，何至乖異如是？及細察《國策》中，若趙武靈王、平原、春申君、范睢、蔡澤、魯仲連、蘇秦、荊軻諸篇，皆取太史公敘論之語，而并載之，而曾子固亦稱《崇文總目》有高誘注者，僅八篇，乃知劉向所校《戰國策》亡，久矣，後之人反取《太史公書》充入之，非史公盡取材於《戰國策》，決也。惜乎！吾不得知言之士與論此耳！（《桐城吳先生文集》、卷四、頁八九、〈記太史公所錄左氏義後〉）

吳氏首覺史公敘論載入《國策》，次從《國策》高誘《注》僅八篇切入，而今篇數反多於昔，不免啓人疑竇。於是，推論《國策》若趙武靈王等文，是後人取《史》文以充之。其說合情合理，可與方苞之說相表裏。復詳核《策》、《史》二書，上列諸人之事，史公常詳述其事，而《策》則略，文氣也不甚相類。再者，《國策》這些片斷與同書他文相比，文順句通，似也高出許多，尤有要者，《國策》「簡略散漫，斷爛成書」㊸，難與《史》文相比，然則《史》文非刪自《國策》應很明顯。又近人金德建說：

㊸ 見翦伯贊《中國史綱》、第二卷、第六五四頁。上海大孚出版公司。西元一九四七年六月。

> 班固說起司馬遷作《史記》時曾採《戰國策》，但是《史記》中却沒有提起過所謂《戰國策》的名目。《史記》中記了許多司馬遷所見過的書，何況這是曾經採用過的呢！不過，《戰國策》的名稱屬於劉向所定（見劉向〈戰國策序〉），在較前的《史記》時候當然還沒有產生。（《古史辨》、第六冊、頁三七二、〈戰國策作者之推測〉）

金說推斷合理，史公確未親言取材《戰國策》，然則史公之采擷《策》文，確是很有問題。職是，章氏謂史公刪存者十之九，自為者十之一，能成立嗎？果如三氏之說，則《國策》之軼麗，應是史公露其鋒，而非史公之軼麗，《國策》資其鋒。宋人陳振孫說：著書立言，有四人焉，以史公配左氏、莊子與屈原[44]。有《史》而無《策》，靜言思之，堪稱的言。章氏疏於考證，若能體悟此底蘊，其刪述、點竄之說，能否加諸史公，恐不無疑問。

言及於此，或許有人會說，《策》、《史》重疊部分，算是取《史》文入於《國策》，而其餘不見《國策》者，仍有可能是史公刪述、點竄他書而成文，只是這些文獻沒傳下來罷了，依然難脫章氏所謂刪述、點竄的牢籠。再說，歷史本是忠實的記載，根本不能談創作。有關這兩個質疑，其逸出《國策》的部分，史公確有可能據他書而刪述、點竄，問題是史公在刪述的過程中，有其獨到的看法；在點竄的斟酌裏，有其不凡的運筆，誠如邵保和說的「翦綴而運量之，揚榷而變化之，孰為己出？孰為非己出？若淄、澠混合，但見其滄漣浩渺而已，不能

---

[44] 見《直齋書錄解題》、卷四、正史類、〈史記一百三十卷〉、頁九一～九二。臺灣商務印書館。民國六十七年五月臺一版。

以目辨之也」㊺。換言之，契合章氏說的「別識心裁」，絕非單純的資料彙編，或湊數成文。其次，史公才、學、識兼而有之，在掌握「實錄」的原則下，不虛美，不隱惡，能將各篇精要的意恉極巧妙地流露在字裏行間，甚至是文起於此，而義見於彼，以詣「微言」之境，怎是「刪存」二字所能概括？因此，筆者認爲刪述、點竄只是撰史的手段，絕非目的；一旦當這些作品完成，顯示不同的面貌，雖不能稱「創作」，然也不能只以「刪存」二字抹煞史公的苦心孤詣。總之，就其整體成績來說，應稱之爲「作」才允當得體！

柒、《史》文卓絕，豈是刪存之所致

今人李長之說：「我們更必須注意《史記》在是一部歷史書之外，又是一部文藝創作，從來的史書沒有像它這樣具有作者個人的色彩的。」㊻太史公才識高妙，《史記》之作，首融經、史爲一，又長於爲文，故其成就彰著，橫跨文、史兩界，爲世稱頌不已。晁補之說：

> 文者，氣之形。太史公周覽四海名山大川，與燕、趙間豪傑遊，故其文章疏蕩，頗有奇氣，然未嘗役意學爲如此之文也。氣充乎其中而動乎其言也。譬顏魯公性忠烈，故雖字畫亦剛勁，類

㊺ 見阮元編訂《詁經精舍文集》、卷一一、頁三一六。臺灣商務印書館。民國五十五年六月臺一版。

㊻ 見《司馬遷之人格與風格》、頁二四七。臺北里仁書局。民國八十六年十月十五日初版。

其爲人，皆未可求之筆墨蹊逕間也。(《餘師錄》、卷一、頁一六)

蘇轍〈上樞密韓太尉書〉也有極類似之說㊼。進而馬存就史公遊歷與感受的關聯，作了進一步的詮釋，有助我人瞭解其譔文的神奇變化：

子長平生喜遊，方少年自負之時，足跡不肯一日休，非直爲景物役也，將以盡天下大觀以助吾氣，然後吐而爲書。今於其書觀之，則其平生所嘗遊者皆在焉。

南浮長、淮，泝大江，見狂瀾驚波，陰風怒號，逆走而橫擊，故其文奔放而浩漫。望雲夢、洞庭之陂，彭蠡之瀦，涵混太虛，呼吸萬壑，而不見介量，故其文停滀而淵深。

見九疑之絕緜，巫山之嵯峨，陽臺朝雲，蒼梧暮煙，態度無定，靡蔓綽約，春粧如濃，秋飾如薄，故其文妍媚而蔚紆。

北過大梁之墟，觀楚、漢之戰場，想見項羽之喑嗚，高帝之慢罵，龍跳虎躍，千兵萬馬，大弓長戟，俱遊而齊呼，故其文雄勇猛健，使人心悸而膽栗。

世家龍門，念神禹之鬼功，西使巴、蜀，跨劍閣之鳥道，上有摩雲之崖，不見斧鑿之痕，故其文斬絕峻拔，而不可攀躋。

講業齊、魯之都，睹夫子之遺風，鄉射鄒嶧，彷徨乎汶陽、洙、泗之上，故其文典重溫雅，有似乎正人君子之容貌。

凡天地之間，萬物之變，可驚可愕，可以娛心，使人憂，使人悲者，子長盡取而爲文章，是以變化出沒，如萬象供四時而無

㊼ 見《欒城集》、卷第二十二、書十首、頁三〇一～三〇二。《國學基本叢書》。臺灣商務印書館。民國五十七年九月臺一版。

窮。今於其書而觀之，豈不信矣！（《古文集成》、卷二、頁九）

觀之上述，史公之文，應含創作，絕非刪述、點竄所能認定。迄於有清，桐城劉大櫆更以《史記》爲例，力主「文以奇爲貴」：

有奇在字句者，有奇在意思者，有奇在筆者，有奇在邱壑者，有奇在氣者，有奇在神者。……奇氣最難識，大約忽起忽落，其來無端，其去無跡。讀古人文，於起滅轉接之間，覺有不可測識，便是奇氣。奇，正與平相對。氣雖盛大，一片行去，不可謂奇。奇者，於一氣行走之中，時時提起。太史公〈伯夷傳〉可謂神奇。（〈論文偶記·一六〉、頁六）

太史公的列傳，有別於《左氏》。章學誠說，隨舉一事而爲之傳，是左氏傳經體，《史記》則是包舉一生而爲之傳，屬紀傳體[48]。由於以「事」爲傳，限於題材，變化不免受影響，而以「人」爲傳，無從拘束，故其伸縮靈活，疏密自在，可觀性必然增高。因此，《史記》歷來受文家的讚賞，即基於斯。

太史公以〈伯夷傳〉爲列傳之首，恉在論君臣之道。其首標考信《六藝》，許由、卞隨、務光雖有謙讓帝位之義，然世無傳文，純屬寓言，故不爲立傳。次以伯夷見稱於孔子，可信度高，故載錄其事，表彰其義。由此可見，史公取材的審愼，鑒別的精到。該〈傳〉以議論爲主，屬列傳的變體，在個人的怨與不怨間，反覆申論；在天道的信與不信際，正反歷述；在人事的謀與不謀中，逐次發抒，最後結以表幽顯微，無所怨懟。其說理深，寄情遠，令人讀後低迴不已。若斯

---

[48] 見《文史通義》、內篇、〈傳記〉、頁五一。

之作，絕非整齊舊文，而是刻意創作，除史公有此能耐，實在找不出第二個人。職是，劉氏稱以「神奇」㊾，頗有識見。明人何焯說：「〈伯夷列傳〉，此七十列傳之凡例也。」㊿章學誠承之說：「太史〈伯夷傳〉，蓋爲七十列傳作敘例。」(51)若斯，則豈是刪述、點竄能成！列傳之體，變化多端，章氏曾有論述，錄之於下，以明其辜較：

> 列傳包羅鉅細，品藻人物，有類從如族，有分部如井。變化不拘，《易》之象也。敷道陳謨，《書》之質也。抑揚咏嘆，《詩》之旨也。繁曲委折，《禮》之倫也。比事屬辭，《春秋》之本義也。具人倫之鑒，盡事物之理，懷千古之志，擷經、傳之腴，發爲文章，不可方物，故馬、班之才，不盡於本紀、表、志，而盡於列傳也。（《文史通義》·外篇·〈永清縣志政略序例〉、頁一七四）

章氏雖針對列傳爲說，其實《史記》屬紀傳體，以人物爲主。因此，本紀、世家中的人物也應包涵在內。就章氏所論，《史記》中的列傳，兼賅各《經》之長，雖可但具一耑而現之，然欲刪述、點竄而成，談何容易？再者，那有這麼多粉本待刪存！太史公好奇，行文變化多端，斷非尋常者可詣。像〈孟子荀卿列傳〉，史公去二儒不遠，揆之常理，資料搜采應不困難，而他只分別用兩、三百字爲孟、荀作傳，置於首尾，中間則插入三騶子、淳于髡，文末附以公孫龍、尸子、墨子等，

㊾ 見上引劉大櫆之說。

㊿ 見《景印文淵閣四庫全書》、冊八六〇、《義門讀書記》、卷一四、頁一七〇。臺灣商務印書館。民國七十五年三月初版。

(51) 見《文史通義》、內篇、〈書教上〉、頁一〇。

以仁義爲主眼，藉彰二儒著書立說，爲傳道之士，餘子雖各有所作，然僅投時君所好，以求利祿，終難持久。其布局之奇特，穿插之巧妙，絕非一般史家能爲，故清人惲敬說：「若孟堅、蔚宗，當題〈孟二騶淳于列傳〉矣。此《史記》所以可貴也。」[52]像這樣的文章絕非由粉本刪存。設果有此粉本，則其行文卓絕，豈有不傳之理！李景星稱該〈傳〉爲「奇筆」[53]，眞是深識文章的精髓。

餘傳之精彩，別出機杼，以「奇」著稱者，可於此約言之。如史公傳「信陵君」，篇中稱以「公子」的，多達一百四十七次，以示高出並時的平原君、孟嘗君、春申君，流露無限景仰，而陳仁錫評以「大奇大奇」[54]。傳「田單」，說他用即墨破走騎劫，終成齊之社稷，而黃繩美以「奇！奇！奇！一切都是奇，而且出奇無窮」[55]。傳「黥布」，狀其勇冠三軍，劈易萬人，是化工肖物的神使，而湯諧讚以「此文自始至終，一片奇氣」[56]。傳「衛青、霍去病」，屢敘伐胡功烈，虛實相生，詳略對針，而姚祖恩稱以「極盡筆力之奇，無一毫零贅」[57]。

---

[52] 見《大雲山房文稿》、卷二、〈孟子荀卿列傳書後〉、頁一六。臺灣中華書局。民國五十五年三月臺一版。

[53] 見《史記評議》、卷三、〈孟子荀卿列傳〉。濟南精藝印刷公司承印本。下同。

[54] 見《史記一百三十卷》、卷七七、頁九。

[55] 見《史記人物畫廊》、〈以短篇小說似的形式表現人物的奇才和壯偉事迹〉、頁二一一。廣東人民出版社。西元一九八八年十一月第一版。

[56] 見《史記半解·黥布列傳》、頁四。《四庫未收書輯刊》。北京出版社。西元二〇〇〇年第一版。

[57] 見《史記菁華錄》、卷二、〈衛霍列傳〉、頁二一三。臺北聯經出版事業公司校印。民國七十一年四月第四次印行。

傳「司馬相如」，載了他很多文章，洋洋萬餘言，借相如之事，爲天下後世懷才不遇者寫照，而李景星譽以「爲一篇最長文字，亦爲一篇最奇文字」[58]。傳「貨殖」，譏人主好貨，使四方皆變其俗趨利，而王鏊品以「後世決不如此作文，奇亦甚矣」[59]。其不落俗套，無不意在筆先，引人入勝。

《史》文除以「奇」著稱外，「異」之掌握也十分成功。所謂「異」，即能充分掌握傳中人物的特點，生動表現出來。如他爲「項羽」作紀，將項的英雄氣概描摹得淋漓盡致，尤其垓下被圍的忼慨悲歌，感人泣下，堪稱神筆。此外，爲「劉邦」作紀，歷述其機智善變，豁然大度，一切從「悟」中來，眞具帝王氣象。爲「呂后」作紀，寫盡其英悍忌刻，爲天下最毒婦人心作了最好的詮釋。爲「張良」作世家，詳述其著著在事外，步步在人前，最具智慧謀略。爲「陳平」作世家，深析其足智多謀，一生都在算計中打滾，耍盡陰謀，僅能自保，垂戒不可謂不深遠。爲「游俠」作傳，分述朱家之爲人忘己，郭解之折節解紛，虛實相間，洋溢無限俠氣。爲「酷吏」作傳，下筆冷峻，尤以刻畫張湯最入骨，充滿蕭殺陰慘之氣，令人不寒而慄。其描繪逼眞，栩栩如生，不覺爲之神往。

總之，史公之文，雲蒸霞飛，佳作迭出，琳琅滿目，美不勝收，宜乎明茅坤作《史記鈔》，而陳繼儒敘以「若《史記》卷帙既重，而品隲尤眞。正如黃帝張樂，洞庭之魚龍怒飛；大禹治水，山海之鬼怪

---

[58] 見《史記評議》、卷四、〈司馬相如列傳〉。

[59] 見《震澤長語》、卷下、〈文章〉、頁二八。《叢書集成簡編》。臺灣商務印書館。民國五十四年十二月臺一版。

畢出，非讀書破萬卷者，豈能搔其痛癢一二哉」[60]！果眞如斯，則《史》文之卓絕，豈是刪存所致！再者，自來文豪豈有僅以刪述、點竄他人之作而傳世不朽的！章氏失言了！不過，話說回來，若以章氏的「文學觀」，除卻經義、傳記、論辨方爲文[61]，則《史記》顯然是置於文學之外，那就只有另當別論了。問題是能否爲大家所接受？

捌、結　語

綜觀上述，章氏之說，似可明其精粗，平議如下：章氏以爲史料一經刪述、點竄，即成史書，而忽乎織組轉化，誤以史料爲史書，此其一；章氏以刪述、點竄是太史公作史唯一之法，似失之過簡，此其二；章氏既謂《史記》由刪述、點竄而成，復強調其具「別識心裁」，落差未免過大，有所矛盾，此其三；章氏未嘗說明刪述、點竄的定義，以致有無限上綱之嫌，此其四；章氏不曾分別明確指出《史記》中的「自爲者」與「刪述者」，以致殊難區辨其異同，此其五；章氏明言《史記》「自爲者十之一」、「刪成者十之九」，卻無實例說明，失之籠統，此其六；章氏疏於考證，立論欠周，而斷言《史記》刪存者十之九，其說至爲薄弱，此其七；章氏以《史記》由刪述、點竄而成，全屬類推，論證不足，此其八；章氏以《史記》的刪述、點竄，與《漢

[60] 見《史記鈔・敘史記鈔》、頁二。國家圖書館藏善本。明泰昌元年烏程閔氏刊朱墨套印本。

[61] 見《文史通義》、內篇、〈詩教上〉、頁一〇。

書》齊等，顯失其實，此其九；章氏忽略《史記》文學成就，概以刪述、點竄說之，不具說服力，此其十。綜此上述，章氏謂《史記》刪存者十之九，尚能成立否？博雅君子，當能辨裁之！

參考書目

方　苞·《望溪先生文集》·中華四部備要·臺灣中華書局·民國五十五年三月臺一版。

王　鏊·《震澤長語》·叢書集成簡編·臺灣商務印書館·民國五十四年十二月臺一版。

王正德·《餘師錄》·四庫全書珍本別輯·臺灣商務印書館·民國六十四年。

王先謙·《漢書補注》·臺灣藝文印書館·民國八十五年八月初版四刷。

王鳴盛·《十七史商榷》·臺北大化書局印行·民國七十三年五月再版。

王觀國·《學林》·景印文淵閣四庫全書·臺灣商務印書館·民國七十五年三月初版。

牛運震·《史記評注》·空山堂乾隆辛亥刻本。

司馬遷撰、陳仁錫評·《史記一百三十卷》·國家圖書館藏善本·明崇禎元年刊本。

阮　元編訂·《詁經精舍文集》·臺灣商務印書館·民國五十五年六月臺一版。

李長之·《司馬遷之人格與風格》·臺北里仁書局·民國八十六年十月十五日初版。

李景星·《史記評議》·濟南精藝印刷公司承印本。

吳汝綸·《桐城吳先生全書》·清末名家自著叢書·臺灣藝文印書館·民國五十三年九月初版。

吳見思·《史記論文》·臺灣中華書局·民國五十九年十一月臺二版。

呂祖謙·《大事記解題》·四庫全書珍本·臺灣商務印書館·民國七十一年。

何　焯·《義門讀書記》·景印文淵閣四庫全書·臺灣商務印書館·民國七十五年三月初版。

何良俊·《四友齋叢說》·元明史料筆記叢刊·北京中華書局出版·西元一九九七年十一月湖北第三次印刷。

金履祥·《資治通鑑前編》·景印文淵閣四庫全書·臺灣商務印書館·民國七十五年三月初版。

金耀章主編·《中國京劇史圖錄》·河北教育出版社·西元一九九四年十一月第一次印刷。

茅　坤·《史記鈔》·國家圖書館藏善本·明泰昌元年烏程閔氏刊朱墨套印本。

姚祖恩·《史記菁華錄》·臺北聯經出版事業公司校印·民國七十一年四月第四次印行。

馬　存·《古文集成》·景印文淵閣四庫全書·臺灣商務印書館·民國七十五年三月初版。

梁啓超·《中國歷史研究法》·臺北旋風出版社·民國四十七年八月初版。

梁啓超·《要籍解題及其讀法》·臺北華正書局·民國六十三年九月臺一版。

章學誠·《文史通義》·臺北世界書局·民國七十三年八月四版。

許　慎著、段玉裁注·《圈點段注說文解字》·臺北書銘出版事業有限公司·民國八十三年十月七版。
張大可·《史記文獻研究》·北京民族出版社·西元一九九九年十二月第一版。
陳振孫·《直齋書錄解題》·臺灣商務印書館·民國六十七年五月臺一版。
湯　諧·《史記半解》·四庫未收書輯刊·北京出版社·西元二〇〇〇年第一版。
惲　敬·《大雲山房文稿》·臺灣中華書局·民國五十五年三月臺一版。
黃　震·《黃氏日抄》·景印文淵閣四庫全書·臺灣商務印書館·民國七十五年三月初版。
黃　繩·《史記人物畫廊》·廣東人民出版社·西元一九八八年十一月第一版。
楊蔭森·《中國文學史大綱》·商務印書館香港分館·西元一九八五年八月第一版第二十三次印刷。
葉　適·《習學記言》·景印文淵閣四庫全書·臺灣商務印書館·民國七十五年三月初版。
潘　椿·《史漢初學辨體》·清代稿本百種彙刊·臺北文海出版社·民國六十三年八月初版。
潘永季·《讀史記劄記》·國家圖書館藏善本·清道光十三年刊本。
翦伯贊·《中國史綱》·上海大孚出版公司·西元一九四七年六月。
歐陽修·《歐陽文忠公全集》·四部叢刊正編·臺灣商務印書館·民國六十八年十一月臺一版。

蔡信發·《話說史記》·臺北萬卷樓圖書有限公司·民國八十四年十月初版。

劉大櫆·《論文偶記》·中國古典文學理論批評專著選輯·北京人民文學出版社·西元一九五九年。

劉咸炘·《史學述林》·成都尙友書塾·民國二十六年。

鄭　樵·《通志二十略》·臺北世界書局。民國四十五年二月初版。

錢大昕·《潛研堂文集》·國學基本叢書·臺灣商務印書館·民國五十七年十二月臺一版。

瀧川龜太郎·《史記會注考證》·臺北宏業書局·民國六十一年三月出版。

蘇　洵·《蘇老泉先生全集》·國家圖書館藏善本·明刊本。

蘇　轍·《欒城集》·國學基本叢書·臺灣商務印書館·民國五十七年九月臺一版。

顧炎武·《日知錄》·萬有文庫薈要·臺灣商務印書館·民國五十四年八月臺一版。

顧頡剛·《古史辨》·上海開明書店初版·西元一九四一年六月。

（本文發表於九十二年十一月廿八、廿九日淡江大學漢語文化暨文獻資源研究所主辦「第四屆文獻學學術研討會——文獻的學理與應用」）

學誠摘錄*

顧史考**

提　要

章學誠（實齋，1738-1801 年）《文史通義・原學中》謂古代之「從事於學者」曰：「入而申其佔畢，出而即見政教典章之行事，是以學皆信而有徵，而非空言相為授受也。」❶然則學之不誠而有信，乃實齋之所以為憂於後世也。古之與今，其時會既殊，則所以通變者必異。然而學之要誠而有信，思之務習於行事，乃古今所必尊之恆理，而卻亦後儒所自往而不反者也。實齋憂大體之不純、道術之裂，乃宛若不得已而著之於竹帛，此其撰《文史通義》之激也。本文以徵引實齋

* 本文的部分研究與寫作得到傅爾布萊特學術交流基金會（臺灣項目）及臺灣文化建設基金管理委員會的資助，在茲特致謝意

** 美國郡禮大學東亞語文學系副教授兼系主任

❶ 清章學誠著、葉瑛校注，《文史通義校注》（北京：中華書局，1994 年 3 月），頁 150。以下凡引《文史通義》或《校讎通義》之文，所注頁數皆指此本。

之文為主，摘其扼要者而相並錄之，以便闡述其求學之宗旨所在。

關鍵詞　章學誠　文史通義

自負不凡之人，往往爲其時人所厭，而卻爲後世所稱道，謂其爲有志之士也。如孟子於當時，「外人皆稱」之爲「好辯」，而到了後世乃賜之以「二聖」之美名。章實齋以挽救時弊爲己任，專攻小學之風而暢言大學之旨，乃至引起時人之反感。章氏因此乃云：「苟欲有所救挽，則必逆於時趨。時趨可畏，甚於刑曹之法令也。」❷時趨之可畏既已甚於刑曹，則其更甚於暴虎可知也。此亦即孟子「不得已」之心，想欲「正人心，息邪說，距詖行，放淫辭」，以便挽救時趨所蔽。然章氏之抱負亦不盡於此，而甚至將己之著作自比於太史公之藏書名山，且引韓愈之言「傳來世莫若書，化當世莫若口」，乃謂：「由韓氏之言體之，則著書爲後世計，而今人著書欲以表襮於時，此愚見之所不識也。」❸然則其撰書之目的，豈不乃爲了創作若干永垂不朽之著，以傳達來世而自取青史流芳之名乎？雖其未敢表襮於當時，亦將飛翰騁藻以炫耀於後世。回顧近兩百多年的歷史，實齋此美夢似已成眞了。

章實齋何以至今仍多爲人所稱道，甚至名滿漢學天下，在茲暫且

---

❷ 此出自其〈上辛楣宮詹〉；見錢穆，《中國近三百年學術史（一）》（1937年），《錢賓四先生全集》16（臺北：聯經，1994年），頁486所引。

❸ 同前注，頁 487。《文史通義·言公中》亦云：「古人之言，欲以淑人；後人之言，欲以炫己也」（頁182）。與此言相類而有別。

不予以推測。今先從其名著《文史通義》中略觀其論學之大綱。❹

《文史通義》第一篇〈易教上〉開宗明義云：「六經皆史也。古人不著書，古人未嘗離事而言理，六經皆先王之政典也。」❺然則此「六經皆史」之義，不外乎古書之切事言理之體及其王章政典之用。❻《易》本即爲太卜所長，其「懸象設教」則「一本天理之自然」，而與「治曆授時」乃「同出一源」，同爲「一代之法憲」、爲「王者改制之鉅典」，而「彌綸乎禮樂刑政之所不及。」❼《書》初屬大宰所掌之六典，有事乃「因事命篇，本無成法」，而「未嘗分事言爲二物也」❽；其「記注」既已「方以智」，其「撰述」又乃「圓而神」❾，而其雖後「亡而入於《春秋》」，然亦堪稱爲史家的文質彬彬之宗。《詩》則本於行人之官，「出使專對，蓋欲文其言以達旨」，後亦流爲諸子之「委折而入情，微婉而善諷」之用，而至是方有私人著書之端。❿蓋實齋如此先列言《易》教、《書》教及《詩》教之大要，則《文史通義》之體，本即爲仿劉氏《七略》之裁而來，而實齋正想

---

❹ 《文史通義》並非一時所完成。關於各篇之作年，請參葉氏《文史通義校注》各篇之首注。

❺ 《文史通義・易教上》，頁1。

❻ 梁啓超、胡適之誤以章氏之言解成所有著作「都是史料」，前賢已指其誤。錢穆說：「近人誤會『六經皆史』之旨，遂謂『流水賬簿盡是史料」』。嗚呼！此豈章氏之旨哉！」；見其《中國近三百年學術史（一）》，頁502。同樣的批評，亦見龔鵬程，〈文史之儒：章實齋〉，《淡江大學中文學報》創　號（1992年3月），頁422－424。

❼ 《文史通義・易教上》，頁1－2；〈易教中〉，頁11－12。

❽ 《文史通義・書教上》，頁30－31。

❾ 《文史通義・書教下》，頁49。

❿ 《文史通義・詩教上》，頁60－63。

通過古聖文獻之歸類，以顯現天人道學之大體。⓫以章氏之見，「學者之要，貴乎知類」，而六經之書雖各有所重而相雜爲文，然《易》之象、《詩》之興、《禮》之官、《春秋》之例，皆殊途同歸，「其理不過曰通於類也。」⓬然則先王諸般文獻之教雖各有所殊，而其同歸於經世致用之功則一也。要之：「若夫六經，皆先王得位行道，經緯世宙之迹，而非託於空言。」⓭

實齋言「古人」之「不著書」、「未嘗離事而言理」等，明明是針對「今人」之離事以著書而設。然而今人之於古者，究竟該以何心而學之？章氏一方面勸我們學古，以「古之糟糠」爲「今之精華」⓮，然同時又強調古今之勢必有別，要同歸於古人之大道，亦必以時事之殊途乃至。《易教》明言三王、五帝不相沿襲，其道雖一，而其制異方，然此就王者之政典而言。至於後世之私學，則申明夫子「述而不

⓫ 章氏此種以「通類」顯道的思想，於其《校讎通義》尤甚。《校讎通義》初成於 1779 年，重修於 1788 年。然則此書所論及其所由來之動機，必定與 1773－1781 年間所進行的《四庫全書》工程有關。據倪文孫之說，章氏雖未得直接參與，而可能對之有點間接的影響。見 David S. Nivison 著, *The Life and Thought of Chang Hsüeh-ch'eng (1738-1801)* (Stanford: Stanford University Press, 1996 年)，頁 44－45、56－57。其實亦可能恰因爲其未得參與，對編者有所不滿，而想借其《校讎通義》來發揚其自己在此方面之卓見，也未可知。

⓬ 《文史通義·易教下》，頁 18。

⓭ 《文史通義·易教上》，頁 3。依〈原道中〉之說，則「《易》……掌於《春官》太卜……《書》在外史、《詩》領大師，《禮》自宗伯，樂有司成，《春秋》各有國史」（頁 131）。此說又本其《校讎通義》之〈原道〉篇，唯彼「司成」作「司樂」；又曰：「官守之分職，即羣書之部次，不復別有著錄之法也」（頁 951）。

⓮ 《文史通義·說林》，頁 351。

作」之旨，而對揚雄等人之「擬聖」、「僭竊王章」之妄作，乃特別加以非議。⓯《書教》云「《周官》之法亡，而《尚書》之教絕，其勢不得不然也」，故「三代以下，撰述有定名，而記注無成法」，爲「文勝質」、「僞亂眞」之局。⓰因而勸今人必須尋求個「變通之道」，拋開末世所拘守的紀傳「程式」，而「求無解之初」、「求無例之始」，欲「斟酌古今之史」，以便恢復某種「文省而事明」、「例簡而義精」的「文質適宜」之「古今之中道」。⓱《詩教》謂「著述始專於戰國」爲「勢之不得不然」，而「後人」則「無前人之不得已，而惟以好尚逐於文辭焉」，且其「論文」亦達不到「善論文者」之「貴求作者之意指」及其「不可拘於形貌也。」⓲章氏此種種對後世之批評，實乃爲了糾正其流弊，寄望於其能歸入於古今所共由之中道。

實齋所謂「古今之中道」，蓋既非荀子之「古今一度」之說，又非韓非之「古今易俗」之論（見後），而恰如《呂覽》〈察今〉篇所謂「釋先王之成法，而法其所以爲法。」章氏處處強調「時會」、極言「變通」，認爲歷史是不斷展現的，各時各代之事理皆有其「不得不然」之「勢」。時勢之所以不得不殊，實齋於〈原道〉言之最精：有人即有分，「三人居室」而道始形焉，而後來所漸著之人倫與禮制，即所謂「道」者，則「非聖人智力之所能爲」，而「皆其事勢自然」，

⓯ 《文史通義・易教上》，頁2－3。此後儒之妄「僭經以擬六藝」，章氏於〈經解下〉篇亦特加以非議；見《文史通義》頁110－112。

⓰ 《文史通義・書教上》，頁30。

⓱ 《文史通義・書教下》，頁50－53。

⓲ 《文史通義・詩教上》，頁63；〈詩教下〉，頁79。

其「不得已而出之，故曰天也。」⑲因而「後聖法前聖，非法前聖也，法其道之漸形而漸著者也。」⑳此話最關緊要，也便是歷代「窮變通久之理」所在。㉑周公之所以爲聖，並非其聖智所致，而是其恰好處於可以「集大成」之時，而孔子之於周公，乃「盡其道以明其教」耳。㉒因此，「自古聖人，其聖雖同，而其所以爲聖，不必盡同，時會使然也。」㉓「後人」之病，在於「盛推孔子，過於堯、舜」，即「崇性命而薄事功」，而如此乃不知「周、孔之所以爲周、孔。」㉔然後世治教既分，官師爲二，而「人人皆自以爲道德」，此種情況固然「亦勢也」。㉕然而所以救此弊者，則爲「撰述文辭，欲以闡古聖之心也」，而文章之至用，在於「述事而理以昭焉，言理而事以範焉」，如此方算事理雙全而「衷於道矣。」㉖

因此，先王之六經，並不能視作「載道之書」，而不可「即以爲道」。㉗「經」之爲名，以經綸治化爲義，爲孔門弟子所給予先王政

---

⑲ 《文史通義·原道上》，頁 119。關於章氏對「道」一詞的理解與用法，請參鄭吉雄，〈論章學誠的「道」與經世思想〉，《臺大中文學報》5（1992年6月），頁 303－328。

⑳ 《文史通義·原道上》，頁 120。

㉑ 《文史通義·原道上》，頁 120。

㉒ 《文史通義·原道上》，頁 120－122。

㉓ 《文史通義·原道上》，頁 122。

㉔ 《文史通義·原道上》，頁 123。

㉕ 《文史通義·原道中》，頁 133。

㉖ 《文史通義·原道下》，頁 140、139。

㉗ 《文史通義·原道中》，頁 132；〈原道上〉，頁 120。〈原學上〉亦曰：「《詩》、《書》誦讀，所以求效法之資，而非可即爲效法也……專於誦讀而言學，世儒之陋也」（頁 147－148）。

典的美稱。其初並無垂範千載之意，而衹是「三代盛時，典章法度，見於政教行事之實」。㉘故後世之以經世致用爲心者，若單以「訓詁章句」、「疏解義理」或「考求名物」爲務，則「皆不足以言道也」。㉙因爲「時會」之異及「理勢」之殊，而「古今之中道」必出於當前「人倫日用之常」，並不能盡求諸先王之跡。要之：「夫道備於六經，義蘊之匿於前者，章句訓詁足以發明之。事變之出於後者，六經不能言，固貴約六經之旨，而隨時撰述以究大道也。」㉚

然則章實齋與往前之清儒一樣，皆以經世致用之心爲關懷，所提倡的實亦堪稱爲「實學」的一種，然而對此一概念卻寓以新的意義。依錢穆的分析，自顧炎武倡「經學即理學」以來，此實學的對象始終離不開經學，亦即上所謂的「考求名物」等功夫，而「實齋始對此持異議。」㉛錢氏謂戴震（東原，1723－1777年）與實齋之分曰：「主求道於人倫日用，乃兩氏之所同」，然而東原「謂歸於必然」而「盡此必然者爲聖人……故六經乃道之所寄」，而實齋則「謂聖人之不得不然」者將隨時會而變，故「六經固不足以盡天道也。」㉜如此便把章氏之學視做對戴氏學的回應，而要之曰：「蓋一主稽古，一主通今，此實兩氏議論之分歧點也。」㉝如此將實齋之學放在清代學術史的脈絡中

㉘ 《文史通義·經解上》，頁92－94。
㉙ 《文史通義·原道下》，頁138。
㉚ 《文史通義·原道下》，頁139。
㉛ 錢穆，《中國近三百年學術史（一）》（同注❷），頁487。
㉜ 錢穆，《中國近三百年學術史（一）》，頁489－490。
㉝ 同前注，頁490。

去看，固然未足涵蓋章氏思想之全㉞，但亦可以看出其立言動機之近因所在。

依實齋之見，其時人之大病，在於其不知求「學」之目的何在。「學也者，校法之謂也」，即效法「前言往行」中之「適當其可之準」，而此種「校法」，其實衹是一種「學己」的過程，並非教人「舍己」而從人之謂。㉟與先秦諸子之流弊相反，「世儒之患」乃「起於學而不思」，即專於「考索」、「屬文」或「義理」等面而不思「博之何所取」、「文之何所用」或「義理」之何「當於道」等問題。換言之，「此皆知其然，而不知其所以然」，人情之「好名」而趨時之「風氣」，乃「徇末而不知本也」。㊱此「好名」與「趨風」，亦即舍己而爲人之謂。實齋之報其友人沈楓墀書中亦申其「學在自立，人所能者，我不必以不能愧也」之旨。㊲學在自立，故「學貴博而能約」，學之所務在於能文質彬彬、學思具備，即要其「功力」與「性情」相輔相成：「功力有餘而性情不足，未可謂學問也。性情自有，而不以功力深之，所謂有美質而未學者也。」㊳

㉞ 龔鵬程〈文史之儒〉一文，特強調錢氏之説的局限性，且對錢氏之「一主稽古，一主通今」的說法說：「這種對比是錯誤的，實齋所謂經世云者，絕非此義……乃是主張述而不作，據經稽古，以表章先王之道；其非通今致用、創制應時，語意甚麼明顯」；見其〈文史之儒：章實齋〉（見注❻），頁 429、431。其實，章氏是否將「述而不作」與「通今致用」視爲截然相反的概念，似亦可商量（見下）。

㉟ 《文史通義·原學上》，頁 147。

㊱ 《文史通義·原學下》，頁 154。

㊲ 《文史通義·博公上》，頁 157。原書信見該篇注 3。

㊳ 《文史通義·博公中》，頁 161－162。

然而學己亦乃學習自己所傳承之文史傳統，以及思念如何變通而行之於自己所處之今世當中。實齋之學，儘管主張「述而不作」，然孔子當時之「不得已」，並非當今之時勢所處，因而好古之心、求學之志，必當付之於行事方可。此爲章氏處處所強調，如〈浙東學術〉篇末段所云：

> 史學之經世，固非空言著述也。……後之言著述者，舍今而求古，舍人事而言性天，則吾不得而知之矣。學者不知斯義，不足言史學也。[39]

〈史釋〉篇之言「學者昧今而博古」則曰：

> 無志於學則已，君子苟有志於學，則必求當代典章，以切於人倫日用；必求官司掌故，而通於經術精微，則學爲實學，而文非空言，所謂有體必有用也。不知當代而言好古，不通掌故而言經術，則鞶帨之文，射覆之學，雖極精能，其無當於實用也審矣。[40]

然後又接著以其所恆用的古句：「夫『三王不襲禮，五帝不沿樂』。[41]不知禮時爲大，而動言好古，必非眞知古制者也。」[42]然而「好古」亦有其道，如〈說林〉篇所云：

---

[39] 《文史通義・浙東學術》，頁 524。

[40] 《文史通義・史釋》，頁 231。

[41] 語出《禮記・樂記》。相類的句子，亦見〈易教上〉篇，頁 1。

[42] 《文史通義・史釋》，頁 232。

> 所謂好古者，非謂古之必勝乎今也，正以今不殊古，而於因革異同，求其折衷也。古之糟魄，可以爲今之精華。非貴糟魄而直以爲精華也，因糟魄之存，而可以想見精華之所出也。……是則學之貴於考徵者，將以明其義理爾。[43]

今人學古之目標正在於此。

實齋之史學，既可如錢穆那樣放在清代學術的歷史脈絡中去研究，而當然亦可以放到整個中國文史傳統中去研究其承前啓後的關係。從春秋戰國以來，如何學習歷史、古今關聯如何看待等問題一直不斷地爲思想家所辯論。孔門儒者（以及墨家者流）皆特別注重先王的文史傳統，如孔丘的「述而不作」，其以《詩》、《書》爲教材，以及其想要通過「不足徵」的「文獻」來論述先王之禮，便已爲章氏自己所反覆提及。孔門後學亦恆以《詩》教、《書》教爲中心，如〈緇衣〉、〈表記〉、〈坊記〉等篇所記；到了孟、荀之著，亦處處引《詩》、《書》以爲重，此乃眾所周知之事也。孔門所以如此推崇先王之文史傳統，乃有一個共同的前提在，即是無論以人性爲善抑爲惡，而人性仍是「相近」的，因而「聖人與我同類」[44]，人人皆「可以爲堯、禹，可以爲桀、跖」。[45]因此，我們之所以要閱覽先王的文獻，乃是爲了藉之以瞭解我們自己的可能性，以古爲師而「擇其善者而從之，其不善者而改之」。我們研讀古代文獻，雖堪以「好古」爲稱，然此「好

---

[43] 《文史通義・說林》，頁 351。

[44] 《孟子・告子上》第七章文。

[45] 《荀子・榮辱》文；見王先謙，《荀子集解》（沈嘯寰、王星賢點校；北京：中華書局，1988 年），頁 63。

古」同時即所以通今，而我們讀及古書，亦不得不「以意逆志」[46]，以我們自己的經驗與意識去推敲古人之心志，此不但爲何以讀古書之法，而亦古代文史之所以有意義於今。荀子駁斥「妄人」之「古今異情，其所以治亂者異道」之說，乃強調「古今一度也；類不悖，雖久同理」[47]，亦正是此理。古今人性既然是一致的，則時會、理勢再怎麼不同，基本的治道並不會因此而異。

先秦當中，與儒家此說相互對抗的，乃是商鞅的「治世不一道，便國不法古」之說[48]，乃至韓非的「聖人不期脩古，不法常可，論世之事，因爲之備」及「古今異俗，新故異備」之論。[49]法家者流，不以人性之常爲念，而但論時勢之變，及今人隨時制宜之需。因而依此說，古代歷史遺訓中儘管有些可供參考之處，而過份推重古代的文史傳統，不但無助於今，反而有害。

此儒、法兩種截然不同的古今觀，堪稱爲了其後兩千年來的歷代史論家奠定了辯論的基本原則，將古今關係論者已劃分爲兩種明確的陣營。後代史論家當然在此基礎之上有相當的進展與發揮，然由筆者的學識及本文的範圍所限，在此無法贅述。現在且言實齋的史學論，並未把問題看得如此簡單，而將兩種立場融合爲一種更加複雜而微妙的古今觀。

---

[46] 《孟子·萬章上》第四章文。

[47] 《荀子·非相》文；見王先謙，《荀子集解》，頁81－82。

[48] 《史記·商君列傳》（北京：中華書局），頁2229。亦見《商君書·更法》；蔣禮鴻，《商君書錐指》（北京：中華書局，1986年4月），頁4。

[49] 《韓非子·五蠹》；王先愼，《韓非子集解》（鍾哲點校；北京，中華書局，1998年7月），頁442、445

商鞅曾言「三代不同禮而王，五伯不同法而霸」[50]，與章氏所習引的「三王不襲禮，五帝不沿樂」（《樂記》）固然有其相似之處；況且章氏之言論，亦到處強調「時會」與「變通」，然則其所指果然爲商、韓之遺緒乎？當然實齋之意不在此。實齋既然那樣推崇文史之傳統，則本來乃與商、韓之學有其絕殊之處。章氏之云不可「舍今而求古」，並非乃可「求今而棄古」之謂；其言不可「舍人事而言性天」，亦並非可「求人事而廢性天」之意。如以往儒家的立場一樣，我們當然就是要學古，要通過古代文獻來「以意逆志」，來瞭解古代先王之治且以此先王之治爲榜樣。然而不同的則是，古今之間確實有其「異情」在，因應「時會」之推移而必須尋找其「變通」之法，因爲六經所存，乃古代官師合一道耳，而並非永恆不變之道，所該學的是其所以爲道，而不是其時勢所限定之道本身。實齋言「自古聖人，其聖雖同，而其所以爲聖，不必盡同」（見上），亦即在此「法其所以爲法」之道。然則章氏之史學，既似法而亦非法，既出儒而又超儒，乃是一種遠脫門戶之爭而卓然獨立的、融匯古今文史之論而自成一家的歷史思想體系。

余英時曾謂實齋之《文史通義》爲「兩千餘年來」的「唯一的歷史哲學的專著」，且說：「章氏歷史哲學的重要性不僅在於它表現了章氏個人思想的天才卓越，而尤在於它滙集了以往許多零星的歷史觀念，因而構成了一套較有系統的中國歷史哲學。」[51]誠然，章氏此「系

---

[50] 《史記·商君列傳》，頁2229；《商君書·更法》，頁3。

[51] 余英時，〈章實齋與柯靈烏的歷史思想〉，收入氏著《論戴震與章學誠－清代中期學術思想史研究》（台北：華世出版社，1977年9月），頁201。

統」爲一種極其獨特的系統，然若以一種「互著」法求其散於各篇中之史學要論，亦不難看出余氏所謂的此其「滙集」之功夫所在。

實齋及其所傳承的史學傳統，亦可與西方的史論史進行有意義的比較。前賢亦多已做過此種研究，今特言與本文有關者之一二。如十九世紀的美國文人愛默生（1803－1882 年），曾云我們每個人都享有一顆共同之心，而使用此一「萬人之心」者，乃可以成爲「所有作爲或可能作爲的參與者」，因爲「此顆心之所創作的，歷史即是其記錄」，而通過此其記錄，則「聖人感覺的，他也能感覺；於任何時落於任何人之身上者，他也可以瞭解。」[52]而基於此其對歷史之爲物的認識，乃進一步推論：

> 所敘述之事，必於我己身之內有所對應，方爲可信、可理解。我們讀書時，必得自己變成古希臘人、羅馬人、土耳其人，或神父與國王、殉道者及誅戮者；必須將此種種想像繫之於我們隱密經驗中的某一個事實之上，要不然甚麼都學不好……若是有人以爲古代的遠近馳名之人物所作所爲，比他自己於今世所作所爲有甚麼更深的意義，吾謂此種人無望於能夠正確的讀歷史也。[53]

---

[52] Ralph Waldo Emerson (1803-1882 年), "History," 收入其 *Essays: First and Second Series* (New York: Vintage Books/The Library of America, 1990 年)，頁 7。

[53] Ralph Waldo Emerson, "History," *Essays: First and Second Series*，頁 8－9。此段之翻譯（及下所引尼采之文）已見拙著〈從禮教與刑罰之辯看先秦諸子的詮釋傳統〉，《臺大文史哲學報》第 53 期（2000 年 11 月），頁 26－28。

閱讀歷史之意不在於空然好古，而在於能夠更深刻地瞭解自己的潛能，或可說今世社會的潛能，以便有所作所爲。然則章、愛二氏於博古通今之功用，顯然有其相同之處焉。[54]

此外，亦可以看稍後的尼采（1844－1900 年）如何來剖析史學的雙面性。一種類似於章氏所謂「好古」之心，尼采將之稱爲「紀念碑式」的歷史觀，而如愛默生般的先肯定其價值：

> 然則「紀念碑式」的歷史觀點——即對昔日之古典與珍貴者的關懷——對今世之各人究竟利益何在？在於他藉此方能瞭解曾經有過之偉績至少曾有一時是辦得到的，因而將來亦頗有再辦一次之可能。他因此便將更勇敢的進行下去，因爲到了此時刻他已經克服了在他以往懦弱時刻纏繞他的一種懷疑，即是他所欲辦的可能便是辦不到的那種懷疑。[55]

---

[54] 英國哲學家柯林伍也有類似的說法，言歷史家要辨識過去的思想，唯一的辦法就是「重新思考之於其自己之心裡」，而「不但會『再扮演』過去的思想，而且是於他自己之知識範圍之內『再扮演』之的，因而同時亦將批評之，對其價值形成他一己之判斷，將其中所能發現之錯誤加以改正」。見 R. G. Collingwood, "Human Nature and Human History," 收入其 *The Idea of History*（1946 年; Oxford University Press 平裝本, 1956 年），頁 215。此雖主要以如何進行歷史之判斷著眼，但亦牽涉到柯林伍所關懷的研究歷史之目的與價值本身這個問題。章實齋與柯林伍思想的異同，余英時已有詳細的論述，見其〈章實齋與柯靈烏的歷史思想〉，收入其《論戴震與章學誠》（同注[51]），頁 197－242。

[55] Friedrich Nietzsche (1844-1900 年), *On the Advantage and Disadvantage of History for Life*（約 1875 年; Peter Preuss 英譯, Indianapolis: Hackett, 1980 年），頁 16。

此種博古以通今之志以及經世致用之意，固然與章氏之論有其默契，且與儒家以往的立場相當一致。然尼采於是又將話說回來了：

> 然而，從這個例子同時又可以有另一種心得，即是瞭解這種比較是多麼的漂浮、難捉的，多麼的模糊！須要忽略之不同點如何之多！必須如何之殘忍地將過去時代的獨特之處強制成一種新的形狀，將其銳利的稜角與線條一一折斷，以便達到〔古今之〕一致！如此方能使此種比較有那麼大的影響力！全面的眞實性對「紀念碑式」的歷史根本無利，因爲它總會估計、概括以及將所有異點同等看待。㊻

基於同樣的認識，章氏亦強調「時會」與「變通」，因爲古今並非完全一致，無法強而爲一，因而衹能「斟酌古今之史」：既要去「發明」六經所備於道之「義蘊」者，而同時要能針對出於「事變之後」者而隨時撰述。然則尼采所論的兩種史觀，實齋的「古今之中道」可說早已隱約地兼而有之。

孔子曰：「古之學者爲己，今之學者爲人」㊼，此亦正乃實齋學之一以貫之之謂也。章氏屢言：「古人之言，所以爲公也，未嘗矜於文辭，而私據爲己有也。」㊽然「矜於文辭」，亦所以爲人也，而「私據爲己有」，則恰與眞正「爲己」之學相背。爲己乃是爲公，爲公即是爲己，此誠爲文史之學的意義所在。「學必求其心得」，欲其「博

㊻ 同前注，頁 17。

㊼ 《論語・憲問》文。

㊽ 《文史通義・言公上》，頁 196－172。

而不雜，約而不漏」，乃「庶幾學術醇固，而於守先待後之道，如或將見之矣。」59將自己視爲整個文史傳統的共同參與者，將先王之道看作今世之源而法其所以爲法，如此方能瞭解文史傳統所給我帶來的意義，才能超越今世之風氣而將撰述之習歸到一種眞正的經世致用、守先待後之道。實齋言之曰：

> 後世載筆之士，作爲文章，將以信今而傳後，其亦尚念無言之旨，與夫不得已之情，庶幾哉言出於我，而所以爲言，初非由我也。60

然則實齋之斥責其當世之弊而數數然於後世之用，原來乃出乎其不得已之情，其言雖出於實齋，而初非由實齋也。其學既非源於實齋，則實齋之功亦可歸之於公矣。實齋適當經學鼎盛之際，而其正可通過對兩千多年來文史傳統的校讎功夫與所得來的學問，來糾正當時之流弊。是以其「經綸制作，集千古之大成，則亦時會使然」，而並非實齋之「聖智能使然也」。61此種結論，蓋實齋亦難以有異言。

---

59 《文史通義·博約下》，頁 166。

60 《文史通義·原道下》，頁 139。

61 此實齋形容周公語；見《文史通義·原道上》，頁 121。

超越與獨行

——章學誠對戴東原之貶與褒

李康範*

提　要

乾嘉時期，考據學獨霸一時，然至晚清國勢漸衰，漢學弊病亦隨之浮現。此際數家力圖總結其時其學，或主漢學，或主宋學，或主折衷，然始終未脫門戶之見。惟章實齋一人，以客觀治學精神，毅然嚴厲批判其弊病，其《通義》實為箴砭當時經學而作。當時通儒盡遭章氏痛駁，其中對戴東原尤為甚矣。章氏欲別其瑕而擇其瑜，又懼『譽者既非其真，毀者亦失其真』，而摘戴氏『心術不正』、『飲水忘源』，以及誇張訓詁、名物、典章制度之作用為其瑕也；又列戴氏深見古人大體，理學文章發前人所未發者，不泥墨守師說，重視心得

* 韓國中央大學中文系教授

等為其瑜也。或曰章氏批判戴氏偏於貶，此說未允，實褒亦不少，可謂知東原者實齋矣！

關鍵詞　章學誠　戴東震

壹、前　言

乾嘉學術，考據學最爲顯學，可謂獨尊一時，但進入嘉慶末期，國勢漸告衰落，一落千丈，學術亦隨之衰落。然此亦可謂集其學術而大成之絕好機會；春秋戰國之際孔子修六經，東漢末年鄭玄兼收兩漢今古，朱文公集北宋五子而大成之，皆爲例也。嘉慶末年亦有嘗試總其結者，如江藩《漢學師承記》與方東樹《漢學商兌》，然如眾所知，此二人門戶之見頗甚，始終無法脫之而確保客觀視野，是以其著作價值大大減少，備受質疑。然逢考據學壓倒一切之乾嘉盛世，不迎時趨而以客觀態度嚴厲批判其弊病，同時提出矯正方案而褒其該褒者，惟章實齋一人耳。章氏治學態度與力圖折衷漢宋之阮元又不同。總之，章氏治學一生堅持超越與獨行。茲以分述章氏批判其時學風之弊病，與其對戴東原之貶與褒。

貳、章學誠對戴東原之貶

誠如錢穆先生在《中國近三百年學術史》說，「近代治實齋之學者，亦率以文史家目之。然實齋著《通義》，實爲箴砭當時經學而發，此意則知者甚尠。……《通義》、《校讎》則爲救挽經學流弊而作，其意甚顯白。」章實齋以爲當時世俗頗偏重於考據，力圖救挽，亦乖時人好惡，逆於時趨，難以下筆。此蓋章氏終生所以困於未得知己也。章氏在〈上辛楣宮詹〉歎曰，「世俗風尚，必有所偏，達人顯貴之所主持，聰明才雋之所奔赴，其中流弊，必不在小，載筆之士，不思救挽，無爲貴著述矣。苟欲有所救挽，則必逆於時趨。時趨可畏，甚於刑曹之法令也。」雖『時趨可畏』，但以『若夫天壤之大，豈絕知音』之心，暢談當時漢學之流弊。

一、戴東原『心術不正』而『飲水忘源』

章學誠一生眼高一世，對清代學者肆意譏評，是以當代名儒如袁枚、戴震、汪中、洪亮吉、孫星衍等輩皆未能脫於其矛頭。其中對戴東原之貶與褒，可謂章氏評價乾嘉學術之縮影。戴東原當時已是一代巨儒，章學誠之譏評自然不得知音，反而盡受冷漠與白眼。但章氏毅然先闡述自己苦心在於『別瑕而擇瑜』，曰：「僕之攻戴，欲人別瑕而擇其瑜，甚有苦心，非好爲掎摭也。或謂戴氏生平未嘗許可於僕，僕以此報怨者，此則置之不足辨也。（〈與史餘村〉）」同時再強調自己心、言、筆出於一律。「（僕）生平從無二言歧說，心之所見，口之所言，筆之所書，千萬變化，無不出於一律。（〈答邵二雲書〉）」章氏攻戴，不出於私人恩讎，因戴震『言行不顧，言是行非，行不踐言』又與『世道人心，名教大義』息息相關，不得不辨之。

章學誠首先舉戴氏之『瑕』乃是『心術不正』。〈書朱陸篇後〉開頭即說其〈朱陸篇〉全爲糾正戴氏之『心術未醇』而作，曰：「戴君學問，深見古人大體，不愧一代巨儒，而心術未醇，頗為今日學者之患，故余作〈朱陸篇〉篇正之。」章氏如此嚴厲批判戴震蓋出於自負深知戴氏。此事見於〈答邵二雲書〉頗詳，曰：「唯僕知戴最深，故勘戴隱情亦最微中，其學問心術，實有瑕瑜不容掩者。已別具專篇討論篋藏其稿，不敢示人，恐驚曹好曹郡之耳目也。……足下疑其言之卑鄙，不似戴平日語，此說似矣。抑知戴氏之言，因人因地人時，各有變化，權欺術御，何必言之由中。以僕親聞，更有甚於此者，皆可一笑置之，固不必執以為有，亦不必辨以為無也。」此信答邵晉涵責章氏為『浮言所惑』而攻戴震而發之。章氏親眼目睹『戴震之言，因人因地因時，各有變化』，其言不由中，是以主張戴氏之遺書與口說應予分離以待。〈答邵二雲書〉曰：「戴氏騰之於口，則醜詈程、朱，詆侮董、韓，自許孟子後之一人，可謂無忌憚矣。然而其身既死，書存而口已滅，君子存人之美，取其書而略其口說可也；不知誦戴遺書而得其解者，尚未有人，聽戴口說而益其疾者，方興未已，故不得不辨也。」

以章氏所見，戴東原如此批判宋儒之原因，在於戴氏自度踐履根本遠遜宋人。〈與史餘村〉曰：「夫子之教，必使言行相顧，宋儒……莫不躬行實踐，以期於聖賢也。……戴之踐履遠遜宋人，乃其所以求異於釋老耶？是則闢釋老者，固便於言是行非者也。此則戴之癥結。」又〈與史餘村〉曰：「戴氏好闢宋學，其說亦豈無因！戴氏力闢宋人，而自度踐履萬不能及，乃併詆其躬行實踐，以為釋老所同，是宋儒流弊，尚恐有偽君子，而戴亦反，直甘為眞小人矣。」

戴震之『癥結』，不止於此，既詆宋儒，將自己置於功過之外。〈又與朱少白〉曰：「戴君之誤，誤在詆宋儒之躬行實踐，而置己身於功過之外，至於校正宋儒之訛誤可也，並一切抹殺，橫肆詆訶，至今休歙之間，少年英俊，不罵程、朱，不得謂之通人，則眞罪過。戴氏實爲作俑。其實初聽其說，似乎高明，而細核之，則直爲忘本耳。夫空談性理，孤陋寡聞，一無所知，乃是宋學末流之大弊。然通經服古，由博反約，即是朱子之教。……至國初而顧亭林、黃梨洲、閻百詩皆俎豆相承，甚於漢之經師譜系。戴氏亦從此數公入手，而痛斥朱學，此飲水而忘其源也。」身爲學術領袖，其言行著作對於少年學子有莫大影響，章學誠以爲後學罵程、朱，戴震實爲作俑。但戴氏如此薄朱氏態度乃是根本忘記其學實自朱子數傳之後起，可謂『飲水忘源』也。〈又與朱少白〉曰：「今人有薄朱氏之學者，即朱氏之數傳而後起者也。其與朱氏爲難，學百倍於陸、王之末流，思更深於朱門之從學，充其所極，朱子不免先賢之畏後生矣，然究其承學，實自朱子數傳之後起也，其人亦不自知也。而世之號爲通人達士者，亦幾幾乎褰裳以從矣。……無如其人慧過於識，而氣蕩乎志，反爲朱子詬病焉，則亦忘其所自矣。」學術之演進，後者必承前人之遺緒，宋學數傳至於清代，乾嘉漢學之盛亦多或少欠於宋學，是以戴震實無理由薄朱氏之學，〈朱陸篇〉曰，「今人有薄朱氏之學者，即朱氏之數傳而後起者也，其人亦不自知也。沿朱氏之學，一傳而爲……五傳而爲……則皆服古通經，學求其是，而非專己守殘，空言性命之流也。……今承朱氏數傳之後，所見出於前人，不知即是前人之遺緒，是以後歷而貶羲和也。」聞道之路，途殊歸一，漢宋之分，實只有殊途之異，然則學者亦不必敵對，不必拘束，反而打破門戶才能廣闊視野，能以接近聖人眞諦。是以章氏以爲戴震學術之中最爲可惜者，不勤在『心術不正』而在『未通方而成家』。

二、戴震過度執著訓詁、名物與典章制度

(一) 訓詁與名物，亦只不過聞道之一端

戴震文章處處強調未『識字』不足爲學。先敘述自己治學經驗以見證，〈與是仲明論學書〉曰：「自漢以來，不明故訓音聲之原，以至古籍傳寫遞譌，混淆莫辨。」所以先得《說文》以過此難關，〈與是仲明論學書〉說，「僕自少時家貧，不獲親師，聞聖人之中有孔子者，定六經示後之人，求其一經，啓而讀之，茫茫然無覺；……得許氏《說文解字》，三年知其節目，漸覩古人制作本始。」戴氏既能漸覩『古人制作本始』，同時又感到頗爲可惜，因當時學人不由戴氏所發現之捷徑而走，所以在〈《爾雅》注疏箋補序〉歎曰，「今人讀書，尚未識字，輒目古訓之學不足爲。其究也，文字之鮮能通，妄謂通其語言；語言之鮮能通，妄謂通其心志。」〈與族孫汝南論學書〉又曰：「今之學者，毋論學問文章，皆坐不曾識字。」章氏對如此言論頗爲驚呀，衝激亦不少，是以對此一一予以反駁，〈說文字原課本書後〉曰：「六書數千年來，諸儒尚無定論，數千年人不得誦『五經』乎？」又曰：「猶此糾彼議，不能劃一，後進之士，將何所適從乎？」然則名物、訓詁亦聞道之一端而已，〈朱陸篇書後〉曰：「其自尊所業，以謂學者不究於此，無由聞道。不知訓詁文物，亦一端耳。古人學於文辭，求於義理，不由其說，如韓、歐、程、張諸儒，竟不許以聞道，則亦過矣。」若依戴氏標準，過分要求學者究於訓詁、名物，終能過此關而始能讀六經者，必定不過寥寥數人而已。〈又與正甫論文〉曰：「戴氏通訓詁，長於制數，又得古人之所以然，故因考索而成學問，

其言是也。然以此概人，謂必如其所舉，始許誦經，則是數端皆出專門絕業，古今寥寥踁不數人耳，猶復此糾彼訟，未能一定，將遂古今無誦『五經』之人，豈不誣乎？」善哉其言！學者皆必通過六書而進入專業，白頭不遂一經者無疑必轉世重現。戴震誇張考據學之作用，甚至遂謂名物、訓詁乃是『經世之大業』。章氏曰：「著作本乎學問；而近人所謂學問，則以《爾雅》、名物、六書、訓詁，謂足盡經世之大業。」章氏從未忽略小學，反而頗重視《說文》，又有專門著作，但此屬於專業學術領域，有少數專業學者探研即足矣，絕非經世或聞道之大業，不是人人皆必從事之宿業。

（二）戴震誇張典章制度之作用

戴震強調須明義理，此與其他乾嘉學者不同者，但戴氏以爲尋此義理之路皆隱藏乎典章制度。〈惠定宇先生授經圖〉曰：「訓詁明則古經明，……古聖賢之義理非他，存乎典章制度者也……松崖先生之爲經也，欲學者從事於漢經師之故訓，以博稽三代典章制度。」接之，在〈與是仲明論學書〉一一列舉不知典章制度而莫辨其意之例；「誦〈堯典〉數行，至『乃命羲和』，不知恒星七政所以運行，則掩卷不能卒業；誦〈周南〉、〈召南〉自〈關雎〉而往不知古音，徒強以協韻，則齟齬實讀；誦古〈禮經〉先〈士冠禮〉，不知古者宮室、衣服等制，則迷於其方、莫辨其用；不知古今地名沿革，則〈禹貢〉〈職方〉失其處所；不知少廣旁要，則〈考工〉之器不能因文而推其制；不知鳥獸蟲魚草木之狀類名號，則比、興之意乖」戴氏稱『三代典章制度』之外，再無有所謂學問。章學誠痛駁指爲『大言欺世』，此只不過試圖套上神秘色彩而肆意結成學術私黨而已。又反問若人人必卒業典章，然後始能誦經，到底有多少人能過此關？「如以此概人，必如其所舉始許誦經，則是數端，皆出專門絕業，古今寥寥不數人耳。」若孟子再世亦無法過此關，被譏謂『未能通』，〈又與正甫論文〉曰：「孟子言井田封建，但云大略；孟獻子之友五人，忘者過半；諸侯之禮，則云未學；爵祿之詳，則云不可得聞。使孟子生後世，戴氏必謂未能通《五經》矣！馬、班之史，韓、柳之文，其與於道，猶馬、鄭之訓詁，賈、孔之疏義也。戴氏則謂彼皆藝而非道，此猶資舟楫以入都，而謂陸程非京路也。」典章制度之學可認為『專門絕業』，但把握其大略亦可，尚不可適用於所有學者。

參、章學誠對戴東原之褒

章學誠重視心術，戴東原死後，在〈朱陸篇書後〉仍評戴氏謂「心術未醇，頗為近日學者之患。」但仍稱戴東原謂「不愧一代鉅儒。」是以章氏自述其批評戴東原，欲人別瑕而擇其瑜，此意乃是戴震學術當中亦有應予以肯定之處。〈與正甫論文〉讚賞戴氏得『古人大體』，曰：「近日言學問者，戴東原氏實為之最，以其實有見於古人大體，非徒矜考訂而求博雅也。」但後代學者舉瑜而遺瑕，或見瑕而失瑜。章氏之多舉其『瑜』，但其『瑜』與當時學者所譽之『瑜』絕然不同。此章氏對戴東原批評之難能可貴之處。

一、戴震理學文章有發前人所未發者

章學誠所謂『瑜』與眾不同。換言之，當時尚不甚理解戴東原學

術價值之所在。〈與史餘村〉說當時「皆視以爲光怪陸離，而莫能名其爲何等學；譽者既非其眞，毀者亦失其眞，強作解事而中斷之者，亦未有以定其是也。」又〈書朱陸篇後〉曰，「戴君下世，今十餘年，同時有橫肆罵詈者，固不足爲戴君累；而遵奉太過，至有稱謂孟子後之一人，則亦不免爲戴所愚。身後恩怨俱平，理宜公論出矣；而至今無人能定戴氏品者，則知德者鮮矣。」此文寫於乾隆五十四年，戴東原死後已過十二年，章學誠予以肯定之對象乃是〈原善〉等理學文章，非是訓詁、名物、六書、九數等，即定思想家之位超越漢學大師之譽，曰：「戴著〈論性〉〈原善〉諸篇，於天人理氣，實有發前人所未發者，時人則謂空說義理，可以無作，是固不知戴學者矣。」又〈與史餘村〉曰，此二篇「求能深識古人大體，進窺天地之純，惟戴氏可與幾比」，又〈又與朱少白〉曰：「戴東原訓詁解經，得古人之大體，眾所推尊。其〈原善〉諸篇，雖先夫子（朱筠）亦所不取，其微精醇邃，實有古人未發之旨，鄙不以爲非實也。」又〈答邵二雲書〉曰：「戴氏筆之與書，惟辟宋儒踐履之言謬爾，其他說理之文，則多精深謹嚴，發前人所未發，何可誣也！」「有如戴東原氏，非古今無其偶者，而乾隆年間，未嘗有其學識。」因當時學者只讚揚其『訓詁解經』，此二篇等已貶之爲『空說義理』之文。如「空言義理，可以無作（引於〈書朱陸篇後〉）」，「惜其有用精神耗於無用之地（引於〈答邵二雲書〉）」等譏笑之評尚不少。桐城派領袖姚鼐又曰：「戴氏東原言考證豈不佳，而欲言義理，以奪洛閩之席，可謂愚妄不自量之甚矣。（《惜抱軒尺牘》卷5。）」當然姚氏此語出於私人恩怨，由此可知當時學術界一角對戴震充滿誤解與偏見。

但實齋爲『擇瑜』，在老師朱筠面前爲戴氏不辭力爭，〈答邵二雲書〉曰：「當時中朝薦紳負重望者，大興朱氏，嘉定錢氏，實爲一時巨擘，其推重戴氏，亦但云訓詁、名物，六書、九數，用功深細而已。及見〈原善〉諸篇，則群惜其用精神耗於無用之地，僕於當時力爭朱先生前，以謂此買櫝而還珠，而人微言輕，不足以動諸公之聽。」戴震亦自負其學，重於明道，戴氏見時人之識如此，遂離其奇說曰：「余於訓詁、聲韻、天象、地理四者，如肩輿之隸也。余所明道，則乘輿之大人也。當世號爲通人，僅堪與余輿隸通寒溫耳。」此言近於狂妄又過火，畢竟有傷雅道，可謂戴氏心術不正之例，但考證、義理之間，戴氏自有斟酌輕重。

二、戴震不墨守師說，不曲泥於古，也沒有蔑古

漢代儒生墨守師說，遂致兩漢經學之盛，初學者須墨守師說，然戴東原保持師說不必始終遵守之態度，章學誠大加讚賞。戴東原爲王昶寫〈鄭學齋記〉，可窺戴氏治學態度之一斑，曰：「有言者曰：宋儒興而漢注亡。余甚不謂然。方漢置五經博士……鄭氏卓然爲儒宗。……及唐，承江左義疏……故廢鄭學，乃後名鄭學，以相別異。而鄭之三禮詩箋廑存，後儒淺陋不足知其貫串群經以立言，又苦義疏繁蕪，於是競相鑿空。朱子嘗……謂王介甫新經出，士棄注疏不讀，卒有禮文之變，相視茫如。夫自制義以來，用宋儒之說，猶之奉新經而廢注疏也。」倉修良《章學誠評傳》曰：「章學誠認爲戴震之治學，既學於古，又不曲泥於古，也沒有蔑古。」其評平允。章氏如此看法於〈鄭學齋記書後〉頗詳，曰：「戴君說經不盡主鄭氏說，而其〈與任幼植書〉，則戒以輕畔康成，人皆疑之，不知其皆是也。大約學者於古，未能深究其所以然，必當墨守師說，及其學之既成，會通於群

經與諸儒治經之言，而有以灼見前人之說之不可以據，於是始得古人大體而進窺天地之純。故學於鄭而不敢盡由於鄭，乃謹嚴之至，好古之至，非蔑古也。乃世之學者，喜言墨守，墨守固專家之習業，然以墨守爲至詣，則害於道矣。」章氏雖批判因襲舊說，但又認爲對初學者墨守師說固不可缺少。然及其學既成之後，仍因循守舊，無法突破而害於道矣。『學於鄭而不敢盡由於鄭』而自求者乃是心得，因爲「安坐而得十之七八，不如自求心得者之什一二。」戴東原對於乾嘉學者過度崇拜鄭玄，至於說「寧道周孔誤，勿言馬鄭非」之怪現象加以批判，此與章學誠憂慮某一種學術時趨壓倒一切反而害於道，不謀而合。但戴震已成爲乾嘉通儒，學人多隨之、敬之、慕之，幾乎成爲另一崇拜對象。章氏之憂慮就在此。總之，戴、章二人共不尚墨守、超越門戶之見，確是卓見，啓發後學亦不少。之外，章氏對戴震之考訂與文筆評曰均堪稱「足以達其所見」。以此看之，章學誠批判戴震之目的，在於「攻瑕而瑜亦粹」，不在於爲批判而批判。

肆、章學誠之超越門戶之見

乾嘉盛世，漢學壓倒一切，但門戶之爭從未息，反而日益白熱化，涉及到興亡有責。但以章學誠辨其原因說，『由於學本無所得』，是以『好名爭勝』，在〈又與朱少白〉曰，「學問之途，本自光明坦蕩，人自從而鬼蜮荊棘，由於好名爭勝，而於學本無所得故也。……蓋好名之習，漸爲門戶，而爭勝之心，流爲忮險。」在同文中，接之歎息當時門戶排異，同時寄望而曰，「十餘年前舊稿，今急取訂正付刊，非市文也，蓋以頽風日甚，學者相與離跂攘臂於桎梏之間，紛爭門戶，勢將不可以也。得吾說而通之，或有以開其枳棘，靖其噬毒，而由坦易以進窺天地之純、古人之大體也，或於風俗人心不無小補歟！」由『得吾說而通之』一句，可知毋論對本人或諸學者，章氏設定學術標準乃是『通』，而對自己之『通』頗有自負。總之，章氏以『通』而『識大體』，兼采宋學、漢學之善，攻宋學、漢學之弊。於此，略窺章氏對宋學與漢學之態度。

一、章實齋從不庇護宋學

章學誠批判漢學大師戴東原，學者多以爲章氏偏護宋學，如胡適在〈章實齋先生年譜〉曰「先生是維持『宋學』之人」。然此決不屬實。章氏駁戴震以爲『飲水忘源』，上文已見。其語氣與桐城派悍將方東樹之文辭頗類似。方氏在《漢學商兌·卷下》曰，「考凡漢學家，所有議論，如重訓詁，斥虛空墮禪學，皆竊朱子之緒論，而即用以反罪之，增飾邪說，失眞而改其面目又一局矣！孔沖遠所謂蠹生於木，而還食其木，非其理也。又考凡漢學家，所有諸謬說，實亦皆本之宋儒，如謂學者不當言性理，大學非孔氏之書，……諸如此類，皆漢學家祖之以爲門戶者，既借朱子正論以反噬，又借諸謬論以毒正，曾不區別，統而目之爲宋儒，而概以詈之，陰用其言，而罪其人，此鄭人殺鄧析，而用其竹刑之比也。」但章學誠對於漢學家指摘宋儒之弊，莫不表示贊同。章氏所戒者乃是盲目隨從時趨而亂罵程、朱之歪風。章氏遭漢學家攻擊蓋由於其『道器說』。因『道器說』既與乾嘉學風不類，又有「蹈宋人語錄習氣」之嫌。但若細讀〈原道·下篇〉等文，可知章氏之宋學批判絕不弱於漢學批判，其文曰，「宋儒起而爭之，以謂是皆溺於器而不知道也。夫溺於器而不知道者，亦即器而示之以道斯可矣。而其弊也，則欲使人舍器而言道。夫子教人，『博學於文』，而宋儒則曰『玩物喪志』；曾子教人『辭遠鄙倍』，而宋儒則曰『工文則害道』。夫宋儒之言，豈非末流良藥石哉！然藥石所以攻臟腑之疾耳，宋儒之意，似見疾在臟腑，遂欲並臟腑而去之。將求性天，乃薄記誦而厭辭章，何以異乎？」其意即孔子從不憑空教人，『一以貫之』亦依『多學而識』。從訓詁、名物亦可尋聖人之跡，而記誦之學（考證）與文辭之才皆闡發古聖之路。宋儒曲之曰，『玩物喪志』，『工文則害道』，終欲使人舍器而言道。此與『見疾在臟腑，遂欲並臟腑而去之』不異。此批判宋學家之『舍器求道』態度，又發揮義理、博學、文章三者合爲一始窺性與天之『通』精神。

章學誠批判可謂宋學集中於『空談義理以爲功』一句。在〈浙東學術〉言之明顯，曰：「第其流弊，則於學問文章經濟事功之外，別有見所謂『道』耳。以『道』名學，而外輕經濟事功，內輕學問文章，則守陋自是，枵腹空談性天，無怪通儒恥言宋學矣」可謂一針見血！章氏於宋學、漢學之間，始終保持均衡。

但章氏仍戒一邊倒之學術風尚，不忘擇宋學之善以救時弊。在〈家書五〉歎『宋學太不談』，曰：「君子學以持世，不宜以風氣爲重輕；宋學流弊，誠如前人所譏，今日之患，於坐宋學太不談也。」接之強調宋學之精言名理，可補經傳之缺，曰：「講究文辭，亦不宜略去宋學，但不可墜入理障，蹈前人之流弊耳。五子遺書、諸家語錄，其中精言名理，可以補經傳之缺，而意義亦警如周秦諸子者，往往有之，以其辭太無文，是以學者厭之，以此見文之不可以已也。但當摘其警策，不妨千百之中存其十一，不特有益身心，即行文之助，亦不少也。」

行文不能不講究文辭，於宋儒精言可得助不少。但此亦以『不可墜入理障』爲前提，可知章氏將宋學之用限於行文之助。此蓋章氏極戒宋學末流『空談』之弊而發。章實齋終未護任何門戶，保持客觀治學態度，譽其該譽者，攻其該攻者。宋學亦不例外。

二、章實齋力救漢學之弊，並予以肯定

章學誠批判漢學甚於宋學，蓋由於章氏所處之時代背景。倉修良說明其理由，曰：「一則當時宋學已經一蹶不振，不占統治地位；二則驅使人們竟相考據的漢學已經成爲阻礙學術發展的癥結所在。」其批判要點亦與宋學無有大異，即「古人之考索，將以有所爲也」，但「今則無所爲而竟言考索」（〈博雜〉）。是以長歎脫離現實盲目從事考證之風。脫離現實而爲考證而考證，與宋學之『空』亦無異。此『空』以積堆『功力』之纂輯形態出現。此明顯針對王應麟而發，在〈博約中〉曰：「王伯厚諸書，謂之纂輯可也，謂之著述則不可也；謂之學者求知之功力可也，謂之成家之學術，則未可也。今之博雅君子疲精勞神於經傳子史，而終身無得於學者，正坐宗仰王氏，而誤執求知之功力，以爲學即在是爾。學與功力，實相似而不同。學不可以驟幾，人當致攻乎功力則可以。指功力以謂學，是猶指秫黍以謂酒也。」又〈與邵二雲書〉曰：「但知聚銅，不解鑄釜；其下焉者，則沙礫糞土，亦日聚之而已。」妙哉其言！積其功力亦須漫長時光，但只以功力終無法完成學問。然章氏所謂之學問爲何意？其認爲若不得其所以然，不可謂之學問，〈又與正甫論文〉曰：「功力之與學問，實相似而不同。記誦名數，搜剔遺逸，排纂門類，考訂異同，途轍多端，實皆學者求知所用之功力爾。即於數者之中，能得其所以然，因而上闡古人

精微，下啓後人津逮，其中隱微可獨喻、而難爲他人言者，乃學問也。今人誤執古人功力以爲學問，無怪學問之紛紛矣。文章必本學問，不待言矣。而學問中之功力，萬變不同。」『學問之紛紛』從何而起？此蓋無以『宗旨』與『倫次』貫之，無此二者，易陷於『貪多務博』與『無理之繁富』。〈丙辰箚記〉曰：「學問之途，乃出一種貪多務博。而胸無倫次者，於一切撰述，不求宗旨，而務爲無理之繁富。」但既得其所以然，而後則達『自得之實』，同文又曰：「但要中有自得之實耳。中有自得之實，則從入之途，或疏或密，皆可入門。而今之誤執功力爲學問者，但趨風氣，本無心得，直謂舍彼區區掇拾，即無所謂學，亦夏蟲之見矣。」如何廣搜自得之實？至於此階段，必脫離墨守師說而自求心得。章氏指陷於師說而安坐得者責之爲『德之賊』，〈鄭學齋記書後〉曰：「黠者既名鄭學，即不勞施爲，常安坐而得十之八七也。夫安坐而得十之七八，不如自求心得者十之一二矣。而猶自矜其七八，故曰德之賊也。惟墨守者流，非愚則黠。」此文即對安坐而爲考證而考證之當時之學風當頭一棒。

乾嘉漢學本身雖弊病不少，但章學誠並未一概忽略，以爲漢學在治學之道上實爲不可或缺之一環，〈答沈楓墀論學〉曰：「考索之家，亦不易易，大而《禮》辨郊社，細若《雅》注蟲魚，是亦專門之業，不可忽也。阮氏《車考》，足下以謂僅究一車之用，是又不然。治經而不究於名物、度數，則義理騰空而經術因以鹵莽，所繫非淺鮮也。」此肯定考證亦爲專門之業，但仍強調義理、名數、文辭三者之調和。〈與朱少白論文〉曰：「義理必須探索，名數必須考訂，文辭必須嫻習，皆學也，皆求道之資，而非可執一端謂盡道也。君子學以致其道，亦從事於三者，皆無所忽而已矣。」若不陷於流弊而偏於無用，考證則不可缺，此乃戒『風尚之偏』之意也。

伍、結　語

以中國學術發展之趨勢窺之，每時代培育其時代學術之雛形，熟至於頂峰而終漸告退。若某一潮流或學風造成壓倒之勢，此必害於學術之健全發展，任何時代皆不例外。但宏觀視之，似巨大氣勢往往蓋掩一切，其實雖微，暗中不斷嘗試自我檢討、反省、矯正、救挽等，以求別開生面之局。乾嘉時代亦然，漢學壓倒一切，章實齋卓然獨立，以毅然客觀之態度，勇於批判，以救挽弊病，可謂超越而獨行之『善鳴者』也。雖終生得知音者頗稀，章氏始終爲『通今而博古』而『鳴』。其中，鳴戴東原之不平最絕也。其鳴有貶、亦有褒，皆出自『欲別其瑕而擇其瑜』者也。可謂不陷於門戶之見，漢宋之間未失均衡，鳴其該鳴者，貶其該貶者，褒其該褒者，唯章實齋也！

規正勖勉　砥礪相激

——章學誠與朱筠、邵晉涵交往始末述考

李　軍*

提　要

章學誠為清代著名史學家，讀書論史，頗有卓見，而不為時論所容。一生交往，以業師朱筠和好友邵晉涵關係最密。二人於章氏的規正勖勉之恩、砥礪相激之情，對其學業及著述上的支持和影響，均值得探討與重視。本文通過梳理朱、邵二人與章氏的交往線索，來考察他們之間的相互關係及學術影響。

章學誠一生未仕，顛沛流離，輾轉依人，卻留下傳世之作，

*　北京師範大學古籍整理研究所副教授

在史學、文獻學、方志學等領域都作出了令人矚目的成就。這固然有他自身的因素，有家世、地域學術的影響，但更與師友對他的支持、砥礪分不開。本文在參考胡適、姚名達等人所作《章實齋先生年譜》的基礎上，擷取章氏師友中與其關係最親密者朱筠、邵晉涵二人，作章學誠與朱筠、邵晉涵交往始末考，尋繹、梳理朱、邵二人與章氏的交往線索，考察他們之間的相互關係及學術影響。

關鍵詞　章學誠　朱筠　邵晉涵

一、章學誠與朱筠

朱筠（1729~1781），字竹君，又字美叔，號笥河，順天大興人。出生於陝西，9 歲入京，與弟朱珪共同讀書通經，文成斐然。乾隆十九年（1754）中進士，歷官編修、侍讀學士，充福建鄉試考官，提督安徽學政。因生員欠考捐貢案降級，回京在四庫全書處行走，纂修《日下舊聞》，後提督福建學政。有《笥河文集》16 卷、《笥河詩集》20 卷。

朱筠博學多識，醉心於經學六書。在安徽學政任上，朝廷詔求遺書，遂上《謹陳管見開館校書摺子》，奏請搜求舊本鈔本，收錄金石圖譜，於《永樂大典》中輯出佚書，並請仿《七略》、《集賢書目》、《崇文總目》校諸書得失，撮其大旨，撰提要於書首。四庫全書館之開設，實筠所倡導，而輯集佚書和撰述提要，爲朱筠對四庫全書的最大貢獻，且因此奠定了乾嘉樸學在學術界的地位。爲此梁啓超曾評價說：「乾隆三十八年，朱笥河筠奏請開四庫館，即以輯《大典》佚書爲言，故《四庫全書》之編纂，其動機實自輯佚始也。」❶「當時四庫館中所網羅的學者三百多人，都是各門學問的專家。露骨地說，四庫館就是漢學家大本營，《四庫提要》就是漢學思想的結晶體。」❷

朱筠在當時學界處於盟主的地位，這並不在於他是學官，而是因爲他廣羅人才，獎掖後進，振拔窘困，因而在他周圍聚集了相當數量的文人，其中最多的就是那些後進弟子。如他任考試官時，陸錫熊、程晉芳、任大椿皆爲其所錄取；任地方學政時，幕府中集中了章學誠、邵晉涵、汪中、黃景仁、洪亮吉、王念孫等學子。後來的樸學大師、與修《四庫全書》的棟梁及眾多文學才士，不少都曾棲居朱筠幕下。

章氏初識朱筠是在乾隆三十年（1765）28 歲時。當時章氏應順天鄉試不第，館於考官沈業富家中；沈、朱二人最爲相契，章或因沈之引見而結識朱筠。朱筠始見章氏，便「許以千古」，並延譽於眾。當言及時文，朱筠則曰：「足下於此無緣，不能學，然亦不足學也。」章氏以家貧親老、不能不應科舉而謀仕告，朱筠答云：「科舉何難，科舉何嘗必要時文。由子之道，任子之天，科舉未嘗不得。即終不得，亦非不學時文之咎也。」❸章氏本就不喜時文，此前在國子監攻舉子業，祭酒校諸生文藝時，章卷常塗抹若將不勝。自云「生平不見考墨之卷，榜後下第，不但不敢隨風而罵魁墨，且每科魁墨從未到眼。」

---

❶　《中國近三百年學術史》頁 320、頁 27，東方出版社，1996 年版。

❷　同注❶。

❸　《章學誠遺書・與汪龍莊簡》頁 334，文物出版社，1985 年版。

❹朱筠之言顯然正與其初衷相契，「由子之道，任子之天」云云，更堅定了章氏「性好持論，貴識大體，不欲求工於文字語言」❺的信心。

朱筠是當時的古文大家，章氏不久寄居朱家，從朱學古文。時朱筠服喪未除，摒絕人事，友人時相過從，爲燕談之會，章氏因此結識了不少學人。當時學界義理、考據、辭章分途，學人「隨其性之所近而各標獨得」，「角犄鼎峙，而不能相下，必欲各分門戶，交相譏議」❻。章氏早時認爲「讀書當得大意」，又「年少氣銳，專務涉獵，四部九流，泛覽不見涯涘。好立議論，高而不切，攻排訓詁，馳騖空虛，蓋未嘗不憪然自喜，以爲得之」❼。從當時學術流風看，章氏重義理而輕考據辭章。在結識朱筠後的第二年，他的看法有所改變。這一是因爲此年章氏曾晤戴震，親聆其讀書首重訓詁之論，其次即是受朱筠的影響。「近從朱先生遊，亦言甚惡輕雋後生，枵腹空談義理，故凡所指授，皆欲學者先求徵實，後議擴充，所謂不能信古，安能疑經。斯言實中癥結」❽。章氏此時開始重視義理與考據的結合，重視徵實工作，奮勉自己「正須不羨輕雋之浮名，不揣世俗之毀譽，循循勉勉，即數十年中人以下所不屑爲者而爲之，乃有一旦庶幾之日」❾。這不能不說是朱筠的言論對他起了規正的作用。

章氏在朱筠家裏雖結識了不少人，但章之撰著，除「歸正朱先生

---

❹ 同注❸。

❺ 同注❸。

❻ 《章學誠遺書·與族孫汝楠論學書》頁224，文物出版社，1985年版。

❼ 同注❻。

❽ 同注❻。

❾ 同注❻。

外，朋輩征逐，不特甘苦無可告語，且未有不視爲怪物、詫爲異類者」⑩。此一可見章氏之文不合當時漢學漸占上風之潮流，一可見朱筠對其支援、規勉之可貴。當然這種情況並未持續多久，當邵晉涵、周永年、任大椿等人相繼來京成爲朱筠家常客時，章氏遇到了生平知己。與他們之間不管是思想上的傾心交流，還是觀點上的相互辯駁，都給予章氏以啓發和影響。

乾隆三十五年，朱筠奉命爲福建鄉試主考官。赴福建途中，寫有《懷京華及門諸子》詩，共 17 首，其中第 4 首是給章學誠的，詩云：「欲殺吾憐總未休，甚都猶爲百綢繆。馮生文史偏多恨，劉氏心裁竟莫收。燕市遊來稀酒客，閩行壯絕憶書樓。憑君檢拂殘魚蠹，有意名山著作不。」⑪詩中對章氏不爲世容、不合時宜的境遇寄予憐憫同情，並於章氏期以厚望；「有意名山」之句，與原先的「許以千古」是一致的。

第二年秋，朱筠提督安徽學政。及門弟子十數人，聯車十二乘出京，章氏也在其中。朱筠任安徽學政二年，廣延知名人士居學府中，除章氏外，又有邵晉涵、洪亮吉、黃景仁、王念孫、汪中等人先後入幕，人才彬彬之盛，爲世矚目。朱筠在學政任上，以扶翼世教、表彰耆宿、提倡實學爲己任。在各地視察時，多次爲孝子烈女撰寫文章，以示表彰。在學府中，則以識字通經誨士。曾刊刻舊藏宋槧許氏《說文解字》廣布學宮，日與諸生問難解答。

時章氏隨朱筠學習古文已有年，這年冬天，邵晉涵出歙縣人宋和

---

⑩ 同注⑥。

⑪ 《笥河詩集》卷 5，續修四庫全書 1439 冊，上海古籍出版社，1999 年版。

所錄前朝遺事，章、朱二人改寫其中節烈婦女數人傳記，以較二人文詞。章氏改撰自嫌未善，即棄去文稿。朱筠《笥河文集》中的〈洪烈婦祠碑記〉、〈書羅烈婦事〉二文，即爲當時改撰之文。章氏自嫌未善，大概是認爲從朱學古文尙未達到水平。

在跟隨朱筠期間，章氏的工作主要是編書和校文。未出京時，朱筠被詔撰《順天志》，即屬章氏參與其中。試士徽州，章氏、邵晉涵、黃景仁皆相從校文。乾隆三十五年，朱筠爲蔣雍植作墓誌銘，值蔣歸葬日近，而朱將赴福建主考鄉試，臨行將草稿交與章氏，囑其與錢大昕參酌商定。錢不肯涉筆，章氏遂揣度其意，爲之改定。「朱先生歸，未嘗以爲非也」⓬。朱筠的這種鼓勵、支援和勖勉，使章氏在文詞上獲益非淺。當時安徽學府中的一批江南學子，日後大都成爲乾嘉時期的知名學者。雖然章氏的學術路數與諸人不同，但在當時風氣浸染下，不會不受到樸學的影響。幾年後，他便寫出了文獻學史上的名作《校讎通義》，這不能不說是跟隨朱筠校文編書及與同僚們相互切磋的結果。

任安徽學政的第三年，朱筠因上報捐貢數不符而被貶三級，調回京城。當時章學誠似因朱筠的推薦，爲和州知州劉長城編《和州志》，這不僅解決了他的經濟困難，還使他得以實現修撰史志的願望。

兩年後，章氏返京，家計益貧，朱筠家成了他常去的地方。當時四庫館已開，人才多集於北京，朱家往往高朋滿座，四方懷才負異之士，章氏多於此得見。朱筠弟子李威《從遊記》載：「先生（朱筠）自安徽學政罷歸，燕閑無事，且日出坐椒花吟舫，朋友門生及四方問字

⓬ 《章學誠遺書·與邵二雲論文書》頁 81，文物出版社，1985 年版。

之士踵接於門——及門會稽章學誠，議論如湧泉，先生樂與之語。學誠姍笑無弟子禮，見者愕然，先生反為之破顏，不以為異。」⓭李威的這段記載，既可以讓我們想見當時章學誠在高朋滿座的朱家議論風生、口無遮攔的風采，又可見出朱筠寬容的長者風度和對他的欣賞之情。這樣的師生之誼，對章氏學術上的鼓舞，無疑是非常重要的。二十年後的乙卯年，章氏回顧這兩年和此前十年，自評云：「甲午乙未，則江南修志，反浙而復入都門，學識方長，而文筆亦縱橫能達，然不免有意於矜張也。」「前此又十年為甲申乙酉，流寓湖北，而入都應順天試，高郵沈先生始薦其文，而大興朱先生始言於眾，京師漸有其名者。彼時立志甚奇，而學識未充，文筆未能如其意之所向。」⓮由此可見，結識朱筠以後的十年來，章氏在學識上和運筆成文方面都有了長足的進步，朱筠給予他的影響之大，於此可見一斑。

乾隆四十三年，朱筠五十歲，章氏為其作五十生辰屏風題辭，著重論述朱氏論文之旨：「先生獨謂有意於文，未有能至焉者，不為難易，而惟其是，庶幾古人辭達之義矣。而平心迎拒，侔色揣稱，其餘事也，而其要乃在於聞道。不於道而於文，將有求一言之是而不可得者。」稱朱為「兼收並蓄，有以窺乎其大而略其錙銖杪忽之微也」⓯。

乾隆四十六年，朱筠卒於北京。時章氏在肥鄉，接訃書，極為悲悼，乃設位而哭。次年春作《朱先生墓誌銘》，讚揚朱筠「於學無所不窺，取給為文，咸得大旨，不名流別，聽治專家。至於文字訓詁，

⓭　《笥河文集》卷首，叢書集成初編本。

⓮　《章學誠遺書·跋甲乙剩稿》頁319，文物出版社，1985年版。

⓯　《章學誠遺書·朱先生五十初度屏風題辭》頁230，文物出版社，1985年版。

象數名物，經傳義旨，並主漢人之學」，對後生小子，「因材施教——比於樹藝，無論拱把，以至百圍，咸達其性」⑯，表達出對朱筠的感激之情。十年後，章氏應朱筠子錫庚請求作家傳。而此前一年，章氏有《鄭學齋記書後》，文中極言墨守之弊，有人舉章氏爲朱筠作墓誌銘中有「名物象數，訓詁文字，並主漢人之學」數語，謂章不滿於朱筠而有微詞，章學誠乃作《朱先生墓誌書後》申辯之。因有此前鑒，章學誠作《朱先生別傳》後多次叮囑錫庚「深藏勿出」⑰，「幸勿遽爲不知者道爾」⑱。

朱筠卒後，章氏曾於坊間見到袁枚尺牘，其中有一書信云：袁枚在杭州爲朱珪（朱筠弟）推許，謂古文有十弊，惟袁枚能掃而空之。歷數十弊後，袁枚云尚有三弊，且對第三弊故意遷延不說，珪再三問之，乃云：「寫說文篆隸，教人難識。字古而文不古，又一弊也。」朱珪知有所指，不覺大笑。這最後一弊所指，係朱筠所爲。查當時情事，當是二人玩笑中語，而袁枚筆之於書，不無誇飾成分。章氏看後難以忍受，在《論文辨僞》中不僅對十弊之說一一駁詰，並云後三弊皆爲可誅之論。特別指出最後一弊「其云寫篆隸字，教人難識，字古而文不古，此則明譏竹君先生」。「某甲（袁枚）論字，以此爲譏可也，論文而譏其作字，是品酒而譏及瓶罍，辨珠而訾其篋櫝矣。」「此尤小人谿刻不情之明徵也。且是時竹君先生下世，石君先生（朱珪），君子人也。焉有對君子而以谿刻不情之說妄譏其死兄，而且誣其弟之隨和

⑯ 《章學誠遺書·朱先生墓誌銘》頁149，文物出版社，1985年版。

⑰ 《章學誠遺書·又答朱少白》頁336，文物出版社，1985年版。

⑱ 《章學誠遺書佚篇·又與朱少白論文》頁641，文物出版社，1985年版。

者乎？」⓳此怒雖然是因袁枚而起，但其詆議朱筠，顯然也是章學誠無論如何不能接受的。

與朱筠前後相交二十年，章氏在學界逐漸嶄露頭角，結交了不少朋友，生計亦多得其資助，特別是學業、文詞上的規正和勖勉，令章氏受益非淺。章氏在給家人書信中云：「祖父生平，極重邵思復文——吾由是定所趨向。其討論修飾，得之於朱先生，則後起之功也。」⓴在章氏的生活道路上，朱筠無疑是一位非常重要的人物。

二、章學誠與邵晉涵

邵晉涵（1743~1796），字與桐，一字二雲，自號南江，浙江餘姚人。乾隆二十四年（1759）他 17 歲時補縣學生，三十年中舉人，三十六年中進士。三十八年詔開四庫館，邵晉涵以大學士劉統勳薦，入四庫館充纂修官。同時入館的有戴震、周永年、余集、楊昌霖，皆爲當時著名學子，時人目爲「五徵君」。後歷左庶子、翰林院侍講學士、日講起居注官，兼文淵閣校理，充咸安宮總裁，《萬壽盛典》、《八旗通志》、國史館和三通館的纂修官及國史院提調。嘉慶元年（1796）卒。有《爾雅正義》20 卷、《南江文鈔》12 卷、《南江詩鈔》4 卷等。

邵晉涵是一個於學「無所不通」的淵博學者，在經學和史學上都卓有建樹，還是一個頗有造詣的詩人。與章氏不同，邵晉涵科場順利，

⓳ 《章學誠遺書·論文辨僞》頁 62，文物出版社，1985 年版。

⓴ 《章學誠遺書·家書三》頁 92，文物出版社，1985 年版。

年輕時在京師學界就小有名氣。乾隆三十年鄉試，邵名列第四，當時考官錢大昕等人都認爲當是一年高老成之人，沒想到來謁見的是一位「才逾弱冠」的青年。後兩年，「期集京師，都士爭識其面」㉑。據李威《從遊記》載：乾隆三十六年，朱筠充會試同考官，總裁劉統勳以《五策淵奧》一卷示朱筠，筠告曰：「此餘姚邵晉涵，故知名士。」力贊劉拔爲第一。及拆卷，果爲邵㉒。不久，邵晉涵考中進士。

也是在這一年，章氏與邵晉涵相識。殿試放榜後，章氏欲通過邵晉涵結識周永年，但二人均因銓選不滿意而離京。秋，朱筠官安徽學政，章、邵二人先後赴安徽，同居於朱筠幕中。當時章氏從朱筠學古文詞，「苦無藉手」，邵晉涵便提供有關明代史事的資料，讓章、朱各爲傳記，「以質文心」。章所作自嫌文詞未善，然「有涉史事者，若表志、記注、世系、年月、地理、職官之屬，凡非文義所關，覆檢皆無爽失」㉓。由此章、邵二人論史契合隱微，遂成知友。

章氏受父親影響，非常推崇晉涵族祖邵廷采，數爲言之，晉涵當時未以爲然。後來章氏赴寧波道訪晉涵於餘姚，至是始謂章云：「近憶子言，熟復先念魯文，信哉如子所言。乃知前人之書，竟不易讀。子乃早辨及此，至今未經第二人道過，即道及亦無人信也。先念魯得此身後桓譚，無憾於九原矣。」㉔遂屬章氏校訂邵廷采的《思復堂文集》，將重刻以行世。章氏以有所慎重，當時未與校訂。邵卒後，章氏向邵家索其書未得，晚年又因目廢不能校書，不能不說是一大憾事。

㉑ 《章學誠遺書·邵與桐別傳》頁 176，文物出版社，1985 年版。

㉒ 同注⑬。

㉓ 同注㉑。

㉔ 《章學誠遺書·邵與桐別傳》邵貽選跋頁 177，文物出版社，1985 年版。

邵晉涵入四庫館後，撰寫了史部書提要 27 種，對各書作者、書籍版本源流和存佚、史料來源、內容正誤、褒貶評價及體例，都作了扼要的說明。從現存《南江文鈔》的邵氏原稿來看，提要中的一些精闢分析和議論，在編入四庫時被删掉了，這也可能是總纂官出於體例統一的考慮。輯刻邵晉涵四庫提要分纂稿的徐友蘭則認爲，邵氏在提要中精闢分析，發爲議論，正與章學誠的作法相爲表裏：「先生爲念魯族孫，而友章實齋先生。念魯、實齋皆長於史，著書成一家言。章先生尤爲譚史大宗。以故先生之論，推闡義法，針藥膏肓，多積古所未道，而間與章先生相出入。——至謂太史公守公羊家法，論定人物，多文與而實不與，與章先生言體圓用神爲《尙書》之嗣，皆證鄺絕學，而體裁史法，說相左右者焉。」㉕抉隱發微，指出了章氏對邵晉涵的影響。

在以後的日子裏，邵晉涵大部分時間是在京城度過的，章氏則主要奔波於外地教館和地方幕府。現存章氏遺書中收有 10 封與邵的書信，從內容來看，有對時人學風看法的交流，有對著述體例的商討，還有章氏對晉涵《宋史》撰著的關心，其相互砥礪之情可以看出二人相知之深。

乾隆五十二年歲暮，章氏到河南見畢沅，其後數年，多居畢沅幕府中，主要任編輯《史籍考》事。先作《論修史籍考要略》述編書體例，曾寄往京師與邵晉涵商榷：「自到河南，三度致書——所商《史

㉕　徐友蘭，《四庫全書提要分纂稿跋》，紹興先正遺書本，清光緒中徐氏鑄學齋刊本。

籍考》事，亦有所以教正之耶？望不吝也。」㉖邵晉涵不僅與章氏商討體例，且讓其弟子章宗源別輯《逸史》一書，以作《史籍考》之參考。章接到《逸史》一書後，致信邵云：「逢之（宗源字）寄來《逸史》，甚得所用——弟意以爲搜羅逸史，爲功亦自不小。」㉗乾隆五十四年四、五月間，章學誠完成《文史通義》內外33篇，約二萬餘字，自言「生平爲文，未有捷於此者」。其中的《原道》、《原學》等篇傳至京師，平時喜愛章氏文章者皆不滿意，「謂蹈宋人語錄習氣，不免陳腐取憎，與其平日爲文不類，至有移書相規誡者」。獨邵晉涵能賞識其文，謂朱筠子朱錫庚說：「此乃明其《通義》所著，一切創言別論，皆出自然，無矯強耳。語雖渾成，意多精湛，未可議也。」㉘章氏爲晉涵作傳時亦云：「君每見余書，輒謂如探其胸中之所欲言。間有乍聞錯愕，俄轉爲驚喜者，亦不一而足。」㉙章氏因此許邵爲「一二知己」，「足下嘗許僕爲君家念魯身後桓譚，僕則不敢讓也。今求僕之桓譚，舍足下其誰與？」㉚

重修《宋史》，是章、邵二人共同的願望。乾隆四十八年，章氏臥病京旅，邵晉涵載至家延醫療治。病中二人論學，常至夜分。談起修《宋史》之事，邵晉涵慨然自任，並詢及作書方略。章氏云：「當取名數事實，先作比類長編，卷帙盈千可也。至撰集爲書，不過五十

㉖ 《章學誠遺書·與邵二雲書》頁82，文物出版社，1985年版。

㉗ 《章學誠遺書·與邵二雲書》頁117，文物出版社，1985年版。

㉘ 《章學誠遺書·文史通義·原道下》邵晉涵跋，頁11，文物出版社，1985年版。

㉙ 同注㉑。

㉚ 《章學誠遺書佚篇·答邵二雲書》頁644，文物出版社，1985年版。

萬言，視始之百倍其書者，大義當更顯也。」邵聽後云：「如子所約，則吾不能，然亦不過參倍於君，不至騖博而失專家之體也。」㉛後來章氏多次在信中詢及《宋史》之作，督促邵氏速樹「立言宗旨」，不要因官場應酬、程課纏身而耽誤著述之大業。章氏長子貽選和族子廷楓均曾從學於邵氏。據《邵與桐別傳》貽選按語云，邵晉涵於章氏之專家宗旨之說深契於心，故對擬著之《宋史》主以約馭博。數年後《爾雅正義》成，亦自謂「此書苦心，不難博證而難於別擇之中能割所愛耳」㉜。廷楓書後跋語云：「叔父嘗自謂生平蘊蓄，惟先師知之最深，亦自詡謂能知先師之深與世殊異者三：先師以博洽見稱，而不知其難在能守約；以經訓行世，不知其長乃在史裁；以漢詁推尊，不知宗主乃在宋學。」此評語即令晉涵自己亦未必能剖析得如此清晰。廷楓又說：「叔父所著《通義》中有知難篇，言古今知心之難，讀之使人流涕。若叔父與先師之知彼此，可不負矣。」㉝

章學誠所作《邵與桐別傳》成於晉涵卒後五年，時章「目廢不能書，疾病日侵，恐不久居斯世」，遂口授大略，令貽選書之。傳中稱賞邵晉涵爲具史才史識之難逢人才，悲歎邵氏爲畢沅《續通鑒》所作修訂稿難以咨訪，更感慨邵氏對自己的情誼：「惟於予愛若弟兄，前後二十餘年，南北離合，歷歷可溯，得志未嘗不相慰悅。至風塵潦倒，疾病患難，亦強半以君爲依附焉。今君下世五年，而余又衰病若此，追念春明舊遊，意氣互相激發，何其盛也。」㉞對邵之卒，章氏慨歎：

㉛ 同注㉑。

㉜ 同注㉔。

㉝ 《章學誠遺書·邵與桐別傳》章廷楓跋，頁 177，文物出版社，1985 年版。

㉞ 同注㉑。

「自斯人不祿，而浙東文獻盡矣。」[35]「不特君之不幸，亦斯文之厄也已。」[36]

章學誠的學術思想和著述觀點不爲時人看重，一生奔波，顛沛流離，而能得晉涵一知己，篤若弟兄，學術上相知甚深，且意氣激發，互相砥礪，亦可謂人生幸事。然章氏應邵晉涵之約准擬校訂之《思復堂文集》，因屢索書邵家不得而未能踐諾，章氏殷殷屬望邵氏之《宋史》之著，亦因「官程私課，分功固多」而未能成書，均爲無窮之憾事。

---

[35] 《章學誠遺書·與胡雒君論校胡穉威集二簡》頁117，文物出版社，1985年版。

[36] 同注[21]。

章學誠對龔自珍學術思想的影響衍論

梁紹傑*

提　要

本文承繼錢穆的觀察角度，從三個方面去深入研討章實齋對龔定庵學術思想的影響。其一是二人對於乾嘉考據學偏重道問學的批判。其二是實齋六經皆史說與定庵所提出治教合一、〈賓賓〉理論的關係。其三是實齋方志學對於定庵封建分治思想的影響。文章最後更舉出證據，說明段玉裁在二人學術承繼上所起的媒介地位。

關鍵詞　章學誠　龔定庵　乾嘉學術

自清末龔自珍（1792-1841）的著述開始流行，已經有人注意到他

*　香港中文大學中文系助理教授

的思想受到同鄉前輩章學誠（1738-1801）的影響。

梁啓超（1873-1929）指出定庵「喜章實齋之學，言《六經》皆史」。❶《國粹學報》1905 年發刊號，《學篇》載劉光漢（師培，1884-1919）〈論古學出於史官〉，劉氏於文中論述中國古代官師合一，連接引錄龔自珍、章學誠之說。似亦顯示二人在這個問題上的認識一致。❷章太炎（1868-1936）亦言「其以《六經》爲史，本之《文史通義》，而加華辭」，❸又說：「龔自珍不可純稱『今文』，以其附經於史，與章學誠相類，亦由其外祖段氏二十一經之，尊史爲經，相與推移也。」❹金蓉鏡（1856-1929，1889 光緒十五年〔1889〕進士）〈定庵先生年譜外紀序〉說：「定庵之學，影接實齋，濡染雜博，又好公羊，口說爲劉申受之學，故其說上推西周，下逮漢初，後世不屑屑也。」❺以上各家雖指出定庵因襲實齋學說，但都沒有作出具體說明。

1922 年，甘蟄仙撰〈思想家龔定盦底八十年紀念〉，對定庵承受實齋的影響，作了較深入的說明。甘氏指出定庵的史學論點，「近效實齋，遠宗班劉」：

---

❶ 見梁啓超《論中國學術思想變遷之大勢》第八章第三節〈最近世〉，《新民叢報》（臺北：藝文印書館景印，1966），第 58 號（1904 年 12 月），頁 22。

❷ 《國粹學報》（臺北：商務印書館景印，1974），第一年第一號（光緒三十一年正月二十日〔1905 年 2 月 23 日〕，《學篇》，頁一上（總頁 61）。

❸ 見章太炎 1915 年選輯：《太炎文錄初編》，收入《章太炎全集》（上海：人民出版社，1985），第四冊，《文錄》卷一〈説林下〉，頁 121。

❹ 見支偉成：《清代樸學大師列傳》（長沙：岳麓書社，1986 年影印上海泰東圖書館 1928 年再版本），書首附載〈章太炎先生論訂書〉，頁 5。

❺ 載張祖廉編：《定盦先生年譜外紀》，《娟鏡樓叢刻》（1920 年鉛印本），卷首，頁一上。

> 定庵和實齋都推服劉歆、劉向父子的目錄學在辨章學術，條理源流上的貢獻。……定庵「《六經》者，周史之大宗也」的說法出於章氏「《六經》皆先王之政典」說。……定庵的「諸子也者，周史之小宗也」的說法，出於班固《漢書・藝文志》所云「某家者流，出於某官」。定庵自謂「劉向云道家及術數家出於史，不云餘家出於史」，言下頗露「後起者勝」底意思，究竟受劉氏學說的影響不少；其於班氏也亦近是。所謂「遠宗班劉」者以此。❻

甘氏對定庵和實齋的學說作關聯的觀察而得出的這些見解，大體正確。但他說「章氏於二劉外，推許班孟堅；這也是開龔氏之先聲」，則似乎忽略了漢書本爲定庵家學的事實，而將定庵承受實齋學說的其中一項條件，當作實齋對定庵的影響。❼

毫無疑問，錢穆（1895-1990）在二十世紀三十年代撰寫的《中國近三百年學術史》，對定庵承受實齋學說的影響，作了最爲爲精闢的說明。根據他對定庵和實齋兩家學說的觀察，定庵在以下三方面受到

---

❻ 載北平《晨報附刊》，1922 年 7 月 4 日，第四版。

❼ 自珍推崇班固，好讀《漢書》。他初事著述，即以「漢官」題。（見吳昌綬編《定盦先生年譜》「嘉慶十一年」條，載《龔集》，頁 594）其後更有志撰《漢書補正》。但定庵推許班固，實有家學淵源，他的《己亥雜詩》其中一首說：「吾祖生平好孟堅，丹黃鄭重萬珠圓。不少竊比劉公是，請肆班香再十年。」該詩自注稱：「爲《漢書補注》，不成。讀《漢書》，隨筆得四百事。先祖匏伯公批校《漢書》，家藏凡六、七通，又有手抄本。」（《龔集》，頁 515）由此可見，他對《漢書》的興趣，實深受祖父龔敬身（1735-1800）的影響。

實齋的影響。其一是由主張古代治教合一而得出《六經》皆史的認識，其二是對乾嘉考據學偏重道問學的批判，其三是志書內容不厭詳備。❽

第二項比較簡單，因此先說。錢穆認爲於定庵〈江子屏所著書序〉說：「三王之道若循環，聖者因其所生據之世而有作……孔門之道，尊德性、道問學二大端而已……是聖人有博無約，有文章而無性與天道也。」對漢學的抨彈，「大旨與實齋《通義》之說絕類。」❾《通義》中批評江藩所尊乾嘉漢學的文字雖然比比皆是，惟錢氏所指與定庵此序議論絕類的文字當指〈博約〉一篇。實齋於〈博約〉中說：「博學強識，儒之所有事也，以謂自立之基，不在是矣。」並譏諷當時唯博是尚的學風：「以言俗儒記誦漫漶，至於無極，妄求遍物，而不知堯之知所不能也。博學強識，自可以問耳。不知約守，而祇爲待問設焉，則無問者，儒將無學乎？」❿

接著回過來說第一項。實齋用歷史的眼光追溯源頭，認爲古代官師合一，道藏於器，因而得出《六經》出於政典的認識，這個觀點散見於他以下的文字，〈易教上〉：

> 六經皆史也，古人不著書，古人未嘗離事而言理，《六經》皆先王之政典也。

---

❽ 錢穆：《中國近三百年學術史》（臺北：商務印書館，1972年），頁392及535。以下徵引該書，簡稱《學術史》。

❾ 同上註，頁563。

❿ 《文史通義·內篇二·博約中》，據《章學誠遺書》（臺北：漢聲出版社，1972），下文簡稱《遺書》，卷二，頁二十上下（總頁31）。

《校讎通義》：

> 六藝非孔氏之書，乃周官之舊典也。《易》掌太卜，《書》藏外史,《禮》在宗伯，《樂》隸司樂，《詩》領於太史，《春秋》存乎國史。⓫

〈經解上〉：

> 古之所謂經，乃三代盛時典章法度見於政教行事之實，而非聖人有意作爲文字以傳後世也。⓬

〈經解下〉：

> 《六經》初不爲尊稱，義取經綸，爲世法耳。六藝皆周公之政典，故立爲經。夫子之聖非遜周公，而《論語》諸篇不稱經者，以其非政典也。⓭

〈易教下〉：

> 諸子百家，不衷大道，其所以持之有故而言之成理者，則以本原所出，皆不外於周官之典守。⓮

定庵在二十四、五歲間作的〈乙丙之際著議第六〉，已提出古代「治學合一」的說法，其言曰：

⓫ 《校讎通義·內篇一·原道第一》，《遺書》，卷十，頁二下（總頁 213）。
⓬ 《文史通義·內篇一》，《遺書》，卷一，頁三十六上下（總頁 18）。
⓭ 《文史通義·內篇一》，《遺書》，卷一，頁三十八下（總頁）19。
⓮ 《文史通義·內篇一》，《遺書》，卷一，頁七上（總頁 4）。

> 自周而上，一代之治，即一代之學也；一代之學，皆一代王者開之也。有天下，更正朔，與天下相見，謂之王。佐王者，謂之宰。天下不可以口耳喻也，載之文字，謂之法，即謂之書，謂之禮，其事謂之史。職以其法載之文字而宣之士民者，謂之太史，謂卿大夫。天下聽從其言語，稱爲本朝、奉租稅焉者，謂之民。民之識立法之意者，謂之士。士能推闡本朝之法意以相誡語者，謂之師儒。……是道也，是學也，是治也，則一而已矣。⓯

道在治中，學本於治，這種論調已經和實齋的觀點相似。同時，定庵亦進一步推衍出諸子皆出官守：

> 師儒之替也，源一而流百焉，其書又百其流焉，其言又百其書焉。各守所聞，各欲措之當世之君民，則政教之末失也。雖然，亦皆出於其本朝之先王。是司徒之官之後爲儒，史官之後爲道家老子氏，清廟之官之後爲墨翟氏，行人之官之後爲縱橫鬼谷子氏，禮官之後爲名家鄧析子氏、公孫龍氏，理官之後爲法家申氏、韓氏。⓰

及定庵於十七年後寫定〈古史鉤沉論〉⓱，更完整地提出他的「六經、

⓯ 《龔自珍全集》（上海：人民出版社，1975），頁4。下文簡稱《龔集》。

⓰ 同上註。

⓱ 〈古史鉤沉論〉初稿成於道光五年（1825），時定庵年三十四，至道光十三年（1833）才寫定，於前稿刊落頗多。（見《年譜》「道光五年」條，《龔集》，頁610）。

諸子皆史」論，他在〈古史鉤沉論二〉說：

> 夫《六經》者，周史之宗子也。《易》也者，卜筮之史也；《書》也者，記言之史也；《春秋》也者，記動之史也；《風》也者，史所采於民，而編之竹帛，付之司樂者也；《雅》、《頌》也者，史所采於士大夫也；《禮》也者，一代之律令，史職藏之故府，而時以詔王者也；小學也者，外史達之四方，瞽史諭之賓客之所爲也。今夫宗伯雖掌禮，禮不可以口舌存，儒者得之史，非得之宗伯；樂雖司樂掌之，樂不可以口耳存，儒者得之史，非得之司樂。故曰：五經者，周史之大宗也。⑱

繼而逐一論證諸子均出於史：儒家《六經》是周史之大宗，諸子則是周史之小宗；陰陽家源於「史之任諱惡者」；法家源於「任約劑之史」；名家源於「任名之史」；墨家源於「任本之史」；縱橫家源於「任喻之史」；雜家源於「任文之史」；農家源於「任天之史」；小說家源於「任教之史」；兵家、方技家皆「周史所職藏」。⑲

雖說定庵與實齋一樣受到劉氏父子和班固的影響，不過從兩者申述其說的理路和文字表達，定庵的論說的確有實齋的影子。即使確定了定庵受到實齋「《六經》皆史」說的影響，其影響的性質如何，尚須作進一步的探究。錢穆沿此而作的說明，極爲深刻。錢穆指出實齋提倡《六經》皆史，不是要擴大史料範圍，而是通過揭示經出於周官政典的事實，暗示後來的經即時王政典，藉以批判乾嘉考據學忽略世

---

⑱ 《龔集》，頁 21。

⑲ 同上註，頁 21-22。

務的弊端。他強調定庵治教合一和《六經》、諸子皆史之說，其意義在於發揮了實齋這種經世致用的治學理念。後來錢穆於《中國史學名著》對他所理解的實齋的這個目的，作了更爲直截的說明：

> 那麼我們眞要懂得經，也要懂得從自身現代政府的官司掌故中去求，不要專在古經書的文字訓詁紙堆中去求。這是章實齋一番大理論。……我說清代下面的今文學家主張經世致用，就從章實齋「《六經》皆史論」衍出，故從章實齋接下到龔定庵。這一層，從來沒有人這樣講。[20]

錢穆這樣去理解實齋「《六經》皆史」說對定庵的影響，的確別具卓識。不過，後來定庵在別題作〈賓賓〉的〈古史鉤沈論四〉中卻以「賓道」勸說士大夫守史以待後王，與前期推尊時君異趣。對於定庵思想的這種變化，錢穆認爲：

> 定庵之唱爲〈賓賓〉之義者如是，則其先所謂《六經》皆史，士大夫皆當守本朝之法，以爲本朝之用者，至是乃不得不轉而謂生乎本朝，仕乎本朝，而上天有不專爲其本朝生是人者焉。其人則賓，其學則史，其所待乃在後起之新王，此其爲說，固斷斷非章氏創六經皆史論之所知，亦非定菴早年著議乙丙之際時所能自逆料者矣。（原註：〈古史鉤沉論始於乙酉，完成於癸巳，已在乙丙著議後十年至十七年〉）故定菴謂「六經周史之宗子，諸子周史之小宗」（見〈古史鉤沉論〉二）此皆章氏之緒論，而定

---

[20] 錢穆：《中國史學名著》，《錢賓四先生全集》本（臺北：聯經出版事業有限公司，1994-1998），頁 385-386。

> 菴襲之。定菴又謂「孔子述六經本之史,史也,獻也,逸民也,皆於周爲賓,乃異名而同實。」則奇思奧旨,別開天地,前人所未敢知。然而其氣激,其志憤,其意亦可哀矣!而定菴終亦未能守其賓賓之道,終亦未能知止知足不憔悴不悲憂。”㉑

這段分析,充分顯示了錢氏目光的銳利。不過,假如我們回過頭來,從另一個角度去觀察實齋的「《六經》皆史說」,其實也可以從當中尋繹出引發定庵〈賓賓〉思想的基因。

實齋既辨明《六經》原出政典,由此而引出周公、孔子地位的權衡問題,他在《原道上》說:

> 周公成文武之德,適當帝全王備,殷因夏監,至於無可復加之際,故得藉爲制作典章,而以周道集古聖之成,斯乃所謂集大成也。孔子有德無位,即無從得制作之權,不得列於一成,安有大成可集乎?非孔子之聖遜於周公也,時會使然。……
> 或問:「何以一言盡孔子?」則曰:「學周公而已矣。」「周公之外,別無所學乎?」曰:「非有學而孔子有所不至,周公既集羣聖之成,則周公之外,更無所謂學也。周公既集羣聖之大成,孔子學而盡周公之道,斯一言也,足以蔽孔子之全體也。」㉒

又在〈原道中〉說:

㉑ 見錢穆《學術史》,頁544-545。

㉒ 《文史通義·内篇二》,《遺書》,卷二,頁三下至四下(總頁22-23)。

> 夫子盡周公之道而明其教於萬世，夫子未嘗自爲說也。表章六籍，存周公之舊典，故曰：「述而不作，信而好古」；又曰：「蓋有不知而作之者，我無是也。」㉓

按實齋的思想出發，由於得預時政而有制作之功的周公的地位，當然比垂教傳後的孔子高。但那是站在尊時君的基調上說的。假如時王之政出現敗象，或礙於形勢，而不得預於時王之政，則類似孔子傳述故獻，以待後王的作用，就更爲重要。故「《六經》皆史說」，既可引發尊時王的思想，亦可導致抑時王的思想。因此，定庵在道光五年（1825）成稿、道光十三年（1833）寫定的以〈古史鉤沈論〉爲題的一組論文，一反之前於嘉慶二十年（1815）、二十一年（1816）間撰寫的〈乙丙之際著議〉尊時王的論調，㉔先於別題作〈尊史〉的〈古史鉤沈論二〉，沿實齋學說的啓發，將史的範圍不斷擴大，說「史之外無有語言焉，史之外無有文字焉，史之外無有人倫品目焉」，「史於百官，莫不有聯事」，將傳統視同政權，強調「史存而周存，史亡而周亡」。㉕繼而在別題作〈賓賓〉的〈古史鉤沈論四〉以「孔子述六經，則本之史」作模範，提出不爲時王所容的逸民，當以存先王之史，守先王之獻爲己任的賓道。㉖定庵這前後截然不同的政治取態，其實都體現了實齋「《六經》皆史說」的影響。也就是說，我們在觀

㉓ 同上註，頁六下（總頁24）。

㉔ 〈乙丙之際著議六〉尤其清楚反映出定庵前期這種政治意識，見《龔集》，頁4。

㉕ 見〈龔集〉，頁21。

㉖ 同上，頁28。

察實齋著述對定庵的影響時，不必局限於實齋立說的主觀意願，大可以在不違背客觀歷史的準則下，探討其可能產生的種種影響。錢穆由於太過聚焦於實齋立說的主觀意願，因而得出定庵後期唱〈賓賓〉「固斷斷非章氏創六經皆史論之所知，亦非定菴早年著議乙丙之際時所能自逆料」的結論，似乎約束了我們探索實齋對定庵的影響的眼界。

按這種思路去分析，則錢穆所揭實齋方志學對定庵的影響，㉗似仍有賸義，可以推敲。

實齋的史學理論，譽者多而毀者少，但一談到實齋的政治思想或政治態度，則毀者多而譽者少。不少學者批評章實齋的政治取向，並根據他集中一些鼓吹封建道德和頌揚滿清政權的文字，認為他維護專制政策，承認滿清政權。㉘實齋的政治思想是否像批評者所指出的那樣保守，我想還有待深入的研究。這裏，我只想指出一點，即使實齋確如學者所指，維護君權，我們也不能忽略這樣的一個客觀事實，他

㉗ 定庵〈與徽州府志局志纂修諸子書〉：「府志非史也，尚不得比省志。今法，國史取《大清一統志》，《一統志》取省志，省志取府志，府志特為底本，以儲它日之史。君子卑遜之道，直而勿有之義，宜繁不宜簡。設等而下之，作縣志必應更繁於是，乃中律令。」（《龔集》，頁 334）此文撰於嘉慶十九年二十三歲，時自珍父親麗正任徽州知府，議修《徽州府志》，自珍參預其中。

錢穆認為「議論儼然似實齋」。（頁 534）

㉘ 如錢穆認為實齋提倡的「官師合一」說「勢必轉成以時王制度為貴」，「此在清儒學風中轉成反動，決非正流；亦可說是倒退，非前進。」見氏著〈前期清儒思想之新天地〉，載《中國學術思想論叢》第八冊（臺北：東大圖書有限公司，1980 年），頁 11。另參 David Nivison, The Life and Thought of Chang Hsüeh-ch'eng（1783-1801）, Stanford, Calif.: Stanford University Press, 1966, pp. 167-171.

在討論方志的性質和地位的時候，連帶觸及郡縣、封建的言論，實可以像清初明遺民的相關議論，引發出衡擊專制的分治思想。

關於封建、郡縣兩種政體得失的討論，自秦、漢以來，爭論不休。及唐柳宗元撰〈封建論〉，認爲郡縣取代封建，是歷史必然趨勢，遂成定論，正如蘇軾（1036-1101）說：「宗元之論出，諸子皆廢矣，雖聖人復起，不復易也。」㉙然自明亡之後，不少遺民卻復煽其論，而且意見大致相同，多否定郡縣，肯定封建。有關表述可謂五花八門，如顧炎武主張寓封建於郡縣，㉚黃宗羲主張寓封建於方鎭，㉛；王夫之「誦〈碩鼠〉而知封建之仁天下無已也」㉜，顏元指責秦行郡縣，「罪上通於天」，直斥柳宗元「與於不仁之甚者」，㉝王源（1648-1710）贊賞項羽分封十八王之舉，而稱「三代亡於漢」。㉞朱書（1654–1707）

㉙ 蘇軾：《經進東坡文集事略》，《四部叢刊》本，卷十四，〈始皇論中〉，頁七上。

㉚ 見《亭林文集》卷一〈郡縣論〉九首，《顧亭林詩文集》。

㉛ 見黃宗羲《明夷待訪錄》〈方鎭〉、〈原法〉等篇。

㉜ 見王夫之撰、王孝魚點校：《詩廣傳》（北京：中華書局，1964），卷二《魏風》，頁 50-51。

㉝ 顏元《存治編·封建》，《顏元集》，頁 113。

㉞ 王源〈楚漢論〉說：「項羽尚有公天下之心。楚滅漢興，三代遂至今不可復。或曰：羽之殘暴，不亞於秦，漢以仁義得天下，何爲羽能公天下而三代亡於漢？曰：「子不見夫井田乎？阡陌雖開，苟商鞅死而遺址尚存，則井田猶可復。先王之法，至秦盡壞，其尤大者無如井田與封建。公天下而不爲私者，封建也；專天下以自利者，郡縣也。秦廢封建，去古未遠。羽滅秦，分王諸侯王，自王不過梁、楚九郡，號稱霸王，不過爲諸侯之長，初未嘗欲併吞諸侯爲天子，效秦皇帝所爲。其人雖不足以平天下，要不可謂無公天下之心。（《居業堂文集》，道光十一年讀雪山房刻本，《續修四庫全書》，第 1418

〈封建郡縣利害論〉說：

> 柳完元《封建論》，蘇軾以爲聖人復起，亦不可易。是皆有見於封建之弊，不見郡縣之禍者也。封建、郡縣皆不能無失，而封建之禍常輕，郡縣之禍常重。專主郡縣而廢封建，非不易之論也。蓋封建久，有併吞之諸侯，郡縣久，禍常發於匹夫與境外之強敵。[35]

袁枚（1716–1797）〈書柳子厚封建論後〉說：

> 柳子之論封建，辨矣，惜其未知道也。夫封建可行乎？曰：不可。封建不可行而何非乎柳子？曰：道可行而勢不可行；勢，吾所無如何也。柳子不以爲勢無如何，而竟以爲道不宜行……夫封建，非勢也，聖人意也；郡縣，非聖人意也，勢也。[36]

類似的言論還有很多，其中猶以呂留良（1629–1683）的有關議論政治色彩最明顯，如他用這個課題來表述君臣去就之義：

> 君臣以義合，合則爲君臣，不合則可去，與朋友之倫同道，非父子兄弟比也。……但志不同、道不行便可去，去即是君臣之禮，非君臣之變也。只爲後世封建廢爲郡縣，天下統於一君，

冊，卷九，頁三上下〔總頁 172〕）。

[35] 朱書撰，蔡昌榮、石鐘揚點校：《朱書集》〔合肥：黃山書社，1994〕，頁 174。

[36] 袁枚：《小倉山房詩文集》《文集》，頁 1637。

遂但有進退而無去就。㊲

又用這個課題引申公私之論：

自柳州著封建之論，都以私意窺測聖人，遂使後生讀之，謂封建必不可復。余以爲先王之經理弼成，不過度量宏、分寸明耳。然則雖一家一邑，非此不治，況天下乎。張子、宋公必不吾欺也。㊳

更用這個課題提出了類似後來所鼓吹的農宗的議論：

天生民而立之君，必足以濟斯民，而後享斯民之養。故自天子以至於一命之奉，皆謂之天祿。天祿本於農祿，自農生，故差自農始。……祿由農差，則爵亦由農差。㊴

清世宗顯然因爲察覺像這類鼓吹封建的言論，寓有抗衡專制，主張分治的政治理念，甚至寓有懷戀明朝，抗拒滿清的思想，因而在雍正七年（1729）以曾靜和陸生枏兩案爲發端，直斥鼓吹封建之非。雍正七年六月二十六日諭內閣九卿翰詹科道：

陸生枏細書《通鑑論》十七篇，抗憤不平之語甚多，其論封建之利，言辭更屬狂悖，顯係誹議時政。……其論封建云：封建之制，古聖人無弊之良規，廢之爲害，不循其制亦爲害，至於

㊲ 《呂晚村先生四書講義》，湖北省圖書館藏清康熙天蓋樓刻本；《續修四庫全書》165 冊「經部·四書類」，頁 1 下-2 上。

㊳ 同上，卷三十九《孟子十·萬章下》「北宮錡問曰周室班爵祿也」章頁 3 下。

㊴ 同上，卷三十九、頁五下。

今害深禍烈，不可勝言，皆郡縣之故。

雍正駁曰：

洪荒之世，聲教未通，各君其國，各子其民。有聖人首出，則天下之衆莫不尊親，而聖人各因其世守而封之，亦衆建親，以參錯其間，蓋時勢如此，雖欲統一之而不能也。……蓋三代以前，諸侯分有土地，天子不得而私，故以封建爲公；秦漢之後，土地屬之天子，一封建便多私心，故以郡縣爲公。唐柳宗元謂公天下自秦始，宋蘇軾謂封建者，爭之端也，皆確有所見而云然也。……大凡叛逆之人如呂留良、曾靜、陸生柟之徒，皆以宜復封建爲言。蓋此種悖亂之人，自知奸惡傾邪，不容於鄉國，思欲效策士游說之風，意謂封建行，則此國不用，可去之他國也。[40]

雍正七年九月十二日，清世宗將收錄了呂留良（1629-1683）、嚴鴻逵、曾靜等悖逆之言及雍正諭旨的《大義覺迷錄》頒布天下，該書有以下一段內容：

旨意問你所著逆書《知新錄》內云「封建聖人治天下之大道，亦即是禦戎狄之大法」等語。……古者疆域未開，聲教未通，各君其國，各子其民，有聖人道出，庶物而群然嚮化，雖不欲封建而封建之勢已定。是故聖人因其地而封建之，衆建親賢，

---

[40] 見《雍正朝起居注冊》，第 4 冊，頁 2909-2910。

以參錯其間，此三代以前之制，封建所以爲公也。㊶

在章實齋的學術體系中，方志學佔了相當重要的位置，而實齋圍繞方志的論述，則立足於方志爲一方之全史的基本認識。㊷其實，正如有學者指出，方志爲一方之史，等同封建時期一國之史的認識，早在宋代已經出現，至明而成爲普遍的認識。㊸鄭興裔（1126-1199）〈廣陵誌序〉即指出：「郡之有誌，猶國之有史，所以察風俗，驗土俗，使前有所稽，後有所鑒，甚重典也。」㊹

到了明代，郡縣志書即郡縣之史更成爲一種普遍認識，正如倉修良指出：「只要打開當時所修方志的序和跋來看，幾乎無不是一言以蔽之，郡縣之志，就是郡縣之史。」㊺如楊珮〈嘉靖衡州府志序〉說：

古者列國皆有史官，掌記時事，自封建廢而郡邑興，故國史無作。間留心治理者，往往爲志，以記其事。雖然著令，然其書或與信史並傳，所系亦不小矣。衡壤地千里，視古諸侯大國，

㊶ 《大義覺迷錄》，卷二，頁二十一下至二十二上。

㊷ 有關實齋「方志爲一方之全史」觀點的闡釋，以及前人對說之評論，黃葦〈章學誠方志理論研究〉有扼要說明，載氏著：《方志論集》（杭州：浙江人民出版社，1983），頁 146-152。

㊸ 參倉修良：《方志學通論》（濟南：齊魯書社，1990），頁 24-26,263-266；黃葦等著：《方志學》（上海：復旦大學出版社，1993），頁 287-288。

㊹ 鄭興裔：《鄭忠肅奏議遺集》（文淵閣《四庫全書》本）），卷下，頁十一上。

㊺ 有關明代郡縣志即史的議論，參看倉修良《方志學通論》，頁 354-358。黃葦更指出：「由於清初文網甚密，幾次有關治史引起的文字獄使學者憚於直接治史。當時朝廷一再頒布修志之令，於是他們中不少人便將修志與修史相聯繫，將自己的心願、精力、才幹盡量傾注進去。」（頁 532）

> 乃獨無志，則田賦乘馬已無所稽，而況其大者哉。[46]

在實齋之前，也有學者明確提出了類似的看法，如李紱（1673-1750）〈重修臨川縣志序〉：

> 志固史之屬也。春秋列國皆有史，後世郡縣皆有志，而後徵考文獻，千載旦暮焉。一邑之志與志天下，無以異也。[47]

方志即古國史這種看法，雖非實齋始唱，不過，他在有關這方面的議論，無疑最具系統。但實齋強調方志的地位，重視方志的編修，其意義不僅在於提出系統的方法論，我們還得注意他的議論所可能隱藏的政治意義，不管他本人是否存有此種動機。

研究實齋方志學的論著，汗牛充棟，因此，實齋在方志學上的主要議論，毋煩筆者嘮叨。我祇想讀者留意實齋以下的論據。實齋在〈方志立三書議〉以設問提出：「或曰封建罷爲郡縣，今之方志不得擬於古國史也。」[48]又在〈州縣請立志科議〉說：

> 蓋制度由上而下，采摭由下而上。惟采摭備斯制度愈精，三代之良法也。後代史事，上詳於下，郡縣異於封建，方志不復視古國史，而入於地理家言，則其事已偏而不全。[49]

---

[46] 《嘉靖衡州府志》，天一閣藏明嘉靖間刊本，載《天一閣藏明代方志選刊》（上海：上海古籍書店，1982），第 59 冊，頁一上下。

[47] 關於李紱的方志理論，參黃葦等著《方志學》，頁 530-538。

[48] 見《文史通義·方志略例一》，《遺書》，卷十四，頁十二上（總頁 274）。

[49] 同上，頁十九上（總頁 278）。

實齋溯源周朝的封建政體，以強調方志本一方全史的觀點，並且指出後人視方志爲地理書的錯誤認識，與郡縣取代封建的政體變革有關。按這種認識，那實齋再三申說，要將方志看作「古者侯封一國之書也」㊿，其中蘊含的政治信息，與清初遺民借歌頌封建來宣傳分權的思想一脈相通。[51]

定庵雖然沒有直接議論封建、郡縣得失的文字，他現存有關方志的論文，僅有〈與徽州府志局纂修諸子書〉和〈徽州府志氏族表序〉兩篇，都僅涉及體例而已。不過我們仍然可以在定庵的重要論文如〈農宗〉、〈西域置行省議〉中，察覺定庵有類似贊成封建的分治思想。[52]

張蔭麟（1905-1942）在一篇爲紀念龔自珍誕生百四十周年的文字說：

> 自珍尚有一歷史見解，爲章學誠所掩者，即「古無私門著述，六經皆史」之説也。……此與章氏《文史通義》中之論著若合符節。然自珍蓋非剿襲章氏。考《文史通義》之最初刊行乃在道光十二年。而自珍發此論之文字，其一（〈乙丙之際著議〉）作於嘉慶二十二年，其一（〈古史鉤沉論〉）亦於道光九年已具

㊿ 《永清縣志》四《吏書第一》，《遺書》，《外編》卷九，頁二下（總頁1024）

[51] 朱書撰，蔡昌榮、石鐘揚點校：《朱書集》〔合肥：黃山書社，1994〕，頁174。

[52] 參拙著〈龔自珍《農宗》篇發微〉，載《香港大學中文系集刊》，第4卷（1994年），頁88-95；〈龔自珍新疆建省計劃析論〉，載《史學集刊》（長春），1997年第4期，頁26-35。

稿矣。[53]

這突顯了一個最關鍵的問題，定庵是通過什麼途徑接觸實齋的學說？

《文史通義》雖然最遲在嘉慶元年（1796）已有實齋的選刻本，[54]但大概如實齋〈與汪龍莊書〉所說：「恐驚世駭俗，爲不知己者垢厲，姑擇其近情而可聽者，稍刊一、二，以爲就正同志之質，亦尚不欲遍示於人也。」[55]故正如錢穆指出，「其論學精要文字均未刻」。[56]同時考慮到實齋的學說，與當時的學術風氣相違，可以推知，祇有跟他有直接往還的友朋，或他素所推重而曾經抄贈部分篇章的並世學者，對他的學說或者尚有所了解。[57]去此而外，實齋於當時並無灼灼之名。[58]

從上文引述定庵與實齋相類的論說，可見定庵不僅於個別問題上與實齋見解類似，而是整個理論體系幾乎完全相同。那不可能是暗合，

---

[53] 見張蔭麟〈龔自珍誕生百四十年紀念〉，原載《大公報·文學副刊》，第260期（1932年12月26日），轉引自《龔自珍研究資料集》，頁225。

[54] 參姚名達訂補《胡譜》，頁167-169。

[55] 《文史通義·外編三》，《遺書》，卷九，頁26上（總頁185）。

[56] 錢穆推斷該刻本包括〈易教〉、〈書教〉、〈詩教〉、〈雜説〉、〈評沈梅村古文〉、〈評周永清書其婦孫孺人事〉、〈與邵二雲論文〉、〈又與史餘村〉、〈與史餘村論文〉、〈雜説〉、〈方志三書議〉、〈州縣請立志科議〉、〈言公〉、〈説林〉、〈知難〉、〈答陳鑑亭〉諸篇，見《學術史》，頁425-426。

[57] 即據黃兆強〈同時代人論述章學誠及相關問題之編年研究〉一文所搜集的廣泛材料，亦可見除一二知己外，時人對實齋的學術精要不大了解，該文載《東吳文史學報》，第9期（1991年3月），頁103-136。

[58] 錢穆更舉出其鄉人錢林《文獻徵存錄》誤實齋姓爲「張」，焦循《雕菰集·讀書三十二贊》誤其字爲「石齋」等事例，以證實齋沒世未幾，已聲名暗晦。見《學術史》，頁415-416。

其間傳授，必有淵源，當中起了媒界作用的，筆者認爲是定庵的外祖父段玉裁。其實，很早已經有學者注意到段玉裁與實齋論學的材料，(59)不過沒有據此進一步推論段玉裁於定庵接觸實齋學說所可能起的作用而已。段玉裁的女婿即定庵的父親龔麗正（1767-1841）(60)，而定庵後來亦迎娶了段玉裁的女孫美貞爲妻(61)，段玉裁於麗正、定庵父子，均有傳授，雖屬外親，亦視如弟子，關係非常密切。段玉裁是戴震的高弟，亦爲乾嘉時期的中堅學者之一，與其師及同門王念孫、王引之父子合稱「戴段二王」，而戴震又與實齋的學術發展極有關係。故假如段玉裁擔當了定庵汲取實齋學說接引的角色，也是一個涉及清代學術在嘉道之際轉向的饒有義味的個案。

章學誠生性倔強，爲人自負。他對於極負時名的戴震本來非常佩服。對於戴氏以義理爲依歸的學術取向，實齋雖然自詡爲當世唯一洞悉的知己，可是，當他以自己極其自負的史學與戴震商榷，不但未爲戴氏首肯，反而因意見相左落得不歡而散。(62)其耿耿於懷，可想而知。

---

(59) 筆者留意到的論著，劉盼遂所編《段玉裁先生年譜》及黃雲眉《邵二雲先生年譜》爲最早，前者載《百鶴叢書》，後者載氏著：《史學雜稿訂存》（濟南：齊魯書社，1980），頁 80-81。黃兆強上揭論文更對其中所涉段玉裁致邵晉涵的信件的年代作出辨正，見頁 130-131。

(60) 龔麗正與段玉裁女兒段馴的婚盟，筆者嘗作小考，見拙撰〈《仁和龔氏家譜》的史料價值——兼論龔自珍的先世學緣〉，載林慶彰、張壽安編：《乾嘉學者的義理學》，頁 697-698 註 67。

(61) 參《龔譜》嘉慶十七及十八年兩年記載，頁 597、598。

(62) 實齋與戴震的論學經過，及這段論學經歷對實齋學術生命構成的巨大影響，余英時已作了非常詳盡而精闢的析論，參看氏著：《論戴震與章學誠》（香港：龍門書店，1976），頁 5-15、31-43。

乾隆五十四年，段玉裁避難至京，與實齋引爲知己的邵晉涵會晤。[63]在這次會面中，邵晉涵極可能向段玉裁談及實齋與他老師戴震生前論學的情況，尤其是實齋對戴震以義理爲依歸的看法的堅持。[64]戴震生前曾屢次向段玉裁鄭重述及其撰寫《原善》和《孟子字義疏證》的旨趣，臨終前更留有遺札，向他表白了以義理爲歸宿的學術宗旨。[65]段玉裁大概因爲與邵晉涵的這次會面，得知實齋對其老師的學術宗旨的眞知灼見，[66]並且獲悉實齋正在畢沅幕中進行《史籍考》的編修工作，[67]才會急於在次年春夏間，即親往畢沅幕，與實齋會晤。[68]

戴震高弟段玉裁來訪，對於一直以來鬱鬱不得志的實齋來說，當然別具意義。適値實齋去年剛完成《文史通義》中最重要的幾篇文字。

---

[63] 見劉盼遂：《段玉裁先生年譜》，頁二下至二二上。實齋於邵晉涵逝世後五年後，爲他撰寫〈邵與桐別傳〉仍然滿懷深情說：「於予愛若弟兄，前後二十餘年，南北離合，歷歷可溯，得志未嘗不相慰悅。至風塵倒，疾病患難，亦強半以君爲依附焉。」（《遺書》，卷十八《文集》三，頁八下〔總頁 397〕）。

[64] 參英時上揭，頁 5-7。

[65] 見段玉裁〈東原先生札冊跋〉、〈答程易田丈書〉，載《經韻樓集》，卷七，頁四八上至四九下、五二上至五五下，及《戴東原戴子高手札眞跡》（臺北：中華叢書出版社，1956）收丁酉（乾隆四十二年）札；並參余英時上揭，頁 92-94。

[66] 段玉裁也有可能最初從他老師戴震那裏獲得實齋印象，不過，縱使戴震曾經與實齋論學，但他的著述裏完全沒有提及實齋，似乎正正如余英時指出，「東原從來沒有把實齋放在眼裏」。（見氏著上揭，頁 1）因此，這種可能性也不高。

[67] 實齋向畢沅建議修《史籍考》及獲畢沅同意經過，參看姚名達訂補《胡譜》，頁 108-120。

[68] 參劉盼遂《段玉裁先生年譜》，頁二一下至二上。

在如對故人的心理下，實齋自然會將自己經年以來已融會透澈的史學見解亮無保留地傾囊相示。

實齋一直以東原爲學問上的假想敵。他兩次與東原論，第一次因爲自己學問尚未成熟而受到巨大的精神震蕩。(69)第二次自負學有所成，談論時毫不假借，可惜終未獲東原首肯。其內心的鬱結可想而知。這次東原高弟來訪，適值他的學問趨於圓熟，(70)在如對故人的心理下，自然會向段玉裁傾盡積力琢磨得來年的史學心得。晤談的結果使實齋相當滿意，他在〈與史餘村簡〉中述及這次與段玉裁的會談，雖然針對段玉裁指其文字「雜時文句調」作出回應，不過，從信中「通人如段若膺見余《通義》有精深者，亦與歎絕」一語(71)，可見他因爲自己的史學見解終於獲得戴震的傳人的肯定而極爲振奮。同時，由此一語，亦可以確定實齋在這次會面中，向段玉裁出示了他已經編入《通義》的主要論文，其中必然包括他前年剛完成的〈經解〉、〈原道〉、〈原學〉、〈博約〉、〈說林〉、〈史學例議〉，以實齋的倔強性格，極

---

(69) 參余英時前揭，頁 31-33。

(70) 實齋於乾隆五十二年（1787）至河南依畢沅幕，撰〈論修史籍考要略〉，向畢沅提出修《史籍考》的建議，獲采納，對實齋起了一定的鼓舞作用。他在次年寫的〈報孫淵如書〉中，初次系統地提出了「六經皆史」論。在乾隆五十四年（1789），他更一口氣寫成《通義》二十三篇，當中包括了〈經解〉、〈原道〉、〈原學〉、〈博約〉等重要論文。正如錢穆指出，「實齋重要思想，大都均於此時成熟」，是年實齋所作論文「實爲《文史通義》之中心文字，爲研究實齋學術者取須玩誦之諸篇。而己酉一年，亦實齋議論思想發展最精采之一年也。」（《學術史》，頁 422-423，及胡適著、姚名達訂補：《章實齋先生年譜》，頁 108-117）

(71) 《文史通義·外篇三·與史餘村簡》，《遺書》，卷九，頁二十五上（總頁 185）.

可能還向段玉裁出示了〈記與戴東論修志〉這篇表述他與戴震修志觀點對立的文章。

段玉裁在與實齋會面後，即在畢沅幕中致書邵晉涵，稱譽實齋的史學「可謂得其本源」。[72]乾隆五十九年（1794），畢沅入覲，隨於是年八月以湖北邪教案奏報不實降補山東巡撫，實齋既失所托，遂離湖北。[73]段玉裁獲悉實齋因不得志而去湖北，但又不詳其去向，故於是年曾致書邵晉涵，探問實齋消息，後來又有書信給晉函，問及實齋編撰《史籍考》的進度，[74]從他對實齋去向和編撰《史籍考》的關心，可見前引實齋誇詡段玉裁推服其史學的說話，似非虛語。

過去，不少學者論及定庵在清代學術的地位，都強調他從外祖父傳授的「蟲魚學」擺脫出來，以劉逢祿爲接引而轉向公羊學的學術變化。筆者對這種流行的看法有所保留。事實上，段玉裁非常欣賞定庵的才識，定庵亦終身佩服其外祖的學問，而段玉裁對定庵的影響，亦不僅限於小學根底的培育。段玉裁晚年，不僅承接師傳，益發重視義理，而且也流露了重視史學的傾向。[75]他對實齋的史學既然十分佩服，自然會向定庵述及，定庵甚至極有可能從段玉裁那裏，獲讀實齋《文

[72] 《邵譜》，頁 80-81。此函末署「四月十六日武昌幕中」，段玉裁於是年春夏之間始離京往武昌，可見此函當撰於與實齋會面後不久。

[73] 姚名達訂補《胡譜》，頁 152。

[74] 前函即劉盼遂輯《經韻樓文集補編》卷上所收〈與邵二雲書〉二，後函即同書所收〈與邵二雲書〉三（頁二十二上）。《邵譜》將前函志於乾隆五十五年條下，（頁 82）誤。黃兆強據書中言及盧文弨（1717-1796）「已歸道山」及邵晉涵卒於嘉訂此書作於嘉慶元年，見氏著上揭論文，甚確。

[75] 相關論證見拙著〈龔自珍學術思想淵源新探〉下，載《大陸雜誌》，第 95 卷 1 期，頁 12-15，茲不贅。

史通義》中精要篇章的抄本。[76]

我們祇要稍爲回顧上面引錄定庵與實齋論說想近的言論，便會發覺其中涉及實齋的著述，集中於〈易教〉、〈原道〉、〈經解〉、〈史釋〉等篇，都是實齋與段玉裁會晤前不久才撰成的重要論文，這似乎可以作爲上述推論的助證。

錢穆說清代中葉從經學轉向到史學的學術發展是「從故紙叢碎中回到人生社會之現實」的一種時代精神的委曲之流露；又說「在戴東原之後有章學誠，亦是清儒學風自身應有之趨勢。」[77]由章學誠憚服戴震的考據學，至段玉裁佩服章學誠的史學，最後間接促成龔自珍承襲發揮了章氏的史學，正好爲轉型期的清代學術思想發展提供了一個具體的寫照。

---

[76] 實齋自負其學，對於他所推重的學者和引爲知己的學者如錢大昕、邵二雲等，往往將《文史通義》中的精要文字抄贈或相示，由於段玉裁是他的論學假想敵戴震的弟子，加以段玉裁往訪之時，適值他完成《文史通義》中多篇重要文字之時，想必將這些精要文字抄贈段玉裁。

[77] 見錢穆〈前期清儒思想之新天地〉，載氏著《中國學術思想史論叢》八，頁8-9。

論王湘綺論章實齋

吳銘能*

提　要

王湘綺對章實齋的印象並不好，有很苛刻的批評，以為「大要一秋風客耳」。本文從考察兩人的基本觀點與實際纂修地方志入手，發現二者對方志見解有極大的相似處，王氏很多的觀點並沒有超越章氏的格局，王對章的貶抑，是個人爭勝的意氣話，反映王自視甚高、目空一切的性格寫照，而章氏的史學成就，既有自成體系的理論，又有編撰方志為之實踐張本，絕不是無所建樹的「秋風客」。

關鍵詞　王湘綺　章實齋　方志　文徵　合體

王湘綺（1832-1916）是個複雜的人物。他原先有經世的理想，少年仰慕魯仲連，想要有一番作爲，後入肅順幕下，號爲「肅黨」❶，

＊　中央研究院中國文哲研究所博士後研究

❶　王闓運〈法源寺留春宴集序〉，見馬積高主編：《湘綺樓詩文集》(長沙：岳

但在政治上的不如意，且科舉僅得舉人而已，中年熱心教育工作以終老；由日記以及其詩作顯示他在三十三歲即有終身隱居志願❷，晚年志爲申屠蟠❸，所以他處在湖南新舊派激烈的爭鬥中，不介入其中，心存觀望的態度，似可以找到淵源。當王先謙、葉德輝等人與康、梁在湖南視同水火之際，保守派與激進派已畫然壁壘分明，王湘綺蟄居四川，不附和其中，則知申屠蟠的事蹟早已盤據其心中。今觀《後漢

麓書社，1996年9月)，頁391。

❷ 同治十一年八月二十日日記云「作三律題壁上，以志終隱之願」。光緒二年五月廿八日日記云「余癸酉有詩云『暫隱衡山十二年』，自乙至丙僅十二年，而雪琴贈余云『作客衡陽十二年』，竟皆成讖，此亦大劫也」。以上日記材料來源，見王闓運《湘綺樓日記》(長沙：岳麓書社，1997年7月)，由吳容甫點校，以下引述簡稱《日記》，不另一一說明。另同治三年十一月，王氏至齊河，冰合船膠，還宿草舍，大雪五尺，慷慨身世，作〈思歸引〉，抒發一己所懷所感，有長序自言壯志未申之悲、歷經一紀戰亂離愁之苦、周旋名士公卿之間、家庭生活之樂與以著述爲安身立命之志，可知深受莊子思想影響極大，其中云「余嘗游朱門，窺要津，親見禍福之來，貴賤之情多矣，亦何取身登其階，然後悔悟乎？昔人有言『貧賤常思富貴』，尚子又云『貴不如賤，富不如貧』，若以物論之齊，化成虧之心，猶爲蔽也。凡名皆假設，實亦終化，儻非善安其生，則出處之道殊矣。歸歟！歸歟！將居於山水之間，理未達之業，出則以林樹風月爲事，入則有文史之娛，夫讀婦織，以率諸子，何必金谷爲別業，乃後肥遁哉？既息驂於清苑，閒居無營，因作詩一篇，以明所懷」等語，可以想見他的歸隱志向，實在發軔於此。以上見《湘綺樓詩文集》，頁1339。

❸ 同治八年正月廿五日《日記》有仰慕申屠蟠的話，「闓運無斯人確然之操，而好立名譽，讀其傳，庶幾高山仰止之思云」等語，在光緒九年八月十二日《日記》云「少時慕魯仲連，今志於申屠蟠矣」。《史記》本傳稱魯仲連「好奇偉俶儻之畫策，而不肯仕宦任職，好持高節」，司馬遷評爲「蕩然肆志，不詘於諸侯，談說於當世，折卿相之權」，王湘綺爲人可想而知。

書》申屠蟠本傳有載其人「九歲喪父，哀毀過禮，服除，不進酒肉十餘年，每忌日，輒三日不食」，又表彰女子節操之行；范滂等非訐朝政，太學生爭慕其風，申屠蟠以爲將有禍臨，乃絕跡隱遁，果然如其所料，遂以免於疑論。又說有欲舉任政事，「眾人咸勸之，蟠笑而不應」，未久董卓亂起，「公卿多遇兵飢，室家流散，融等僅以身脫，唯蟠處亂末，終全高志」❹。綜觀王氏的一生，祖考妣或孺人忌辰，必深居茹素，拒絕友人招飲，纂修地方志又能表彰女子節烈異行，書院教學禁止學生議論政治❺，袁世凱聘他修國史，他心存觀望，以虛應故事敷衍，顯然就是申屠蟠的翻版。

王湘綺喜好臧否人物，性格玩世狂放，無所不拘，他是一個很有自信的人，曾說「余書不患不傳，殆無散佚之慮」❻，古今人物被他點名批判者，由日記董理之，洋洋灑灑可以列出一長串，談學論藝非他所首肯的人物，如墨子、賈誼、王應麟、王船山、惠棟、章實齋、沈葆禎、江聲、趙翼、郭慶藩、包世臣、鄧石如等，他所喜愛的人物很少，只有如王榮蘭、陳宏謀、俞樾、阮元、袁枚、曾國藩、戴望等。

章實齋（1738-1801）遠遠早於王氏，但他沒有王氏幸運，在乾嘉考據學盛行時期，其治學立說，與主流學界大相逕庭，一生史學成就

---

❹ 中華書局點校本《後漢書》卷五十三，頁1750至1754。

❺ 光緒六年十二月五日《日記》載：

夜傳齋長諭院生不得條陳時事，丁生云初不聞此論，宜作條約明禁之。「諸生入院，宜專心習業，不問外事，自去年二月到館時申明禁約，雖舉節孝鄉賢公呈，院生無得列名，意至遠也。……其在外違約者，本不稽查，但有經長官告知，院冊即行除名，以遂其踴躍奮發之志」。

❻ 光緒十七年三月八日《日記》。

沒有受到應有重視，而且晚年撰寫《湖北通志》稿，除了可以言說如畢沅、孫淵如等少數知己外，湖北人根本不把他看在眼裡，其鬱鬱寡歡，坐困愁城，可想而知。直至近代日本學者內藤湖南與中國的胡適、梁啓超等史學家的大力闡述宣揚之後，章實齋的名聲才水漲船高，逐漸確立史學的大師地位。

王湘綺對章實齋的印象並不好，有很苛刻的批評，以爲「大要一秋風客耳」，尋詣王氏的批評，應非無據，蓋其人對史書撰寫方法曾下過極大功夫深入研究，而且也有參與撰述地方志的經驗；然而，章氏的史學成就，既有自成體系的理論，又有編撰方志爲之實踐張本，絕不是無所建樹的「秋風客」，因此有必要對此好好深入探究，才能斷其是非。

爲何王對章有如此低的評價？在回答這問題之前，先看王湘綺對章實齋的批評：

> 與叔鴻同出，訪周荇農學士，留飯至暮，示余以章學誠《文史通義》，因假以還。……
>
> 還閱章書，言方志體例甚詳，然別立「文徵」一門，未爲史法，其詞亦過辨求勝，要旨以志爲史，則得之矣。章字實齋，畢秋帆督楚時修通志者也。《詩》亡然後《春秋》作，此特假言耳，《春秋》豈可代《詩》乎？孟子受《春秋》，知其爲天子之事，不可云王者微而孔子興，故托云《詩》亡，而章君入詩文於方志，豈不乖類？曉岱云贈答詩可入傳注，亦裴松之之例。余以詩詞不入志爲宜，特修《桂陽志》，爲人所牽，而載之〈小說篇〉。他日修志仍不選詩，自餘佳文要語各附本傳，乃合體矣

❼。

借沈近思、章學誠遺書讀之，章書余所熟語，大要一秋風客耳❽。

需要知道的，這兩段文字，寫於不同時間，第一段是最重要的關鍵，王氏剛參與修過《桂陽直隸志》不久，明白說出二人對方志見解的歧異，尤其是章氏別立「文徵」一門，引起王的不滿，以爲「未爲史法」，但同意「以志爲史」；此外，王也不同意章「入詩文於方志」，主張「他日修志仍不選詩，自餘佳文要語各附本傳，乃合體矣」。第二段沒有任何進一步的理由，只說「章書余所熟語，大要一秋風客耳」，而此時王氏早已編纂過四部方志，更對方志撰作體例不陌生，在檢討這些批評是否允當時，實有必要先由兩人的基本觀點談起。

王湘綺對方志的纂修——以《湘潭縣志》為主的觀察

王湘綺對傳統正史下過很深的功夫，尤其重視傳記的創作，他一生爲人寫了不少墓誌銘，固然是名士好舞文弄墨習氣使然，在年輕即下定志向要把通史統統讀過，並爲各史的列傳作贊❾，果然經過鍥而

---

❼ 同治十年三月四日《日記》。

❽ 光緒廿八年六月廿四日《日記》。

❾ 光緒十六年三月廿八日《日記》載他計算讀史的進度，有言「計一百廿日，始閱五十本，如此則廿四史亦只須十二年，乃今已廿六年，作輟之患如此」，

不捨的努力，終於完成了這個目標，所以他的看法也不得不令人重視。《史記》與《漢書》是他所欣賞的，尤其司馬遷擅於敘事的筆法，列傳大量用「互見」的寫作方式，在方志人物的撰寫上廣爲所仿效，班固繼劉向、劉歆父子《七略》的遺緒，藝文志對傳統學術的分類法，也爲王所採用。對《新唐書》、《新五代史》的看法，以爲「皆文人志傳之書，不諳史體」，甚至有「《新唐書》直可焚」之語，唯一好處是「文筆較健耳」⑩。稱《齊書》抑揚側伏，有良史之識，惜筆弱不足振之⑪。評論《梁書》，以爲「姚思廉文筆冗沓，不成體紀」⑫，對《晉書》評價亦不高，次序失位，列傳尤猥雜云⑬。對於沈約《晉書》始創〈符瑞志〉，以爲得深眇之旨，文意深曲，有良史之風⑭。《宋史》給他的觀感很不好，主要是本紀龐雜無法，輿服、選舉等志全用吏牘俗鄙字，而不下注腳，難字與別訛字又多不可識，列傳又太過浮濫，「連篇纍卷，無一可傳」，所以他認爲正史以《宋史》最爲難讀⑮。評《遼史》諸傳無一關係，竟不如方志⑯。《元史》除年代

是年五十九歲，則在三十三歲他即立志通讀全史寫贊。

⑩ 見同治八年十二月二十一日《日記》、同治九年八月四日《日記》，另在同治八年十二月二十日《日記》有詩句「歐九空修五代史，事文殘缺義粗疏」。

⑪ 同治八年七月十八日《日記》。

⑫ 光緒廿七年十月十一日《日記》。

⑬ 同治八年二月二十六日《日記》、光緒十六年九月十四日《日記》。

⑭ 同治八年三月八日《日記》。

⑮ 參見同治八年七月二日《日記》、同治八年八月朔日《日記》、同治八年八月二十一日《日記》、同治十一年正月二十四日《日記》、同治十一年二月四日《日記》、同治十一年五月二日《日記》、同治十一年十一月十五日《日記》、光緒九年十一月十二日《日記》、光緒九年十二月十三日《日記》、光緒十年正月廿三日《日記》、光緒十年二月七日《日記》。

參錯外，「本紀竟無一事，雖賞金一兩亦記之」，以爲繁瑣爲各史之冠，其優點是「文較雅飭」⑰。司馬光《資治通鑑》專補宋人唐、五代二史之略，自唐以下採稗史爲證，有俾闕誤不少⑱。

以上各正史評價完全建立在逐字逐篇點讀的心得，不一定可以被今人接受，不過，這些評價反映了王對史書的體例、表述遣詞有一定的重視。除此之外，透過纂修地方志內容的研讀分析，似不難掌握其人的學術見解。

王湘綺纂修方志未若章實齋有完備的理論爲基礎，他纂修《東安縣志》、《桂陽直隸州志》、《衡陽縣志》、《湘潭縣志》四部地方志大都完整流傳下來⑲，而章實齋雖將理論談得頭頭是道，今所見其纂修的方志大多殘缺不全，這是王湘綺比章實齋幸運的地方。王是湘潭人，《湘潭縣志》是他最後修撰完成的一部方志，也是四部地方志花了最長時間，因此以之作爲探討他的方志見解，應是具有代表性⑳。

《湘潭縣志》的內容大要，先擷要簡敘如次。

---

⑯ 光緒七年二月廿三日《日記》。

⑰ 參見光緒十四年六月廿六日《日記》、光緒十六年正月五日《日記》、光緒十六年三月廿三日《日記》。

⑱ 同治九年三月十四日《日記》。

⑲ 同治十二年二月廿六日《日記》說「擬東安采訪章程，研香欲以圖志事見委也」，同年四月廿六日《日記》載「常寧教官李洪軒衣冠來，云東安人，聞余修《東安志》，欲一見，強出見之」，今《東安縣志》筆者尋覓未見，而《桂陽直隸州志》所見爲清同治八年刊本，《衡陽縣志》爲清同治十一年刊本，《湘潭縣志》爲光緒十五年刊本。

⑳ 同治十一年九月十七日《日記》附與朱稻香書有云「《衡陽圖志》寂寥，無甚可觀，須十一月乃得刊竟」的話，可見《湘潭縣志》才是其代表作。

疆域第一，先說沿革，次縣境圖附之，有標示經緯度以明位置，中星圖、太陽黃赤升度表、中星更漏表等極爲詳細，沿革圖後有文字說明，敘事考據兼具，典雅可誦。徵引文獻原原本本列出，有《漢書地理志》、《續漢志郡國志》、《晉書地理志》、《宋書州郡志》、《齊書州郡志》、《隋書地理志》、《舊唐書地理志》、《新唐書地理志》、《元和郡縣志》、《宋史地理志》、《元史地理志》、《明史地理志》等。

建置第二，開宗明義即說湘潭縣建置乃因襲明代而來，前半文字簡要說明縣治組織、職掌、公共設施等，但欲一一詳細面面俱到則有困難，也就是「載之則累文體，不載則違眾心」，解決方法，後半以繪表行之，有橋渡表、石路馬頭表、公田表（包含有學宮祀田及歲修田、昭潭書院膏火田及陶公祠歲修田、宜興堂田、保節堂田、皆不忍堂田、育嬰堂田、作善堂、朱亭育嬰堂、育嬰堂、贊善堂渡船並救生瘞尸公所、育嬰公、同善堂、不忍堂、二之堂、仁美堂、樂善堂、養濟院田、主敬堂醫藥局、坎亨堂公田屋土、授衣局田屋、救火水龍），尤其是把當時的社會福利措施說得極清楚，表現「古人重約劑之義」。

事紀第三，相當於現在的大事記，始於漢高帝五年封故衡山王吳芮爲長沙王，訖於光緒十二年徙建清風閣行保甲法。

山水第四，寫景物與風俗掌故，寓自然與人文於一爐，富文采，有考證，深得《水經注》奇崛筆法精髓。

官師第五，本卷分爲兩部分，前爲表（包含湘潭今地舊國表、晉至元職官表、明職官表、國朝職官表），後爲列傳二十篇，所本「述舊聞，聞見二世，稍存逸典」而已。

賦役第六，寫丁戶土田與賦稅的概況，始於元代延祐二年，終於光緒十三年。其中有言抨擊賦役散謾之情形：

> 國初編冊存丁，三千百九十六，豈地當衝衢，易代之際，凋耗逃散至此乎？抑近代役法疏，欺上不以户盛衰課吏，吏公謾也？編審十一次，滋生二百二十二丁，無稅而猶匿丁，奉行故事，不肯破吏例故也。

禮典第七，言縣中壇廟如社稷壇、神祇壇、神農殿、歷壇、文廟、關廟、文昌祠等沿革、祭祀儀式，又有出官俸供酒者天后宮、火神祠、龍神祠、城隍祠，另有名宦祠、忠義孝弟祠、節孝祠、五先生祠、劉猛將軍祠、陶公祠、塔忠武祠、黃忠壯祠。又有昭潭書院（下設麗澤堂、公租堂、育嬰堂、施棺堂、齋宿所、習樂所、禮器所，即是四堂三所）、龍潭書院、霞城書院、賓興堂、育嬰堂、皆不忍堂（設祭建道場、義塋以理屍無收埋者）、保節堂（節婦貞女貧乏者，月助錢）、藥局（助貲延醫、診疾、點豆、施藥）、仁美堂（小歉以時糶貸）、樂善堂（以備饑荒）。後附群祀表、佛寺表。本卷實集攏祀典、宗教、教育、社會慈善福利等內容。

人物第八，本卷先表後傳，第一部分有貢舉表、貢生表、例貢表、武科表，第二部分有前代品官表、國朝品官表、文武職加銜表、贈官表、前代封蔭表、國朝封蔭表、封爵世職表、耆壽表、壽婦表、咸豐以來殉難陣亡名爵年地表、咸豐四年寇陷縣城遇難士民表、湖北前後陣亡勇丁表，然後以五十一篇列傳繼之，再附以列女表，終以列女傳殿後。

五行第九，述所聞見奇異災祥，如木不曲直徵兆、恆雨爲災、虎食人、地震、大風拔木、大旱不風、水溢害稼、雨雹、蝗災、豕禍、龍蛇之孽、日星異象、大疫等。

藝文第十，有言「但觀班、劉之體，悟四部之疏，因流探源，使六藝九流粲然復章」，詳審內容，可知其劃分學術門類的觀點，不採取《隋書》四部分類法，而受司馬遷、班固影響極大。

貨殖第十一，描寫貨殖通商，無甚內容可觀。作者自言「未能拉扯，姑就所知者略述之」㉑。

序第十二，略論縣志纂修的經過，自明代中葉先後三、四百年踵續十修，道光年間由羅汝懷屬王榮蘭、唐昭儉刱稿，後經十九年諸多人事變遷，再經一紀乃成，共計十一篇、十九圖、二十八表。

檢討他纂修地方志，《衡陽縣志》有受於當時考據學風的拘束，他對此是深知的：

> 始做《衡陽事記》，以考證爲主，近代陋習，所謂未能免俗者也㉒。

但是比較後來《湘譚縣志》的事記，卻給予讀者不同的風貌，沒有繁瑣枯燥的考證文字，取代的是敘事扼要清晰，文字雅潔流暢，顯是後出轉精，經驗較爲豐富。

史表繪製，司馬遷《史記》立十表，事繁變眾，可冀收簡御繁之效，中間變革，亦有軌跡得尋，王氏有所體認㉓，模仿運用更爲靈活：

> 各公所事，欲載其田畝房屋，載之則累文體，不載則違眾心，

㉑ 光緒十五年正月廿七日《日記》。

㉒ 同治九年五月廿六日《日記》。

㉓ 光緒十三年十一月廿四日《日記》云：「理志表，大費日力，乃見無字處皆有文章，甚有可樂」。

思得一善法，當爲公田表，庶合古人重約劑之義。乃知史表之善，可無所不記，而又不煩俗，此李次青所以痛惡之[24]。

所以《湘譚縣志》的史表很多，分散各處，於是在〈建置第二〉有橋渡表、石路馬頭表、公田表，在〈官師第五〉有今地舊國表、晉至元職官表、明職官表、國朝職官表，在〈禮典第七〉有群祀表、佛寺表，在〈人物第八〉有貢舉表、貢生表、例貢表、武科表、前代品官表、國朝品官表、文武職加銜表、贈官表、前代封蔭表、國朝封蔭表、封爵世職表、耆壽表、壽婦表、咸豐以來殉難陣亡名爵年地表、咸豐四年寇陷縣城遇難士民表、湖北前後陣亡勇丁表、列女表，史表配合文字說明，事件更爲生動明晰。

〈山水第四〉係受《水經注》影響，描繪風景合人文之美，令人目不暇及，如敘述紫荊山有虎井橋云：

唐代崔生遇虎化美婦，沉皮此井，復有白泉，廣輪十畝，冬溫可浴，夏則冽寒，游魚倒影，若游空境，雲氣蓊蒸，恆如炊熟。泉分兩口，飛光匹練，故號白泉也[25]。

又有名物考證云：

潭東則雲塘，昔蔡氏自太湖來，遷移柑傳種，歷歲繁滋，湘人通以柑爲橘，故云雲塘美橘。橘乃今橙耳。屈子頌其不遷，柑則可移。許叔重以橙爲橘，屬柚似橙而酢，則似以橘爲柑，又

---

[24] 光緒九年三月廿七日《日記》。

[25] 《湘譚縣志》頁 478。

無柑字，而某爲酸果字，從木甘文，與榛連正同橘柚，今驗柑不可苞，許義非也㉖。

文采優美，流暢可誦，諸如此類，不一而足。

〈人物第八〉較值得注意者，列女傳非僅僅是表彰傳統婦女節烈貞潔而已，或有「女之令聞，黃鳥喈喈，既美才明，厥德孔佳，貞順濟濟，或遺幽霾，作列女表傳」㉗。在〈藝文第十〉有三十餘種著作特注明爲女性作家㉘，採取著錄的方式如下所示（僅列舉五例）：

守拙齋遺稿一卷　石養元妻張九滋撰

廡下吟四卷　梁傳棨妻戴珊撰

慈雲閣詩一卷　周系輿妻王式撰

簪花閣詩　郭潤玉撰李星沅妻

秋水芙蓉集五卷　李之檝妻衡山聶有儀撰

傳統侷於「女子無才便是德」的偏見，婦女被要求當遵守所謂的「三從四德」，相夫教子是最重要的認知，並不鼓勵讀書識字。王氏在此方面卻極爲開通，他親自教幾個女兒習字念書，此處要大力宣揚女子著作，唯恐人所不知，故特標注「某某某妻某某某撰」，眞是用心良苦。在列女傳也說明末張國祚奔雲南，二妾孫氏、呂氏恐爲累，遂相對自剄；後永曆傾覆，張國祚隱居二十餘年，「王夫之間過之，悲論往事，爲詩弔孫、呂，稱國祚爲老將。或云其後爲僧以壽終。孫氏、

㉖ 《湘譚縣志》頁 467。

㉗ 序第十二，《湘譚縣志》頁 825。

㉘ 《湘譚縣志》頁 812 起。

呂氏死事，管嗣裘爲之記，同時名人皆有歌詩，今佚不傳」㉙。王氏接著特將王夫之弔孫、呂詩完整引錄，以雙行小字附後，這是他表彰女子節烈異行另一側面。

〈五行第九〉，有不少現象以今日觀點看來，應爲大自然的變化，不足爲奇，但作者以玄虛難稽視之，難免侑於傳統謬見。

章實齋的方志理論與實踐

章實齋對方志的接觸，自年輕即已從事，嘗言「鄙人少長貧困，筆墨干人，屢應志乘之聘，閱歷志事多矣」㉚。對於中國歷史有卓越貢獻的史家，從孔子、司馬遷、班固到劉向、劉歆父子，章實齋是很欣賞的，以爲他們是史學的「規矩方圓之至」，唐代以後，史學絕矣，所以《文史通義》的創作，正就是提出他的史學主張，大有繼武前賢之後，當今之世，捨我其誰之慨。《文史通義》提出很多的觀點，此處不能細講，僅就方志方面討論之。對於方志的理論，章實齋提出了「三家之學」，即是「仿紀傳正史之體而作志，仿律令典例之體而作掌故，仿文選文苑之體而作文徵」，並說明非有意創奇，乃是根據前人經驗的總結㉛。

章氏認爲方志是國史的具體而微呈現，自來認爲乃地理之作是不

㉙ 《湘譚縣志》頁 776。

㉚ 〈州縣請立志科議〉。

㉛ 〈方志立三書議〉。

對的。這點他是非常堅持的，也曾經與戴震針鋒相對，互不相讓。當戴震看了章氏的〈和州志例〉之後，甚不謂然，以為「志以考地理，但悉心於地理沿革，則志事已畢」，章則以為「方志如古國史，本非地理專門」，文獻為所急，若不及時搜羅、不得其法編次、不得其宜去取，則他日將有放失難稽，湮沒無聞，「不得已而勢不兩全，無寧重文獻而輕沿革耳」。最後是氣氛凝重，「戴拂衣逕去」[32]。

章氏對方志理論的闡述，參酌〈修志十議〉與〈答甄秀才論修志第一書〉、〈答甄秀才論修志第二書〉等文章，整理之後，擷其較重要者有以下六點：

一、分工執掌，各不相侵。提調專主決斷是非，總裁專主筆削文辭，投牒者敘而不議，參閱者議而不斷。

二、考核精詳，折衷盡善。所有官方的文書史籍以及野乘、私記、文編、稗史、家譜圖牒之類，皆須徵收，而案牘律令有關政教典故、風土利弊者，概錄出副本送專責之館，以求鉅細靡遺，用昭信史。

三、人物取捨貴辨眞僞。

四、體例確立，講究書法。典故作考，重在政教典禮、民風土俗，忌浮誇形勝、附會景物。人物作傳，例不為生人立傳（婦女守節破格錄入）。列傳以名宦鄉賢、忠孝節義、儒林卓行為重，文苑、方技次之。去任官員，苟為善政，以治績為重，不妨立傳。

五、前志裁制分注。若前志義例不明，文辭乖舛，後志續前人記載，

---

[32] 這一幕描寫戴震失態若此，歷歷如繪，給予讀者的感覺是有失風度，難以與人虛心論學。不過，章實齋也許不無可能誇大其辭，而兩人怒目相視，斥名逕罵是存在的。見〈記與戴東原論修志〉。

當爲雙行小字併作者姓氏及刪潤之故，一體附注本文之下，庶幾舊志徵實之文，不盡刊落，而新志謹嚴之體，又不相妨。

六、議外編。或有謠歌諺語、街談巷說、神仙蹤跡等新奇之傳，雖非史體所重，亦難遽議刊落，當於正傳之後，用雜著體零星紀錄，或名外編，或名雜記，先使有門類可歸，以釐清正載之體裁。

由於他有方志爲「一國史裁」存乎心中，又以爲不能併入方志而有裨益文獻者，以類相從，別析爲奏議、徵實、論說、詩賦，總稱爲「文徵」，與方志並行。簡單說，所謂「奏議」，就是一代的奏牘文字，「廣收則史體不類，割愛則文有闕疑」，但於正史之外，與實錄、起居注互爲表裡也；所謂「徵實」，就是「其傳狀之文，有與本志列傳相彷彿者，正以詳略互存，且以見列傳采摭之所自，而筆削之善否工拙，可以聽後人之別擇審定焉，不敢據以爲私」，「碑刻之文，有時不入金石者，錄其全文，其重在徵事得實也，仍於篇後著石刻之款識，所以與金石相互見也」；所謂「論說」，就是承先秦諸子遺風，其本意在行事不得而發爲議論者，非爲華美文辭之說；所謂選輯「詩賦」，就是古者國風之遺意也，舊志八景諸詩，頗染文士習氣，故悉刪之，所以嚴史例也，而「文丞相詞與祭漯河文，非詩賦而並錄之者，有韻之文如銘箴頌誄，皆古詩之遺也」[33]。

前述戴震對〈和州志例〉不謂然，引起兩人不歡而散的僵局，而究其實，《和州志》是爲《文史通義》理論的實踐，章自然不可能讓

---

[33] 〈永清縣志文徵序例〉，另參《和州志》之〈文徵〉。「徵實」，《和州志》作「徵述」，「論說」，《和州志》作「論著」，名稱雖有小異，其實所指皆同。

步。〈志隅自敘〉明白言作《文史通義》乃是不滿意鄭樵、曾鞏與劉知幾而作，《志隅》二十篇則證明《文史通義》並非空言立說的：

> 然鄭樵有史識而未有史學，曾鞏具史學而不具史法，劉知幾得史法而不得史意，此予《文史通義》所爲作也。《通義》示人而人猶疑信參之，蓋空言不及徵諸事實也。《志隅》二十篇略示推行之一端，能反其隅，《通義》非迂言可也。

方志爲何而作？章氏有明確的觀念，「拾史遺者，其方志乎」，這句話可以視爲最扼要的總結。《和州志》惜已殘缺不全，其類目今見僅有紀（第一皇言）、表（第一官師、第二選舉、第三氏族）、圖（第一輿地、沿革）、書（第一田賦、第六藝文）、政略（第一漢二人）、列傳（第一、第十、第十一、第十二、第二十二、第二十三）、文徵（敘錄），且有許多篇章並非完足，與作者自言「乾隆二十九年撰《和州志》四十二篇」相較，顯然有很大的闕漏，因此想要據此知悉章實齋實踐其史學理論之全體大用，恐有所不足，而如果再加上被譽爲「體大思沈，不愧空前絕後之目」的《湖北通志》（亦是殘稿）之蛛絲馬跡，也許可以冀得其雖不中亦不遠的精髓。筆者根據《和州志》與《湖北通志》殘稿，勉力爲之，歸納出有八項特點：

一、裁篇別出與部目互見

章氏在《校讎通義》提出了「互著」與「別裁」的觀念，前者主張一書有兩用，可兼收並載，不以重複爲嫌，後者主張一書得裁其篇章，別出門類，以辨著述源流。這種「部目互見」與「裁篇別出」的觀念，在《和州志》也極力的強調：

夫篇次可以別出，則學術源流無闕間不全之患也。部目可以互見，則分綱別記無兩歧牽掣之患也。……然校讎之家苟未能沈於學術源流，使之徒事裁篇而別出，斷部而互見，將破碎紛擾，無復規矩章程，斯舊弊益以自弊矣。

二、學貴專門，非博雅所能校讎

〈浙東學術〉提出了專家與博雅的觀念，以爲「學者不可無宗主，而不可有門戶」，而且天人性命之學，必切於人事，不可空言說也。《和州志》則以兵書、數術、方技三部本別於諸子，爲專官世業方能校正，後世四部同列子科，以博雅之士校書，則非也。

三、表彰甲申、乙亥之際明代人文

章氏對明清鼎革之際的史事非常重視，《和州志》的列傳對甲申、乙亥年間事特著力描寫，以補正史之不足，如見〈列傳第十戴重〉以及〈列傳第十二馬如融戴本孝戴移孝〉[34]，此段歷史事涉滿族入主中

---

[34] 〈列傳第十戴重〉有一段很深沉的的感嘆語：

戴重以亡國一諸生轉徙江湖，謀生不暇，而能號召義旅，縞素出師，雖不自量力，其志固可哀矣。重有詩云『布衣自古無成事，仰哭蒼天吾道窮』，蓋紀實也。明復社殉難諸生如江天一、楊廷樞等著於《明史》者凡數十人，而重獨失載，惜哉！

〈列傳第十二馬如融戴本孝戴移孝〉則更有意識地騁力表彰其志節：

余譜和州世家，明代人文莫盛於馬氏、戴式。馬氏以九成從明太祖戰死鄱陽，戴氏以仲禮從取和州，皆賜爵有田宅，爲和州始祖，子孫遂爲州中一代望族。其後御史馬如蛟卒殉乙亥之難，而戴重亦以頑民抗命甲申之後，絕粒而死，察其所以興衰，與明運若相終始，斯亦奇矣，……至今言望族

原的合法性，頗爲棘手敏感，這在乾隆年間纂修《四庫全書》的時代中，不得不謹愼將事，觀乎內廷檔案與最近出版《翁方綱纂修四庫提要稿》，則可思過半矣；而章氏竟有此大膽之舉，在當時不能不視爲非常奇特卓行，其器宇膽識眞足以映照千古也。

四、列傳人物理論與實踐的成熟

章氏在實踐修纂地方志，《湖北通志》之〈序傳〉提出了「詳今略古」、「詳後略前」、「錄褒去貶」、「恕嚴愼公」的見解，以與正史互爲表裡。具體言之，方志所以當「詳今而略古」者，他解釋「正史未具之人，方志爲之傳，是詳今也，正史有傳，則但存其名於表，是略古也」；至於方志所以當「詳後而略前」者，他亦解釋「宋元至明，史傳難具，史外有書可參，故無傳者補之，傳未盡者或增訂之，是爲詳後也；隋唐以前者，史無旁書可參，則止有人物表，而無補定諸傳，是略前也」。對於歷史人物的褒貶，他是採取「錄褒去貶」的態度，而對於歷史無有立傳者，但留下諛墓頌魌失實之辭、酬應氾濫文字，他意識到如果「漫不知擇，則方志病」，因此他以爲當以古良史爲師，「持論不可不恕，立例不可不嚴，采訪不可不愼，商榷不可不公」㉟。

者推二氏。

又云：乙亥之變，如蛟舉家殉難，事詳義烈傳。

以上均見《和州志》卷十八。

㉟ 其實這些觀念，在〈修志十議〉、〈答甄秀才論修志第一書〉、〈答甄秀才論修志第二書〉等文皆有或多或少脈絡可尋，《湖北通志》可以說是將理論發揮其間的重要例子。

五、闕訪列傳

這是說搜訪前志列傳所遺，事實難徵，又年代久遠，存之則無類可歸，削之則潛德弗曜，編爲闕訪列傳，以俟後人別擇。以馬璧、徐來、胡宣爲例，說明三人宜有實蹟，如『革馬弊政』、『捐奉濟貧』、『九舉優行』，惜始末不詳，稱訪而不獲，姑置於此，俟後人詳焉。

六、政略

地方政事重在興利除弊，其人雖去職，遺愛在民，苟有一時循良善政，可書入政略，而其他則皆在所輕㊱。

七、注重前志

前史之是非得失當論列，才能見折衷考定之所從。但章氏也提出三點該注意的原則：1、前志未當，後志改之，宜存互證；2、前志有徵，後志誤改，當備採擇；3、志當遞續，不當迭改，宜衷凡例。區區州縣志乘，既無別識心裁，便當述而不作。

八、豐富列女傳內容

《湖北通志》今見目錄達二十卷之多，份量相當可觀，可惜流傳下來不多，從《章氏遺書》卷三十所存列女傳的類型亦可見微知幾，略知其內容異常豐富，含有節婦、烈女、烈婦、才烈、俠烈、貞女、孝女、賢淑、才慧，名目繁多，充分肯定女子懿行才德。

㊱ 《湖北通志》之〈政略四〉前有敘例多抄自《和州志》之〈政略〉，〈永清縣志政略序例〉亦是如此。

王湘綺否定章實齋的檢討

看完上述兩人對方志的見解之後，以下要評斷王否定章的是非，同時也要探索何以王對章會有如此的看法。

（一）學術趨向與性格的根本不同

王氏雖然對傳統經史子集，廣及不登大雅之堂的小說，無所不窺，但他在教導學生仍然以傳統經學爲主。儘管他的著作很多，前述方志著作與《湘軍志》之外，民國十二年長沙刊本《王湘綺全集》收有二十六種著作，門類最爲齊全，經部方面的著作有《周易說》、《尚書箋》、《尚書大傳補注》、《詩經補箋》、《周官箋》、《禮經箋》、《禮記箋》、《春秋公羊箋》、《春秋例表》、《穀梁申義》、《論語訓》、《爾雅集解》，子部方面的著作有《莊子內篇注》、《墨子注》、《鶡冠子》、《曾子十二篇》，集部有《楚辭釋》、《湘綺樓文集》、《湘綺樓詩集》、《八代詩選》、《唐詩選》、《絕妙好詞》、《湘綺樓聯語》、《湘綺樓箋啓》等，以上所有著作，或是一時一地之作，表現某個階段的心情，但他花最大心血仍然是經學的著作，而且不斷有所修正增補，可以想見經學在他心目中具有崇高的地位。在他數十年的書院教育生涯，即是以經學教育爲最重要，以四川尊經書院講學指導學生作文習作爲例，大多是以經學題目爲主[37]，反映他對

[37] 光緒十一年刊本《尊經書院初集》十二卷由王湘綺閱定，其目錄可知卷一《易》、《書》、卷二《詩》、卷三《周禮》、卷四《周禮》、卷五《春秋》、卷六《禮經》、卷七《禮記》、《論語》、卷八《爾雅》、《說文》、《孟

中國學術的見解，經學居於不可動搖的地位。尤其在禮學方面，既有三十年深刻的研究，也注重日用實踐，常與學生演釋奠禮、鄉飲禮等。

章氏則主張「六經皆史」，六經都是先王政典，以與當時風行的經學考證相抗衡，有學者指出，這在清代學術思想史上有重大的意義㊳。他在給孫淵如的信，也說「愚之所見，以爲盈天地間，凡涉著作之林，皆是史學。六經特聖人取此六種之史以垂訓者耳。子集諸家，其源皆出於史」㊴。

另外，王氏是反宋學的，自言平昔不攻宋學，凡所著述，未涉唐後㊵。他與王船山、曾國藩、郭嵩燾一路尊崇宋學的學術路數是不同的，但他不採取正面與之對抗，而以消極的態度回應。當郭嵩燾在湖南創辦思賢講舍原是要弘揚船山之學㊶，但王氏受聘講學，非只不尊程朱之學㊷，而且不大尊船山，引起郭嵩燾的不滿，以爲「其譏貶宋

子》、卷九史、卷十史、賦、詩、卷十一詩、騷、表、奏、議、書、卷十二贊、論、連珠、箴、碑，經學占最主要的部分。

㊳ 見余英時《論戴震與章學誠》(香港：龍門書店，1976 年 9 月初版)，頁 45-53。最近對此提出異議的，有汪榮祖的〈章實齋六經皆史說再議〉沿續錢鍾書的說法，認爲章氏的「六經皆史」說具有現代的含義，大都是現代人的詮釋，未必能反映當時的學術思想。此說與余英時大相逕庭。見氏著《史學九章》(台北：麥田出版，2002 年 12 月)，頁 311-343。

㊴ 轉引自胡適《章實齋年譜》，收在存萃學社編《章實齋年譜彙編》(香港：崇文書店，1975 年 10 月)，頁 110。

㊵ 同治十二年四月廿一日答文心書。

㊶ 王興國《郭嵩燾評傳》(南京：南京大學出版社，1998 年 10 月)，頁 170。

㊷ 光緒七年十二月十九日《日記》載「筠仙先又論我不宜不尊程朱，以爲啓後生無忌憚之漸，近似而非，不可與辨」，光緒八年二月三日日記又載「彭翁來，言外間以余毀程朱爲異端，宜切戒之」，可見王反宋學受到時人的批評。

學，放溢禮法之外，亦恐足以貽誤人心風俗」㊸。章氏則是維持宋學的㊹。

章氏與王氏的時代氛圍也有不同，章固然在考據學籠罩之下，處於「狐狸」環伺下必須對自己「刺蝟」的專長有所突破，他採取的是與主流學術正面交鋒對抗，但王認識到學術取向的爭執背後，一旦涉及政治的牽連，就難有理性的對話，所以王寧可採取「若即若離」徘徊觀望的態度，使自己處於「無可無不可」的境地，以避凶險。觀王氏給他的學生彭麗的復信云：

> 循誦復書，慨然有志於本朝經學之編，某舊亦聞緒論，而以爲知言矣。但經書須有師承，自通志堂之集爲世所訾，阮集出而又變本加厲，矯枉而過直，今欲求諸老生能發明師說之書，杳不可覯，唯小學有佳者耳，豈得爲鴻篇鉅製邪？大作《易集說》近之，猶嫌有所去取，某將俟弟子有特達者，各治一經，皆以集解體爲之，非十年不能辦。孤身在蜀，捨己云人，又無此心緒，田光所爲發慨於消亡也。……

這封婉拒的信，寫得情文並茂，辭眞意切，表明了他似對經學整理編輯不願引發任何的糾葛，以納蘭性德、徐乾學《通志堂經解》與阮元《皇清經解》「爲世所訾」爲理由，以求自脫。因爲經學的漢宋、今古之爭在當時已不是單純的學術問題，已經與政治合流，稍有不慎，

㊸ 王興國《郭嵩燾評傳》頁 506。

㊹ 參見余英時《論戴震與章學誠》，頁 53-75，以及胡適《章實齋年譜》，頁 87 及 101。

勢必引發難以迴避的風險，在歷經官場往來的王湘綺，對此不能不保持高度的警覺性。

兩人的人生經歷也不同，王入世甚早，與當朝權貴交往密切，深諳官場逢迎，而且他又於地方上頗得人望，舉凡婚喪壽慶等文字應酬，他均能禮數周到，應付得宜，其於人情世故，交接往來，眞是如魚得水，遊刃而有餘地；而章則不然，除了少數至交之人如朱竹君、畢秋帆、邵晉涵等人之外，他的朋友並不多，又因學術氣味的不同，與當時主流社會扞格不入，而且個性孤高，自信心極強，對於學術見解的不同，往往堅持己見，絲毫無轉圜的餘地，所以只要賞識他的畢秋帆不在，章氏的支持就失去了依靠，不易在社會上圓融自處。試以修方志爲例，有時地方上人物會對相關先人的記載或體例有所意見，這其間的拿捏斟酌，就很費思量，也可以說是人際關係的藝術。如王氏自言主張「以詩詞不入志爲宜，特修《桂陽志》，爲人所牽，而載之〈小說篇〉」，明明與自己的理念不合，但迫於人事，也不得不遷就一方，另作調整，這完全可以看出王處世圓融的一面。吾人看章氏則不然，《湖北通志》受制於當權者的掣肘，需要大幅度改寫，甚至將章的體例完全廢棄不置，固強人所難，不甚合理，但有時僅僅是一字之改，章氏是完全不可妥協的。如對《湖北通志》的批駁意見中，擬將『政略』增加一字：

> 駁議政以人傳，非空名也，『政』下擬增『績』字。

章的回答是如此：

> 今按政略即他志之名宦傳也，因名宦與人物同名爲傳，嫌無賓

主之分，此係政事爲主，不顧其人生平，體與人物列傳本殊，故改其名曰略。而政之著者又不一端，故分經濟、循良、捍禦、師儒爲四篇，是略之爲言，乃書之一體，與紀、表、圖、考、傳等五類相似，恐『略』字之義欠明，不得已而加一『政』字，『政略』二字原是空名，其經濟、循良等略方是，分別標目，猶列傳字亦是空名，至張甲、李乙等傳方是，分別標目等耳。又鄉賢載人行事，事以人傳，故須題名，名宦止載政績，乃以政傳，不得謂『政以人傳』也。且凡史志諸書分體，有以一字名者，紀、表、志、傳、譜、略、圖、考之類是也，有以二字名者，本紀、年表、世家、列傳之類是也，此外實無以三字定一體者，如加一『績』字，於名未稱於實，亦與下分經濟、循良等目相重複矣㊺。

又說：

此略之例，以政爲主，前人官於楚者，苟無在楚之政，雖諸葛、關張，亦著名於表而不入略㊻。

由上引錄文字，可以說對學術價值信仰堅持，具體而微的反映。雖是僅僅一字之差，實已牽涉到章氏對方志人物列傳的認知，與其素所主張的撰寫理念體系，他無法接受一字之增減，堅持自己的信仰，與王氏格於形勢而調整，可說是迥然不同，大異其趣。此章實齋所以爲章實齋，必需在此對照之下，方足以突顯其特性。

㊺ 《章氏遺書》，冊二十二，頁四十二下至四十三上。

㊻ 《章氏遺書》，冊二十二，頁四十三上。

該說明的，他們兩人皆受到劉知幾史有三長的啓發。王湘綺對唐代劉知幾所言史有三長「才、學、識」的見解，頗爲傾服，所以在回答學生問『讀史修史之法』，有言「如欲修史乃言三長，則平昔論之屢矣，班書有學無識，范書有識，《南齊書》亦有識，《宋史》最蕪，而〈范仲淹傳〉獨有識，《金史》亦不足言，而〈食貨志〉有學，《明史》無學識，而文獨雅，是亦有才。宋、魏書成於一人」㊼，以「才、學、識」來評騭史籍，這可以看出劉知幾的影響。章實齋也說「記誦以爲學也，辭采以爲才也，擊斷以爲識也」，而這並非是「良史之才學識」，因此進一步有〈史德〉篇之作，史德者何謂，「著書者之心術也」㊽。這也是明顯接著劉知幾所言史有三長「才、學、識」之後說的。

（二）方志觀點的同與異

王氏言「禹貢別爲一學，而統之書，蓋政事莫大於地形，方志圖經，書之支流也，自來以繼《春秋》，司馬子所謂謬矣。且其序曰堯舜之盛，《尚書》載之，禮樂作焉，湯武之隆，詩人歌之，廢明聖威德而不載，滅功臣賢大夫之業不述，墮先人所言，罪莫大焉，故史者，詩、書、禮之流，非《春秋》例也。縣志同乎國史，而昧者以爲有褒貶刺譏，故汨清薄厚」㊾，這是明顯以司馬遷爲取法對象，史學任務

㊼ 《王志》卷二，見《湘綺樓詩文集》頁 552。

㊽ 〈史德〉篇見《文史通義》內篇。

㊾ 《湘譚縣志》頁 799-800。值得注意者，《衡陽縣志》卷第十〈藝文第九〉將縣志列入《春秋》類，有言「春秋者，右史記事之書，其在古國史，即今州縣志書，而義法不同，然地志雖不載王政，特意有所避，此孔子所以微言

是要表彰明聖威德、功臣賢大夫偉業、先民嘉言懿行，並非有《春秋》的「褒貶刺譏」，所以「縣志同乎國史」。《湘潭縣志》序有意識地以司馬遷爲模仿的典範㊿，司馬遷是他欣賞的人物[51]，這點與章氏是一致的。不過，對於人物褒貶問題，章氏以爲「見於史者有褒貶，而方志或於本史之傳，則錄褒而去貶」[52]，王則說「昧者以爲有褒貶刺譏」，二者是根本不同的。

對纂修地方志設立志局採訪，章氏是很重視的，在《文史通義》屢屢提及，強調常設的重要作用，而王氏纂修《湘潭縣志》的實際經驗，對於「志局采訪草率，眾皆以爲固然」，他有很深刻的概歎[53]。這點可以看出章氏從實踐中昇華的經驗之言，不是沒有道理的，王氏《湘綺樓日記》雖未見對此有何評論意見，但可以推測必要引以爲知言。

章氏在《校讎通義》提出了「互著」與「別裁」的觀念，前者主張一書有兩用，可兼收並載，不以重複爲嫌，後者主張一書得裁其篇

者；至其敘人物、述官師，何異左氏之所傳乎？其後班氏述漢事，而取司馬百三十篇，附之春秋，故經史之同條，允矣」，其觀念與此不同，這可見王氏對《春秋》實無定見，思想飄忽演變的軌跡。

㊿ 光緒十五年五月廿四日很滿意《湘譚縣志》序的成功「作縣志序，一筆寫成，所謂如數家珍，蓋此等文，本吾專門也」，廿六日透露取法司馬遷「作志序成，前直敘事，後乃爲韻語，又別一體，亦學史記也」。

[51] 趙爾巽等撰《清史稿》不把王湘綺歸入『文苑列傳』，但劃入『儒林列傳』二百六十九，並說其爲文，「記事之體，一取裁於龍門」云，可謂卓識。見北京中華書局點校本《清史稿》頁 13300。

[52] 《湖北通志》傳五十三。

[53] 光緒十三年十月朔日《日記》。

章，別出門類，以辨著述源流。這種「部目互見」與「裁篇別出」的觀念，在《和州志》也有極力的強調，前已論之，毋庸重述。王氏《湘潭縣志》也使用這種著錄的方式，如卷十〈藝文第十〉舉《孝經》書目有十家十二部，茲抄錄如後：

> 孝經考論　張九鐔撰
>
> 孝經古注輯述一卷　王榮蘭撰
>
> 五經經義　王應中撰　應中有傳
>
> 十三經源流一卷　曾鈞撰　鈞有傳
>
> 十三經質疑　夏大觀撰
>
> 經訓菑畬八十卷　王榮蘭撰
>
> 綠漪草堂經說八卷　授經私省錄　羅汝懷撰
>
> 四書解義　吳映京撰
>
> 四書偶舉　朱色撰
>
> 四書博義七卷　趙世迥撰
>
> 四書釋地參訂一卷　易愼俊撰

接著王氏說：

> 《孝經》通論大義，故凡通釋諸經者附焉。《孝經》家以明義，《爾雅》家以釋文，皆總賅六藝，紀綱群籍，張、王專釋《孝經》，俾漢注粲然，諸儒承宋學治四書，意主通大義，從類附焉[54]。

---

[54] 《湘潭縣志》頁 799-780。

除了評騭諸家短長，以明其學術趨向之外，王深知「《孝經》通論大義」，可以不必單行，「凡通釋諸經者附焉」，所以有些書雖無《孝經》之名，《孝經》卻在其中矣。此亦是「別裁」之例。另外有一種是作者著作多種，統說一名，但以學術類別而分劃入各部，如卷八〈蔡尹王列傳第十六〉說王榮蘭「凡所著數十種，號《石山全書》，具藝文篇」云[55]，今翻檢卷十〈藝文第十〉，方知王榮蘭著作各名稱[56]，且歸入不同學術門類之中。

司馬遷創作《史記》描寫人物事件，在敘述取捨，分寸拿捏，有時以「語在某某事中」帶過，以經濟篇幅，避免重複，讀者得互相對讀，才能明白整體事件的來龍去脈，這種撰寫方法，就是「互見」[57]。

---

[55] 《湘潭縣志》頁 652。

[56] 王榮蘭著作各名稱，尋索〈藝文第十〉有《詩義商二十卷》、《韓詩經考二十八卷》、《漢制改遺四卷》、《三國職官志二卷》、《春秋雜記二卷》、《左氏義箋十卷》、《春秋世族譜校補三卷》、《春秋世表二卷》、《帝繫釋一卷》、《古史新編》(殘卷)、《季漢記三十卷》、《楚後檮杌十三卷》、《論語集義二十九卷》、《孟子集義十四卷》、《孝經古注輯述一卷》、《經訓菑畬八十卷》、《緝雅二十八卷》、《辨名十卷》、《六朝發潛二卷》、《伊洛淵源遺錄二卷》、《三餘齋筆記》、《農言八卷》、《湖湘舊聞》、《庶物疏十二卷》、《廣聖師錄》、《史記義林三卷》、《漢書釋訓二卷》、《後漢書注補遺一卷》、《後漢書刊誤三卷》、《三國志決疑四卷》、《晉書志疑二卷》、《諸史卮言六卷》、《養虛軒詩四卷》、《石山居士集二卷》、《詠史詩一卷》、《歲時雜記》、《海國紀略二卷》等三十餘種。

[57] 如《史記》卷五十五〈留侯世家第二十五〉言韓信破齊而欲自立爲王，漢王怒，張良說漢王，「漢王使良授齊王信印，語在淮陰事中」，再翻檢卷九十二〈淮陰侯列傳〉有載張良、陳平躡漢王足，因附耳語云云，如此，韓信如何立爲齊王的經過才完整。

章實齋與王湘綺均善於模仿此種寫作方法，如《和州志》之〈列傳第二十三前志〉云「其戴本孝、成性、馬如融自有傳，項錫允見闕訪傳」[58]，《湘潭縣志》卷八〈李騰芳列傳第十三〉云「其徵丁、加餉諸議皆有益民生，達於志體，語在賦役篇」[59]，卷六〈賦役第六〉稱石崙森「以生員興大獄，湖南貪吏皆戰栗，後卒殺之，語在其傳」[60]，都是明顯例子。

另外，兩人皆重視地方文獻，王乘船往來四川、湖南之際，會把《水經注》帶著涉覽，以考察古今水路的變遷遺跡，到四川講學，會留意宋人小說記載當地的風土人情，也查看《四川省志》、《蜀志》等地方志書。

以上僅舉幾個較顯著的觀念，讀者當能觀察到兩人有驚人的相似面向，而其實二者還有相當多共通的見解，如傳記講究名實相符、皆對列女不單是表彰節烈而已等，因限於篇幅，就不一一徵引論證。

最大的歧異點是「合體」與「文徵」。王不同意章別立「文徵」一門。章以爲不能併入方志而有裨益文獻者，以類相從，別析爲奏議、徵實、論說、詩賦，總稱爲「文徵」，可與方志並行。翻檢現本《湘潭縣志》內容，卷二〈建置第二〉秦鎔之『縱修縣城記』、李騰芳之

[58] 《章氏遺書》外編卷十八頁六十八。按，今見《和州志》，戴本孝見列傳第十二、成性見列傳第十一、馬如融見列傳第十二，而項錫允在〈列傳第二十二闕訪〉並未尋得其傳，足見此篇列傳爲殘卷，但不影響本文觀點。

[59] 《湘潭縣志》頁645。李騰芳徵丁、加餉諸議，見《湘潭縣志》頁526-527，如此一來，事件可以完整呈現。

[60] 《湘潭縣志》頁529。石崙森被殺始末，參見《湘潭縣志》頁649〈石萬程列傳第十四〉，則可清楚瞭然。

『半邊街砌石記』與『行戶馬議』等文[61]，還有卷七〈禮典第七〉[62]之『名宦祠祝文』、『節孝祠祝文』、『陶公祠祝文』以及湖南巡撫陸費瑔『題爲捐建書院詳請議敘事』[63]，實有裨益於文獻，但王氏不取另立「文徵」方式，而是以雙行小字附後處理之。又卷六〈賦役第六〉有明代李騰芳徵丁議[64]、倡議增餉上書巡撫[65]，前者採用雙行小字附後處理，後者逕引錄上書全文在正文之中，接著王氏云「迄今九釐承爲正餉，而所言長沙田糧腴瘠，今昔迥異，聊存其言，記當日民隱焉」，足徵有必要引錄全文。另外，卷九〈五行第九〉道光十四年夏載：

> 霪雨兩月，大水壞民居，知縣葉攀麟捐廉俸發賑。民誦之曰『水上樓，百姓愁，水上星，百姓哭，一葉扁舟來活佛』[66]。

這就是王氏所謂的「佳文要語」。又卷八〈列傳第三十三〉載黎光曙事逕將詩句入傳中：

> 曙少穎慧，神鋒雋上，才麗思捷，兼通訓詁，時有所作，輒出人意外。道光中，官翰林編修，兩爲同考官，改官御史補江南道，陳諫西洋互市章十數上，政府不悅。父喪，服除，補山東道，再上封事不報，軍機大臣穆彰阿諷其歸，遂更請假，賦詩

---

[61] 《湘潭縣志》頁 422、頁 423、頁 425。

[62] 原作「禮典七」，失校「第」字，今據補。

[63] 分見《湘潭縣志》頁 535、頁 536 以及頁 538-539。

[64] 《湘潭縣志》頁 526-527。

[65] 《湘潭縣志》頁 527-528。

[66] 《湘潭縣志》頁 792。

別京邑同好。其時秋九月也。首句曰『寒蟬已無聲，楚客今當歸』，和者雖多，蘊藉莫能及也[67]。

這就是王氏所謂的「佳文要語」。又卷八〈方技內傳第五十一〉載「同時又有盧士衍，字源一，謫官建州，遁跡頭陀，自言姜姓，其子求之，得於衡山佛舍。自是往來湘潭，不常厥處，人皆稱道泉盧頭陀，元稹贈詩推種之」，接著照錄〈元稹盧頭陀詩序〉全文，但以雙行小字行之[68]，這亦是王氏所謂的「佳文要語」。以上幾種類型，顯示王氏自言詩詞不入志，「他日修志仍不選詩，自餘佳文要語各附本傳，乃合體矣」，這是完全能夠實踐自己的主張，以「合體」方式來取代「文徵」。

（三）王自視甚高，目空一切

透過以上的觀察，兩人對地方志的見解，相同之處極多，而且王湘綺很多的主張並沒有超越章實齋的格局[69]，所以依筆者看來，王對章的譏評「不過一秋風客」，很可能是性格孤高的心理反映，未必眞正是客觀的學術品評。從日記顯示，王湘綺他本人自視甚高，很多有

---

[67] 《湘潭縣志》頁 692。

[68] 《湘潭縣志》頁 744-745。

[69] 黎錦熙曾評王氏的《湘潭縣志》「超俗擬古，竟在章氏之上」，這話是經不起檢驗的；黎錦熙又說「民初入北平，教育部之圖書室承清末學部之所藏，全國各省道府州廳新舊方志殆無不備，一一覽之，其修於章氏前者，眞多不成東西，無怪章氏之奮起而改革也，修於章氏後者，又絕少能實行章氏之計畫」云云，可見仍肯定章實齋大家的地位。以上引文見氏著《方志今議》(長沙：商務印書館，民國 29 年)，自序。

名望的學者根本看不在眼裡，例如他讀了王船山的《中庸衍》，譏鄙爲「豎儒淺陋可憫」(70)，對胡渭的《禹貢錐指》與附圖，評爲「書生故紙，可憫」(71)，趙翼的集子看過後，頗爲不屑，以「可笑人也」置之(72)，看江聲《尚書集注音疏》，則當作「眞大笑話」(73)。又他爲邵懿辰《尚書通義》寫序，認爲其書無用不足觀，故不用己名(74)。這種恃才傲物、目空一切的態度，他亦有自知之明，只不過他「習氣不能改」(75)。

而耐人尋味的是，王氏批評章氏的同時，有一段話不經意流露出他對《桂陽直隸州志》中的〈小說篇〉很不滿意：

> 余以詩詞不入志爲宜，特修《桂陽志》，爲人所牽，而載之〈小說篇〉。他日修志仍不選詩，……

翻檢《桂陽直隸州志》第十五篇第三卷，其中有「今總次爲三目，一曰伽藍記，二曰軼事，三曰賦詠，以爲小說篇」，在第十五篇〈敘志〉亦云「小說稗記，漢京所珍，子建天材，口說千言，桂陽諸神怪方外清譚之資，不可闕，作小說篇」，不難得知其〈小說篇〉的內容爲何了。以王氏如此自負的人，爲何在批評章實齋的同時，卻有「不經意」

---

(70) 光緒四年三月二日《日記》。
(71) 光緒四年九月十日《日記》。
(72) 光緒五年五月十一日《日記》。
(73) 光緒元年十一月二日《日記》。
(74) 光緒二年十月十六日《日記》。
(75) 光緒九年九月廿日《日記》云：「易笏山日記喜自罵，余日記喜自贊，亦習氣不能改者」。

流露「爲人所牽」的諉過話呢？把章氏的集子再好好重讀，我找到了這樣的話：

> 州縣文徵，選輯詩賦，古者國風之遺意也，舊志八景諸詩，頗染文士習氣，故悉刪之，所以嚴史例也[76]。
>
> 俗志附會古蹟，題詠八景，無實靡文，概從刪落[77]。

王氏既反對「文徵」，但《桂陽直隸州志》內〈小說篇〉正好出現很多「附會古蹟，題詠八景」的現象，要如何自圓其說呢？我相信至少在他看到「頗染文士習氣，故悉刪之，所以嚴史例」云云的批評，內心深處一定是很不自在的，所以有「爲人所牽」的諉過話，而這點也說明了章的見解在某個層次上，王是首肯的。果然在仔細觀察以後的《衡陽縣志》與《湘潭縣志》，就沒有這類單獨成卷的文字了。這點是章對王的影響。因此，王對章貶抑「不過一秋風客」的評語，只是個人爭勝的意氣話而已，並無損於章對方志理論建立的貢獻，而王對方志纂修追求精益求精的進步歷程，也是很值得我們稱揚的。

---

[76] 見〈永清縣志文徵序例〉之〈詩賦敘錄〉。

[77] 見〈爲畢秋帆制府撰常德府志序〉。

附論：以章學誠致孫淵如書札修正胡適《章實齋先生年譜》的一條舛誤

章實齋纂修《湖北通志》始於何時？胡適作《章實齋先生年譜》有曖昧不明的說辭，態度閃爍不定。在「乾隆五十八年癸丑（一七九三）先生五十六歲」條，先是說：

> 是年有〈與廣濟黃大尹論修志書〉（據〈內藤目〉，題下有『癸丑錄存』四字）。自壬子以來，先生任《湖北通志》事[78]。

接著又說：

> 《通志》（能按：以下均指《湖北通志》）不知起於何年；按先生代畢沅作《通志序》，所說年代，甚不分明。初看來，好像《通志》始於乾隆五十四年己酉；但下文又說『凡再逾年而始得卒業』，據此，則又似《通志》始於壬子。先生壬子任《志》事，屢見於《遺書》中，如〈李清臣哀辭〉、〈孝義合祠碑記〉等。以『再逾年』之語推之，當成於癸丑、甲寅之間[79]。

在「乾隆五十九年甲寅（一七九四）先生五十七歲」條，又繼續說道：

---

[78] 《章實齋年譜彙編》，頁 150。

[79] 同前揭書，頁 151。

是年《湖北通志》脱稿[80]。

按照胡適這樣的說法，《湖北通志》撰寫時間有兩種可能，一是始於乾隆五十四年己酉（一七八九），另一是始於乾隆五十七年壬子（一七九二），最終完成於乾隆五十八年癸丑（一七九三）、乾隆五十九年甲寅（一七九四）之間，或是乾隆五十九年甲寅（一七九四）年，二說相差了整整三年，出入如此之大，不能不說是一大疏失。其後姚名達對胡適的《章實齋先生年譜》有很多的不滿意，特編撰《會稽章實齋先生年譜》，其中對《湖北通志》撰寫時間提出另一看法，以為乾隆五十七年壬子（一七九二）章實齋主修《湖北通志》[81]，而把完成時間明確繫於乾隆五十九年甲寅（一七九四）[82]。

胡適彼時在材料未完足的情況下，只能有此不得已的推測語，吾人可以寄予同情的理解，但對於章氏如此重要的史學家而言，《湖北通志》是他晚年的得意之作，竟不能確切知悉其創作年代，又未嘗一大憾事？姚名達的意見也有一定的參考價值，在沒有肯定的新資料佐證之情況下，只能略存其說。

幸好，後世陸續公佈的文獻材料，使得這一樁公案有進一步明晰的機會。毛澤東的秘書田家英生前雅好蒐集近代名人書札墨跡，其身後由文物出版社出版《小莽蒼蒼齋藏清代學者法書選集》一書，其中有一通〈章學誠致孫淵如書札〉，可能有助於解決胡適疑而未決的問題。先照錄原信內容，試讀於後：

---

[80] 同前揭書，頁 152。

[81] 同前揭書，頁 223。

[82] 同前揭書，頁 224。

學誠頓首奉書

淵如觀察大人閣下：丁未杪冬，長安街上，拱手爲別，轉盼十年，雲泥愈遠，則音問愈疏，每望北風，輒深延跂也。前聞分藩兗沂，風清齊魯，詩書雅化，倡動列城，政理多暇，遊心文墨，導率賓從，補苴宇宙間絕大著述，度此後十年內外，壇坫繼武弇山，使海內人士以爲如彼教之傳鐙不斷，豈非一時之盛事哉？雖然，不可以不愼也。吏治民生，簿書案牘，鴻纖委折，必有得其肯綮，使若庖丁遊刃而後心有餘閒，乃行遂其千秋之業。鄙嘗推論古今絕大著述，非大學問不足攻之，非大福澤不足勝之，此中甘苦，非眞解人，不能知也。鄙人楚遊，前後五載，中間委曲，一言難盡。大約楚中官場惡薄，天下所無，而遊士習氣亦險詐相傾，非　弇山先生定識不搖，則積毀銷骨，區區無生全理矣。《湖北通志》體大思沈，不愧空前絕後之目（弇山先生云尒），而上自撫藩，下至流外微員、標營、末弁，莫不視爲怪物，天下眞是眞非，誰與辨之？其創條發例，不但爲一省裁成絕業，亦實爲史學蠶叢開山，如　弇山先生征苗奏凱，仍還武昌，此事尚可申白，否則惟懇祖方伯（敝同年）鈔一副本寄京，知必有賞音者矣。昔兗沂曹龔觀察曾以三府合志見示，其意甚善，而書不甚佳，豈椎輪初試，待賢觀察爲踵事之華、我輩得與聞討論乎？如何如何，幸熟圖之。《史考》底稿已及八九，自甲寅秋間，　弇山先生移節山東，鄙人方以《通志》之役羈留湖北，幾致受楚人之鉗；乙卯，方幸　弇山先生復鎭兩湖，而逆苗擾擾，未得暇及文事，鄙人狼狽歸家，兩年坐食，困不可支，甚於丁未扼都下也。今遣大兒赴都，便道晉謁

鈐閤，幸推

屋烏之愛，有以教之，無任感荷！日內俗冗紛擾，一切不及詳悉，但令兒子面陳，可識數年來筆墨所不盡之悰也。近刻四卷附呈

教正，本不自信，未敢輕災梨棗，無如近見名流議論，往往假藉其言，而實失其宗旨，是以先刻一二，恐其輾轉或誤人耳。賢之想拊掌也。章學誠載拜

三月十八日燈下[83]

由這通文情並茂的手札，透露了許多訊息，先說撰寫時間。首言「丁未杪冬，長安街上，拱手爲別，轉盼十年」云，「丁未杪冬」，是指乾隆五十二年丁未臘月（一七八八），兩人互相告別，如今十年已經匆匆而逝，所以寫這通書信應是嘉慶二年丁巳（一七九七）三月十八日。

其次，手札也告訴我們，章氏爲了撰寫《湖北通志》，淹留湖北前前後後有五年之久，但並不如意，必是飽受世態炎涼，人間冷熱，所以說「中間委曲，一言難盡」，而幸好畢沅的理解與有力支持，是精神上極大的鼓舞，「非弇山先生定識不搖，則積毀銷骨，區區無生全理矣」，則對伯樂賞識感恩之情，溢於言表。章氏並沒有辜負畢沅識人之明，「《湖北通志》體大思沈，不愧空前絕後之目」，「其創條發例，不但爲一省裁成絕業，亦實爲史學蠶叢開山」，這完全是充滿自信的豪壯語，多麼躊躇滿志！此時《湖北通志》已經完稿，他很希望畢沅能夠早日看到，「征苗奏凱，仍還武昌，此事尚可申白」，

---

[83] 小莽蒼蒼齋、中國歷史博物館編《小莽蒼蒼齋藏清代學者法書選集》（北京：文物出版社，1995 年 5 月），彩色圖版第四十六件。

如果不能夠，只有請人「鈔一副本寄京，知必有賞音者矣」，把畢沅、孫淵如視爲可以言說的知音。

另外，在十年未見面期間，章氏也說在乾隆五十九年甲寅（一七九四）秋間，畢沅移節山東，方以《湖北通志》之役羈留湖北，幾致受楚人之鉗；乾隆六十年乙卯（一七九五），畢沅復鎭兩湖，而逆苗擾擾，未得暇及文事，章氏狼狽歸家，兩年坐食，困不可支，甚於乾隆五十二年丁未（一七八七）扼都下。

又此信，章氏明言「鄙人楚遊，前後五載」，留在湖北五年，正是爲了《湖北通志》事，乾隆六十年狼狽歸家，而據今本《章氏遺書》卷第二十四《湖北通志檢存稿一・食貨考》（頁二十九）云：

> 方志自來不載物價，茲取各屬市集百貨時價，約分爲貴、賤、平三等，以乾隆六十年歲次乙卯爲率，將來或至十年、若二三十年後人修志，再取彼時價值與今相比次接續而書，庶俾後人得考求焉。

則乾隆六十年乙卯物價猶得記載。細讀〈食貨志〉文字，雖有未完足之感，但這段文字擬載物價，乃章氏特殊洞見，應是值得採信的。

綜合上述的討論，吾人可以明確知道，章實齋前後花了五年的時間醞釀、創作《湖北通志》，終於乾隆六十年乙卯（一七九五）或之後完成，胡適所謂「當成於癸丑、甲寅之間」，或「乾隆五十九年甲寅（一七九四）先生五十七歲」條所說「是年《湖北通志》脫稿」，均不可信；而《湖北通志》撰寫不可能始於乾隆五十四年己酉（一七八九），應在乾隆五十七年壬子（一七九二）方有可能。如此一來，胡適七十餘年前的疑問、猶豫，當可以渙然冰釋矣。

章學誠與內藤湖南

連清吉*

提　要

內藤湖南以為章學誠的學問雖淵源於劉向、劉歆、劉知幾、鄭樵，卻有其獨自透徹而發前人未發的見解，又以章學誠所標榜的史學，乃以方法論的原理來探究所有的學問，《文史通義》在辨彰學術考鏡源流，《校讐通義》則用心於著錄的方法與校讐的條理，即以歷史流變的著眼，從根本架構系統性的學問，誠有其獨特的見解，乃闡揚章學誠的史學於日本的學界，進而以章學誠史學方法論的獨見，樹立「通變史觀」，探究東亞文化史學的究竟。

關鍵詞　章學誠　內藤湖南　獨斷之學　道器論　六經皆史
通變史觀

---

*　日本長崎大學環境科學部副教授

前言：內藤湖南研究章學誠史學的因緣

內藤湖南的學問淵源於中國的史學傳承，其以司馬遷的「通古今之變，成一家之言」爲史學的究極，又以劉向、劉歆父子辨章學術考鏡源流的目錄學爲史學的方法，劉知幾所謂才學識的兼備是鑽研歷史的素養，章學誠的「獨斷」是成就論理性史觀的原動力❶。內藤湖南以爲章學誠的學問雖淵源於劉向、劉歆、劉知幾、鄭樵，卻有其獨自透徹而發前人未發的見解，又以爲章學誠標榜史學，而以方法論的原理來探究所有的學問，《文史通義》在辨彰學術考鏡源流，《校讐通義》則用心於著錄的方法與校讐的條理，即以歷史流變的著眼，從根本架構系統性的學問，則是無以倫比的卓見。於是通讀《章學誠全集》及全集未收的《遺書》，編纂〈章學誠年譜〉，❷參究清人與時人，

---

❶ 內藤湖南之以《史記》爲史學究極的論述，見於所著《支那史學史・史記》，（收載於《內藤湖南全集》第十一卷，頁106～121，東京：筑摩書房，1969年11月）。至於劉向、劉歆父子的論述，則見於《支那目錄學》，（《內藤湖南全集》第十二卷，頁369～389，東京：築摩書房，1970年6月）。又有關劉知幾與章學誠的論述，則見於〈章學誠の史學〉，（《支那史學史・附錄》，收載於《內藤湖南全集》第十一卷，頁471～483，東京：筑摩書房，1969年11月）。

❷ 內藤湖南於大正九年（1920）十一、十二月編纂〈章實齋先生年譜〉（刊載於《支那學》第一卷第三、四號），胡適參採校注內藤湖南的〈章實齋先生年譜〉、內藤湖南所藏未刊《章氏遺書》的目錄及數篇遺文而編纂〈章實齋年譜〉。內藤湖南亦撰述〈胡適之君の新著章實齋年譜を讀む〉（收載於《支

如張爾田、孫德謙、胡適、劉咸炘、姚名達等的研究，闡揚章學誠的史學於日本的學界，進而以章學誠史學方法論的獨見，樹立「通變史觀」，探究東亞文化史學的究竟。❸

一、內藤湖南對章學誠的理解

一般以爲章學誠是史學家，但是內藤湖南主張章學誠的學問宗尙在於文史的研究。所謂「文史」是指涉著述的全體，由《唐書·藝文

那學》第二卷第九號，大正十一年五月），條舉胡適糾謬匡正補苴遺漏的所在，指摘胡適〈章實齋年譜〉的可疑之處。內藤湖南又指出浙江圖書館出版的《章氏遺書》活字本二十四卷與其所藏版本大抵相同，唯其所藏《章氏遺書》有王宗炎所編的目錄，王氏目錄包含已刻《文史通義》各篇的目錄，可窺知章學誠著述的全貌，但是浙江刊本僅記載新刊的目錄而刪除已刊舊編，誠有不明王氏原編面目的遺憾。

❸ 內藤湖南闡揚章學誠史學的用心，見載所著〈章學誠の史學〉（《支那史學史·附錄章學誠の史學》，收載於《內藤湖南全集》第十一卷，頁471～472，東京：筑摩書房，1969 年 11 月）與《支那史學史·清朝の史學》（收載於《內藤湖南全集》第十一卷，頁 361～368，東京：筑摩書房，1969 年 11 月。）本文所論內藤湖南對章學誠史學的理解，大抵根據〈章學誠の史學〉一文。島田虔次於〈歷史的理性批判—六經皆史の說〉（岩波講座《哲學》第 4 卷，1969 年）〈章學誠の位置〉（《東方學》1974 年，後收入《中國思想史の研究》，京都大學學術出版會，2003 年 3 月）指出章學誠的「六經皆史」是「考證學的哲學」，其史學是「性情自得的史學」，其學問則是繼承王陽明的「浙東之學」。雖說「博約」而「約優於博」，繼承陽明心學而成就「獨斷史學」。內藤湖南的「通變史觀」即以章學誠「博約說」與「獨斷史學」爲根底，在博通的基礎上，洞察歷史轉變的關鍵，架構其具有獨見的史觀。

志》〈文史類〉所歸屬的書目看來，「文史」是指廣義的文學評論，因此，所謂「文史通義」即著述批評的原論。至於表現著述思想的首要關鍵則是「道」。章學誠在《文史通義·原道上》強調「道」是：「萬事萬物之所以然，非萬事萬物之當然也。人可得而見者，則其當然而已矣。」唯「人生有道，人不自知，……則必有分任，……或各司其事，或番易其班」，而後道著。雖然如此，卻有「不得不然之勢也，而均平秩序之義出矣。故道者，非聖人智力之所以能爲，皆其事勢自然，漸形漸著，不得已而出之」，於是「道」乃逐漸發展形成。以「道」的形成軌跡推論歷史的發展，則歷史的發展亦是「時會使然」。章學誠說：「法積美備，至唐虞而盡善焉。殷因夏監」，至周公而大成。然周公之「集千古之大成，則亦時會使然」。至於孟子雖稱孔子集大成，實則孔子乃大成周公之道，而以「盡其（周公）道以明其教」爲宗尚。欲彰明周孔之道的由來，則需辨明「道」與「器」的關係。

（一）道器不離說

《文史通義·原道中》說：「《易》曰『形而上謂之道，形而下謂之器』，道不離器，猶影不離形，後世服夫子之教者自六經，以謂六經載道之書，而不知六經皆器也。」內藤湖南推衍章學誠的論述說：《六經》是古代聖人的前言往行，既是前言往行則皆以器而存在著。換句話說記載前言往行是《六經》，則六經所具存的道，皆因器而體現。古代以器立教，而政教不分官師合一，學問由政治的形器而表現，學者亦以器而進道，器之外無道，故以器而體得其道。然周世衰微，政教分離，官師爲二，孔子乃以著述形器而欲教之，至是而以文字爲著述。以器形道是人間世界的本然，但是記載之於《六經》以後，則不能無所言，故孔子嘗感嘆地說：「予欲無言」（《論語・陽貨》）。至於孟子說：「予豈好辯哉」（《孟子・滕文公》）則是道器分離，道不以器現形，而由人稱道，故彼我之道分歧，乃有論辯的必要。雖然如此，《文史通義・原道中》指出：「夫子自述春秋之所以作，則云『我欲託之空言，不如見諸行事之深切著明』」，即孔子之道非徒託空言，而是以表現之於行事者為切要。至於孔子所謂的「行事」，即是古來的前言往行，而表現此「行事」的即是「史」。故內藤湖南彰明章學誠的論述說：章學誠所謂的學問即是史學，不是史學就不是學問。

《文史通義・原學上》說：「《易》曰『成象之謂乾，效法之謂坤』。學也者，效法之謂也，道也者，成象之謂。夫子曰：『下學而上達』，蓋言學於形而下之器，而自達於形而上之道也。」即以學於形而下之器，而達於形而上之道為學問目的與方法。至於如何知「成象」而模倣之，則在於「求其前言往行，所以處夫窮變通久者而多識之，而後有以自得所謂成象者，而善其效法也。」窮究前言往行的變遷是學問的目的，多識時代文化的異同而模倣自得則是學問的方法。只是後世道、教多歧，如儒家有「學而不思」而無所發明者，亦有「思而不學」而徒託空言者。諸子百家紛起亦如是。

內藤湖南以為道器不離，「道」與「學」一體，學問即史學是章學誠學問思想的宗尚，章學誠即以此主張評論《六經》及其他典籍。由於章學誠對古來著述批評的方法，有其獨特的見解，是經學史學極為重要的研究法。

（二）六經皆史

一般以為章學誠的「六經皆史」是將聖人立言的經典與後世學者

文人編纂的史書置於同一地位，內藤湖南則強調章學誠「六經皆史」的本義在「六經皆先王之政典型」，即《六經》皆記錄古來的前言往行，亦即記載聖人之道的形器。《文史通義·易教上》說：「易象亦稱周禮，其爲政教典章，切於民用，而非一己空言。」又《文史通義·言公上》亦說：「古人之言，所以爲公也，未嘗矜於文辭而私據爲己有也。……其道果明於天下，而所志無不申，不必其言之果爲我有。」即《易》乃周代禮儀之器用，《易》之所以尊者，乃記載古代聖人以之爲禮制之道具而傳遺法之書。換句說《易》乃記錄先王聖賢實際器用之書，有其歷史來歷，有載器明道之義，故尊之爲經典。至於揚雄《太玄》，司馬光《潛虛》雖是一家之言，於先王之道全無所得，亦不明古來憲章的究竟，徒爲以私意恣其說的「妄作」。

經典既有來歷，則其記錄亦有方法，故內藤湖南以爲《文史通義·書教上》所說的「三代以上，記注有成法，而撰述無定名，三代以下，撰述有定名，而記注無成法。夫記注無成法，則取材也難，撰述有定名，則成書也易，成書易，則文勝質矣，取材難，則僞亂眞，僞亂眞而文勝質，史學不亡而亡矣」，是探究歷史著述的方法與品評史書優劣得失的重要見解。「記注」是歷史資料的收集保存，旨在不忘前言往行，故必須建立如實記載事實的法則而無遺漏地傳諸後世。至於「撰述」是根據史料而製作史書，則需依據著述旨趣而正確地記述。如《尙書》的〈召誥〉〈洛誥〉意在記載周代奠都，乃摘取奠都的史料而爲著述，誠爲最適當的著述方法。〈康誥〉是天子分封諸侯而貽訓於後世，乃自記錄摘出有關封建諸侯的始末而爲著述。換句話說著述的體裁未必固定，其所根據的記錄非確定是不能成立的。然而三代以後，體裁雖有定式而根據的記錄卻未必確實，故不可信的歷史著述乃孳乳而生，故曰「三代以下，撰述有定名，而記注無成法」。雖然如此，三代以後的撰述良史皆未必有一定的體裁，每有別識心裁的所在。如《史記》於記述史事之後，存錄所據的原文，《通典》雖記述禮儀的變遷，而間雜禮論。《尚書》是記注成法的理想著述，《左傳》一變為編年，《史記》再變為紀傳，《左傳》以年月繫事而《史記》則以類例撰述歷史。《史記》記述古今的歷史而通觀古今的變遷，《漢書》但記劉漢一代的歷史，司馬光以編年體撰述《通鑑》，袁樞依《尚書》之舊而載記《通鑑紀事本末》。換句話說章學誠以為三代以後，史書著述的體裁多所變遷，其為良史者，要皆有別識心裁的主意，著述的體裁形式雖不一，正確記注與存其眞實的史學精神卻是大同小異的。《史記》之分別本紀、書、表、世家、列傳，不僅外在體裁形式有異，內容趣旨各有不同，記述的內容也極自由而無遵守定式的拘限，如〈伯夷列傳〉不只是記述伯夷的傳記，也是《史記·列傳》的總序。《通鑑紀事本末》雖只是記述《通鑑》記事的本末，就歷史發展而言，卻與《尚書》的著述旨趣相合。也與近代西洋歷史名著之以紀事本末為體裁的吻合。內藤湖南以為章學誠強調歷史著述要記注史實與存其指歸的論述，在一百五十年前即肯定《通鑑紀事本末》於歷史發展上的地位，的確有先見之明。

（三）獨斷史學

乾隆時代，時人每將馬端臨的《文獻通考》和鄭樵《通志》並稱，且多褒馬而抑鄭，如戴震即痛詆《通志》之失。❹然章學誠則尊鄭而

---

❹ 見《文史通義·答客問上》。

貶馬，其推崇鄭樵《通志》具有「卓識名理，獨見別裁」❺，雖「無考索之功，而通志足以明獨斷之學，君子於有取焉。馬貴與無獨斷之學，而通考不足以成比次之功。」❻是知別識心裁之獨斷之學的有無是章學誠褒貶史書的根據。故在歷史的撰述上，其以為浙東之修補舊史是整輯排比的史纂，浙西之考訂舊史是參互搜討的史考，二者皆非常史學。❼章學誠以為史學不只是收集史料或選擇史料，而是要有如何處理史料的「獨斷」。唯其所謂的「獨斷」並非空言空論，而是記注史實的客觀依據與存其指歸之「獨見別裁」兼備的史觀。其以《史記》《漢書》等家學撰述的史書是中國史學興盛的象徵，而唐代以後聚合多士的纂輯史書是中國史學衰微象徵的主張，即以著述之有無一貫的史學精神為根據的。由此可知考究歷史的源流變遷而成就其獨斷的一家之學是章學誠學問的宗尚，而此此通觀的獨斷也正是內藤湖南探究東亞文化史學的理論根據。

（四）方志學的重視

重視方志學是章學誠史學研究的特色之一，其於方志學的立論亦有別識心裁的所在而與戴震的主張有所差異。章學誠以為方志不僅是記載地理沿革而已，必須兼具「志」、「掌故」、「文徵」三者。《文史通義·方志立三書議》說：「凡欲經紀一方之文獻，必立三家之學，

---

❺ 見《文史通義·釋通》。

❻ 見《文史通義·答客問中》。

❼ 見《文史通義·浙東學術》。章學誠對浙東與浙西學術的批評，為內藤湖南論述清朝史學的根據。見其所著《支那史學史·清朝の史學》（收載於《內藤湖南全集》第十一卷，頁294～447，東京：筑摩書房，1969年11月）。

而始可以通古人之遺意也。倣紀傳正史之體而作志，倣律令典例之體而作掌故，倣文選文苑之體而作文徵。三書相輔而行，闕一不可」。內藤湖南推演章學誠的立論，說：「志」在逐時記載一代之事，「掌故」記錄政治上實際施行的法令公文等文書，「文徵」則蒐集與政治有關的詩文，撰述其他相關的叢話等，三者兼具的地方誌則猶如地域的文化史，為歷史研究不可或缺的重要史料，故章學誠於方志學的見解誠有其精闢獨到的所在。❽

（五）考鏡源流的目錄學

章學誠於校讐目錄學的立論能體現其學問的宗尚，故內藤湖南說校讐目錄學是其最卓越的研究。《校讐通義》所載「互著」、「別裁」的目錄學方法，「校讐條理」之校讐方法的建立，皆表現出其架構「史法」的用心。至於目錄學非唯存錄或排列書目的「部次條別」而已，「將以辨章學術，考鏡源流」（《校讐通義·敘》）的主張，更足以理解其以「通古今之變」為學問究極的旨趣。

內藤湖南綜括章學誠的學問說：章學誠是清朝浙東史學的大成者，其學問不在博識而在學問法則的建立，換句話說史法的架構是章學誠史學的眞髓，也是其有功於清朝史學的所在。唯章學誠的史學不是記錄事實的學問，其根本在於原理原則的樹立，雖可謂之為哲學的思惟，但是章學誠卻強調學問的根本不是哲學而是史學，所有的學問皆史學，沒有通變之史學意識的研究就不是學問。《文史通義》之窮

❽ 見《支那史學史·清朝の史學》，（收載於《內藤湖南全集》第十一卷，頁362～364，東京：筑摩書房，1969年11月）。

究於精密原理方法的架構，至近代西洋學問東漸以後，始爲中國學界體識其學術價值。就所有學術領域的研究而言，章學誠的學風至今依然有其「生命」存在，故有闡揚其學問宗尚於日本學界的必要，此乃論述章學誠史學的旨趣所在。

二、「通變史觀」是內藤史學的真髓

宮崎市定說：所謂「通」既是貫通的通，也是普通的通。如《通典》《通志》意味著是古今歷史的貫通及禮式的綜合，《通義》則是古今普遍通用的原理，《史通》的「通」或近於通義。《資治通鑑》本名《通史》，有供政治參考的通史之意。「通」一字最能表現內藤湖南的學問。❾桑原武夫則說：內藤湖南推崇劉知幾兼備才學識以爲史家之說，而以博學識見成就其「獨斷」的史學。❿雖然二者的指陳皆爲知人之言，實則內藤湖南以「通變史觀」掌握劃時代的關鍵，辨彰時代文化的異同，考鏡歷史的源流變遷，而成就「通古今之變」的史學。茲以內藤湖南的「應仁之亂是日本文化形成的契機」、「宋代爲中國近世說」、清代史學的變遷與發展、中國目錄學的發展、探究源流變遷的定位說等論述，探究其史學的究竟。

---

❾ 宮崎市定〈獨創的なシナ學者內藤湖南〉，《宮崎市定全集》24卷，頁268～271，東京：岩波書店。

❿ 桑原武夫〈《日本文化史研究》解說〉，（收載於內藤湖南《日本文化史研究》，講談社學術文庫77，頁174，東京：講談社，1985年11月）。

(一)應仁之亂是日本文化形成的契機

一般而言,應仁之亂(1467～1477)是在京都一帶所發生的歷史事件,是日本下剋上之黑暗時代的象徵。但是內藤湖南則認爲應仁之亂是日本歷史劃時代的關鍵,「日本的」文化都是應仁之亂以後形成的。就社會階層而言,日本各地的「大名」(即貴族)大抵是在應仁之亂產生的,在應仁之亂的百年間,日本各地陸續出現以貴族爲中心的集團,換句話說應仁之亂以後,日本社會產生新生「大名」貴族取代以皇族爲中心之新舊交替的現象。至於文化方面則有保存傳統文化用以流傳後世,進而作爲復興舊制規章之根據的努力,如一條兼良(1402～1481)撰述《樵談治要》《小夜の寢覺》《日本紀纂疏》,記載當時現存書籍的原始本末與信仰意識,不但可以窺知亂世的知識階層如何致力保存古代文化以流傳於後世的用心,而竭盡心力而保存的文化,則成爲豐臣秀吉平定天下以後,復興舊制的根據。至於蒙古襲來(1274、1281)得天神之助而免於戰禍,乃產生日本爲神靈之國與萬世一系的信仰意識,此一信仰意識也由於《日本紀纂疏》的傳世而爲後世之人所確信,於百年之後的元龜(1507～1573)天正(1573～1592)年間,神靈之國與萬世一系的信仰成爲日本統一的思想意識。再者,由於貴族階級與宗教團體爲了謀生,或進行知識的傳授,如《古今集》的傳授,或開放參謁與發行「具注曆」,結果原本是貴族所獨占的文化也逐漸擴大到民眾的傾向。又由於以傳授作爲生計營爲的手段,乃產生家學門派的傾向,此流派的意識成爲日本文化藝術傳播的規律。

內藤湖南將發生應仁之亂的足利時代(1336～1573)比對於中國的五代,是中世到近世的過渡期,貴族階級的知識文化逐漸擴大到庶民階層，神靈之國與萬世一系的思想統一，皆在應仁之亂以後萌芽，故內藤湖南主張應仁之亂不是日本黑暗時代下剋上的歷史事件，而是日本文化形成的契機。⓫

（二）宋代為中國近世說

在內藤湖南的時代，一般以爲唐宋是不可分割的時代，但是內藤湖南從政治、社會、經濟等文化現象，說明唐代是中國的中世，而宋代則是中國近世的開端。就政治史的發展來看，中國中世的君王雖然是共主，地方由中央政府派遣的官吏來統治，但是政治的權力大抵掌握在豪族貴族之手。再從社會史角度來看，中世時代的門第家世是貴族與庶民區別的判準，但是世襲貴族到了宋代則完全沒落，天子的權威也因而強大，形成君主獨裁，支配天下的時代。至於庶民的地位也有所推移，中世的庶民無異是貴族的奴隸，但是宋代以後，不但由於科舉取士，通過科舉即能獲得官位，又由於王安石的新法變革，庶民逐漸擁有個人的土地和財產，再加上都市商業的發達，庶民遂取得社會的市民權。再就儒家思想學術的流衍來看，漢武帝以後，不但以五經爲中心而展開經傳注釋的學問，亦重視師承的淵源。北宋以來，不但是開展出系統化的新儒學，也產生疑經的意識而未必墨守經師之說。在文學體裁方面，中世是詩的時代，近世以後則是散文的時代，庶民化的平話、說書乃因應而生。⓬就繪畫而言，六朝到唐代是壁畫

⓫ 內藤湖南〈應仁之亂について〉，《日本文化史研究》，講談社學術文庫 77，頁 61～87，東京：講談社，1985 年 11 月。

⓬ 以文化史的觀點區分中國歷史，進而論述中國各個時代的文化特色，參採內藤湖南〈《支那上古史・緒言》〉（收載於《內藤湖南全集》第十卷，頁 11

爲主，又以金碧山水是尚，到了五代宋代，則流行屛障畫一，又以墨畫爲多。而且宋代文人畫的興起，則象徵著由嚴守家法之畫工專擅而趨向表現自由意志之水墨畫。由於宋代的文化現象大異於唐朝，故內藤湖南主張宋代爲中國近世的開端。⑬

（三）清代史學的變遷與發展

一般而言，考證學是清朝學術的主流，清朝史學也頗受考證學的影響。唯內藤湖南以爲乾嘉考證學風之形成乃得力於楊愼以來，明末遺老顧炎武等人所提倡的考證學風與經世致用之類書的編纂方法。章潢系統性地搜羅群書而撰述《圖書編》不但是明代類書的代表，其材料的選擇與編纂的方法也是顧炎武《日知錄》的先驅。楊愼的博識與研究音韻、比較《新唐書》《舊唐書》的優劣而輕野史重實錄等學問性格皆與顧炎武、乾嘉學者的學問宗尚極爲相近。至於清初以迄乾隆期之以舊史修補與舊史考訂爲主體的史學則是顧炎武與黃宗羲的學問傳承。就此意義而言，清朝初期的史學是繼承明代中葉的學風而發展開來的。

乾嘉史學的特色是考證方法之運用於史料修訂上，浙東萬斯同以

～13，東京：筑摩書房，1969年6月），〈概括的唐宋時代觀〉〈近代支那の生活〉（收載於《內藤湖南全集》第八卷，頁111～139，東京：筑摩書房，1969年8月）及吉川幸次郎〈中國文學史敍說〉，（收載於《吉川幸次郎遺稿集》第二卷，頁3～23，東京：筑摩書房，1996年2月）。

⑬ 內藤湖南的唐宋文化論，見其所著〈概括的唐宋時代觀〉、〈近代支那の文化生活〉，（收載於《內藤湖南全集》第八卷，頁111～139，東京：筑摩書房，1969年8月）。

來的修補舊史一派即有整輯排比之考證學風的出現，至於浙西之舊史考訂一派則於舊史修補上進行考證校訂的工作，特別是錢大昕的史學，不但應用考證方法於史料研究而建立史學方法，更開創新的史學研究領域而改變乾嘉以後的史學風氣，可以說是具有清朝特色之史學的開創者。內藤湖南指出錢大昕精通數學與天文學，潛心於史料的判別與選擇，留意沿革地理的學問，並運用校勘學、金石學、經學於歷史的研究，因此宋代王應麟以來，明代楊愼、顧炎武的考證方法，至錢大昕而大成。

錢大昕之重視元代的歷史研究以後，清朝考證史學一派的學者，如祁韻士、張穆、徐松、何秋濤、洪鈞、李文田、柯劭忞等埋首於西北塞外的歷史地理的研究，中國史學遂有由中國史發展成東洋史的傾向，此爲中國近代史學的發展。再者，乾嘉以後，於考證史學確立之上，又有歷史研究的文字亦宜簡潔精鍊的風氣產生，特別是在地理志的撰述上，除了精詳的考證外，又形成以文學的手法撰寫地理志的體裁。換而言之，學問藝術化不但是中國文化的特產，也是中國近代史學的變化。

到了清朝末期，由於甲骨彝器的出土，遂興起古代研究的學風，即古史研究是中國現代史學的潮流。

乾嘉史學沿襲明末遺風而以舊史修補與考訂爲主體，錢大昕開啓元代歷史研究的風氣而促使中國史學有發展成東洋史之近代化的傾向，又由於甲骨鐘鼎的出土，遂興起古代研究的現代史學，此爲有清一朝近三百年的史學發展大勢。⓮

⓮ 內藤湖南於清朝史學的論述，見其所著《支那史學史·清朝の史學》（收載

（四）中國目錄學的發展

劉向、劉歆父子《七略》的旨趣在於辨析學問流派的異同，究明學術的沿革，爲中國目錄學的始祖。《隋書·經籍志》雖改以四部分類古今圖書，依然繼承《七略》《漢書·藝文志》的編纂宗旨，可以考知漢代以來學術發展的歷史，劉知幾亦以史學的觀點歸類史書爲六家。五代與趙宋的正史目錄頗爲粗疏，《舊唐書·經籍志》只記錄當時所見的書目，《新唐書·藝文志》也極爲粗略，唯《崇文總目》取法《隋志》的體例，既有書目解題，又留意學問的沿革，足以考見《隋志》以來學問與書籍的變遷。鄭樵的《通志·藝文略校讎略》雖不著錄書目的解題，卻以目錄爲專門的學問而致力於方法理論的建立。高似孫的《史略》則引述前人的議論或佚書的著錄而建立史學理論，王應麟的《玉海》雖是類書而《玉海·藝文志》則有說明現存與亡佚書目之關連性的所在。換句話說高王二人皆以學術的沿革爲目錄學的主旨，於佚書的研究方法尤有發明。《宋史·藝文志》甚爲雜亂，《明史·藝文志》則是只收集明朝一代書目的斷代式目錄，焦竑《國史經籍志》的分類不免雜亂，亦無解題，然著錄子目的總序，多少有留意學問源流的用心，頗爲《四庫全書總目提要》的序論所採錄。《四庫全書總目提要》是清朝文化的代表性產物，唯精於書籍的考證而疏於學問沿革的總論，章學誠的《校讎通義》既辨彰學術考鏡源流，又用心於著錄的方法與校讎的條理，即以歷史流變的著眼，從根本架構系統性的學問，是中國目錄學的集大成者。由此可知內藤湖南是以沿革通變

於《內藤湖南全集》第十一卷，頁 294～447，東京：筑摩書房，1969 年 11 月）。

的史觀，析理學問的異同源流，進而說明中國目錄學的歷史發展。⑮

（五）探究源流變遷的定位說

開風氣之先，更革舊制前規，集諸法之大成皆可謂之為劃時代的存在，如董其昌所謂南北畫宗，乃以李思訓、王維分別開啓金碧著色、淡彩水墨的先聲，明王定堂則從變革前人法則的觀點說六朝畫風至王維而一變，至五代荊浩、關同再變，王世貞亦稱山水畫至二李一變，荊、關、董（源）、巨（然）再變。至於內藤湖南所說的北宋眞宗以迄神宗是五代以來水墨完成的時代，北宋的畫大成於徽宗時代，則是集大成的例證。然而從文化與時代變遷的角度，探討因革情形，究明影響關係，也是說明畫家於中國繪畫史之地位的重要根據。如荊浩的水墨畫乃取吳道子的筆和項容的墨而成，就山水畫的發展而言，王維的抽象，荊浩的寫生，關同的渾成，荊浩乃是山水畫過渡期的人物。又將荊浩《山水訣》所提出的「氣韻思景筆墨」六要與謝赫的六法相比，可知荊浩把氣韻分別為二而著重「韻」，至於「筆墨」的比重，則「墨」重於「筆」，似比謝赫較為進步，於郭若虛的氣韻說有所的影響。關同的畫揮灑胸中的邱壑而一氣渾成，渲染山崖之法有董源、巨然之意，於樹木的刻畫則有李成、郭熙之法，故關家山水為南北畫派的畫家所取法。董源以皴法描繪山稜凸凹形勢，是前代所未嘗有的技法，南宗畫派的皴法雖有各種變化，而開皴法風氣之先的是董源。巨然為董源的門下，時稱董源下筆雄偉，有嶄絕崢嶸之勢，巨然氣質柔弱，然《宣

⑮ 內藤湖南於中國目錄學發展的論述，見於《支那目錄學》，（收載於《內藤湖南全集》第十二卷，頁369～436，東京：築摩書房，1970年6月）。

和畫譜》評其畫爲「幽處可居，平處可行，奇處可驚，嶮處可畏」，米芾、米友仁父子亦推崇備至，巨然的山水富有逸趣，於元末四大家有極大的影響。元末四大家雖取法於董源、巨然的畫意，考其畫跡，除黃公望以外，殆不留董、巨之跡，雖脫胎於前代名家，卻學其意境而不求形似，於前人的氣質之外，蘊釀出逸趣，此近世繪畫之清新境界的創出，於中國繪畫史上自有其重要的地位。至於黃公望之「大要去邪甜俗賴四個字」的山水樹石論，是後世南宗畫家的金科玉律，清初四王的王時敏、王鑑即祖述黃公望，其後的山水畫，大抵通過王原祈而黃公望一派的畫風鼎盛吳鎮有骨力勝於興會的傾向，明代初、中期，特別是沈石田的南畫多流行此一畫風，可謂是梅道人的時期，至於倪雲林之極意超越畫院形式的畫風，則爲明清隱者僧侶所取法。元末四大家的於作畫的形式雖多少有所差異，然重視神來興會的精神則是四人共通的所在，此畫風即成爲後來畫家作畫的標準，至清初的四王吳惲而極於全盛。中國近代山水畫的畫家或遠紹董源、巨然，或祖述米芾、米友仁父子，其實皆通過元末四大家的精神與手法而學作古畫，換句話說中國近代畫家甚少能超越元末四大家的範疇而創作新的畫風，故中國近代山水畫可以說是始於元末四大家而終於清朝初期的四王吳惲。⓰

⓰ 定位中國畫家的論述，見內藤湖南《支那繪畫史》（收載於《內藤湖南全集》第十三卷，頁 278～284，東京：筑摩書房，1973 年 12 月）。

結語：內藤湖南是日本近代文化史學家

東洋的學問未以邏輯論理的思考與論述見長，然內藤湖南則是少數的例外。如以螺旋史觀考察東亞文化的發展，以歷史加上說探究中國古史傳說形成的軌跡，以通變史觀說明中國文化史的變遷等，皆爲其體系化架構學問的表現。⓱至於其所以能考鏡時代地域的異同，辨明學術文化的原始本末，而成就一家之言，固然與其以中國史家的才學識兼備爲學問的究極有深厚的關連，但是其個人的際遇，生存的時代，生活的地域，學問的意識亦不無決定的影響。

秋田師範畢業是內藤湖南的最高學歷，雖沒有接受大學的教育，卻也沒有所謂學派家學的束縛，乃能成就獨特的學問。上京以後的二十年雜誌編輯與記者的生涯，養成其博聞強記的根底。至於其生存的明治時代是文明開化的時代，西化革新是時代的風尚，學問方法的突破更新自然應運而生。任教大學至逝世的京都二十餘年歲月，成就了內藤的文化史學，既於傳統與現代之間，守成而創新，又在對抗於東京的學問意識下，融合西歐的合理主義、清朝的考證學與江戶時代的文獻主義而樹立以考證爲基礎的近代中國學學風，使京都的中國學得與北京、巴黎分庭抗禮，並列爲世界漢學的中心。

一八九九年三月遭祝融之災，所有的藏書付之一炬，內藤湖南逕

⓱ 有關內藤湖南的學問，參連清吉〈日本近代的文化史學家—內藤湖南〉，《笠征教授華甲紀念論文集》，頁 307～324，台北：學生書局，2001 年 12 月。

稱以往所從事者皆爲雜學，今後則專心致力於中國問題的研究。一九〇七年應聘京都帝國大學東洋史講師以來，於安定的環境下，以學者的生活，貫徹其以中國學的沈潛爲天職的志向，窮究其學識與精力於東洋史的研究，凝集其學問於以中國爲中心的東洋文化史學。

內藤湖南與狩野直喜或可並稱爲京都近代中國學的雙璧，二人不但各有專擅，內藤湖南沈潛於東洋文化史與滿清史的研究，狩野直喜則致力於中國經學、文學與清朝制度史的鑽研，又開啓日本研究敦煌文物的先聲，且能爲漢詩文而與當時中國的文人學者酬唱應對。故其所窮究的是能與中國傳統知識分子比肩的通儒之學。其弟子如神田喜一郎、吉川幸次郎亦能繼承師學，既有堅實的學問素養，成就博學旁通的學問，又能優遊於詩文藝術，發揮京都中國學的學問性格。換句話說京都中國學者之以通儒爲極致的學問，或將是近代世界漢學的絕響，故以內藤湖南於日本近代中國學的定位爲開端，考察京都中國學者爲學的究竟，辨章京都中國學派的學問傳承與發展，或可探究京都中國學的宗尚所在。

章學誠的文學觀

林家驪*

提　要

章學誠是清乾嘉年間一位很有特色的文學批評家，他在《文史通義》及其它文章中提出了他的文學觀：一是重文德，指出道德學問是一個人立身立言的根本；二是重文理，注重文章的寫作技巧與藝術規律，提出立言之要，在於有物，記事必提其要，要講求平仄、聲律；三是重貫通，提倡學術貫通，強調會古通今，主張顧及整體，觸類旁通，由此及彼，以求通達於大道；四是貴創新，提倡「文貴發明，亦期用世」；五是重學文之法，提出了二十六種學文之法，先秦兩漢諸書之中，尤重《左傳》與《史記》；六是評詩話，對詩話的起源和功用作了重新界定；七是批文弊，他針砭時弊，作《古文十弊》警戒世人。章學誠的可貴之處是與乾嘉只重考據之人不同。

* 浙江大學中文系中國古代與文化研究所教授

章學誠的文學觀值得引起我們的重視和研究。

關鍵詞　章學誠　文史通義　古文十弊　文學觀

章學誠是我國清代乾嘉年間一位重要的史學家，也是一位很有特色的文學批評家。他提倡「六經皆史」之論，治經治史，皆有特色。所著《文史通義》是清中葉著名的學術理論著作，其中涉及文學理論之處甚多。另外，他也有其他一些文章亦涉及他對文學的見解，透露出他的眞知灼見。

長期以來，章學誠的史學觀和史學理論頗爲學界所推重，而對他的文學觀相對來說缺乏一種系統的整理和深入的研究。筆者不揣卑陋，以他的「文學觀」爲題撰文一篇，認爲章學誠的文學觀體現在重文德、重文理、重貫通、貴創新、重學文之法、論詩話以及反文弊等幾個方面。今試述之，請與會者批評。

一、重文德

章學誠從廣義的作文者包括史學家、文學家和其他以立言爲業的人所應具有的道德修養、心志情操、行文態度諸方面闡述了文德問題。章學誠集中論文德的文章主要有《文德》、《史德》、《言公》、《質性》等諸篇。

章學誠指出道德學問是一個人立身立言的根本，他在《黠陋》篇中說：「道德不修，學問無以自立，根本蹶而枝葉萎，此人事之不得不降也。」提出了講究道德對於一個文人來說的重要性。他在《文德》

篇中說：「古人論文，惟論『文辭』而已矣。劉勰氏出，本陸機氏說而昌論『文心』；蘇轍氏出，本韓愈氏說而昌論『文氣』；可謂愈推而愈精矣。未見有論『文德』者，學者所宜深省也。」認爲前人作文均重視「文辭」、「文心」、「文氣」，可沒有人提倡「文德」，這是應該加強認識的。

「文德」爲何？章學誠說：「夫子嘗言『有德必有言』，又言『修辭立其誠』，孟子嘗論『知言』『養氣』，本乎『集義』，韓子亦言『仁義之途』，『《詩》、《書》之源』，皆言德也。今云未見論文德者，以古人所言，皆兼本末，包內外，猶合道德文章而一之；未嘗就文辭之中言其有才、有學、有識，又有文之德也。凡爲古文辭者，必敬以恕。臨文必敬，非修德之謂也；論古必恕，非寬容之謂也。敬非修德之謂者，氣攝而不縱，縱必不能中節也；恕非寬容之謂者，能爲古人設身而處地也。嗟乎！知德者鮮，知臨文之不可無敬恕，則知文德矣。」

章學誠認爲作文要「修辭其誠」，要「主敬」。所謂「敬」，就是態度要嚴肅，「心虛難恃，氣浮易弛，主敬者，隨時檢攝於心氣之間，而謹防其一往不收之流弊也。夫緝熙敬止，聖人所以成始而終也，其爲義也廣矣。今爲臨文檢其心氣，以是爲文德之敬而已爾。」「論古必恕」就是從事文學批評應該設身處地，知人論世，通情達理。

除了「敬」和「恕」，章學誠還要求作者在著力撰文時要做到「公」。「公」即寫作要出於公心，無論記敘事情，發議論，都要客觀公允，中正平實，《公言上》曰：「古人之言，所以爲公也，未嘗矜於文辭而私據爲己有也。」並以《詩經》三百篇及《春秋》等書爲例說明之。

二、重文理

文理指文章的寫作技藝與藝術規律，重視文章的寫作技巧和文學藝術的規律並加以探討、總結是章學誠文學觀的一個重要組成部分，從道與氣、文與質的關係著眼，章學誠反對脫離義理、言之無物的創作傾向，反對為藝術而藝術的藝術觀。

在寫作技巧中，章學誠十分重視文章的主題思想（精神氣魄），十分重視文章的全篇結構，十分重視每個段落之間的銜接。他說：「若者為全篇結構，若者為逐段精彩，若者為意度波瀾，若者為精神氣魄，以例分類，便於拳服揣摩，號為古文秘傳。」又云：「此如五祖傳燈，靈素受籙，由此出者，乃是正宗；不由此出，縱有非常著作，釋子所譏為『野狐禪』也。余幼學於是，及遊京師，聞見稍廣，乃知文章一道，初不由此，然意其中或有一二之得，故不遽棄，非珍之也。」

章學誠重視文章的內容，他在《文理》篇中說：「夫立言之要，在於有物。古人著為文章，皆本於中之所見，初非好為炳炳烺烺，如錦工繡女之矜誇采色已也。富貴公子，雖醉夢中不能作寒酸求乞語；疾痛患難之人，雖置之絲竹華宴之場，不能易其呻吟而作歡笑。此聲之所以肖其心，而文之所以不能彼此相易，各自成家者也。今舍己之所求而摩古人之形似，是杞梁之妻善哭其夫，而西家偕老之婦亦學其悲號；屈子自沈汨羅，而同心一德之朝，其臣亦宜作楚怨也，不亦傎乎！至於文字，古人未嘗不欲其工。」提出了「立言之要，在於有物」的著名觀點。

章學誠還指出「記事必提其要」。他在《文理》篇中說：「韓退之曰：『記事者必提其要，纂言者必鈎其玄。』其所謂鈎玄提要之書，不特後世不可得而聞，雖當世籍、湜之徒亦未聞其有所見，果何物哉？蓋亦不過尋章摘句，以為撰文之資助耳。此等識記，古人當必有之。如左思十稔而賦《三都》，門庭藩溷，皆著紙筆，得即書之。今觀其賦，並無奇思妙想，動心駴魄，當藉十年苦思力索而成。其所謂得即書者，亦必標書志義，先掇古人菁英，而後足以供驅遣爾。然觀書有得，存乎其人，各不相涉也。故古人論文，多言讀書養氣之功，博古通經之要，親師近友之益，取材求助之方，則其道矣。至於論及文辭工拙，則舉隅反三，稱情比類，如陸機《文賦》，劉勰《文心雕龍》，鍾嶸《詩品》，或偶舉精字善句，或品評全篇得失，令觀之者得意文中，會心言外，其於文辭思過半矣。至於不得已而摘記為書，標識為類，是乃一時心之所會，未必出於其書之本然。……是以學文之事，可授受者規矩方圓，其不可授受者心營意造。」章學誠以左思花費十年時間寫作《三都賦》為例認為他的賦並無奇思妙想，並不動人心魄，雖然耗費了十年精力。而陸機《文賦》、劉勰《文心雕龍》、鍾嶸《詩品》則寫得好，則令人「得意文中，會心言外」。

在《文理》篇中，章學誠還提出作詩要講求平仄、音節。他說：「律詩當知平仄，古詩宜知音節。顧平仄顯而易知，音節隱而難察，能熟於古詩，當自得之。執古詩而定人之音節，則音節變化，殊非一成之詩所能限也。趙伸符氏取古人詩為《聲調譜》，能人譏之，余不能為趙氏解矣。然為不知音節之人言，未嘗不可生其啓悟，特不當舉為天下之式法爾。時文當知法度，古文亦當知有法度。時文法度顯而易言，古文法度隱而難喻，能熟於古文，當自得之。執古文而示人以法度，則文章變化，非一成之文所能限也。歸震川氏取《史記》之文，五色標識，以示義法，今之通人，如聞其事，必竊笑之，余不能為歸氏解也，然為不知法度之人言，未嘗不可資其領會，特不足據為傳授之秘爾。據為傳授之秘，則是郢人寶燕石矣。」章學誠認為作詩作文講求音節，可古人加感染力。他說：「夫書之難以一端盡也，仁者見仁，智者見智。詩之音節，文之法度，君子以謂可不學而能，如啼笑之有收縱，歌哭之有抑揚，必欲揭以示人，人反拘而不得歌哭啼笑之至情矣。」

三、重貫通

章學誠提倡學術貫通，他在《釋通》篇中說：「《說文》訓通為達，自此之彼之謂也。通者，所以通天下之不通也。」又在《橫通》篇中說：「通之為名，蓋取譬於道路，四沖八達，無不可至，謂之通也。亦取其心之所識，雖有高下、偏全、大小、廣狹之不同，而皆可以達於大道，故日通也。」他在《原道上》篇中說：「集之為言，萃眾之所有而一之也。」他提倡學術貫通，強調會古通今，主張對古今浩瀚的典籍和各類學業，在尊重其個性的同時，要顧及整體，觸類旁通，由此及彼，以求通達於大道。

如何「通」？章學誠提出求「通」的方法是「推微而知著，會偏而得全。」（《通說為邱君題南樂官舍》）。章學誠認為，每一個學者，要確立學術一體化意識，他在《天喻》篇中說：「夫天，渾然而無名者也。三垣、七曜、二十八宿、一十二次、三百六十五度、黃道、赤道，曆家強名之以紀數爾。古今以來，合之為文質損益，分之為學業、事功、文章、性命。當其始也，但有見於當然而爲乎其所不得不爲，渾然無定名也。其分條別類，而名文、名質，名爲學業、事功、文章、性命不可合併者，皆因偏救弊，有所舉而詔示於人，不得已而強爲之名，定趨向爾。後人不察其故而徇於其名，以謂是可自命其流品，而紛紛有入主出奴之勢焉。漢學宋學之交譏，訓詁辭章之互詆，德性學問之紛爭，是皆知其然而不知其所以然也。」

宋鄭樵作《通志》，遭人譏諷，章學誠作《申鄭》篇，爲他辯之，他說：「鄭樵生千載而後，慨然有見於古人著述之源，而知作者之旨，不徒以詞采爲文，考據爲學也。於是遂欲匡正史遷，益以博雅；貶損班固，譏其因襲。而獨取三千年來遺文故冊，運以別識心裁，蓋承通史家風，而自爲經緯，成一家言者也。學者少見多怪，不究其發凡起例，絕識曠論，所以斟酌群言，爲史學要刪；而徒摘其援據之疏略，裁翦之未定者，紛紛攻擊，勢若不共戴天。古人復起，奚足當吹劍之一吷乎？若夫《二十略》中《六書》、《七音》與《昆蟲草木》三略，所謂以史翼經，本非斷代爲書，可以遞續不窮者比，誠所謂專門絕業，漢、唐諸儒不可得聞者也。創條發例，鉅制鴻編，即以義類明其家學，其事不能不因一時成，粗就隱括，原未嘗與小學專家特爲一書者絜長較短，亦未嘗欲後之人守其成說，不稍變通。」

又說：「夫鄭氏所振在鴻綱，而末學吹求則在小節。是何異譏韓、彭名將不能鄒、魯趨蹌，繩伏、孔鉅儒不善作雕蟲篆刻耶？某君之治是書也，援據不可謂不精，考求不可謂不當，以此羽翼《通志》，爲鄭氏功臣可也，敘例之中，反唇相譏，攻擊作者，不遺餘力，則未悉古人著述之義，而不能不牽於習俗猥瑣之見者也。夫史遷絕學，《春秋》之後一人而已。其範圍千古、牢籠百家者，惟創例發凡，卓見絕識，有以追古作者之原，自具《春秋》家學耳。若其事實之失據，去取之未當，認識論之未醇，使其生唐、宋而後，未經古人論定，或當日所據石室金匱之藏及《世本》、《諜記》、《楚漢春秋》之屬，不盡亡佚，後之溺文辭而泥考據者，相與錙銖而校，尺寸以繩，不知更作如何掊擊也？今之議鄭樵者，何以異是！孔子作《春秋》，蓋曰其事則齊桓、晉文，其文則史，其義則孔子自謂有取乎爾。夫事即後世考據家之所尚也，文即後世詞章家之所重也，然夫子所取，不在彼而在此，則史家著述之道，豈可不求義意所歸乎？自遷、固而後，史家既無別識心裁，所求者徒在其事其文。惟鄭樵稍有志乎求義，而綴學之徒，囂然起而爭之。然則充其所論，即一切科舉之文詞，胥吏之簿籍，其明白無疵，確實有據，轉覺賢於遷、固遠矣。」

章學誠高度讚揚了鄭樵的「通」的精神，批判了批評鄭樵的人是「少見多怪，不究其發凡起例」。且以司馬遷廣收史料，作紀傳體通史《史記》爲例，肯定了鄭樵。乾嘉時期重考據之學，文學批評的熱點也是義理、考據、詞章三者關係之爭。理學家、學問家、古文家各以自己所長爲立論的中心，闡述對文學創作的看法。意見紛紜，爭論不休。章學誠對持有偏見的任何一方都不滿，態度鮮明地表示反對三者相互排擠，主張貫通，主張互相爲用。

四、貴創新

章學誠提倡「文貴發明」（亦即是要有創新），「亦期用世」。他在《答沈楓墀論學》篇中提出了這一觀點。他在回答沈楓墀提出的問題時，答曰：「足下所問，節目雖多，其要則可一言而蔽曰，『學以求心得』也。韓昌黎之論文也，則曰：『文無難易，惟其是耳。』明道先生之論學，曰：『凡事思所以然，天下第一學問。』二公所言，聖人復生，不能易也。夫文求是而學思其所以然，人皆知之而人罕能之，非其才之罪也，直緣風氣錮其習而毀譽不能無動於中也。三代以還，官師政教不能合而爲一，學業不得不隨一時盛衰而爲風氣。當其盛也，蓋世豪傑，竭才不能測其有餘；及其衰也，中下之資，抵掌而可要議其不足。大約服、鄭訓詁，韓、歐文辭，周、程義理，出奴入主，不勝紛紛，君子觀之，此皆道中之一事耳。未窺道之全量，而各趨一節以相主奴，是大道不可見，而學士所矜爲見者，特其風氣之著於循環者也。足下欲進於學，必先求端於道。道不遠人，即萬事萬物之所以然也；道無定體，即如文之無難無易，惟其是也。」認爲關於論學的問題，一言而蔽之是：「學以求心得」，即學習要有心得。

接下去，章學誠提出了他一貫強調的「才、學、識」問題。他說：「由風尚之所成言之，則曰考訂、詞章、義理；由吾人之所具言之，則才、學、識也；由童蒙之初啓言之，則記性、作性、悟性也。考訂主於學，辭章主於才，義理主於識，人當自辨其所長矣；記性積而成學，作性擴而成才，悟性達而爲識，雖童蒙可與入德，又知斯道之不遠人矣。」另外，他在《文德》中亦說過「夫史有三長，才、學、識也。古文辭而不由史出，是飲食不本於稼穡也。」

他又在《與汪龍莊書》中說：「近日學者風氣，徵實太多，發揮太少。有如桑蠶食葉而不能抽絲，故近日頗勸同志諸君多作古文辭，而古文辭必由記傳史學進步，方能有得。蓋古人無所謂古文之學，但論人才，則有善於辭命之科。而《經解》篇言『比事屬辭，《春秋》

教也』，因悟《論語》『不學《詩》，無以言』，『誦《詩》不能專對，雖多奚爲』，乃知辭命之文，出於《詩》教，敘事之文，出於《春秋》比事屬辭之教也。左丘明古文之祖也，司馬因之而極其變，班、陳以降，眞古文辭之大宗。至六朝，古文中斷。韓子文起八代之衰，而古文失傳亦始韓子。蓋韓子之學宗經而不宗史，經之流變必入於史，又韓子之所未喻也。近世文宗八家，以爲正軌，而八家莫不步趨韓子。雖歐陽手修《唐書》與《五代史》，其實不脫學究《春秋》與《文選》史論習氣，而於《春秋》、馬、班諸家相傳所謂比事屬辭宗旨，則概未有聞也。八家且然，況他人遠不八家若乎！」提出了他對唐宋八大家的看法。

這一次，他在《答沈楓墀論學》中進一步明確提出了「夫考訂、辭章、義理，雖曰三門，而大要有二，學與文也；理不虛立，則固行乎二者之中矣。學資博覽，須兼閱歷，文貴發明，亦期用世，斯可與進於道矣。夫博覽而不兼閱歷，是發策決科之學也；有所發明而於世無用，是雕龍談天之文也；然而不求心得而形跡取之，皆僞體矣。比見今之傑者，多偏於學文，則詩賦駢言亦極其工，至古文辭，則議之者鮮矣。」其中，我們特別要注意的是「學資博覽，須兼閱歷，文貴發明，亦期用世，斯可與進於道矣」。這一句話說明章學誠十分注意文貴發明和文章可經世致用的思想。

五、重學文之法

章學誠重學習文章之方法，他作有《論課蒙學文法》篇，見於《章學誠遺書·佚篇》，借訓課童子，談了他對「學文法」的看法。在文中，章學誠說：「文辭末也，而不可廢。童子欲其成章，譬如梓匠輪輿，莫不有繩墨也。乾隆乙巳，主講保定之蓮池書院，諸生多授徒爲業。童子之學，端以先入爲主，初學爲文，使串經史而知體要，庶不誤於所趨。因條二十六通以爲之法。說甚平易，而高遠者亦不外此，宜於古而未嘗不利於時，能信而有恒心，斯得之矣。」

在篇中，章學誠還具體指出學習作文之法，要注意和使用以下二十六點方法：（一）初學爲文，最忌清輕圓轉，易於結構；（二）注意時文、古文之優缺點；（三）學會破題、承題、起講、成篇；（四）作文注意虛實緩緊；（五）作文注意全面，猶備體者爲人；（六）學《左傳》的論事之法；（七）仿《左傳》爲文，以事實爲秋實，以議論爲春華，華實並進，功不妄施；（八）讀《易》、《書》、《詩》、《禮》，打好根基；（九）學《左傳》中之議論文字；（十）學《史記》中論贊之文；（十一）纂類《春秋》人物；（十二）纂類《左傳》人物，而爲論贊；（十三）史遷論贊之文，或引自《詩》、《書》，應知其來歷；（十四）給《左氏春秋》作表，作序論；（十五）讀《左傳》，參以《公羊》、《穀梁》二傳等，注意同事異敘；（十六）文章以敘事爲難，敘事之文，《左》、《史》最備；（十七）注意各家異同之論；（十八）注意序論辭命之文與敘事之文；（十九）參以他書纂輯典章制度之門類（二十）所有文體，其源本於六經，而措力莫切於《左傳》；（二十一）時文雖卑下，但亦有優點，文境較全，如說理、論事、辭命、記敘、紀傳等均有，可注意學習；（二十二）古文時文，同出一源；（二十三）攻《左傳》爲入門之資；（二十四）學問文章，天下之公器；（二十五）學問由淺入深，學習要勤勉；（二十六）學文得法，可使人勤而不苦，得而愈奮，終身憤樂而不能自已也。

在以上這麼多得學習方法中，我們尤其要注意章學誠提出的「文章以敘事爲最難」這一段話，原話是：「文章以敘事爲最難，文章至敘事而能事始盡。而敘事之文，莫備於《左》、《史》。今以史遷之法，而貫《左氏》之文，神而明之，存乎其人，非盡初學可幾也。而初學從入之途，實亦平近而易習，且於時文尤爲取則不遠也。豈非至平之法？」

又說：「敘事之文，所以難於序論辭命者，序論辭命，先有題目，後有文辭，題約而文以詳之，所謂意翻空而易奇也。敘事之文，題目即在文辭之內，題散而文以整之，所謂事徵實而難巧也。翻空之文，但觀古人所作，可以窺其意匠經營，爲其文成而題故在也。徵實之文，徒觀古人所作，一似其事本自如是，夫人爲文，必當如是敘述，無由窺作者之意匠經營。爲其題在文辭之內，文成而題隱也。自非離析其事，無由得其所以爲文，此以紀傳體例貫串編年之所資也。且非萃合諸家之同事異敘，同敘異言之互見，其說已詳於上章。無由通其文境之變化，此以《左傳》事實，參互子史諸家同異之所資也。故學敘事之文，未有不宗《左》、《史》，而世之讀《左》、《史》者，徒求之形貌，而不知分析貫串之推求，無怪讀文者多而能文者少也。」

還說：「序論辭命之文，其數易盡；敘事之文，其變無窮。故今古文人，其才不盡於諸體，而盡於敘事也。蓋其爲法，則有以順敘者，以逆敘者，以類敘者，以次敘者，以牽連而敘者，斷續敘者，錯綜敘者，假議論以敘者，夾議論以敘者，先敘後斷，且敘且斷，以敘作斷，預提於前，補綴於後，兩事合一，一事兩分，對敘插敘，明敘暗敘，顛倒敘，回環敘，離合變化，奇正相生，如孫、吳用兵，扁、倉用藥，神妙不測，幾於化工。其法莫備於《左氏》，而參考同異之文，亦莫多於《春秋》時事，是固學文章者宜盡心也。」

他主張學習作文，要從《左傳》、《史記》入手，學習敘事的方法，學習各種問題的作法，章學誠《論課蒙學文法》論學文之法，對於文字之難，文章之妙，說得多麼曲盡其妙啊！

六、論詩話

詩話是評論詩歌、詩人、詩歌流派以及記錄詩人言論、行事、著述。後代人一般認為寫作詩話之風始於歐陽修，盛於宋代，自司馬光、張戒、楊萬里、嚴羽以降，存世者不下數十家，明清兩代作者尤多。

章學誠對詩話的起源重新作了界定，他認為詩話之源本於《詩品》。章學誠《詩話》篇云：「《詩品》之於論詩，視《文心雕龍》之於論文，皆專門名家勒為成書之初祖也。《文心》體大而慮周，《詩品》思深而意遠，蓋《文心》籠罩群言，而《詩品》深從六藝溯流別也。（如云某人之詩，其源出於某家之類，最為有本之學，其法出於劉向父子。）論詩論文而知溯流別，則可以探源經籍，而進窺天地之純，古人之體矣。此意非後世詩話家流所能喻也。」

他又論述了唐人詩話，說：「唐人詩話，初本論詩，自孟棨《本事詩》出，亦本《詩小序》。乃使人知國史敘詩之意。而好事者踵而廣之，則詩話而通於史部之傳記矣。間或詮釋名物，則詩話而通於經部之小學矣。《爾雅》訓詁類也，或泛述聞見，則詩話而通於子部之雜家矣。此二條，宋人以後較多。雖書旨不一其端，而大略不出論辭論事，推作者之志，期於詩教有益而已矣。」

章學誠高度讚揚了鍾嶸的《詩品》和劉勰的《文心雕龍》。他在《詩話》篇中說：「《詩品》、《文心》專門著述，自非學富才優，爲之不易，故降而爲詩話，沿流忘源，爲詩話者不復知著作之初意矣。猶之訓詁與子史專家，子指上章雜家，史指上章傳記。爲之不易，故降而爲說部。沿流忘源，爲說部者不復知專家之初意也。詩話說部之末流，糾紛而不可犁別，學術不明，而人心風俗或因之而受其敝矣。」認爲「非學富才優，爲之不易」。但接下去批評後代之人「爲詩話者不復知著作之初意矣。」

章學誠認爲詩有「雅」、「俗」之分，學者亦有「雅」、「俗」之別。他說：「學者亦知雅俗之別乎？雅者，正也，亦曰常也。安其正而守其常，實至而名自歸之，斯天下之大雅也。好名者流，忘己徇入，世俗譽之，則沾沾以喜；世俗非之，則戚戚以憂。以世俗之予奪爲趨避，是已之所處，方以俗爲依歸也。且人以好名爲雅，好利爲俗，尤非也。名者，有所利而好之，所好不同而其心無異。故好名之人，其俗甚於好利也，誘人好名者，其浮於教人胠篋也。」

章學誠批評傾邪之人爲逢迎之術的稱功頌德之辭。他說：「傾邪之聲人，必有所恃。挾纖仄便娟之筆，爲稱功頌德之辭；以揣摩符抵掌之談，運宛轉逢迎之術。權貴顯要，無不逢也；聲望鉅公，無不媚也。筆舌不足，導以景物娛遊；追隨未足，媚以烹庖口味。自記爲某貴人品嘗屬下進饌，又某貴人屢索其姬妾手調飲饌有謝賞姬人啓事。至乃陪公子於青樓，貴人公子，時同句曲。頌嬌姿於金屋，貴人愛寵，無不詳於筆記。尤稱絕技，備極精能。貴人公退之餘，亦思娛樂，優伶是其習見，狗馬亦所常調，數見不鮮，神思倦矣。忽見通文墨之優伶，解聲歌之犬馬，屈曲如意，宛約解人，能不愛憐，幾於得寶！加之便佞閒如諧隱，飾情或託山林，自託山林隱遁之流，足跡不離戟轅鈴閣。使人誤認請流，因而揖之上坐，賜以顏色，假以羽毛。遂能登高而呼，有挾以令，舟車所向，到處逢迎，熒惑聽聞，干謁州縣。或關說陰訟，恣其不肖之圖；乘機漁色。或聚集少年，肆為冶蕩之說。斯乃人倫之蟊賊，名教所必誅。昧者不知，誇其傳食列城，風聲炫耀，是猶羨儀衍之大丈夫而不知其為妾婦所羞也。」

章學誠對宋元明清以來流行於詩壇上的詩話作了評論，他認為詩評家們要加強修養，然後才可評論詩歌。他說：「比如人身，學問，其神智也；文辭，其肌膚也；考據，其骸骨也；三者備而後謂之著述。著述可隨學問而各自名家，別無所謂考據家與著述家也。鄙俗之夫，不知著述隨學問以名家，輒以私意妄分為考據家、著述家，而又以私心妄議為著述家終勝於考據家。」

章學誠主張「學問、文辭、考據」三者備，「三者備而後為之著述」「著述可隨學問而各自名家，別無所謂考據家與著述家也。」

章學誠在《詩話》篇中，還詳論了小說這種文體。他說：「小說出於稗官，委巷傳聞瑣屑，雖古人亦所不廢。然俚野多不足憑，大約事雜鬼神，報兼恩怨，《洞冥》、《拾遺》之篇，《搜神》、《靈異》之部，六代以降，家自為書。唐人乃有單篇，別為傳奇一類。專書一事始末，不復比類為書。大抵情鍾男女，不外離合悲歡，紅拂辭楊，繡襦報鄭，韓、李緣通落葉，崔、張情導琴心，以及明珠生還，小玉死報，凡如此類，或附會疑似，或竟托子虛，雖情態萬殊，而大致略似。其始不過淫思古意，辭客寄懷，猶詩家之樂府古豔諸篇也。宋、元以降，則廣爲演義，譜爲詞曲，遂使瞽史絃誦，優伶登場，無分雅俗男女，莫不聲色耳目。蓋自稗官見於《漢志》，歷三變而盡失古人之源流矣。小說歌曲傳奇演義之流，其敘男女也，男必纖佻輕薄，而美其名曰才子風流；女必冶蕩多情，而美其名曰佳人絕世。世之男子有小慧而無學識，女子解文墨？禮教者，皆以傳奇之才佳人爲古之人、古之人也。」闡述了他對小說、歌曲、傳奇、演義各種文學體裁的看法。

七、批文弊

章學誠還針砭時弊。將古文之弊概括爲十種，作《古文十弊》以警戒世人。十弊爲：剜肉爲瘡、八面求圓、削趾適履、私署頭銜、不達時勢、同裏銘旌、畫蛇添足、優伶演戲、井底天文、誤學邯鄲。今試述之。

一曰：「凡爲古文辭者，必先識古人大體，而文辭工拙又其次焉。不知大體，則胸中是非不可以憑，其俗論次未必俱當事理。而事理本無病者，彼反見爲不然而補救之，則率天下之人而禍仁義矣。……人苟不解文辭，如遇此等，但須據事直書，不可無故妄加雕飾。妄加雕飾，謂之『剜肉爲瘡』，此文人之通弊也。」

二曰：「《春秋》書內不諱小惡。歲寒知松柏之後彫，然則欲表松柏之貞，必明霜雪之厲，理勢之必然也。自世多嫌忌，將表松柏而又恐霜雪懷慚，則觸手皆荊棘矣。……人非聖人，安能無失？古人敘一人之行事，尚不嫌於得失互見也。今敘一人之事，而欲顧其上下左右前後之人皆無小疵，難矣！是之謂『八面求圓』，又文人之通弊也。」

三曰：「文欲如其事，未聞事欲如其人者也。嘗見名士為文人撰誌，其人蓋有朋友氣誼，誌文乃仿韓昌黎之誌柳州也，亦步亦趨，惟恐其或失也。……不知臨文摹古，遷就重輕，又往往似之矣。是之謂『削趾適履』，又文人之通弊也。」

四曰：「仁智為聖，夫子不敢自居；瑚璉名器，子貢安能自定？稱人之善，尚恐不得其實；自作品題，豈宜誇耀成風耶？……且經援服、鄭，詩攀李、杜，猶曰高山景仰；若某甲之經，某甲之詩，本非可恃，而猶籍為名。是之謂『私署頭銜』，又文人之通弊也。」

五曰：「物以少為貴，人亦宜然也。天下皆聖賢，孔孟亦弗尊尚矣。清言自可破俗，然在典午則滔滔皆是也。前人譏《晉書》列傳同於小說，正以採掇清言，多而少擇也。立朝風節，強項敢言，前史侈為美談。……山居而貴薪木，涉水而寶魚蝦，人知無是理也，而稱人者乃獨不然。是之謂『不達時勢』，又文人之通弊也。」

六曰：「史既成家，文存互見，有如《管晏列傳》，而勳詳於《齊世家》，張耳分題而事總於《陳餘傳》；非惟命意有殊，抑亦詳略之體所宜然也。若夫文集之中，單行傳記，凡遇牽聯所及，更無互著之篇，勢必加詳，亦其理也。但必權其事理，足以副乎其人，乃不病其繁重爾。……故凡無端而影附者，謂之『同里銘旌』，不謂文人效之也，是又文人之通弊也。」

七曰：「陳平佐漢，志見社肉；李斯亡秦，兆端廁鼠。推微知著，固相士之玄機；搜間傳神，亦文家之妙用也。但必得其神志所在，則如圖畫名家，頰上妙於增毫；苟徒慕前人文辭之佳，強尋猥瑣以求其似，則如見桃花而有悟，遂取桃花作飯，其中豈復有妙神哉？……夫傳人者文如其人，述事者文如其事，足矣。其或有關考徵，要必本質所具，即或閒情逸出，正為阿堵傳神。不此之務，但知市菜求增，是之謂『畫蛇添足』，又文人之通弊也。」

八曰：「文人固能文矣，文所書之人，不必盡能文也。敘事之文，作者之言也，為文為質，惟其所欲，期如其事而已矣；記言之文，則非作者之言也，為文為質，期於適如其人之言，非作者所能自主也。……自文人胸有成竹，遂致閨修皆如板印。與其文而失實，何如質以傳眞也！由是推之，名將起於卒伍，義俠或奮閭閻，言辭不必經生，記述貴於宛肖。而世有作者，於斯多不致思，是之謂『優伶演劇』。蓋優伶歌曲，雖耕氓役隸，矢口皆叶宮商，是以謂之戲也。而記傳之筆，從而效之，又文人之通弊也。」

九曰：「古人文成法立，未嘗有定格也。傳人適如其人，述事適如其事，無定之中，有一定焉。知其意者，旦暮遇之；不知其意，襲其形貌，神弗肖也。……惟時文結習，深錮腸腑，進窺一切古書古文，皆為此時文見解，動操塾師啓蒙議論，則如用象棋枰布圍棋子，必不合矣。是之謂『井底天文』，又文人之通弊也。」

十曰：「時文可以評選，古文經世之業，不可以評選也。前人業評選之，則亦就文論可耳。但評選之人，多非深知古文之人。夫古人之書，今不盡傳，其文見於史傳。評選之家，多從史傳采錄。而史傳之例，往往刪節原文以就隱括，故於文體所具，不盡全也。評選之家，不察其故，誤謂原文如是，又從而為之辭焉。……夫文章變化侔於鬼神，斗然而來，戛然而止，何無此景象，何嘗不為奇特！但如山之岩峭，水之波瀾，氣積勢盛，發於自然，必欲作而致之，無是理矣。文人好奇，易於受感，是之謂『誤學邯鄲』，又文人之通弊也。」

章學誠通過對當時古文通弊的批評，闡述了自己對於文章優劣的觀點，比較廣泛地涉及到了文章的眞實性，形象性和創造性等諸多問題。文章要有的放矢，要筆鋒犀利。《古文十弊》是一篇十分重要的批評文字。

章學誠的文學觀與他的史學觀一樣，具有明顯的進步意義。在清初的一百多年中，封建統治者對知識份子採取了籠絡和鎭壓的兩手。一方面繼續實行開科取士的制度，並編纂了包括《古今圖書集成》、《四庫全書》等官修巨書，以表示朝廷「樂育人才，稽古右文」之意；另一方面，大興文字獄，在讀書人的著作中挑剔毛病，毀禁書籍，殘酷殺戮。在這種封建專制主義的高壓下，當時的知識份子怕因思想得罪，不得不將自己的精力埋頭於脫離實際的考據。特別是乾隆帝爲了防止朋黨之爭，有意識地壓制宋學，提倡漢學。他鑒於宋明理學在學術思想上好名爭勝、黨同伐異的特點，已經不能完全適應君主專制主義統治的需要，因而大力扶植專門鑽研和整理古書的漢學派，抑制宋學派。

清乾嘉時期，漢學派有封建統治者的提倡，自然風靡一時，成爲官方的御用學術。章學誠在《答沈楓墀論學》中說：「今天子右文稽古，《三通》、《四庫》諸館以次而開，詞臣多由編纂超遷，而寒士挾策依人，亦以精於校讎，輒得優館，甚且資以進身，……而風氣所開，進取之士恥言舉業……風氣所趨，何所不至哉！」他還在《周書昌別傳》中說，當時「四方才略之士挾策京師者，莫不斐然有天祿石渠句墳抉索之思，而投卷於公卿間者多易其詩賦舉子藝業，而爲名物考訂與夫聲音文字之標，蓋駸駸乎移風俗矣。」道出了乾隆時學術空氣變化的情況。

章學誠學術思想可貴之處，一方面批評「空言義理以爲功」的宋學派，另一方面又批評只搞資料，在學風上流於煩瑣考據的漢學派。當時的漢學派禁錮人們的思想，阻礙學術的發展，已成爲主要的傾向，所以章學誠批評的重點是漢學派。他在《與汪龍莊書》中指出，「近日學者風氣。徵實太多，發揮太少，有如桑蠶食葉而不能抽絲。」所謂發揮，就是根據事實，求出理論，探索規律，但漢學家只是整理資料，沒有能做這一步的工作。當時的漢學家誇大了考據的作用，認爲考證名物制度，解釋文字訓詁，就可以「求適於至道」、「知古今治亂之源」。章學誠批評了這種把補綴古書作爲唯一學問的觀點。他在《博約》篇中說：「今之俗儒……逐於時趨，而誤以襞績補苴謂足盡天地之能事也。幸而生後世也，如生秦火未毀以前，典籍具存，無事補輯，彼將無所用其學矣。」章學誠還批評考據家脫離實際的學風，他在《史釋》中說：「學者昧於知時，動矜博古，譬如考西陵之桑蠶，講神農之書藝，而謂可禦饑寒而不須衣食也。」因爲考據學派只是爲學問而學問，流弊很深，所以予以尖銳的批評。章學誠在史學上、文學上提出的觀點，就顯得他在學術上有獨特的見解，不隨波逐流。當然，章學誠雖然嚴厲批評考據學派，但歸根到底還是主張兼收並蓄，並肯定它在學術上的地位的。

綜上所述，章學誠不但是個史學家，而且是一位在文學上很有見地的文學批評家。他有著與他同時代的人不同的文學觀，他的重文德、重文理、重貫通、貴發明、重學文之法、論詩話和批文弊的學術思想，值得引起我們充分的重視和注意，值得我們深入研究。

主要參考文獻

1、《章學誠遺書》　清・章學誠撰　文物出版社　1985年8月版
2、《文史通義新編》　清・章學誠著　倉修良編　上海古籍出版社　1993年7月版

章學誠的詩學觀與「六經皆史」說

吳 鷗*

提 要

本文引述中國自隋到明有關「六經皆史」的說法，從學術發展的態勢上，闡明章學誠承繼且超越前人所建立的史學理論。其次由實齋對於集部詩賦與《詩經》的編目安排，以及在〈詩話〉、〈婦學〉舉出「聲詩三百，聖教所存」、「由禮以通詩」的說法，藉以觀察實齋的詩學觀點。

關鍵詞　章學誠　詩學　六經皆史

作於乾隆四十八年（西元1783年，實齋年四十六歲）的《詩教》一文，收錄於《文史通義》內篇卷一，是章實齋得意之作。此文與《易教》、

* 北京大學中國古文獻研究中心副教授

《書教》、《禮教》、《經解》篇合而爲《文史通義》的第一卷，提綱挈領地闡述實齋對於六經的看法，代表了實齋的重要觀點，構建起實齋的學術理論體系。

其實「六經皆史」之說，並不昉於實齋，學者已多有指出。錢鍾書先生《談藝錄》指出，王應麟《困學紀聞》中早已引用隋代王通、唐代陸龜蒙之語；明代王守仁《傳習錄》、王世貞《藝苑卮言》、胡應麟《少室山房筆叢》、清代顧炎武《日知錄》等著作中也皆有類似的看法。故在學術界曾有過對於章實齋「六經皆史」說著作權的爭論。

關於「六經皆史」，其實宋元明學者中不少人都曾提到過類似的說法，尙不止錢鍾書先生提到的那些。而可推爲最早的，是隋代的王通。王通謂「昔聖人述史三焉。其述書也，帝王之製備矣，故索焉而皆獲。其述詩也，興衰之由顯，故究焉而皆得。其述春秋也，邪正之跡明，故考焉而皆當。此三者同出於史而不可雜也，故聖人分焉。」（王通《中說》卷一）

宋代也不乏其例，例如《郡齋讀書志》卷一上便著錄「楊元素書《九意》一卷」，晁公武云：

> 「右皇朝楊繪元素撰。其序云：詩書春秋同出於史，而仲尼或刪或修，莫不有筆法焉。詩春秋先儒皆言之，書獨無其法邪？故作《斷堯》、《虞書》、《夏書》、《禪讓》、《稽古》、《商書》、《周書》、《費誓》、《秦誓》『意』九篇。」

楊繪字元素，綿竹人。宋仁宗時，爲開封府推官，知眉州，徙興元府。神宗時爲御史中丞，與王安石意見相左，遂罷爲侍讀學士，出知亳州。《宋史》卷三四〇有傳。認爲《詩》、《書》、《春秋》三經蓋同出於史，和章實齋的「六經皆史」提法大同小異。宋林之奇云：「觀文中子之言，其意以謂《詩》也，《書》也，《春秋》也，其原蓋出於一書也。至後世簡冊繁多，始分爲三。」（《尚書全解》卷六。）《九意》早逸，然《文獻通考》卷一百七十七《經籍考》、明董斯張《吳興備志》、曹學佺《蜀中廣記》，及清代朱彝尊的《經義考》皆著錄其說。

其後，元代學者郝經也在《經史》篇中說：「古無經史之分，孔子定六經而經之名始立，未始有史之分也。史所以載興亡，而經亦史也。六經自有史耳，故易，即史之理也，《書》，史之辭也，《詩》，史之政也，《春秋》，史之斷也，《禮》《樂》經緯於其間矣。何有於異哉？」（《陵川集》卷十九）爲郝經的《續後漢書》作《後序》的馮良佐，也說：「人有恒言曰經史。史所以載興亡，而經亦史也。書紀帝王之政治，春秋筆十二公之行事，謂之非史可乎？蓋定於聖人之手，則後世以經尊之。而止及乎興亡，則謂之史也。」另一位名儒劉因《靜修集》有《敘學》篇，謂「古無經史之分，詩書春秋皆史也。因聖人刪定筆削，立大經大典，即爲經也。」

至明代，學者王守仁之《傳習錄》記載他與弟子徐愛的問答，愛曰：「先儒論六經，以春秋爲史。史專記事，恐與五經事體終或稍異。」先生曰：「以事言謂之史，以道言謂之經。事即道，道即事，春秋亦經，五經亦史。易是包犧氏之史，書是堯舜以下史，禮樂是三代史，其事同，其道同，安有所謂異？」王世貞《藝苑卮言》則說：「天地間無非史而已。」「六經，史之言理者也。」當時的另一個學者潘府也說過：「五經皆史也。《易》之史奧，《書》之史實，《詩》之史婉，《禮》之史詳，《春秋》之史嚴，其義則一而已。」見《明儒學案》卷四十六引。潘府，字孔修，上虞人。成化末進士，長樂知縣，遷南京兵部主事，拜廣東提學副使。嘉靖改元，言官交薦，起太仆少卿，改太常，致仕。《明史》卷二八二有傳。《明史·藝文志》僅著錄潘府《南山素言》一卷，《千頃堂書目》則除了《南山素言》以外，還著錄有潘府《孝經正誤》、《孔子通記》八卷、《潘氏道萃編》、校集《顏子》二卷上下八篇。《明史》潘府本傳稱其「既歸，屏居南山，布衣蔬食，惟以發明經傳爲事。時王守仁講學其鄉，相去不百里，頗有異同」。可見，當時學者對於經、史之間的關係是頗爲注意的，多人均作過或多或少的論述。謂經即是史，上古時經史不分，差不多已是當時學界的共識，即使是學術觀點「頗有異同」的人，在這方面亦無抵牾。李贄《焚書》，標舉「經史相爲表裏」，說「《春秋》一時之史也，《詩經》、《書經》二帝三王以來之史也，而《易經》則又示人以經之所自出，史之所自來。爲道屢遷，變異匪常，不可以一定執也，故謂『六經皆史』也。」故知在明代有關經、史的討論，看法相當一致，列名正史的大儒和「肆意隱怪」、「橫議殺身」而被逐出士林、置於「異教傳」的李贄的言論，幾乎沒有什麼不同。而這一論點的提出，似乎也並無驚世駭俗的意義。降至章實齋提出「六經皆史」時，當亦不至於成爲石破天驚、振聾發聵之論。推原所始，亦可謂其來有自，而這也正是學術發展的常態而非變態。但是將這一觀點反復論證，從經史幾方面都深入探討，自宏觀至微觀全面加以論述的，當推章實齋莫屬；而這也正是實齋最終建構了他的史學理論，超越前人之處。

在六經中，前人所謂的《詩》，往往即指《詩經》，例如郝經之說「《詩》，史之政也」，即源於《詩大序》所謂的「雅者，正也，言王政之所由廢興也。政有小大，故有小雅焉，有大雅焉」而來；潘府之說「《詩》之史婉」，則亦本《詩大序》所謂的「上以風化下，下以風刺上，主文而譎諫，言之者無罪，聞之者足以戒，故日風」而來，皆就其一端而言之。但實齋論六藝之詩，卻將「詩」的外延儘量擴展。《詩教》上：「周衰文弊，六藝道息，而諸子爭鳴，蓋至戰國而文章之變盡。……戰國之文，奇衺錯出，而裂於道，人知之；其源皆出於六藝，人不知也。後世之文，其體皆備於戰國，人不知；其源多出於詩教，人愈不知也。」章實齋認為戰國時代「文體大備」，後世集部之作，實際都來源於《詩經》，概而言之：一，戰國時縱橫家，本乎行人之官，其反復騰說，諷喻比興，委曲入情，微婉善諷，本於詩教；二，賦者古詩之流，所謂不歌而誦，即「六詩」（風雅頌賦比興）中之賦，其後發揚光大，成為一種領袖時代潮流的文體，由六藝附庸而蔚為大國，推其根源，本於詩教。故而實齋在《文史通義》中，再三致意，如《婦學》篇所云：「唐山房中之歌，班姬長信之賦，風雅正變，起於宮闈，事關國故，史策載之。其餘篇什寥寥，傳者蓋寡。藝文所錄，約略可以觀矣。若夫樂府流傳，聲詩則效，木蘭征戍，孔雀乖離，以及陌上采桑之篇，山下蘼蕪之什，……則自兩漢古辭，迄於六朝雜擬，並是騷客擬辭，思人寄興，情雖托於兒女，義實本於風人。」後世之集部，皆為六經之支流苗裔，來源甚古。

但是實齋並不以為集部來源於詩教，就不加以批評。他以為，詩曰：「出言有章。」古人文章僅求有章有序而已，風詩采之閭裏，敷奏登之廟堂。並無專書，各篇別出獨行。馬遷、班固將各人作品詳載於列傳，猶有古人遺意。後世文集始興，「集文始於建安，盛於齊梁之際」，蕭統《文選》被稱為「詞章之圭臬，集部之準繩」，卻「淆亂蕪穢，不可殫詰」。對於文體的區分，名稱的權衡，編排的先後，都有不盡如人意處。「古學之不可複，蓋至齊梁而後蕩然矣」。

實齋不滿《漢書·藝文志》「詩賦篇帙繁多，不入《詩經》，而自為一略，則敘例尚少發明其故，亦一病也。」（《章氏遺書》卷十一《補校漢藝文志第十》）。並說：「《漢志》分藝文為六略，每略又各別為數種，每種始敘，列為諸家，……猶如太元之經方州部家，大綱細目，互相維繫，法至善也。每略各有總敘，論辨流別，義至詳也。」但他指出只有《詩賦》一略，區為五種，而每種之後更無敘論，不知是遺漏了還是脫簡造成，「名類相同而區種有別，……第不如五略之有敘錄，更得詳其原委耳。」這裏雖說在談史志目錄的編排，但從實齋直接將詩賦上承《詩經》，同時又加以評論進退的做法，可以看出他不迷信經典，實事求是的態度。他認為六經固然是尊稱，但又初不為尊稱，六經不過是三代盛世的典章法度，政教行事之實，並非聖人有意作出來為了流傳後世的。

今之學者，經常將章實齋列入「離經叛道」的一類，提出「六經皆史」就「有否定獨尊儒術的意義」。但是實齋自己是否眞的願意承認這頂桂冠，值得懷疑。在《詩話》、《婦學》兩篇有論戰意味的文章裏，他反反復復提到如何看待《詩經》、學習《詩經》及對待儒家經典的態度問題。

例如：「聲詩三百，聖教所存，千古名儒，不聞異議，今乃喪心無忌，敢侮聖言，邪說倡狂，駭人耳目。六義甚廣，而彼謂雅頌劣於國風，風詩甚多，而彼謂言情妙於男女。凡聖賢典訓，無不橫徵曲引，以為導欲宣淫之具，其罪可勝誅乎？」（《詩話》）

「略易書禮樂春秋，而獨重《毛詩》，《毛詩》之中，又抑雅頌而揚國風，國風之中，又輕國政民俗，而專重男女慕悅，於男女慕悅之詩，又斥詩人風刺之解，而主男女自述淫情。……自來小人倡為邪說，不過附會古人疑似，以自便其私，未聞光天化日之下，敢於進退六經，非聖無法，而恣為傾邪淫宕之說，至於如是之極者也。」（《詩話》）

「嗟乎！古之婦學，必由禮以通詩，今之婦學，轉因詩而敗禮。禮防決，而人心風俗，不可復言矣！」

當然，這些話的語氣，可能由於激烈的論辯而顯得格外嚴厲，但是我們不能說，由於是對論敵的批評，就並非出自於實齋的眞心。恰恰相反，實齋是在很眞誠地說這些話的，或者說，這的確是實齋的眞正的詩學觀點。在《清漳書院留別條訓》中，開宗明義第一條，他便說：「凡天下事，俱當求其根本。得其本則功省而效多，失其本則功勤而效寡。……學問文章，何獨不然？諸子百家，別派分源，論撰詞章，因才辨體，其要總不外乎六藝。」這是對學子的殷殷勸告，也是實齋的夫子自道——在實齋看來，讀史就是讀經。實齋幼年就喜讀史不樂讀經，而實齋學術的基礎恰好就是六經皆史。

章學誠的舉業讀書法

黃復山*

提　要

本文依據章學程的類比排纂法，類纂他在舉業上的相關論述。首先為清代舉業略論，描繪出清代科舉大略的面貌，並論及舉業的弊端。再從章學誠〈清漳書院留別條訓〉三十三條中，歸納出四類有關舉業考試的讀書法，包括：教授方法、學習方法（積極方面）、學習方法（消極方面）、應試方法，清楚地呈現出章學誠舉業讀書法的系統學說。

關鍵詞　章學誠　科舉

章學誠（1738~1801），字實齋，會稽（浙江紹興）人，乾隆四十三年（1778）進士。曾官國子監典籍，而精力貫注於講學、著述和編修方志，提倡學術著作必須切於人事，所著《文史通義》，與唐劉知

---

* 淡江大學中國文學系教授

幾的《史通》并稱爲史學理論名著。他的學術理論，在哲學上強調「六經皆史」，申述「道不離器」觀點；史學上則認爲史書有「比類」（纂輯史料）與「著述」（發揮識見）之分；而文學上則要求內容須涵蘊作者本心，反對襲用古人和追求形式。

由於一生顛沛流離，窮困潦倒，迫於生計，從四十歲到五十一歲的十二年之中，章學誠擔任過五處書院的院長，先後主講於定州的定武書院（40歲）、直隸肥鄉的清漳書院（44歲）、直隸永平的敬勝書院（45歲）、保定的蓮池書院（47歲）以及河南歸德的文正書院（51歲）。這種經歷，相較於當時其他史學宗師而言，他的教學經驗是豐富多了，對時文制藝的舉業考試也有深刻的了解，並提出了一套系統而具體的舉業教學法，因而當時舉子們盛傳他有應舉的祕本流傳❶，臧庸（1766~1834）更稱讚他的「〈論學十規〉、〈古文十弊〉……等，偉論閎議，又復精細入神，切中文學之病，不朽之作也」❷。只因爲他論及舉業的短文與書信，多撰於車塵馬足之間，生前也未能刊行，所以當時的愛好者欲睹其原豹而不得。

近世學者對他的研究都專注於史學思想上，並未針對他在教學上的特色提出任何討論，甚者視爲他學術上的缺點。例如清末的詞人學者譚廷獻（1832～1901）替章氏寫了一篇傳記，引述了他的〈論課蒙

---

❶ 〈與史氏諸表侄論對策書〉：「聞南書塾相傳，謂僕與邵二雲侍講，均有秘本擬策，爲科舉之士所資。」（〔清〕章學誠著、倉修良編：《文史通義新編》〔上海：上海古籍出版社，1993年7月〕，頁675。）

❷ 臧庸：〈丙辰山中草跋〉，見徐世昌纂：《清儒學案小傳》（臺北：明文書局，1986年10月）卷10，頁384。

學文法〉❸，胡適看了後（1922），竟批評道：「譚〔廷〕獻的文章既不大通，見解更不高明，他只懂得章實齋的〈課蒙論〉！因此，我那時很替章實齋抱不平。」❹與胡適同時的其他學者，在發掘《文史通義》的史學內涵之際，雖然也知曉「章氏的文章當然是模範的『墨卷』，和寶貴的『冊頁』，那是無疑的」，但是同時又鄙夷認為：這種觀念「是一種『帖括』的識見，亦是一種『骨董』的識見」❺。

其實章學誠這一部分被視為枝節末道的教學原則，正是他的史學基礎所在，放在今日中高級學校的教學實踐上，也仍是若合符節的。有鑑於此，我們依據章學誠的類比排纂法，類纂他在舉業上的相關論述，董理出一篇章氏教學的心路歷程與深刻經驗，讓學者們能更清楚地看出，章氏的啓蒙教學法的架構與實際內容。

一、清代舉業略論

清代舉業的稱呼繁多，有時令人難以了解其間的區別，其實名稱所以不同，是由於出題依據的書籍與考題科目不同所致。異名大概有

---

❸ 〔清〕譚廷獻：〈文林郎國子監典籍會稽章公傳〉，見閔爾昌纂錄：《碑傳集補》（臺北：明文書局，1986年10月）卷47，頁4。

❹ 胡適著、姚名達訂正：《章實齋先生年譜》（臺北：臺灣商務印書館，1968年1月），胡適〈序〉（撰於1922年1月），頁1。

❺ 何炳松〈章實齋先生年譜序〉（撰於1928年10月）認為：「有一班學者很賞識《文史通義》中的文章，他們對章氏課蒙作文等方法的文字，尤其傾倒萬分。我以為他們這種識見實在是一種『帖括』的識見，亦是一種『骨董』的識見。」（胡適著、姚名達訂正：《章實齋先生年譜》，何〈序〉頁7。）

五種，都有人用以指稱清代舉業：(1)八股文（主題部分是由八個句子分別組成的四組對偶句）。(2)時文、時藝（時是今時之意，由於八股文是明、清考試使用的文體，明、清人當然稱之爲今時的文字；由於內容以文藝爲主，所以又稱時藝）❻。(3)制義、制藝（制是君主的命令，義指儒經大義。奉君主之命，對士子做經書解義的考試，即是制義）。(4)《四書》文（元代科舉始以《四書》作爲命題依據，後人因稱八股文爲《四書》文）。(5)經義（以五經爲出題依據，故稱經義）。

至於針對舉業中經義、八股的撰作，以及舉子應試、考官衡文等方面的資料，清代的相關文獻甚多❼，如《大清會典事例》中的「命題規制」、「試藝體裁」、「釐正文體」等部分；由方苞編《欽定《四書》文》所提供的範文可見官方的錄取標準；法式善《清秘述聞》及後人補充的一續、再續，記載了清代歷科考官、試題及省、會、殿元的姓氏、籍貫、出身等材料；王筠《教童子法》、唐彪《讀書作文譜》、《父師善誘法》、張行簡《塾課發蒙》，則敘述了讀書應考法；至於有關的史料，則有李調元的《制義科瑣記》，梁章鉅的《制義叢話》等。依據這些文獻，我們可以描繪出清代科舉大略的面貌。

（一）舉業的進程與考試科目

❻ 錢穆謂：「《四書》演成八股，則經術其名，時藝其實，朝廷取士標準依然在文藝，不在義理，仍不失爲是一種中立性的。」（錢穆：《國史新論》〔臺北：大中國印刷廠，1966年〕，頁89。）

❼ 以下敘述，參考王德昭：《清代科舉制度研究》（香港：中文大學出版社，1988年），以及何懷宏：《選舉社會及其終結——秦漢至晚清歷史的一種社會學闡釋》（北京：三聯書店「哈佛燕京學術叢書」，1998年）。

清代舉業的考試階段頗爲複雜，但是化簡說來，是由「童生→秀才→舉人→進士」系列進行的。童生的童子試，每三年舉行兩次：逢辰、戌、丑、未年，稱爲「歲試」，文、武童生並考；逢寅、申、巳、亥年，稱爲「科試」，只考文童生。考過者稱爲秀才，是科舉制度上最基本的功名。有了秀才資格，才能參加省級的舉人考試。

秀才的舉試每三年一次，稱作「鄉試」，又雅稱爲「乙科」，於每年秋八月在各省省會舉行，考過就是舉人。鄉試的考場稱爲「貢院」，每次須考三場，日各一場，共三日考完。

通過了鄉試的舉人，緊接著就是明年二月在京師舉行的會試。會試和鄉試相同，都是三年一考，逢丑、未、辰、戌爲會試之年。會試考試仍是三場，中式會試，稱爲「貢士」，貢士第一名爲「會元」，前十名爲「元魁」，十一至二十名爲「會魁」。貢士要經過保和殿覆試，且列等，才有資格參加殿試。殿試也叫廷試，例於四月二十二日舉行，欽定名次，一甲共三名，依次爲狀元、榜眼、探花。

至於考試科目，清初沿用明代制度，我們姑且以章學誠所處的清初百年間的狀況爲例，藉以明瞭章氏的環境背景對他的教學觀念有什麼樣的關聯。順治三年（1646）規定：鄉、會試第一場四子書三題（第一題用《論語》，第二題用《中庸》，第三題用《孟子》；或第一題用《大學》，第二題用《論語》，第三題用《孟子》），五經各四題，士子各占一經。第二場論一篇，詔、誥、表各一道，判五條。第三場，經史時務策五道。而首場皆試八股文[8]。王德昭《清代科舉制度研究》總結說：「首場

---

[8] 鄧嗣禹：《中國考試制度史》（臺北：臺灣學生書局，1967年5月），頁284引。

《四書》文與五經文用八股體，稱制藝，亦稱時文。康熙二十六年（1687）廢詔、誥，乾隆二十二年（1757）詔剔舊習，求實效，移經文於二場，罷論、表、判，增五言八韻詩。明年於首場復置論。四十七年（1782）移置律詩於首場《四書》文後，論於二場經文後。五十二年（1787）定自下科鄉、會試始，五科內每科輪試一經，迨五經依次試畢，即廢論，以五經出題並試，嗣是遂爲定制。」❾

將這些考試過程，列爲一覽表，較能清楚看出他們的內容：

舉試名稱	時　間	地　點	及第名稱	考試科目
童生考童試（又稱童子試）	辰、戌、丑、未年歲試。寅、申、巳、亥年科試。	試於府、州縣官衙。	及格稱「生員」（秀才、附生）縣試第一名稱「縣案首」。	縣試共六場，俗稱一考五覆。
生員考鄉試（又稱秋試、乙科）	子、卯、午、酉年之八月初九、十二、十五各一場。	直隸試於京府，各省試於布政司。	及格稱「舉人」第一名稱「解元」。	頭場試經義二道，《四書》義一道，二場論一道，三場策一道，中式後十日復以騎、射、書、算、律五事試之
舉人考會試（又稱春試）	丑、辰、未、戌年之二月。	試於禮部。	及格稱「貢士」第一名稱「會元」，前十名爲「元魁」。	三場：首場《四書》三題，《五經》各四題，士子各占一經。第二場論一篇，詔、誥、表各一道，判五條。第三場，經史時務策五道
貢士考殿試（又稱殿試、廷試）	三月朔日。（後於四月二十二日）	天子親策於廷。	一甲三人，即「狀元、榜眼、探花」；二甲賜進士及第，三甲賜進士出身。	僅時務策一道。

❾　王德昭：《清代科舉制度研究》，頁109。

（二）書院的必讀書目

宋、元的書院本為講學而設，雖然清代轉變成舉業科考的研習所，但所規定的教授科目仍頗為完備，如設立於清雍正十一年（1733）的蓮池書院，書院所開課程除官方規定的《聖諭廣訓》、《大清律例》、《四書》、五經之外，經、史、子、集均廣為涉獵。❿乾隆九年（1744）議准國學諸生除了經典考課之外，還需讀誦《臥碑文》、《戒飭士子文》、《聖諭廣訓》，並講解《大清律例》內有關刑名、錢穀的條文⓫。嘉慶五年（1800），阮元建「詁經精舍」於西湖白沙堤，教學不授八股制藝，專門提倡經古學、實學，「問以十三經、三史疑義、旁及小學、天部、地理、算法、詞章，各聽搜討書傳條對」，完全聽任學生選擇，各依其專才應答。⓬

以章學誠擔任過書院院長（又稱主講、山長、洞主、教授）的河北保定而言，保定陰陽學教學內容為天文與術數；保定醫學的教學內容有《素問》、《難經》等；至於一般私學並無統一規定，大致有《百家姓》、《千家詩》、《唐詩三百首》、《古文觀止》、《蒙求》等。章氏在四十四歲（1781）所寫的〈清漳書院留別條訓〉，也提到該讀的書，大致有以下項目：

然則讀書稽古，豈第求通古人而已哉？家若稍有餘資，則經部

---

❿ 取材自網頁 baoding.hebei.com.cn/node2/node7/node44：「保定教育史料：保定歷史上的科舉教育」。

⓫ 王德昭：《清代科舉制度研究》頁 113 引《清會典》。

⓬ 〔清〕孫星衍：《平津館文稿》（北京：中華書局《叢書集成初編》，1985 年），卷下，〈詁經精舍題名碑記〉頁 58。

> 之十三經與《大戴》、《國語》，史部之《史記》、《漢書》、《資治通鑑》，子部之《老》、《莊》、《管》、《韓》、《呂覽》、《淮南》諸家，集部之唐、宋八家、李、杜二家全集與《文選》及《唐文粹》、《宋文鑒》、《元文類》，皆不可缺，而《玉海》、《通考》、（唐順之）《稗編》之類，又可爲策部之資糧也。⓭
>
> 夫《三蒼》、《爾雅》、《方言》、《急就》諸篇，固當日所以訓誘童蒙，所謂「教之數與方名」之遺意也。……又以《廣韻》正其音切，《說文》正其點畫。⓮

次年主講蓮池書院時，章氏撰寫〈論課蒙學文法〉，也提及必讀書目，認爲：

> 取所纂（《左氏》）人物事跡，參以《公》、《穀》、《國語》、《禮記》、《史記》、周秦諸子、《新序》、《說苑》、《韓詩外傳》、劉向《列女傳》、《漢書·五行志》之屬，凡及《春秋》時事者，按其人名，增其未備，錄其異同，以類相從，以時相次，詳悉無遺，則人物事跡無遺缺矣。
>
> 敘事之文，……參以《三禮》、《國語》、《公》、《穀》、《管子》、《呂氏春秋》、賈誼《新書》、董子《繁露》、《白虎通義》、馬《書》、班《志》諸篇，以類纂附，使之熟而習

⓭ 〔清〕章學誠著、倉修良編：《文史通義新編》，〈清漳書院留別條訓〉頁502。

⓮ 〔清〕章學誠著、倉修良編：《文史通義新編》，〈清漳書院留別條訓〉頁488。

之。⑮

從這些內容來看，書院的教習內容，除了必讀的官方選本《聖諭廣訓》、《大清律例》、《臥碑文》、《戒飭士子文》以及概括的「小學、天部、地理、算法、詞章」等科目外，具體的書目大致有：

經部：《四書》文、十三經注疏（提及《左傳》、《公羊》、《穀梁》、《三禮》、《禮記》）、《大戴》、《韓詩外傳》、《白虎通義》、《爾雅》、《說文》、《廣韻》、《三蒼》、《方言》、《急就章》。

史部：《國語》、《史記》、《漢書》、《資治通鑑》、劉向《列女傳》、《文獻通考》。

子部：周秦諸子（提及《老子》、《莊子》、《管子》、《韓子》、《呂氏春秋》）、賈誼《新書》、《淮南子》、董子《繁露》、《新序》、《說苑》、《玉海》。

集部：唐、宋八家，李、杜二家全集，《文選》、《唐文粹》、《宋文鑒》、《元文類》、《古文觀止》、《千家詩》、《唐詩三百首》、《百家姓》、《蒙求》、唐順之《稗編》。

這些書目，若依唐彪《讀書作文譜》「當讀、當看」等分類來看⑯，當具備以資查考的應該是《文獻通考》、《玉海》、《稗編》之

---

⑮ 〔清〕章學誠：《章實齋先生文集》（臺北：文華出版社，1968年10月），〈論課蒙學文法〉頁392、393。

⑯ 唐彪謂：「有當讀之書，有當熟讀之書，有當看之書，有當再三細看之書，有必當備以資查考之書。書既有正有閑，而正經之中，有精粗高下，有急需不急需之異，故有五等分別也。」見〔清〕唐彪：《讀書作文譜》（臺北：

類；當通讀之後再精選細看的，應該是《資治通鑑》、周秦諸子、詩文之類；至於要熟讀背誦直到滾瓜爛熟地步的，當然是經書中的《四書》全部，以及五經主要內容，因爲這是義理文辭的淵藪，而科舉考試更是多半由此出題。

因此之故，當時一般童蒙所讀的時藝內容，依先後次序大致是：⑴《四書》（先《論語》或《大學》），⑵五經（先《孝經》及朱子的《小學》），⑶學習韻律，練習屬對（如《聲律啓蒙》、《神童詩》、《唐詩三百首》等），⑷熟悉典故、積累詞藻（如《幼學故事瓊林》、《龍文鞭影》，乃至百科全書式的《唐類函》、《淵鑒類函》等）。如果依個人的資質高低作學習的原則，才高者應讀全經及《國語》、《戰國策》、《文選》；才鈍者也要細讀五經、《周禮》、《左傳》，再摘讀《儀禮》，《公羊傳》、《穀梁傳》。⓱

不過，我們從清代墨卷所曾引用的內容來看，這些書目祇是部分，尙不足以眞正符合舉試的需求，所以舉子們爲了科考所必讀的基本書目，分量其實遠遠超出此數。

這些不夠完備的書目，充其量也只是反映出教育者的理想罷了，實際的教育環境尙未達此要求。章學誠在四十歲主講定武書院時，就曾感歎道：「於時州中鮮藏書，學校不備經史，士子墨守一經，尙未及其義疏。所爲舉業文字，大率取給坊刻時文，轉相沿習。」⓲「學

偉文圖書公司，1976年11月）卷2，〈看書總論〉頁16。

⓱ 何懷宏：《選舉社會及其終結——秦漢至晚清歷史的一種社會學闡釋》，第二編第三章〈考生〉。

⓲ 〔清〕章學誠著、倉修良編：《文史通義新編》，〈定武書院教諸生識字訓約〉頁503。

校不備經史」、只讀「坊刻時文」，成了有志教育者的痛心問題。章學誠自己早年也有購書的痛苦經驗，於二十九歲〈與族孫汝楠論學書〉中說道：

> 自少性與史近，史部書帙浩繁，典衣質被，才購班、馬而下，歐、宋以前，十六、七種。……況又牽以時文，迫以生徒課業，未識竟得償志否也？⑲

以潛心向學的章學誠自身而言，「典衣質被」才購得史部「十六、七種」，又「迫以生徒課業」，陷於「浮薄時文」，以致史學素願竟難得償。其餘志不在此的師生更不遑論及了。其實書籍太少一直是教師教學上困擾的問題，當然也造成書院師生們對於教授、學習態度上的偏差，這種客觀環境的弱勢，使得章學誠在致力破除這些弊病時，一直有著無奈的感受。

（三）舉業的弊端

1.師生素質參差

書院既以科考舉業為主，師生陷溺於其中，當然素質難以提昇，除了科考書籍外，多半不旁閱他書。清末馮桂芬記述咸豐、同治間的長沙嶽麓、城南書院，說道：「今天下書院……所習不過舉業，不及經史；所治不過文藝，不及道德。」⑳胡林翼建「箴言書院」，曾國

---

⑲ 〔清〕章學誠著、倉修良編：《文史通義新編》，〈與族孫汝楠論學書〉頁673。

⑳ 〔清〕馮桂芬：〈重儒官議〉，收入〔清〕葛士濬編：《皇朝經世文續編》

藩更建議：「宜擇精帖括制藝爲師，不宜求古。」因此，陳寶箴也沈痛地指出：清季書院「考所爲教，率不出經藝試帖，蓋利祿之錮蔽人心久矣。」㉑

而且，由於教授的專長和治學方式不同，各個教師的著重點也不一樣。章學誠也自言：「諸生以舉業爲本務，……莫不誦習先正成文，斯固然矣。亦知誦習成文，固亦自有道歟？督學、主司，各持風氣；塾師、山長，又各自有規模；幾又入主出奴，黨同伐異。爲諸生者，亦既難於定所從矣。院長所言，則有異於是矣。」㉒此外，主試者的出題風格不同，也造成應試者的讀書方法差異，他自己在四十歲（乾隆 42 年，1777）舉順天解試時，也說主試的梁文定公，「惡經生墨守經義，束書不觀，發策博問羣書條貫，雜以史事，以覘宿抱」㉓。他就是在這種「入主出奴，黨同伐異」的情況下，以廣博精邃的才學得到賞識，乃脫穎而出。

書院教授們「各自有規模」，諸生當然隨之高下不齊。此外，有些書院的學生，爲了生活也任教於私塾，章學誠記述道：「乾隆乙巳（50 年，1785），主講保定之蓮池書院，諸生多授徒爲業。」㉔四十四歲主講清漳書院亦說：「諸生多以授徒爲業。惟『教學半』之說，不

（臺北：文海出版社）卷 53，〈禮政四·學校上〉。

㉑〔清〕陳寶箴：〈上沈中丞書〉，收入〔清〕葛士濬編：《皇朝經世文續編》卷 10，〈治體一·原治〉。

㉒〔清〕章學誠著、倉修良編：《文史通義新編》，〈清漳書院留別條訓〉頁 489。

㉓〔清〕章學誠：《章實齋先生文集》，〈庚辛之閒亡友列傳〉頁 191。

㉔〔清〕章學誠：《章實齋先生文集》，〈論課蒙學文法〉頁 387。

可不三致意也。」㉕但是教授私塾的諸生們，卻因囿於習慣，教學與學習都流於制式呆板的框臼之中，非但未能達成教學相長的結果，反而使學習更加淺薄。對於這種情況，章氏感覺非常無奈：

> 諸生境遇不同，資稟亦異，更有家貧課蒙，與年長資鈍，雖欲排比編纂之功，亦有不能爲者。此於通經服古，實無望矣。然欲假借經傳餘光，潤色制舉文字，則猶未爲難也。……且翻閱經書，試爲文藝，華實並進，亦屬士子當爲之業。何可既無誦讀之功，又憚纂錄之煩，而並此區區之補苴下策，猶且諉棄不爲。……然而誦讀不能，望之纂錄；纂錄不能，望之即類爲文。言每況而愈下，而猶不憚委曲繁複以相告者，誠欲有志之士，固期奮發振興，而中庸以下，亦當勉其力之能副，不自安於廢棄耳。如於是而猶曰未能，吾未如之何也已矣。㉖

「既無誦讀之功，又憚纂錄之煩」，可見諸生連基本的努力都未能做到，章氏只能感歎「未如之何也已矣」。

書院裏的諸生，擔任塾師時不夠努力，作爲學生時又嫌慵懶，目光短淺，章學誠四十六歲主講永平敬勝書院時，在〈答周筤谷論課蒙書〉中就感歎道：「此間生徒，難與深言。」㉗他並且以實際所見的

㉕〔清〕章學誠著、倉修良編：《文史通義新編》，〈清漳書院留別條訓〉頁483。

㉖〔清〕章學誠著、倉修良編：《文史通義新編》，〈清漳書院留別條訓〉頁483。

㉗〔清〕章學誠著、倉修良編：《文史通義新編》，〈答周筤谷論課蒙書〉頁601。

情況爲例，說道：

> 乾隆壬寅（47年，1872），來主永平講席，進課諸生文藝，大率支離冗蔓，無可攬擷。詣所業編，則一經成誦，未遑訓詁，遽取給於浮薄時文。院長舉荀卿「冥昭昏赫」之旨，皆錯愕不對，斯須哂去。蓋習俗漬深，不可遽變，而因陋乘弊，又將無所底止。……詢其所學，惟是強識一經，粗憶三數百篇浮薄時文，顛倒首尾，剽掠形似，以眩一時耳目，無論不知文與學爲何事，雖充其所求，所謂即文爲學之業，又豈有幸得哉！㉘

諸生的「文藝大率支離冗蔓，無可攬擷」，「一經成誦，未遑訓詁」。也就是這種應付態度，所以與考試有關的「揣摩舉業文字，諸生固以肄業及之矣。至於誦習之法，竊恐諸生猶未善也。嘗試問諸生，誦憶先正文字，多者六、七百篇，少者二、三百篇，可謂富矣。及詢以得心應手，運用不窮，即什一而可當千百者，則竟未聞有一篇焉」。㉙因此，王德昭《清代科舉制度研究》直指：「大抵清代著名的書院，或著名學者講學書院，即令有志於矯正書院怠忽講學的風氣，也仍多不脫考課與時文的窠臼。」並總結道：「有清一代學風，書院但重考課，鮮事講學」，「士子之肄業於國學與府、州、縣學者」，只重《四書》文的考課。㉚在這種學風之下，師生素質參差不齊，又降低了教學的水準，當然是不必懷疑的事實了。

㉘ 〔清〕章學誠著、倉修良編：《文史通義新編》，〈《文學》敍例〉頁401~402。

㉙ 〔清〕章學誠著、倉修良編：《文史通義新編》，〈清漳書院留別條訓〉頁490。

㉚ 王德昭：《清代科舉制度研究》頁111引。

2.顓執時文

專事科舉考試的結果，師生都只爲考試而讀，其他啓發心靈的書籍、文章，一概在禁止之列。顧炎武就提及明末科舉籠罩下的學術背景：「余少時見一二好學者，欲通旁經而涉古書，則父師交相譙訶，以爲必不得顓業於帖括，而將爲坎軻不利之人。」㉛章學誠的父親驤衢先生教授生徒時就有意避免這種缺失，於「評點古人詩文，授讀學徒，多辟村塾傳本，膠執訓詁，不究古人立言宗旨」㉜。至於章氏幼時所見讀書人拘泥科舉的情形，更是讓他印象深刻，他兩次提及此事：

> 自雍正初年至乾隆十許年（1723~1745），學士又以《四書》文義相爲矜尚。僕年十五、六時，猶聞老生宿儒自尊所業，至目通經服古謂之「雜學」，詩詞古文謂之「雜作」，士不工《四書》文不得爲通，又成不可藥之蠱矣。㉝
>
> 自雍正初年至乾隆初年，……學者攻習，捨舉子業無以干祿也。……但以工《四書》文爲學者所宗仰，名重一時。而山林枯槁，鑿靈繕性，專門名家，以其性情詣力所及，亦有卓然不朽之業，而攻取之過，至目著述文詞謂之「雜作」，通經服古謂之「雜學」，學士非工《四書》文藝，則不謂之通人，蓋亦一時之風尚而已。㉞

㉛ 〔清〕顧炎武撰、黃汝成集釋：《日知錄集釋》（長沙：岳麓書社，1994年5月）卷16，〈十八房〉頁584。

㉜ 〔清〕章學誠著、倉修良編：《文史通義新編》，〈家書三〉頁690。

㉝ 〔清〕章學誠著、倉修良編：《文史通義新編》，〈答沈楓墀論學〉頁583。

㉞ 〔清〕章學誠：《章實齋先生文集》，〈葉鶴《塗文集》敘〉頁247。

章學誠幼時的乾隆初期學風，科舉《四書》的八股是主流，而後世所推崇的乾、嘉「漢學」，在當時尚未取得「正統」學術的地位，多半被視爲「雜學」。這是當時的一般「讀書人」的代表見解，而章學誠也有深刻的體會。他在十六歲（乾隆18年，1753）時，父親延請塾師柯紹庚（字公望）教授經義，他偏偏只好史學，塾師曾誨示他：「文無今古，期於通也。時文不通，詩古文辭又安能通耶？」他還是不聽，使得塾師甚以爲恨。明年秋、冬之間，他買得一部朱崇沐刊行的《韓文考異》，而塾師於舉業之外，禁不許閱讀它書，以致他不得不「匿藏篋笥，燈窗輒竊觀之」㉟。由此可知，在乾隆初期，除了舉業試題有關的文章之外，一般學子是很難得有機會閱讀與思索書中的大義的。

即使到了章學誠舉進士，主講定武書院的乾隆丁酉（42年，1777）時，書院仍然是少備書籍，章氏自言此情況：

> 丁酉承乏，主講定武講席，……於時州中鮮藏書，學校不備經史，士子墨守一經，尚未及其義疏。所爲舉業文字，大率取給坊刻時文，轉相沿習，不得立言柢蘊。㊱

學校不備經史，讀書以坊刻時文爲主，「不得立言柢蘊」，難怪丁酉年的順天鄉試中，主試官梁文定「惡經生墨守經義，束書不觀，發策博問群書條貫，雜以史事，以覘宿抱」㊲。不過，這次主試的「博問羣書條貫」，倒底沒能成爲日後科考風氣的轉變，所以顓執時文還是

㉟ 胡適著、姚名達訂正：《章實齋先生年譜》，頁7。

㊱ 〔清〕章學誠著、倉修良編：《文史通義新編》，〈定武書院教諸生識字訓約〉頁503。

㊲ 〔清〕章學誠：《章實齋先生文集》，〈庚辛之閒亡友列傳〉頁191。

諸生讀書方法的主流。

3.擬題之過

科舉考試的弊病，造成考生因循末學、志行浮薄的趨勢，《金史·選舉志》云：「泰和元年（1201），平章政事徒單鎰病時文之弊，言：『諸生不窮經史，唯事末學，以致志行浮薄。可令進士試策日，自時務策外，更以疑難經旨相參為問，使發聖賢之微旨、古今之事變。』詔為永制。」㊳只是，這些弊病因循到明末仍然未見改善，大儒黃宗羲就說：「故時文者帖書、墨義之流也。今日之弊，在當時權德輿已盡之。向若因循不改，則轉相模勒，日趨浮薄，人才終無振起之時。若罷經義，遂恐有棄經不學之士，而先王之道益視為迂闊無用之具。余謂當復墨義古法，使為經義者全寫注疏、大全、漢宋諸儒之說，一一條具於前，而後申之以己意，亦不必墨守一先生之言。由前則空疏者絀，由後則愚蔽者絀，亦變浮薄之一術也。」㊴不過，空疏、愚蔽的浮薄學風，從宋、明以降，一直延續到清代，其中尤以八股出題為甚。

由於八股文的設題，大都由《四書》中取語句為題，而《四書》白文才五萬二千六百七十七字，連註則一共三十萬一千七百十六字㊵，自明至清，科舉考試用了五百多年，題目難免重複。所以八股文

㊳ 〔元〕脫脫：《金史》（北京：中華書局，1987年11月）卷51，〈選舉志〉頁1138。

㊴ 〔明〕黃宗羲：《明夷待訪錄》（臺北：金楓出版，1987年5月），〈取士上〉頁54。

㊵ 依臺灣商務印書館「經部今註今譯」計數，《大學》1747字，《中庸》3545

刻印流傳的篇數多以萬計，《四書》中的每一句話都能找到多篇現成範文，考官爲了避免士子抄襲，便千方百計在題目上耍弄技巧，於是，題目愈出愈奇、愈出愈偏。顧炎武就說過：「今日科場之病，莫甚乎擬題。且以經文言之，初場試所習本經義四道，而本經之中，場屋可出之題不過數十，富家巨族延請名士館於家塾，將此數十題各撰一篇，計篇酬價，令其子弟及僮奴之俊慧者記誦熟習。入場命題，十符八九，即以所記之文抄謄上卷。較之風檐結構，難易殊迴。《四書》亦然。……因陋就寡，赴速邀時。昔人所須十年而成者，以一年畢之。昔人所待一年而習者，以一月畢之。成於剿襲，得於假倩，卒問其所未讀之經，有茫然不知爲何書者。」㊶

在擬題與模仿墨卷的風氣下，章學誠剛考取進士，坊間就流傳他有應試的題策祕本，他自述其事道：

> 聞南書塾相傳，謂僕與邵二雲（晉涵）侍講，均有秘本擬策，爲科舉之士所資。此誤傳也。策問之設，所以覘人學植，學植而有秘本可傳，則學植不足難矣。……世之舍學植而疑別有所謂策學，何以異是？原策問之程式，所以試人記誦名數，名數具在簡策，豈人所得秘邪？揣摩時事，摘抉要略，則坊刻策括，

字，《論語》12700 字，《孟子》34685 字。清唐彪則以白文與註疏合計，謂：「《大學》正文及大註、內外註，共五千四百七十四字，《中庸》正文及大註、內外註，共一萬二千七百五十七字，二《論》正文及內外註，共七萬零六千七百三十六字，二《孟》正文及內外註，共二十萬六千七百四十九字。」（〔清〕唐彪：《父師善誘法》〔臺北：偉文圖書公司，1976 年 11 月〕下卷，頁 25。）

㊶ 〔清〕顧炎武撰、黃汝成集釋：《日知錄集釋》卷 16，〈擬題〉頁 590。

亦已無所不備。科舉之士，學不素豫，則取坊刻策括，擇與近事相關合者，記其名數，臨場如款以對，十亦可得七八，雖使宿學之士數家珍而出者，不能毫髮異也。[42]

由於秘本擬策的傳聞，致使許多塾師並不作紮實的準備，僅祇採用硃墨試卷或是時文選輯，當作速成的教學工具。章氏就親眼看到文友顧九苞成了眾人索求的對象，當顧氏「以選拔遊都下，出其應選貢試時所爲經籍對策，與詩賦制藝，刻本贈人，科舉之士，爭劫取之，以爲餽貧餱糧」。[43]可見當時舉子偏好時文的盲從心態，這也令章學誠感到十分無奈。朝廷爲了導正這種偏失觀念，嘉慶元年（1796）詔諭重申不許「止將頌聖語句命題試士」。考官就在這兩種要求之間謹慎行事，縱觀法式善《清秘述聞》所載嘉慶以後的歷年鄉、會試題，雖然不免重複，但出題範圍畢竟擴大許多，想僥倖以模仿或預擬上榜的機會，相對也就少多了。

二、章學誠論舉業教學法

章學誠認爲「善爲教者，達其天而不益以人，則生才不枉，而學者易於有成也」[44]。所以很注重教學方法，四十四歲作〈清漳書院留

---

[42] 〔清〕章學誠著、倉修良編：《文史通義新編》，〈與史氏諸表侄論對策書〉頁675。

[43] 〔清〕章學誠：《章實齋先生文集》，〈庚辛之閒亡友列傳〉頁193。

[44] 按：本文所引〈論課蒙學文法〉取自〔清〕章學誠：《章實齋先生文集》，

別條訓〉三十三條[45]，四十八歲主講保定之蓮池書院，又撰〈論課蒙學文法〉二十六通[46]，都詳細論述他的教學理念及執行方法。「課蒙學文」二十六通，大致承襲「條訓」三十三條，闡述類纂、字學、作文法、《四書》題、天籟自然讀書法等觀念。以下表列〈清漳書院留別條訓〉三十三條內容以見其詳：

文章之根本在六藝。	根本	字學至經書之層次進度。	字學	啓悟貴於工時文。	領悟
學貴日積月累。	積累	穿插誘導讀經。	教學法	讀古文在求古人之心。	領悟
二十歲前記誦，二十歲後思考。	進度	學墨卷，知其趣。	入趣	經藝總論。	題文
排比編纂，先作制舉範文。	分類	舉業須「力學、辨識、充才」。	層次	易經題：象數、理致。	易
幼年讀誦，長大溫習。	進度	揣摩成文作法，始可循而作文。	揣摩	書經題：溫醇爾雅。	書
經傳強勝時文。	根本	博學守約。	博約	詩經題：風雅。	詩
舉業由「學問」、「文章」而來。	根本	讀古文，熟者使生，生者使熟。	博約	春秋題：攸關《四書》題。	春秋
讀書先明字畫。	字學	日記進度，以檢勤惰。	進度	三禮題：天文、地理、職官。	禮
字學方法：形音義。	字學	舉業重「理法、氣機、辭采」。	層次	性理題：發題蘊，切人事。	性理
識字以通經。	字學	分類貫通，胸有定識。	類纂	試帖排律題：自然、天籟、性情。	試帖
字學正途。	字學	分類名家之時文經驗。	類纂	策問題：學問、經濟。	策問

三十三條有關舉業考試的讀書法，內容雖似繁雜，歸類後不外以下四類：

⑴**教授方法**：疾徐得法，循序漸進；難易穿插，引發興趣；學貴積累，進程明確。

⑵**學習方法（積極方面）**：由字學而通達學業、抄錄資料、排比類纂、博學守約、學貴領悟、揣摩範文，得其精髓。根本在經傳、五經與策問等題文作答要項。

惟此句《文集》未收，見錄於倉修良編：《文史通義新編》，頁306。

[45] 〔清〕章學誠著、倉修良編：《文史通義新編》，〈清漳書院留別條訓〉頁480~502。

[46] 〔清〕章學誠：《章實齋先生文集》，〈論課蒙學文法〉頁387~396。

⑶學習方法（消極方面）：鄙棄時文與墨卷與範文選輯。

⑷應試方法：先作各體範文、作文方法、舉業與經傳的關係。

歸納這些條規，其實就清楚地呈現出章學誠舉業讀書法的系統學說，以下即依章氏自己的說辭，論述他的觀念與切身的實踐。

（一）疾徐得法，循序漸進

章學誠的教童子學習法，以漸進式爲主，這在他四十三歲（乾隆 45 年，1780）與摯友永清知縣周震榮，談論師資的具備條件裏可見一斑：

> 周君與余論課童子，余亟稱子謂（樂武字子謂），周君曰：「子謂如何？……其教何以勝人？」余曰：「不求勝也。心有恆，故幼學基焉；其言忠信，故童子喻焉。端嚴出於情性，故拘而不苦也；懇至發於眞誠，故交可久也。」周君喜曰：「吾得師矣。」遂聘子謂館焉。逾月，余見周子，問「子謂亦何如」，周君曰：「似有異焉。童子初見，縱之三日而後收威。或請其故，則曰：『醫者療病，必洞見其臟腑癥結，而後施功。若遽收之，將有隱疾，伏匿而不可見也。』日課視宿所能，僅十之八，或請其說，則曰：『精力常欲其有也。盈八而不免有閒，不如餘二而得恆也。』」余曰：「此殆秋之弈，廣之射，疾徐甘苦，可獨喻而難爲人言者歟！」[47]

周震榮本來敦聘唐鳳池課授其子，但是唐先生乃謙謙君子，「授童子書，亦過於寬，未盡所長」，周震榮衹好改以文墨事託付，而請章學

---

[47] 〔清〕章學誠：《章實齋先生文集》，〈庚辛之閒亡友列傳〉頁 188。

誠另外推薦人選，樂武因此脫穎而出。㊽樂武教童子異於其他過寬或過鬆的塾師，他先對蒙生們「縱之三日而後收威」，原因是「若遽收之，將有隱疾，伏匿而不可見也」；至於日課也不強求，是由於「盈八而不免有閒，不如餘二而得恆」之故。這正符合章學誠「疾徐甘苦」的教學觀念。

章氏教學最喜歡提「疾徐甘苦」，如「此心同其疾徐甘苦之致」、「文之甘苦疾徐，固未嘗有所入」，其意出自《莊子·天道篇》，輪扁回答齊桓公製輪方法道：「斲輪，徐則甘（緩）而不固，疾則苦（急）而不入。不徐不疾，得之於手而應於心，口不能言，有數存焉於其間。臣不能以喻臣之子，臣之子亦不能受之於臣。」

再者，章氏認爲諸生既然多以授徒爲業，就應善用環境資源，用鼓勵與合作的方法，得到教學相長的結果，他說：「爲之師者，勤爲授讀講解，雖幼年未讀之經傳，於斯即爲末路之補苴焉，當亦不無裨益矣。且爲諸徒講解，則問答剖悉疑義，亦可假以明道，較之幼年誦讀而長大未溫習者，固已遠勝之矣。假能同志數人，分徒課讀，聯爲背誦經書之會，每旬日一聚，或半月一聚；務使受業弟子，互相矜奮；爲師長者，又須多方勸誘；或又有賢父兄爲之量出獎賞，則方以類聚，不特成己有資，而成物功，亦已巨矣」㊾。

這種方式，和王筠《教童子法》的觀念相似，王筠說：「初學文，先令讀唐、宋古文之淺顯者，即令作論，以寫書爲主，不許說空話，

㊽〔清〕章學誠：《章實齋先生文集》，〈庚辛之閒亡友列傳〉頁 187。

㊾〔清〕章學誠著、倉修良編：《文史通義新編》，〈清漳書院留別條訓〉頁 483~4。

以放爲主，越多越好，但於其虛字不順者，少改易之，以圈爲主，等他知道文法而後使讀隆、萬文，不難成就也。」㊿塾師批改作文，「以放爲主」，「以圈爲主」，表示誘導鼓勵大於嚴厲。藉此習得文法修辭的能力後，再讓蒙童學習明代隆慶、萬曆年間的八股文，就能得到具體的功效了。

（二）難易穿插，引發興趣

教學應注重教學技術，引發學生學習動機，然後鼓勵學生學習，效果自能顯著。因而，章學誠認爲一味讀經，會失之枯躁，讓童蒙無法持久，所以主張以穿插讀經，誘導鼓舞的方法教學，他說道：

> 童幼習誦經書，必須分別正閏。蓋中人之性，多是厭故喜新；童幼初學習誦，則厭故喜新爲尤甚也。假如學徒資性，每日能誦習三百言者，則使日誦本經止二百言，再授他經亦二百言，必能誦識無遺。是已不知不覺平添百字之功矣。……又況書有難易，義有淺深，惟在爲之師者，從而裁制品節，乘機鼓舞，自能曲達其材。[51]

簡單地說，也就是要先難後易，循序漸進。他又在四十六歲〈再答周筤谷論課蒙書〉中，贊成周震榮的說法道：「詳味足下之意，蓋不外乎先易後難，使童幼易於入手。足下之言是也。」[52]所以如此，是因

---

[50] 〔清〕王筠：《教童子法》（臺北：新文豐出版，1986年1月），頁1。

[51] 〔清〕章學誠著、倉修良編：《文史通義新編》，〈清漳書院留別條訓〉頁488。

[52] 〔清〕章學誠著、倉修良編：《文史通義新編》，〈再答周筤谷論課蒙書〉

爲：「童孺知識初開，甫學爲文，必有天籟自然之妙，非雕琢以後所能及也。……善教學者，必知文之節候、學之性情，故能使人勤而不苦，得而愈奮，終身憤樂而不能自已也」㊿。再者，「胸中本無而強作之勢，則如無病之呻，非喜之笑，其爲之也倍難。蒙師本欲從其易者入手，而先使之難，不可解也。……蒙師必欲迎其悅樂而利導之，而反使之苦，不可解也」[54]。這是章氏在教學上注重學生心態，穿插生活經驗並引發學習興趣的做法。

這種做法，也爲後來的王筠所彰顯，王筠在《教童子法》中強調：「學生是人，不是豬狗，讀書而不講，是念經也，嚼木札也。鈍者或俯首受驅使，敏者必不甘心。人皆尋樂，誰肯尋苦。讀書雖不如嬉戲樂，然書中得有樂趣，亦相從矣。」又說：「小兒無長精神，必須使有空閒，空閒即告以典故。但典故有死有活。死典故日日告之，如十三經何名，某經作註者誰，作疏者誰，二十四史何名，作之者姓名。日告一事，一年即有三百六十事。師雖枵腹，能使弟子作博學矣。如聞一典，即逢人宣揚，此即有才者。然間三四日，必須告以活典故，如問之曰：『兩鄰爭一雞，爾能知其是某家物否？』能知者即大才矣。不能知而后告以《南史》：先問兩家飼雞，各用何物，而后剖膆驗之。弟子大喜者，亦有用人也。自是心思長進矣。」[55]王筠認爲教童蒙讀書，應配合生活化的實例，使童蒙了解書中的意思，童蒙學習就有興趣；如果不加上生動的講解以啓發思考，只是一味要求童蒙念誦，當

頁602。

[53] 〔清〕章學誠：《章實齋先生文集》，〈論課蒙學文法〉頁395。

[54] 〔清〕章學誠：《章實齋先生文集》，〈論課蒙學文法〉頁388。

[55] 兩段文字，分見於〔清〕王筠：《教童子法》頁1、頁2。

然會導致枯燥不耐煩的結果。

（三）學責積累，進程明確

《禮記·學記》論大學的為學次第云：

> 比年入學，中年考校。一年視離經辨志，三年視敬業樂群，五年視博習親師，七年視論學取友：謂之小成。九年知類通達，強立而不反：謂之大成。

「比年入學」，或如許愼《說文序》的：「周禮：八歲入小學」，由此讀書九年，至十七、八歲時能夠「知類通達」，就算是學成了。其間的知識與人格的養成次第，清楚而明確，優於科舉取士的八股風氣。

舉業籠罩下的讀書進程，近人齊如山曾作簡述：「從前小兒讀書，分三個階段，六、七歲小孩初上學，名曰『開讀』，……十幾歲讀過一兩部經書之後，先生才開始與之講解，此名曰『開講』，十四、五歲以上，便開始學作文章，此名曰『開筆』。」[56]六、七歲只讀蒙書或《四書》，到十四、五歲才開始作文章。這種方法，和王筠教童子頗為吻合，王筠《教童子法》說：「弟子鈍，則識千餘字後，乃為之講；能識二千字，乃可讀書，讀亦必講解。然所識之二千字，前已能解，則此時合為一句講之。若尚未解，或並未曾講，只可逐字講之。八、九歲時，神智漸開，則四聲、虛實、韻部，雙聲、疊韻，事事都須教，兼當教之屬句，且每日教一典故。才高者，全經及《國語》、

---

[56] 齊如山：《中國的科名》，收入楊家駱主編：《中國選舉史料·清代編》（臺北：鼎文書局，1977年），頁1089。

《國策》、《文選》盡讀之；即才鈍者，亦《五經》、《周禮》、《左傳》全讀之，《儀禮》、《公》、《穀》，摘鈔讀之。才高者，十六歲可以學文；鈍者二十歲不晚。」(57)

不過，才高者因爲有餘裕，實際上不到十六歲已經學會作文了，例如朱筠九歲入書屋讀書，十三歲學爲文；胡傳五歲入塾，十一歲講《四書》，十六歲八股已能成篇；俞樾六歲讀書，十歲即開始習時文；沈曾植八歲讀書，十三歲開筆；林紓也是十三歲習制義。(58)只是，一般舉子當然無法模仿這些少數天才，章學誠說得頗爲實際：

> 人生誦讀之功，須在二十內外，若年近三十及三十外者，人事日多，記誦之功亦減，自不能如童子塾時專且習也。然年齒既長，文義亦明，及此施功，亦有易於童年記誦之處也。如必不能記憶，則用別類分求之法，統匯十五經、傳，大而制度、典章，小而名物、象數，標立宏綱、細目，摘比排纂，則程功課效，自能有脊有倫，學問既得恢擴，而文章亦增色采。(59)

「誦讀之功須在二十內外」，此後則「用別類分求之法」，也能達到學成的目的。至於每日進度若干，也可以逐一算計以得知大概，章氏說：

> 學者工夫，貴於銖積寸累。……大、小九經統計四十九萬餘言，

(57) 〔清〕王筠：《教童子法》頁1。

(58) 何懷宏：《選舉社會及其終結——秦漢至晚清歷史的一種社會學闡釋》，第二編第二章〈八股的形成〉。

(59) 〔清〕章學誠著、倉修良編：《文史通義新編》，〈清漳書院留別條訓〉頁482。

> 再加《公羊》、《穀梁》……亦只六十四、五萬言而已。中人之資，日課三百言，不過七年可畢。或遇人事蹉跎，資稟稍鈍，再加倍差，亦不過十年可畢。……今之學，疲精勞神於浮薄時文，計其用力，奚翅十年？畢竟游談無根，精華易竭。[60]

章氏認爲必讀的經書約六十四萬字，如果以每日三百字計算，大概七至十年可以讀畢。這個說法與歐陽修相近，歐陽修說：「今取《孝經》、《論語》、《孟子》、六經，以字計之，……止以中才爲準，若日誦三百字，不過四年可畢；或資鈍減中人之半，亦九年可畢。」[61]如果只是五經白文，就更容易了，他四十歲擔任定武書院院長時，告誡兼職塾師的門生劉輝山、鹿廷鍔說道：「二君皆教授學徒，盍取五經白文，日與講解三、五百字，約略三年可畢。學徒既得成就，而二君之文，亦日浸潤於古而不自知矣。」[62]

不過，一面依照進度讀書，一面還要「逐日登記，非第藉以不忘課業，亦可自檢用功勤惰。……是亦勸學之道也」[63]。

但這種讀書法也不是每個人都適用，章氏早年體弱多病，「日誦才百餘言，輒復病作中止」，根本無法持久，以致「一歲中銖積黍計，大約無兩月功」[64]。所以他聽到有人能「日誦五千言」，簡直是不敢

---

[60] 〔清〕章學誠著、倉修良編：《文史通義新編》，〈清漳書院留別條訓〉頁481。

[61] 〔清〕唐彪：《父師善誘法》下卷，頁25引。

[62] 〔清〕章學誠：《章實齋先生文集》，〈與定武書院諸及門書〉頁310。

[63] 〔清〕章學誠著、倉修良編：《文史通義新編》，〈清漳書院留別條訓〉頁492。

[64] 〔清〕章學誠著、倉修良編：《文史通義新編》，〈與族孫汝楠論學書〉頁671。

置信：

> 君（顧九苞）乃爲（沈富業）先生子在廷授經。時在廷年甫十四，日誦二千言，諸經傳疏略皆隱括。余顧而歎其敏也。君曰：「是子幸好學耳，質烏能敏？余子日誦三千言，正病其魯耳。」余曰：「然則如君能幾何？」「蓋日識五千言矣。」余質最鈍，少時日誦百許言，猶汲汲也，聞君言，詎而不信。他日窺其几陳故書數百卷，丹墨標識，略可辨別，則君少時塾課本也。[65]

章氏自認「少時日誦百許言，猶汲汲也」，而顧九苞竟然「日識五千言」（觀其少時私塾所讀「故書數百卷，丹墨標識」，可證並非誇大之詞），讓他大感驚訝。不過，一般學子仍有一定的量度，「一日之間，多則五、七篇，少亦可三數篇，人之記憶，固有不可以強爲者」，這時就有待新的方法作爲補強了，那就是「分類摘求之法，不可不知所務者也」[66]。

三、章學誠論舉業學習法（積極方面）

（一）由字學而通達學業

章學誠認爲塾師教授童蒙，如果未解字學而先授句讀，會造成適得其反的學習後果，他說：

---

[65] 〔清〕章學誠：《章實齋先生文集》，〈庚辛之閒亡友列傳〉頁193。

[66] 〔清〕章學誠著、倉修良編：《文史通義新編》，〈清漳書院留別條訓〉頁492。

凡童蒙入學之初，先授句讀，此實貽誤不成。蓋彼蒙幼無知，隨師訓讀，經書語句，信口肄習，如演歌曲。字義固未明晰，而聲音亦未諧切，字畫亦未習識，則其於經書，讀猶未讀者也。蒙師不解，以謂穉幼顓蒙，本不可求備。……塾師見成誦之難，以謂是蒙昧之未易開也，豈不冤哉！[67]

童蒙子弟，欲正小學之功，不當先授句讀，但當先令識字，……授之以俗字，而訓之以俗解，他日聯字成句，聯句成章，不可通於大雅」[68]。

因爲童蒙不解文字的形、音、義，只能在誦讀的音聲上強效其似，所以成誦艱難，讀猶未讀。所以他認爲啓蒙的進程應該是「成材→講解→背誦」，知識已開悟之後，纔給予訓解闡釋，這是一種自然教學法。在這種教法中，識字是非常重要的。

識字爲童蒙教學的初步工夫，這也是當時多數識見明晰的學者的共識，如唐彪以自己教童蒙的經驗說：「苟字不能認，雖欲讀而不能，讀且未能，烏能背也。初入學半年，不令讀書，專令認字，尤爲妙法。」他並舉次子的蒙學經驗爲證：「余子正心自六歲入學，因書不成誦，三歲歷三師，至四年無可如何，不復易矣。其歲則甲寅也，因兵亂避居山中，適有朱雨生設帳其地，因令就學。從游至五月，所讀新書不減於前三載，且於前三載不成誦之書，無不極熟。彪敬問其故，答曰：

[67] 〔清〕章學誠著、倉修良編：《文史通義新編》，〈清漳書院留別條訓〉頁487。

[68] 〔清〕章學誠著、倉修良編：《文史通義新編》，〈清漳書院留別條訓〉頁488。

『吾無他術，惟令認字清切而已。令郎非鈍資，止因一二句中，字認不清，故不敢放心讀去，則此一二句便不熟。因一二句不熟，通體皆不成誦矣。』」(69)只是一個「認字清切」的方法，就能讓三年學不好的蒙童，在不到五個月的時間裏，讀熟三年的學習內容，可見識字的重要性。王筠也持同樣的主張，認爲：「蒙養之時，識字爲先，不必遽讀書。先取象形、指事之純體字教之」，「純體字既識，乃教以合體字」，「如弟子鈍，則識千餘字後，乃爲之講」(70)。可見讀書先須識字，的確是信而有徵。章學誠在此一觀念上也有很清楚的看法。

1.讀書須先識字

章學誠受到戴震（1723~1777）的影響，強調童蒙學習應該由解字學而至通經書，其間有一定的層次進度(71)。在他任教定武書院時，感慨「今學者以通經服古爲迂談，而剽掠浮薄時文，以爲取青紫如拾芥矣。究之所求未必得，而術業卑陋，不可復問；及見通人達者，則以謂天授，非人力相與，安爲固然」(72)。深思之餘，認爲要革除這種弊病，惟有從基本的字學做起，因爲大凡作文，「集段成篇，集句成段，集字成句，集畫成字，然則篇章雖云繁富，未有不始於集畫成字者也」，「童蒙子弟，欲正小學之功，不當先授句讀，但當先令識字，……

---

(69) 〔清〕唐彪：《父師善誘法》下卷，頁 19。

(70) 〔清〕王筠：《教童子法》頁 1。

(71) 〔清〕章學誠著、倉修良編：《文史通義新編》，〈與族孫汝楠論學書〉頁 672。

(72) 〔清〕章學誠著、倉修良編：《文史通義新編》，〈定武書院教諸生識字訓約〉頁 504。

授之以俗字，而訓之以俗解，他日聯字成句，聯句成章，不可通於大雅」[73]。既有這種體認，當然就在學院教授時付諸實踐，並在日後擬定了具體的步驟：

(1)童蒙先識字畫，再解訓義，兼辨聲音（形音義）。

(2)連綴單字而成詞。

(3)集字詞成句。

(4)由句而授名數之冊，使演貫習熟。

(5)熟稔名數後再授經書、子史傳記。

(6)每日註記課誦大要。

(7)循此以粗通文理倫類。

(8)最終得以成章進業。

這八個進程，具體而實在，由此進而放在文章撰寫上，他告誡門生道：

> 諸生軒然而爲大篇之文，曾未嘗稍究心於字畫之間，又何怪篇無善句，句無善字也哉？……韓愈氏曰：「出爲文辭，宜略識字。」韓氏亦近世之通儒，不曰「出爲文辭，精究六書」，而曰「宜略識字」，蓋自問不能專門名家，則文字訓詁，略識大旨，度其不謬古人，足以給己施用。……今願諸生即所誦習經書，句析其字，字審其音，音辨其義，而於字通形體相近、音韻通轉甚微，而於訓詁意義全別者，分類推求，加意別白。[74]

---

[73] 〔清〕章學誠著、倉修良編：《文史通義新編》，〈清漳書院留別條訓〉頁485。

[74] 〔清〕章學誠著、倉修良編：《文史通義新編》，〈清漳書院留別條訓〉頁485。

作文須略識訓詁大旨，「誦習經書，句析其字，字審其音，音辨其義」，所以他強調童蒙初學的三年中，如果採用這種由識字而逐步成章的方式，「乃拾取俗師課誦幼穉初教三、二年中，廢棄無用之功，易而爲有用之學耳」[75]。亦即用這三年的工夫，換取一般塾師前三、二年所浪費在無用的教學誦讀上，當然是非常划算的。

不過，這種方法可能太紮實而效果緩慢，一般人無法接受。章學誠談到他的摯友周延之，說道：「周君教童子，用古人小學法，先習《爾雅》、《說文》，保定蒙師無能喻者。君（錢詔）即挈其二髫孺子，至永清受句讀於周君，而躬督課之。」[76]可見能夠理解並遵循這種方式的父師，仍然只是少數個案。

2.字學學習法

字學既然如此重要，應該如何學習，章學誠四十四歲離開清漳書院時，爲門生提出了具體的看法：

> 文字之學，約有三類，主義理者當宗《爾雅》，主形象者當宗《說文》，主音韻者當宗《廣韻》。……各置一冊，以時展閱，而於誦習經傳有所疑擬，則就冊而稽之，一隅三反，分類摘記，則進於通經服古，亦不遠矣。如欲於斯致其功焉，則院長於定州書院，嘗教諸生編集經傳文字異同矣，凡例一卷，別有傳本，

[75] 〔清〕章學誠著、倉修良編：《文史通義新編》，〈清漳書院留別條訓〉頁488。

[76] 〔清〕章學誠：《章實齋先生文集》，〈庚辛之閒亡友列傳〉頁198。

於斯不復綴述也。(77)

字學方法：形音義，義理以《爾雅》爲主，形象據《說文》爲準，音韻則宗《廣韻》。三書置於案頭，隨時翻檢，並且分類摘記，就一定得到明確的學習效果。所以章學誠早於四十歲寫下了〈定武書院教諸生識字訓約〉，提出基本的識字書目：衛氏古文、《爾雅》、《說文》、《廣韻詳定》、《雍熙韻略》、《字通》、《字匯》(78)，並於次年〈與定武書院諸及門書〉中再度提醒門生：「臨別所授〈分經認字條例〉，近亦倣而行之否？」(79)

王筠也強調字學在啓蒙教學中的重要性，與章學誠觀念相輔相成，王氏說道字學的教授方式：「識字必裁方寸紙，依正體書之，背面寫篆。獨體字非篆不可識，合體則可略。既背一授，即識此一授之字，三授皆然。合讀三授，又總識之。……必須逐字解，則茁實。異日作文，必能逐字嚼出汁漿，不至滑過。既能解，則爲之橫解：同此一句，在某句作何解，在某句又作何解，或引伸，或假借；使之分別劃然，即使之展轉流通也。」(80)章氏更舉門生的經驗道：「通經本於識字，此固不易之理，然其事則本於幼學。……念諸生居家，多有童蒙子弟，或諸生向以課授童蒙爲業，則正始之道，先入爲主。」(81)至

---

(77)〔清〕章學誠著、倉修良編：《文史通義新編》，〈清漳書院留別條訓〉頁486。

(78)〔清〕章學誠著、倉修良編：《文史通義新編》，〈定武書院教諸生識字訓約〉頁504。

(79)〔清〕章學誠：《章實齋先生文集》，〈與定武書院諸及門書〉頁310。

(80)〔清〕王筠：《教童子法》頁3。

(81)〔清〕章學誠著、倉修良編：《文史通義新編》，〈清漳書院留別條訓〉頁

於具體的做法，章氏也說得非常清楚：

> 《說文》檢字生疏，須取俗下《詩韻》一本，將小篆九千餘文，通與注明部次，朱筆標於楷韻下，如遇經傳文字，先按韻而得其部次，再按部次而得其篆文，其功特易易耳。……且編韻之功，爲之甚易，一人讀全部《說文》，一人逐字檢韻注，……不過十日可畢。是經傳文字未及考正，卻已先得一卷《說文缺字考》矣。爲學之事，動手必有成功，此類是也。[82]

將經傳文字，按韻而得其部次，再按部次而得其篆文，如此不但讀完《說文》，更可編得一卷《說文缺字考》，對於經傳的用字概念，已先比別人清楚一層了。

（二）抄錄資料、排比類纂

章學誠史學方法，強調抄錄類編的工夫，這是他從小就已經使用的讀書方法，他在二十九歲〈與族孫汝楠論學書〉中說道：

> 十四受室，尚未卒業四子書。……年十五、六，在應城，館師日課以舉子業。又官舍無他書得見，乃密從內君乞簪珥易紙筆，假手在官胥吏，日夜抄錄《春秋內外傳》及衰周戰國子史，輒復以意區分，編爲紀、表、志、傳，凡百餘卷，三年未得成

486。

[82] 〔清〕章學誠著、倉修良編：《文史通義新編》，〈與喬遷安明府論初學課業三簡〉頁604。

就。後爲館師所覺，呵責中廢，勤而無所，至今病之。[83]

章學誠「十四受室，尚未卒業四子書」，可見啓蒙頗晚。但是纔讀一、兩年書，就懂得抄錄《春秋內外傳》及有關子史等書，類編爲紀、表、志、傳，可見深得治學門徑。只是類纂凡百餘卷，三年還未竣事，就被塾師禁止，中斷了第一次的宏大工夫。後來在給諸子的家書中，他也一再提及此事：

> 吾十五、六歲雖甚騃滯，而識趣則不離乎紙筆，性情則已近於史學；塾課餘暇，私取《左》、《國》諸書，分爲紀、表、志、傳，作《東周書》，幾及百卷。則兒戲之事，亦近來童子鮮有者，豈以是故遂不妨於開悟稍晚邪？故吾近日教人用功，不爲高論異說，知人之所具才質，不可一例限也。
>
> 十五、六歲時，嘗取《左傳》刪節事實。祖父見之，乃謂編年之書，仍用編年刪節，無所取裁，曷用紀傳之體，分其所合！吾於是力究紀傳之史，而辨析體例，遂若天授神詣，竟成絕業。[84]

章氏在十五、六歲時，已經很清楚地知道自己的「性情則已近於史學」，而且身體力行地刪節《左傳》事實以爲類編，甚至「作《東周書》，幾及百卷」。這些都迥異於其他村塾蒙童所爲，因此，他甚至自傲的

---

[83] 〔清〕章學誠著、倉修良編：《文史通義新編》，〈與族孫汝楠論學書〉頁672。

[84] 二段引文，依次見於〔清〕章學誠著、倉修良編：《文史通義新編》，〈家書六〉頁696；〈家書三〉頁690。

認爲史學方法，是得自天生的稟賦：「吾於史學，蓋有天授，自信發凡起例，多爲後世開山。」[85]所以日後於書院教授諸生時，他也強調這種啓蒙方法：「纂類《春秋》人物，區分略仿紀傳體，句析條分，未遽連屬爲紀傳之文也。然而纂類之法，則啓牖於幼學者爲不鮮矣。」[86]

這種編纂方法，使得他在方志、史學上的研究獲得具體的成果，在他的《文史通義》中，歷史編纂學是主要內容之一，散見於〈史德〉、〈說林〉、〈書教〉、〈答客問〉、〈原道〉、〈釋通〉、〈古文十弊〉……等等篇章裏，所以他認爲在舉業中的經義的學習上，也應該採用這種類纂之法，他說：

> 平日先以經傳正文及注疏、解義，會通諸儒語錄、文集，標識天人、性命、心情、氣質、仁知、誠正、中和、理義之屬，別類爲篇，孰爲偏全，孰爲同異；其爲之說者，孰爲得失，孰爲粹駁；皆使胸中了然無疑。則讀書立解，臨文制法，皆可由中而出。……此則所謂有定識，千變萬化，皆可一以貫之者也。然其標別類識之故冊，亦是一人自淑之資，不可嘉惠後學，留示子弟，以爲一成之法也。[87]

會通相關經義資料，再分別爲「氣質、誠正、理義……」等類別，就可以「使胸中了然無疑」，得到完全了解的功效。

---

[85] 〔清〕章學誠著、倉修良編：《文史通義新編》，〈家書二〉頁688。

[86] 〔清〕章學誠：《章實齋先生文集》，〈論課蒙學文法〉頁390。

[87] 〔清〕章學誠著、倉修良編：《文史通義新編》，〈清漳書院留別條訓〉頁493。

再者，舉業由「學問」、「文章」而來，「求學問者，始於摘比排纂；求文章者，始於修辭飾句」[88]，舉業的科目中，八股作文所佔比最重，而「文章以敘事爲最難，文章至敘事而能事始盡。而敘事之文，莫備於《左》、《史》」[89]。至於掌握《左》、《史》的方法，他認爲：

> 師者即當導以纂類《春秋》人物，自天子諸侯、后妃夫人，以至卿士大夫、聞人達士，略仿紀傳之史，區分類例，逐段排比，使一人之事首尾完具，鉅細無遺，然後於其篇末，即仿《史記》論贊之文作爲小論。[90]

如果學者能夠類纂排比人物資料，更作每個人物的小論，「以史遷之法而貫《左氏》之文，神而明之，存乎其人，非盡初學可幾也。而初學從入之途，實亦平近而易習，且於時文尤爲取則不遠也，豈非至奇至平之法歟？」[91]他更舉出科考實況以作說明：「近科所問文史、時務條目，約略可觀，取其心附連類之條，雜取經書、傳記，摘錄記纂，縱或不能裁成卷帙，嘉惠後學，而搜羅端要，粗識名義，猶愈於但閱闈墨成策，承訛襲舛，不自知非者也。」[92]當然，這種編纂成文的方

---

[88] 〔清〕章學誠著、倉修良編：《文史通義新編》，〈清漳書院留別條訓〉頁485。

[89] 〔清〕章學誠：《章實齋先生文集》，〈論課蒙學文法〉頁390。

[90] 〔清〕章學誠：《章實齋先生文集》，〈論課蒙學文法〉頁392。

[91] 〔清〕章學誠：《章實齋先生文集》，〈論課蒙學文法〉頁392。

[92] 〔清〕章學誠著、倉修良編：《文史通義新編》，〈清漳書院留別條訓〉頁502。

法，有時也受到質疑，他提出解決的看法道：

> 或疑：「以史遷之法貫串《左氏》之書，是以著述成一家言矣。童蒙縱因師授而纂成之，亦只一人之攻取，而他人無庸更架屋下之屋也。」此說非也。……人心不同如面，各以其意爲之，譬如經書命題，各爲文義，雖更千萬人手，豈有雷同剿襲之嫌哉？（原註：即如《古史》、《路史》、《繹史》之類，皆是纂集古人成編，何嫌並出？）[93]

每個人自行編纂一種，自然涵蘊一己的獨到眼界觀點於其中，就像是南宋羅泌的《路史》、清初馬驌的《繹史》之類，各有不同的學術價值，對於舉業的經書命題，當然有間接的助益。

除了《左傳》人物的類纂排比之外，還可運用在名家時文與《四書》文的可能考題上，他說：

> 一日之間，多則五、七篇，少亦可三數篇，人之記憶，固有不可以強爲者，則分類摘求之法，不可不知所務者也。……若其義法、機局，與夫佳句、善調，未有不能記憶一二者也。先立空冊，標分類例，逐日所得，按款而登，歷旬涉月之後，按冊復閱，但閱標題，不啻全文如見。至於積既久，類例充盈，則縱橫檢覆，千態萬狀，俱會目前。
>
> 今願諸生之有志者，博取大家名選，裒輯評說論議，及先正論詩古文，近於舉業，理可相通，與夫時文名家，自記學力甘苦……之類，有關於《四書》文者，略仿《文心雕龍》……之

---

[93] 〔清〕章學誠：《章實齋先生文集》，〈論課蒙學文法〉頁395。

例，別類標篇，積少成多，按款摘記，一變評選舊例，以為藝林巨觀，豈非一時之盛事歟！[94]

用「分類摘求」法，將大家名選的範文，裒輯攸關《四書》文的內容，依仿《文心雕龍》的體例，作「義法、機局、佳句、善調」標分類例，等到集腋成裘後，就能「縱橫檢覆，千態萬狀，俱會目前」，考起試來自然得心應手，左右逢源了。他也曾想過如此做，但卻囿於時文氣而未得實現：「鄙人嘗欲匯輯古人名選佳刻，博采前輩故事，仿《詩品》、《文心》及唐、宋詩話之意，自為一書，以存其家學。無如時文風弊，前輩名刻，不甚購求，坊估無所利，而不復估販，亦恨事也。」[95]

（三）博學守約

韓愈（768~824）〈進學解〉有「閎其中而肆其外」一語，是說作文的內容要充實、豐富，而文筆要發揮盡致。章學誠也同意韓愈的觀點，他的〈文理〉全篇就是闡述閎中肆外在各方面的要求[96]，從歷史文學的角度來看，這應是一項很重要的寫作能力。

與「閎中肆外」相近似的讀書法，就是「博學守約」，章學誠認為「博學、守約，凡事皆然。即舉業一道，博、約二者，闕一不可」

---

[94] 〔清〕章學誠著、倉修良編：《文史通義新編》，〈清漳書院留別條訓〉頁495。

[95] 〔清〕章學誠著、倉修良編：《文史通義新編》，〈與阮學使論求遺書〉頁628。

[96] 〔清〕章學誠著、倉修良編：《文史通義新編》，〈文理〉頁81。

[97]，甚至還寫了〈博約〉上中下三篇，闡述這個理念[98]。所以如此，是針對書院諸生的讀書習慣而發的，他於四十四歲擔任肥鄉清漳書院院長時，發現諸生「一向誤用其功，似專業而實無心得，似欲多而實非廣求，區區守此三、五百篇，不解分別用功之次第，以致約既不得，而博又不成」[99]，次年任永平敬勝書院院長時，與諸生溝通讀書方法，「詢其所學，惟是強識一經，粗憶三數百篇浮薄時文，顛倒首尾，剽掠形似，以眩一時耳目」[100]。若想改善這種蔽病，博學守約是最有效的方劑。

至於博學、守約的具體內容，他說：「所謂守約，即揣摩之文，貴於簡練是矣。所謂博學，則泛閱之文，又不可不廣也。」[101]所以認為「諸生以誦習三、五百篇之功，易為泛閱五、七千篇，特易易耳。諸生專業，須講簡練之法，則三、五百篇已嫌其多；涉獵須資博采之功，則三、五百篇太覺其陋」[102]。但是舉業和「博、約」實際的關係如何？他也有詳細的說明：

---

[97] 〔清〕章學誠著、倉修良編：《文史通義新編》，〈清漳書院留別條訓〉頁491。

[98] 〔清〕章學誠：《章實齋先生文集》，〈博約〉上中下三篇，分見於頁63、65、67。

[99] 〔清〕章學誠著、倉修良編：《文史通義新編》，〈清漳書院留別條訓〉頁491。

[100] 〔清〕章學誠著、倉修良編：《文史通義新編》，〈《文學》敘例〉頁402。

[101] 〔清〕章學誠著、倉修良編：《文史通義新編》，〈清漳書院留別條訓〉頁491。

[102] 〔清〕章學誠著、倉修良編：《文史通義新編》，〈清漳書院留別條訓〉頁491。

> 舉業既有簡練、揣摩之篇，則心有主識；一切名門大家、房行窗稿、程墨試牘，務宜觸類旁通，少或三數千篇，多至萬有餘篇，上下窺其風氣，分晰辨其派別，錯綜通其變化。[103]

為了舉業所須誦讀的相關範文，從三數千篇至萬有餘篇，應該「分晰辨其派別，錯綜通其變化」，這是博學；但是若無「簡練、揣摩」的工夫，就無法養成「心有主識」的能力，這就是「守約」的工夫了。他說：

> 今茲授以經史，辨正典章，講求學術之文，諸生誠能棄去默誦三數百篇猥濫時文之功，而易以熟讀百篇文學之功，則力不加勞，而收效不可以道里計矣。經書文藝，得此典贍，而不取給於類編雜纂之散漫也；策對經解，得斯識斷，而不取給於策括墨選之庸猥也。其文則漢人之淳質，六朝之藻繪，唐人之雅麗，宋人之清疏，體咸備也，附以評論，引而不發，所以待人之自得也。[104]

熟讀百篇經史正典範文，則兩漢、六朝、唐、宋的文風特色，諸體咸備，「策對經解，得斯識斷」，舉業自然輕易成功。他甚至舉出讀《左傳》的方法為例：「纂類《左傳》人物而學論贊，必讀司馬遷書。遷書五十萬言，不易讀也。日取紀傳一篇，節其要略而講說之，遂熟讀其論贊之文，不過四、五閱月，可以卒其業也。村塾蒙師授讀無用時

[103] 〔清〕章學誠著、倉修良編：《文史通義新編》，〈清漳書院留別條訓〉頁491。

[104] 〔清〕章學誠著、倉修良編：《文史通義新編》，〈《文學》敘例〉頁402。

文，奚止一、二百篇？而孺子懵然無所知也。今讀百三十篇論贊，不過百餘起講之篇幅也。遂使孺子因論贊而略知紀傳之事，因紀傳而妙解論贊之文，文之變化與事之貫串，是亦華實兼收之益也。」[105]這種熟讀百篇就是「守約」，要以揣摩、精練著手；而廣閱三數千篇至萬有餘篇，就是「博學」，要以「操千曲而後曉聲，練千劍而後識器」，「讀破萬卷書，下筆如有神」的氣魄與工夫去達成。

唐彪也認爲：童子「所讀之時文，貴於極約，不約則不能熟，不熟則作文時，神氣機調皆不爲我用也。閱者必宜博，經史與古文、時文不多閱，則學識淺狹，胸中不富，作文無所取材，文必不能過人。由此推之，科舉之學，讀者當約，閱者宜博，博、約又可分兩件也。」[106]可見是承襲章學誠說法而來。

（四）學貴領悟

囿於科考的局限，舉子多半順應於學風致力誦讀而已，章學誠則認爲與其盲從風習而讀，不如領悟範文重點，自創讀書法來得有效；至於舉業考試的作文答題，「文無定式，而題有定理，題萬變而文萬變」，「題不變而文亦萬變」[107]，這些都是學子應該了悟的觀念。而蒙童學習也莫不如此，「竊意初受書日，依經解詁，止能如前人成說，而不能自得其意志所在；習之一年，可離去本書，而能通以己之意爾」

---

[105] 〔清〕章學誠：《章實齋先生文集》，〈論課蒙學文法〉頁390。

[106] 〔清〕唐彪：《讀書作文譜》卷1，〈讀書總要〉，頁9。

[107] 〔清〕章學誠著、倉修良編：《文史通義新編》，〈趙立齋《時文題式》引言〉頁407。

[108]，他還舉出弱冠時得父親驤衢先生啓發的實例：

> 猶記二十歲時，購得吳注《庾開府集》，有「春水望桃花」句，吳注引《月令章句》云：「三月桃花水下。」祖父抹去其注，而評於下曰：「望桃花於春水之中，神思何其綿邈！」吾彼時便覺有會，回視吳注，意味索然矣！自後觀書，遂能別出意見，不爲訓詁牢籠。雖時有鹵莽之弊，而古人大體，乃實有所窺。爾輩於祖父評點諸書，曷細觀之！[109]

評賞著重「神思綿邈」勝於「訓詁牢籠」，這是境界層次的會心，父親這一句文理評論，讓他終身受用無窮，正如讀書「貫以議論，運以心思，方見華實並茂，且於一己心思，亦相浹洽」[110]，將這種了解放在經傳的學習上，體會出「古者經、傳別自爲篇，蓋使學者精神自爲推究，而所見不謬，此辨志之所以貴乎離經也」[111]。使他覺悟道：「學者株守成冊，終無進步。誠有卓爾之志，所貴啓悟，得於無方。……誠能即其性之所良，用其力之能處，則半日讀書，半日靜體，游心淡漠，鬼神潛通。」[112]因而他在五十九歲〈丙辰劄記〉中批評當時的學

---

[108] 〔清〕章學誠：《章實齋先生讀書箚記》（臺北：文華出版社，1968 年 10 月）卷 3，〈丙辰箚記〉頁 110。

[109] 〔清〕章學誠著、倉修良編：《文史通義新編》，〈家書三〉頁 691。

[110] 〔清〕章學誠著、倉修良編：《文史通義新編》，〈清漳書院留別條訓〉頁 483。

[111] 〔清〕章學誠著、倉修良編：《文史通義新編》，〈清漳書院留別條訓〉頁 494。

[112] 〔清〕章學誠著、倉修良編：《文史通義新編》，〈清漳書院留別條訓〉頁 495。

者：「近日才人風氣，好逞繁博，而不甚求文理之安。故於辨難之文，摭故拾典，如經生之對策，意在襮炫所有，而諦審義意，與所辨之旨，往往不甚比切，或至反相背馳。覽之殆不覺失笑也。」(113)甚至第二年在給孫星衍〈論學十規〉的書信裏，直接點名批評孫氏的徒求博雜而不會心：「竊見執事序論諸篇，繁稱博引，有類經生對策，市廛揭招，若惟恐人不知其腹笥便富，而於所指是非，轉不明豁。淺人觀之，則徒增迷眩而無所解；深人觀之，則曰吾取二三策，而餘皆可置勿論。毋乃爲紙墨惜歟！」(114)

這種所貴啓悟的讀書法，可藉由瞿林東對他的史學思想評述來作說明，瞿云：「可以把章學誠所強調的史學之『義意所歸』的思想，概以下幾個要點：一是明大道，二是主通變，三是貴獨創，四是重家學。其中貫串著尊重傳統而又不拘泥於傳統的創造精神，而『別識心裁』、『獨斷一心』正是這個思想核心。」(115)

（五）揣摩範文，得其精髓

至於實際的做法，則最好多揣摩已有的成文，揣摩成文作法，始可循而作文。他說：

> 揣摩舉業文字，諸生固以肆業及之矣。至於誦習之法，竊恐諸生猶未善也。嘗試問諸生，誦憶先正文字，多者六、七百篇，

(113) 〔清〕章學誠：《章實齋先生讀書劄記》卷 3，〈丙辰劄記〉頁 132。

(114) 〔清〕章學誠著、倉修良編：《文史通義新編》，〈與孫淵如觀察論學十規〉頁 290。

(115) 瞿林東：《中國古代史學批評縱橫》（北京：中華書局，1994 年），頁 58。

> 少者二、三百篇，可謂富矣。及詢以得心應手，運用不窮，即什一而可當千百者，則竟未聞有一篇焉。……揣摩之說，本於蘇秦；蘇秦之所謂揣摩，則云得簡練。蓋不練則不精，不簡則終不能練。……誦習先輩成文，猶學爲梓匠、輪輿，求觀工師之成器耳。……先正讀古人文，不惟成誦已也，蓋必設身處地，一如未有其文，就題先爲擬議，揣其何以構思布局、遣調行機、措辭練字，至於籌無遺計，而後徐閱其文，使之一字一句，皆從己心迎拒而去，不啻此心同其疾徐甘苦之致也。則作者止擇一途，而讀者遍慮及於四旁上下，是讀文之難，較之作文之功苦，殆不止於倍蓰焉。往往涉旬逾月之久，而始盡一篇之神妙也。[116]

如果揣摩先輩成文的「構思布局、遣調行機、措辭練字，至於籌無遺計」，則能「同其疾徐甘苦之致」，並「盡一篇之神妙」。如此一來，「終身得力不過五、七十篇，亦云富矣。安能數百計哉」？更妙的是，能夠如此，及其出而應用，「則作者之神妙有盡，而吾心與爲迎拒於四旁上下者無窮，理解由斯濬鑿，氣機由斯鼓動，揣摩熟而變化生，所謂即什一而可當千百之用者，即是道也。若其得心應手，啓悟無方，有因一篇、一句而終身運用不窮者，則又存乎其人，神而明之，別有化境，固不可以言盡者也」[117]。

---

[116] 〔清〕章學誠著、倉修良編：《文史通義新編》，〈清漳書院留別條訓〉頁490。

[117] 〔清〕章學誠著、倉修良編：《文史通義新編》，〈清漳書院留別條訓〉頁491。

再者，領會文章的作法，每一篇該精讀的，都要像是第一之閱讀一樣，往復不已：

> 文之熟者，習之使生；文之生者，習之使熟；舉業之能事盡矣。諸生於三、五百篇之文，亦既能成誦矣，今簡練而攻十之一，豈猶患其不熟乎？患在過熟而不入迎拒之心也。蓋佳文入目，雖使粗識淺見，皆能生其浮慕，至於誦習再四，不免中心厭倦，以謂吾既知之，而欲更窺他作矣。不知所謂「吾既知之」而不耐更讀者，於文之甘苦疾徐，固未嘗有所入也。熟而生厭，不亦宜乎？

一者要熟文範文，使其意如新。二者要廣泛閱閱，使眼界大開。其下，章氏更舉出體悟文章精髓的十項要點，說道：

> 若夫文之佳者，因非一端之所能盡。命意，一也；立句，二也；行機，三也；遣調，四也；分比變化，五也；虛實相生，六也；反正開合，七也；頓挫層折，八也；琢句，九也；練字，十也。以此十法，每一誦習，各作一意推求，仍用先如「未見其文，逐處平心迎拒」之法，往復不已。則文雖一定，而我意轉換無窮，即使萬遍誦習，而揣摩光景，常如新脫於稿，所謂「熟文習之使生」，此法是也。[118]

讀書法的秘訣，將一篇文章從「命意、立句、行機、遣調、分比變化、

---

[118] 〔清〕章學誠著、倉修良編：《文史通義新編》，〈清漳書院留別條訓〉頁492。

虛實相生、反正開合、頓挫層折、琢句、練字」等十項不同的觀點仔細分析揣摩，就能對同一篇文章產生許多不同的理解，使得「熟文習之使生」，常如新脫於稿，這也是非常科學的讀書法。

四、章學誠論舉業學習法（消極方面）

（一）鄙棄時文與墨卷

科舉所重的「時文」造成考生鑽研小道，忘棄經世致用的理想，早為有識者鄙棄，明末黃宗羲甚至激烈的主張：學校之中，「時人文集，古文非有師法，語錄非有心得，奏議無裨實用，序事無補史學者，不許傳刻。其時文、小說、詞曲、應酬代筆，已刻者皆追板燒之。士子選場屋之文及私試義策，蠱惑坊市者，弟子員黜革，見任官落職，致仕官奪告身。」[119]章學誠也很清楚這一點，所以強調「蒙幼初學為文，最忌輕清圓轉，易於結構。若以機心成其機事，其始唯恐不解成章，……其後演習成慣，入於俗下時文，將有一言之幾於道而不可得者」[120]。他又在〈與定武書院諸及門書〉中，提及門生王集義的文章瑕疵：「氣質溫醕，文乃不稱，由其初學入手，即為墨裁。」由「墨卷」入手為何是缺點？那是因為「墨卷之污人，如膠油玷素，百浣不清」。所以他建議王生改弦更張：「昔公乘陽慶，使淳於意盡去古方，更授祕術。生年未三十，宜盡去平日所誦讀，而急謀易轍，乃可進耳。

[119] 〔明〕黃宗羲：《明夷待訪錄》，〈學校〉頁51。

[120] 〔清〕章學誠：《章實齋先生文集》，〈論課蒙學文法〉頁387。

墨卷尚機調，而生於平仄未諧，墨卷用詞語，而生於字句多湊率。」[121]

這些觀念，除了與他自己的學習經驗有關外，他的老師內閣學士朱筠的話也產生很大的影響。他於二十八歲赴北京應試不第，得朱筠推薦入國子監從學。朱筠非常稱許他的文章，認爲雖不合時文法式，但是一樣能成爲模範：「科舉何難？科舉何嘗必要時文？由子之道，任子之天，科舉未嘗不得。即終不得，亦非不學時文之咎也。」章學誠篤信此說，所以日後「但教人爲文，而不教人爲揣摩之文」[122]。

（二）鄙棄選輯

章學誠不認同坊間古今範文選輯的功效，認爲它們即使是編者曾經用過心力的成果，但是隨著年紀增長，智慧開啓，或因每個人資稟不同，想法各異，本來就不能將舊編一成不變的交給不相干的人遵循使用，何況「坊刻講章，輯者本無眞識定見。即世所盛稱如汪、陸諸家大全合訂，雖若可以依據，究屬前人已成之書，於我識性，初未浹洽」[123]。他更進一步舉例說明：

> 或者不察，而以宋人所爲《博議》、《史論》諸篇課童子，以爲攻《左氏》者入門之資也。夫《博議》、《史論》諸篇皆有意於捷文，凡遇尋常之事，務欲推而高之，鑿而深之，俱非童

[121] 〔清〕章學誠：《章實齋先生文集》，〈與定武書院諸及門書〉頁310。
[122] 〔清〕章學誠著、倉修良編：《文史通義新編》，〈與汪龍莊簡〉頁565
[123] 〔清〕章學誠著、倉修良編：《文史通義新編》，〈清漳書院留別條訓〉頁493。

> 孺意中之所有，使之肆而習焉，作其機心而行其機事，於是孺子始以文字爲圓轉之具，而習爲清利浮剽之習調，其體能輕而不能重，其用宜今而不宜古。成之也易，則其蘊蓄也必不深；趨之也專，則其變通也必不易。[124]

選輯多半「蘊蓄也必不深、變通也必不易」，卻又會將「尋常之事，務欲推而高之，鑿而深之」，所以造成童蒙的機心、浮剽惡習。章氏自己就有這種經驗，他說：少年時的編輯，年長後「識力稍進，而記誦益衰，時從破麓檢得向所業編，則疏漏牴牾，甚可嗤笑。回首當日，不覺憮然」[125]。所以，即使是自己編選的，也不能傳給他人：「然其標別類識之故冊，亦是一人自淑之資，不可嘉惠後學，留示子弟，以爲一成之法也。」[126]「纂類摘比之書，標識評點之冊，本爲文之末務，不可揭以告人，只可用以自志，父不得而與子，師不能以傳弟，蓋恐以古人無窮之書，而拘於一時有限之心手也」[127]。

至若一般只爲賣錢而輯的俗編，則更沒有遵循的價值：

> 蓋《（五經）類編》、《（四書）備考》之類，庸惡陋劣，其爲學術人心之害，固已無待言矣。……若從全書之中，摘錄比次，蓋其人自竭心思耳目，以意推尋，使就條貫，則其精神固已徹

[124] 〔清〕章學誠：《章實齋先生文集》，〈論課蒙學文法〉頁394。

[125] 〔清〕章學誠著、倉修良編：《文史通義新編》，〈與族孫汝楠論學書〉頁672。

[126] 〔清〕章學誠著、倉修良編：《文史通義新編》，〈清漳書院留別條訓〉頁493。

[127] 〔清〕章學誠著、倉修良編：《文史通義新編》，〈文理〉頁83。

> 全書也。若前人所纂之書，已如沽酒市脯，固有食而不知其味者矣。且事既不經心思耳目，亦必得而輒忘，爲其於己原無與也。……是故無論前人成書，不可襲用，即己所編錄，亦不可以留示子弟，嘉惠後學。蓋一人意之所注，偏重畸輕，神而明之，自有獨得之效。……然心思性靈，各有所近，父不可以授子，師不能以予弟，豈可以此獨見之心，強人同我，貽誤後學於無窮哉？……今諸生不及誦習全經，爲茲草創條貫，亦待諸生各以意之所近，皆自爲之。[128]
>
> 采取經傳成語，塡塞堆砌，毫無生趣，便如《廣事類賦》、《類林新咏》之類，不可復言文矣。……蓋坊刻庸陋，固不待言，即使所選悉係佳文，亦復於己何與？且襲用成文詞語，不明所出經傳原文，則仍訛襲舛，移甲換乙，必有作奏雖工，宜去葛龔之誚者矣。昔人盜葛龔奏議，以爲己作，而忘易葛龔姓名，千古以爲笑談。爲文不識經書，而誤襲成語，何以異是？[129]

章氏認爲《五經類編》、《四書備考》、《廣事類賦》、《類林新咏》之類，都是俗師的方便法門，不可襲用。至於一般「庸師、俗儒，競尚圈點、批評之選，而後生小子，耳目爲其所膠執，不復能自出性靈，推逐古人意匠經營之所在。而古人一隅三反，因端明委之法，亦從此而失其傳矣。……既輯成文，則不得不就文而窮其顚末，而人之性靈

[128] 〔清〕章學誠著、倉修良編：《文史通義新編》，〈清漳書院留別條訓〉頁482。

[129] 〔清〕章學誠著、倉修良編：《文史通義新編》，〈清漳書院留別條訓〉頁483。

所啓，不能無至不至者勢也。一時求其說而不得，則穿鑿附會，與勉強加評，不中肯綮，弊固有所來矣」[130]。

在看過林秀才請他推薦的《三餘筆錄》後，更不客氣地批評道：「承示《三餘筆錄》六卷，反復數過，具徵志古好學。……書分六卷，事隸千百餘條，而類例不分，先後失次，忽引成書而未究其緒，忽入己說而未得其裁。……凡斯等類，隨筆劄錄，以待日後參訂，毋者之功程；遽爲成書定說，即無取矣。」[131]甚至將摯友周震榮的範文選輯《文先》，喻爲館師的俗學陳編：

> 《文先》之輯，果足嘉惠幼學，而微窺意指，仍似不脱時文習氣，與俗下所選《左》、《國》、《史》、《漢》、唐、宋八家，以及七種、八集之類，究未相遠。恐幼童習慣，專意詞致文采，遂以機心成其機事，而難於入道耳。蓋古學、俗學之分，不在文字，在乎有爲而言與無爲而言，文辭高下，猶其次也。[132]
> 竊《文先》之序，及前後書示之説，不過取坊刻古文選本，倒翻前後次序，而加以《東萊博議》耳。江、浙時下館師，亦盡有能之者，子弟取效，亦復不過爾爾，未見其爲一定之良法也。[133]

---

[130] 〔清〕章學誠著、倉修良編：《文史通義新編》，〈清漳書院留別條訓〉頁494。

[131] 〔清〕章學誠著、倉修良編：《文史通義新編》，〈與林秀才〉頁610。

[132] 〔清〕章學誠著、倉修良編：《文史通義新編》，〈答周筤谷論課蒙書〉頁600。

[133] 〔清〕章學誠著、倉修良編：《文史通義新編》，〈再答周筤谷論課蒙書〉頁602。

章學誠更在四年後的五十歲冬十月，於河北保定與周震榮談論課童子法，語氣異常激動，幾乎到了攘袂翻臉的地步。周震榮回憶當時情景道：章氏「極言《東萊博議》及唐、宋人論人論事之文，不可資以入門，揠苗助長，槁可立待。蓋余昔時所作養蒙術中語也。余持之堅，實齋攘袂徵色，且作醜語相詆」。當時雙方的童僕都在戶外，聽到以後譏誚道：「此省垣地，不走謁熱官，乃聚訟此無益言語。」因各舉其空癟囊橐相示曰：「是宜吾儕之不得飽也。」章氏聞之失笑，乃索酒歸飲，大醉而別。(134)這種詈言厲色的意氣爭執，雖因僮僕的譏誚而中止，卻也活脫脫描繪出章氏鄙夷範文選輯的個性。

章氏認爲選輯的另一個負面影響，造成子弟束書不觀，祇專心作文而無他，使得讀書的眼界愈趨狹隘，他說：

> 史遷論贊之文，變化不拘，……利鈍雜陳，華樸互見，所以盡文章之能事，爲著述之標準也。……一自評選文家刪取雋語佳章，勸誘蒙俗，而樸拙平鈍不以工巧見長者，屏而勿錄，而子弟遂誤學問、文章爲二事，而所爲之文，其不成者固無論矣，幸而成者，亦皆剽而不留，華而無實，不復可見古人之全也，蓋可惜也。夫人之一身，耳目聰明，百骸從令，心具虛靈，臟納滓穢，雖有清濁靈蠢之別，要必相附而後爲人也。今欲徒存耳目心知而去百骸臟腑，安得有是人哉？(135)

(134) 〔清〕周震榮：〈書〈庚辛之閒亡友傳〉後〉，收入〔清〕章學誠：《章實齋先生文集》，頁205。

(135) 〔清〕章學誠：《章實齋先生文集》，〈論課蒙學文法〉頁391。

一般人分不清「學問、文章」本即一事，用了俗編選輯後，更以爲科考作文與求學問本是不同的兩件事，所以「不復可見古人之全」，就像是「徒存耳目心知而去百骸臟腑」，只是沒有基礎的空虛想像罷了。

五、章學誠論舉業應考方式

章學誠教授既久，知道書院諸生多半其實只爲科考而學，所以在發揚教育理想之際，也很實際的告訴學子應如何準備科考的方法。如今看來，在當時的場屋科考上，也是頗爲實用的。

（一）先作各體範文

雖然舉業的學習方法，要避免依賴時文與墨卷，但是章學誠卻認爲揣摩名家成文，仍是學習場屋作文的適當的捷徑，他說：「僕書案內無百年之時文，生平不解鄉會墨卷爲何物，然亦許濫竊一第，前此亦屢叨房薦，初不盡遭擯斥，則讀書不必趨時之一驗也」[136]。他並舉出總角交的趙立齋爲例，趙君「文日有名，鄉子弟以贄謁受藝業者，一時稱盛；得君指授，皆有所以成就，不枉其材。或請示之繩墨，君因出其所編《時文題式》凡若干篇，分門別類，論題論文，引伸匠巧，推廣義例」，以此可知「命題之有式，題萬變而文亦萬變，不可一端

[136] 〔清〕章學誠著、倉修良編：《文史通義新編》，〈與定武書院諸及門書〉頁310。

測也」[137]。事實上，明、清兩代有經驗的八股名家也知道，制藝文章，自爲經營者雖有十之六，而取資於人者亦十之四。也就是說，初學者平時須用積少成多的工夫，「積詞」、「積理」，持續數月發憤，潛心致志，終日作文，而後文章始能大進；又須精研，反復修改，不斷改削才可望精益求精。章學誠於此舉用時文名家陳臨川的事爲例證：

> 諸生之所習業，果能有得於中否？……使得其意之所愜，而入於趣之最深，則神明變化，方圓規矩之中。昔陳臨川初學時文，求得近科墨卷二十許首，誦而習之，至於自作家書，亦擬八股爲式，亦是趣所入也。其後貫串馳騖，爲三百年魁壘大家。豈以初習墨卷爲嫌諱哉？[138]

陳臨川的方法約有五點：⑴搜集近科墨卷二十許首。⑵誦習。⑶模擬入趣。⑷貫串馳騖。⑸得心應手，終成名家。可見範摹並體會傑出的成文，是場屋作文的基本工夫。章氏自己也有一套理論：

> 蓋亦仍仿其摘比排纂之意，去其貫串摘錄之繁，但取《四書》典實，分類命題，每類或五、七篇，或三、四篇，暇日先閱經傳，采取本類典實，就題結構成文，一類既畢，再窺一類，不過爲文百數十篇，則遇典故題目，自能不窘拾摭。[139]

---

[137] 〔清〕章學誠著、倉修良編：《文史通義新編》，〈趙立齋《時文題式》引言〉頁406。

[138] 〔清〕章學誠著、倉修良編：《文史通義新編》，〈清漳書院留別條訓〉頁489。

[139] 〔清〕章學誠著、倉修良編：《文史通義新編》，〈清漳書院留別條訓〉頁

但是文體種類很多，各有不同要求，例如「紀傳仿其論贊，書表仿其序論。文章體制，論贊欲其抑揚詠歎，序論欲其深厚典雅」[140]，至於各體範文又要如何作呢？章氏認為：

> 時文之體，雖曰卑下，然其文境無所不包，說理、論事、辭命、記敘、紀傳、考訂，各有得其近似，要皆相題為之，斯為美也。平日既未諳於諸體文字，則遇題之相彷彿者，不過就前輩時文而為摩仿之故事爾。夫取法於上，僅得乎中，今不求諜其本原，而惟求人之近似者以為師，則已不可得其近似矣。
>
> 論事之文，疏通致遠，《書》教也。傳贊之文，抑揚詠歎；辭命之文，長於諷諭；皆《詩》教也。敘例之文與考訂之文，明體達用，辨名正物，皆《禮》教也。敘事之文，比事屬辭，《春秋》教也。……《易》之為教，《系辭》盡言，類清體撰，其要歸於潔淨精微，說理之文所從出也。[141]

時文的文境無所不包，其中略可分作說理、論事、辭命等等，考其源流則是從《書》教、《詩》教等六教而來，這也是《禮記·經解》的說法：「溫柔敦厚，《詩》教也；疏通知遠，《書》教也；廣博易良，《樂》教也；絜靜精微，《易》教也；恭儉莊敬，《禮》教也；屬辭比事，《春秋》教也。」將文境明確一分，則面對科舉題文縱使有千種，也可知其根本所在，掌握萬變不離其宗的原則，容易作適當的應

483。

[140] 〔清〕章學誠：《章實齋先生文集》，〈論課蒙學文法〉頁391。

[141] 〔清〕章學誠：《章實齋先生文集》，〈論課蒙學文法〉頁394。

對。

（二）作文方法

科舉考試以作文為主，作文之法攸關上榜與否，所以作文方法甚為重要。章氏說道：「學問大端，不外經史，童蒙初啓，當令試為經解史論。經解須讀宋人制義，先以一、二百言小篇，使之略知開合反正，兼參之以帖墨大義，發問置對，由淺入深，他日讀書具解亦易入也。」[142]章氏認為在開筆寫作之前，應該先從經解讀起，讀一、二百字的小篇文章，讓蒙童知道經解作法，再參考帖墨大義，體會問對的格式。

作文方法所以如此，是因為「制義之原，出於經解；小題義法，則隱通於訓詁。經解發明大旨，而訓詁疏通文字，承用所來，故相似也。訓詁覈實，而小題課虛；覈實者立其體，……課虛者神其用，……虛實相資，而文章之道乃通於神」[143]。意思就是說經解發展成制義，而訓詁則衍為小題，「實體」與「虛用」二者相輔相成，是以「制舉文字，體理於虛，語會遍全，意求主客」，而「『徵實』者，不外名物制度，其數易盡；『體虛』者，求之精情意象，其變難窮」，以此行之，則「文心無窮，文格有盡，以有盡之格，而運以無窮之心，亦曰得其所以為文者」[144]。

章氏同時也強調「古文、時文同一源」，作古文即是作時文，他

---

[142] 〔清〕章學誠著、倉修良編：《文史通義新編》，〈與喬遷安明府論初學課業三簡〉頁606。

[143] 〔清〕章學誠：《章實齋先生文集》，〈導窾集敘〉頁246。

[144] 〔清〕章學誠著、倉修良編：《文史通義新編》，〈《文格舉隅》序〉頁405。

依次條列實踐的步驟如下：

⑴若使孺子初學論事之文，以漸而伸，可以聯五、六百言爲一篇矣（原註：自三、五句學起至此工夫，敏者不過三月，鈍者亦不過半年），即可就《四書》中摘其有關《春秋》之時事，命題作論，當與《春秋》論事無難易也。

⑵既作《四書》論矣，即當授以成、弘、正、嘉單題制義，孺子即可規仿完篇，不必更限之以破承小講也。（自作《四書》論至此工夫，敏者不迫三、二月，鈍者亦不過半年）

⑶於是漸而慶、歷機法，漸而啓、禎才調，漸而國初氣象，漸而近代前輩之精密，與夫窮變通久之次第（自讀慶、歷至此工夫，敏者一年，鈍者亦不過二年），不過三年之功，時文可以出試。

⑷學問與文章並進，古文與時文參營，斯則合之雙美而離之兩傷者爾。（每月六課，古體三篇，時文三篇，相間爲之。逐日課程，編纂經傳半日，誦讀時文半日，相間爲之，勿疾勿徐。）[145]

章氏認爲作文的步驟，須依次由初學論事之文到《四書》中的《春秋》論事，再到明代成化、弘治、正德、嘉靖時期的單題制義，以次漸至隆慶、萬歷朝的機法，再進展到天啓、崇禎時的才調，再學清初氣象，最後學習雍正、乾隆時前輩的精密文風，讀得愈精深，文章相對的就會寫得愈精練。這種情形就像王筠說的：「諸城王木舟先生（原註：名中孚，乾隆庚辰會元），十四歲入學，文千餘字；十八歲鄉魁第四，文

[145] 〔清〕章學誠：《章實齋先生文集》，〈論課蒙學文法〉頁394。

七百字；四十歲會元，文不足六百字矣。此放極必收之驗也。」[146]

（三）舉業與經傳

1.《四書》文最重要

科舉試場，經由歷朝磨合，終於形成某些慣例，如乾隆九年（1744）諭：「從來科場取士，首重頭場《四書》文三篇，士子之通與不通，總不出《四書》文之外。」道光、咸豐間（1821~1861），戴鈞衡〈上羅椒先生書〉也提及：「今鄉、會試主試與同考官，專重時文，二、三場經、策，視爲具數。」可見專重首場《四書》文已成爲清代通例。[147]王德昭《清代科舉制度研究》也說：「士子之肄業於國學與府、州、縣學，以及書院者所重都在《四書》文。」[148]章學誠也親身經歷這種情況，所以感歎道：「自雍正初年至乾隆十許年，學士又以《四書》文義相爲矜尚。僕年十五、六時，猶聞老生宿儒自尊所業，至目通經服古謂之雜學，詩詞古文謂之雜作，士不工《四書》文不得爲通，又成不可藥之蠱矣。」[149]

至於舉子所業《四書》文的情況，他舉好友周震榮的《四書釋理》爲例，說道：「周君撰輯《四書》理致題文，訓蒙書也。古無專門說理之書，說理有專書，理斯晦矣。六藝，先王舊典，聖人即是明理，

---

[146] 〔清〕王筠：《教童子法》頁3。

[147] 王德昭：《清代科舉制度研究》頁110引。

[148] 王德昭：《清代科舉制度研究》頁111。

[149] 〔清〕章學誠著、倉修良編：《文史通義新編》，〈答沈楓墀論學〉頁583。

而教亦寓焉。」[150]《四書》文也算是經義的源頭，「《四書》文藝，雖曰舉子之業，然自元、明以來，名門大家，源分流別，亦文章之一派，藝學之專門也。近日通人多鄙棄之，不知彼固經解流別，殆如賦之於詩，附庸蔚成大國者也。」[151]所以他贊成先就《四書》中尋找題目，預作練習：

> 仿其摘比排纂之意，去其貫串摘錄之繁，但取《四書》典實，分類命題，每類或五、七篇，或三、四篇，暇日先閱經傳，采取本類典實，就題結構成文，一類既畢，再窺一類，不過為文百數十篇，則遇典故題目，自能不窘拾摭。[152]

所以如此，當然是因為「《四書》文字，本於經義，與論同出一源，其途徑之分，則自演入口氣始。蓋代聖賢以立言，所貴設身處地，非如論說之惟我欲言也」[153]。

2.舉業的根本在經傳

章學誠認為：學問文章，其要總不外於六藝。學者縱或不能盡讀，不可不知所務也，衹是他所教授的書院中，「諸生喜讀無益之文，而憚讀經傳，……於是典故取洽先輩成文，或庸劣纂類之書，以為不必

---

[150] 〔清〕章學誠著、倉修良編：《文史通義新編》，〈《四書釋理》序〉頁408。

[151] 〔清〕章學誠著、倉修良編：《文史通義新編》，〈與阮學使論求遺書〉頁628。

[152] 〔清〕章學誠著、倉修良編：《文史通義新編》，〈清漳書院留別條訓〉頁483。

[153] 〔清〕章學誠：《章實齋先生文集》，〈論課蒙學文法〉頁389。

更誦經；欲為舉業，但求之於時文，即已無不足也」。因此他認為：「此無論但就時文為生活者，其文必不能佳，且即就文而論，文章之大，豈有過於經傳者哉？」[154]他又比較經義與《四書》文的關係道：「經義與《四書》文，即一理也。經義題多平易，則較《四書》文為易之矣。而諸生忽略之，弗思甚也。往者鄉會試例，道場七藝，潦草塞責，猶可言也。今則本經四藝，移作專場，不為悉心營構，何以稱其選乎？」[155]

從總體上論證八股文作用的，可以紀昀的說法為代表：

> 夫設科取士，將使分治天下事也。欲治天下之事，必折衷於理；欲明天下之理，必折衷於經。其明經與否不可知，則以所言之是非醇駁，驗所學之得失，準諸聖賢以定去取，較他徒尚為有憑。而學者求工經義，不得不研思於經術，藉以考究古訓，誦法先儒，不涉於奇邪之說，於民心士習，尤為先正其本原。經義一法，至今不變，明體達用之士，亦時時挺出於其間，職是故也。[156]

他體認到書院諸生的環境各自不同，所以經書還是最基本的方法，他說：「諸生境遇不同，資稟亦異，更有家貧課蒙，與年長資鈍，雖欲

---

[154] 〔清〕章學誠著、倉修良編：《文史通義新編》，〈清漳書院留別條訓〉頁484。

[155] 〔清〕章學誠著、倉修良編：《文史通義新編》，〈清漳書院留別條訓〉頁497。

[156] 〔清〕紀昀：《紀曉嵐文集》（石家莊：河北教育出版社，1991年）第一冊，頁148。

排比編纂之功，亦有不能爲者。此於通經服古，實無望矣。然欲假借經傳餘光，潤色制舉文字，則猶未爲難也。」[157]所以，即便是章氏所不喜的輯本，只要是經學類書，他是認爲有價值，他說：「近日徐揚貢匯刻《經史辨體》，俱以五經正文，准擬後世詩文一例評點，指授後學。雖其意旨不免淺陋，然爲初學式法亦有苦心。諸生縱無志於通經服古，即此區區語言文字之工，斷不能用心者也。以此佐其文藝，較之止攻浮薄時文，奚翅霄壤之判？」[158]如果諸生「不從已熟之經傳擴其津液，而乞靈於先輩之成文，恐游談無根，精華易竭也」[159]。

3.五經與舉業題文之作答

舉業既以經義爲主，則答題之資也不離經義，他說：「論事之文，疏通致遠，《書》教也。傳贊之文（即論人之文），抑揚詠歎；辭命之文，長於諷諭；皆《詩》教也。敘例之文與考訂之文，明體達用，辨名正物，皆《禮》教也。敘事之文，比事屬辭，《春秋》教也。《五經》之教，於是得其四矣。」[160]以此而言，可知「文體雖繁，要不越此六、七類例，其源皆本於《六經》，而措力莫切於《左傳》，學者其可不盡心乎？」[161]至於經義又與《四書》文字關係甚密切，他說：

[157] 〔清〕章學誠著、倉修良編：《文史通義新編》，〈清漳書院留別條訓〉頁482。

[158] 〔清〕章學誠著、倉修良編：《文史通義新編》，〈清漳書院留別條訓〉頁485。

[159] 〔清〕章學誠：《章實齋先生文集》，〈與定武書院諸及門書〉頁311。

[160] 〔清〕章學誠：《章實齋先生文集》，〈論課蒙學文法〉頁394。

[161] 〔清〕章學誠著、倉修良編：《文史通義新編》，〈論課蒙學文法〉頁306。按：《章實齋先生文集·論課蒙學文法》無此句。

「《四書》文字，必讀《春秋左傳》，爲其知孔子之時事，而後可以得其所言之依據也。……《四書》文字，必讀《易》、《書》、《詩》、《禮》，爲其稱說三代而上，不可入後世語也。……孺子讀經傳而不知所用，則分類而習其援經證傳之文辭，擴而充之，其文自能出入於經傳矣。」[162]

又說：「經文設有舛錯，注例猶許存疑，注義明見牴牾，疏文曲爲附會，是亦解經家之不免爲美疢也。但以制義式法，則固可爲金科玉律者矣。蓋制義之體，必尊頒發學宮之說，不許別出異論。推原朝廷功令，所以必尊一家之說，亦非必以謂此中更無疑義也。特以事既定於制度，則必有所畫一，而後有司得操規矩，以裁人之方圓。」[163]更在四十四歲離開河北清漳院時，寫下了〈清漳書院留別條訓〉，告訴諸生關於經義題的寫法，云：

> 《易》義不外象數、理致二端，卦爻皆象數題，《繫傳》多理致題。……作文最苦名理不足。熟於卦變之圖，則是以四千九十六卦之義理，而發揮六十四卦之題旨，文章不可勝用矣。……前輩《易》義，陳大士、黃陶庵二家最爲擅場。
>
> 《書》義難於畫一，……大約〈堯典〉天文、〈禹貢〉地理、〈洪範〉五行，先爲三門學術，其餘題文，但須溫淳爾雅，得訓詁之遺意，乃是《書》義正格。
>
> 天文宜閱《周官・保章氏》、《史記・天官書》、《淮南・天

---

[162] 〔清〕章學誠：《章實齋先生文集》，〈論課蒙學文法〉頁389。

[163] 〔清〕章學誠著、倉修良編：《文史通義新編》，〈清漳書院留別條訓〉頁499。

> 文訓》及《晉書·天文志》中所采三家論文之說，即足給用。地理當閱《周官·職方氏》、《爾雅·釋地》、《逸周書·王會解》及《管子·地圓篇》、《淮南·墬形訓》諸篇，即足給用。《四書》題文，涉於春秋列國諸侯大夫時事多矣，三傳尚未寓目，不知何者可恃以無恐也。[164]

大概言之，《易經》題以「象數、理致」爲主，《書經》題注重「溫醇爾雅」，《詩經》題則看「風雅」，《春秋》題內容與《四書》題攸關，《三禮》題又須熟知「天文、地理、職官」等項；至若其餘各科，則性理題須「發題蘊，切人事」，試帖排律題要流露「自然、天籟、性情」，策問題則偏重「學問、經濟」。總括所見，章氏提出他的體認，說道：「近科所問文史、時務條目，約略可觀，取其心附連類之條，雜取經書、傳記，摘錄記纂，縱或不能裁成卷帙，嘉惠後學，而搜羅端要，粗識名義，猶愈於但閱闈墨成策，承訛襲舛，不自知非者也。」[165]

六、結　語

章學誠在乾隆年間主持過五處地方書院，實際的教學驗豐富，對

---

[164] 四段選文，見於〔清〕章學誠著、倉修良編：《文史通義新編》，〈清漳書院留別條訓〉頁 497~499。

[165] 〔清〕章學誠著、倉修良編：《文史通義新編》，〈清漳書院留別條訓〉頁 502。

於時文制藝的舉業考試也有深刻的了解，並提出了一套系統而具體的舉業教學法，但是一般對他的研究都專注於史學成就上，尠少針對教學上的特色提出討論，甚且視爲他學術上的缺點。其實他這些被視爲枝節末道的教學原則，對於現今擔任教職的老師們來說，仍有其正面的功效。

章學誠在教學過程中，發覺書院諸生多半慵懶，目光短淺，「既無誦讀之功，又憚纂錄之煩」，連基本的努力都不足；又有些門生由於家貧，爲了生活也任教於私塾，卻因囿於習慣，教學與學習都流於制式呆板的框臼之中，非但未能達成教學相長的結果，反而使學習更加淺薄，讓他深深地感歎「此間生徒，難與深言」。這種情況，其實反覆重現於今日大學研究所中，不少在學校裏兼課教學的博士生，或爲教師資格而在國中、小學進行教育學程實習的碩士生，雖然身兼研究生與教師雙重身分，卻讓許多教授們感覺到他們應付的心態稍重，並未將所學與教學融合，以得相輔相成的效果。章學誠的無奈，直到現今仍未見眞正改善。

爲了呈顯章學誠的教學方法，我們整理出他在這一方面有關的論述，大致分爲「教學、學習、應試」等三個部分，其中教學法和學習法，其實和現今的觀念並無二致：

教學法強調三項原則：（一）疾徐得法，循序漸進；（二）難易穿插，引發興趣；（三）學貴積累，進程明確。

學習法則分積極進行與消極避免二種要項，在積極方面，大致有五項：（一）由字學而通達學業，（二）抄錄資料、排比類纂，（三）博學守約，（四）學貴領悟，（五）揣摩範文，得其精髓。至於消極方面，則不能依賴坊刊時文與墨卷，與當時舉子所尊崇的各種專爲科舉考試所做的選輯。

此外，章學誠還很具體的提出了舉業應考的方式，這雖是爲了因應當時八股文而作的，但他很能夠振葉尋根的將作文與經傳密切結合，也凸顯出他的實學家精神所在。他所提出的應考方法，（一）先練習撰作各體範文：因爲時文「命題之有式，題萬變而文亦萬變」，文境自然也無所不包，舉凡說理、論事、辭命、記敘、紀傳、考訂各類文體，都要先作摩擬撰寫，等到面臨考試時，題文縱使有千種，也可知其根本所在，掌握萬變不離其宗的原則，就能輕易寫出適當的作文了。（二）作文方法：章學誠認爲「制義之原，出於經解；小題義法，則隱通於訓詁」，提出「先以一、二百言小篇，使之略知開合反正，兼參之以帖墨大義，發問置對，由淺入深」，就能得其所以爲文者矣。（三）舉業與經傳：1.《四書》文最重要。2.舉業的根本在經傳。3.五經與舉業題文之作答。

章學誠的舉業讀書方法，頗近於經驗豐富的教師與學生們所常使用的方法，清代的王筠、唐彪的教授童蒙原則如此，今日坊間許多讀書治學方法專著所論述的內容也多半如此，例如李佐賢編的《古今中外名人讀書法》[166]，條列歷代名人讀書方法，就有「博覽群書讀書法」、「循序漸進讀書法」、「貴在求精讀書法」、「尋根求源讀書法」、「認眞思索讀書法」、「累積資料讀書法」、「隨手筆記讀書法」……；王雲五《中國古今治學方法》[167]所論及的：徐幹「觸類旁通」、呂祖

---

[166] 李佐賢編：《古今中外名人讀書法》，北京：中國國際廣播出版社，1989年10月。

[167] 王雲五：《中國古今治學方法》，臺北：臺灣商務印書館，1976年11月。

謙「講貫誦繹」、朱熹「博學約文」、孫文「役古而不爲古役」……等等，都與章氏所論若合符節。所以章學誠的讀書法，其實是不限時空的標舉出了讀書的基本原則，將他的讀書法放到他的史學、方志學中，可以看出其間的原則相通無異，如果說他的學術思想與他的舉業讀書法息息相關，也是有其道理的。

從《章氏遺書》看章學誠對其時婦女德藝的評價

魚小輝*

提　要

在《章氏遺書》中，章學誠對其時婦女的德藝有不少評價。有清一代，女性文學創作可謂空前繁榮，其詩歌創作的數量既多，質量也頗為可觀。然而，章氏對當時名門或大家閨秀喜愛詩歌創作的風氣卻極為不滿。甚至指斥為「無知無恥之妄人」。其抨擊的原因，主要有以下幾點：一、「婦學不修，豈有真才可取；二、「無復男女之嫌，殆忘其身之雌」；三、「徵詩刻稿，標榜聲名」。其目的，正如章氏在《婦學篇書後》一文中所云：「所以救頹風，維世教，飭倫紀，別人禽」也。從這種封建衛道士的立場出發，以女德即「德言容功」

* 陝西省社會科學院社會學研究所研究員

作為評判的價值尺度，章氏對其時女性詩人的創作活動和創作成就極力貶抑實不足為怪。

關鍵詞　章學誠　章氏遺書　女性研究

身爲乾嘉之時的一位著名學者，章學誠在其著作中對其時婦女的德藝卻有不少的評價，這豈不是有些奇怪！然而，這或許正是如章學誠自己所云：「蓋有所不得已而爲之，非好辨也」。❶

一

有清一代，女性文學創作可謂空前繁榮。據胡文楷《歷代婦女著作考》著錄，中國前現代女作家凡 4000 餘人，而明清兩代就有 3750 餘人，占中國古代女性作家的百分之九十以上。特別是清代女作家更多，約 3500 餘家，「超軼前代，數逾三千」。其中江浙兩省，又占 80%。

即以章氏對其時袁枚的抨擊而言：「近有無恥妄人以風流自命。蠱惑士女。大率以優伶雜劇所演才子佳人惑人。大江以南。名門大家閨閣多爲所誘。徵詩刻稿，標榜聲名，無復男女之嫌。殆忘其身之雌矣。」❷所言也確實有據。案，在袁枚所招收的數十名女弟子中，出身名門或大家閨秀者如：席佩蘭，其夫孫原湘爲乾隆舉人、嘉靖進士；

❶　葉瑛，《文史通義校注》（北京：中華書局，1985.05），頁 554。
❷　章學誠：《丙辰箚記》（北京：中華書局，1986.12），頁 98。

張絢霄、周月尊，皆爲尙書畢沅之妾；畢慧，乃畢沅之女；錢孟鈿，尙書錢維城之女，嫁巡道崔龍見；孫雲鳳（嫁諸生程庭懋）、孫雲鶴（嫁縣丞金瑋）姊妹，爲四川按察使孫嘉樂之女；王玉如，孫嘉樂之妾；悟桐、袖香、月心，皆爲杭州太守明希哲之妾；潘素心，知州潘汝炯之女，嫁詹事汪潤之；陳長生，太仆寺陳兆侖之孫女，嫁廣西巡撫葉紹楏；汪纘祖，湖北巡撫汪新之女，嫁通判湯燧；錢林，福建布政使錢琦之女；歸懋儀，巡道歸朝熙之女；吳瓊仙，嫁待詔徐山民；屈秉筠，嫁文學趙子梁；鮑之蕙，嫁同知張鉉。❸而從袁枚女弟子的詩歌創作活動來看，如袁棠有《繡吟餘稿》，袁機有《素文女子遺稿》，袁杼有《樓居小草》，合刊爲《袁家三妹合稿》；席佩蘭有《長眞閣集》；金逸有《瘦吟樓詩草》；嚴蕊珠有《露香閣詩存》；金兌有《湘芷存稿》；孫雲鳳有《玉簫樓詩集》等；孫雲鶴有《聽雨樓詞》；錢孟鈿有《浣青詩草》；汪玉軫有《宜秋小院詩鈔》；王倩有《寄梅館詩鈔》等；潘素心有《不櫛吟》；廖雲錦有《織雲樓稿》等；吳瓊仙有《寫韻樓集》；屈秉筠有《韞玉樓詩》；歸懋儀有《繡餘小（續）草》等；駱綺蘭有《聽秋軒集》；鮑之蕙有《清娛閣吟稿》；尤澹仙有《曉春閣詩集》；畢慧有《遠香閣吟草》；汪纘祖有《侍萱吟》；陳淑蘭有《化鳳軒詩稿》；陳長生有《繪聲閣初稿》；戴蘭英有《瑤珍吟草》；張瑤瑛有《繡墨齋偶吟》；張絢霄有《四福堂稿》，等等。❹

應當說，乾嘉時女性詩歌創作的數量既多，質量也頗可觀。如洪

---

❸ 參王英志：〈隨園女弟子考評〉，《明清文學與性別研究》（南京：江蘇古籍出版社，2002.10）頁695。

❹ 參王英志：〈隨園女弟子考評〉，《明清文學與性別研究》（南京：江蘇古籍出版社，2002.10）頁701。

亮吉就曾以生動的意象來比喻其時的五位著名女性詩人：「閨秀歸懋昭詩，如白藕作花，不香而韻。崔恭人錢孟鈿詩，如沙彌升座，靈警異常。孫恭人王采微詩，如斷綠零紅，淒豔欲絕。吳安人謝淑英詩，如出林勁草，先受警風。張宜人鮑茝香詩，如栽花隙地，補種桑麻。」（《北江詩話》卷一）像孫星衍妻王采薇的《春夕》：「已罷讐書怨夕遙，更聞疏竹度鄰簫。靈瓏鳥語驚簾押，寂寞香絲繞畫綃。一院露光團作雨，四山花影下如潮。傷離不爲何郎句，病久東陽自損腰。」其頸聯「一院露光團作雨，四山花影下如潮」，就被時人傳誦，袁枚乃歎之爲「妙絕」。（《隨園詩話》卷五）案，晚清詩人龔自珍有「叱起海紅簾底月，四廂花影怒於潮」（《夢中作四截句》之二）的名句，實則受到了此句的影響。

袁枚《隨園詩話》中云：「余三妹皆能詩，不愧孝綽門風。」如其妹袁機《追悼》詩：「死別今方覺，生存已少緣。結褵過十載，聚首只經年。舊事渾如昨，傷心總問天。蕭蕭風雨際，腸斷落花煙。」《秋夜》詩：「不見深秋月影寒，只聞風信響闌干。閑庭落葉知多少？記取朝來著意看。」其四妹袁杼《遊雞鳴山》詩：「蒼蒼煙樹帶斜暉，石塔層巒傍翠微。無復蕭梁宮殿在，台城猶見紙鳶飛。」《秋園踏月》詩：「藹藹山光映碧空，參差樹影亂西風。蘆花幾朵明如雪，吹在橫橋曲澗中。」均可謂佳作。再看袁枚的幾位元女弟子的作品。太史孫原湘之妻席佩蘭，袁枚曾稱讚其詩云：「字字出於性靈，不拾古人牙慧，而能天機清妙，音節琮琤。」試觀其七律《蘇台懷古》：「浣紗溪水碧於湖，一勺晴波便沼吳。五夜深宮炊粟夢，十年敵國臥薪圖。捧心智自工狐媚，抉目危空捋虎須。至竟越王台下路，春風麋鹿似姑蘇。」可謂格調鏗鏘，氣韻沈雄。「捧心智自工狐媚，抉目危空捋虎須」一聯，用西施亡吳和伍子胥死諫的典故，對仗工穩，其中蘊含著多少歷史興亡的感慨。

然而，章學誠對當時名門或大家閨秀喜愛詩歌創作的風氣卻極爲不滿，指斥說：「此等閨娃。婦學不修。豈有眞才可取。而爲邪人播弄。浸成風俗。人心世道。大可憂也。乃更有癡妄無知婦女。自題其詩爲浣青集。謂兼浣花、青蓮之長。則不必更問其詩。其爲無知無恥之妄人不待言矣。爲之夫婿。不但不知禁約。而反若喜之。嗚呼。彼之所喜。正君子之憂也。」（《丙辰劄記》）案，章氏這裏不點名抨擊的「癡妄無知婦女」，即其時尚書錢維城之女錢孟鈿，巡道崔龍見之妻，亦是袁枚得意的女弟子，有《浣青詩草》、《鳴秋合籟集》等。章氏對錢孟鈿詩集名爲「浣青」極爲不滿，聲稱「則不必更問其詩，其爲無知無恥之妄人不待言矣」，此言顯然過於武斷，有先入爲主之見。

據吳文溥《南野堂筆記》載，錢孟鈿家學淵源，「幼讀書，涉覽不忘。尚書爲授《史記》、《通鑑記事本末》，遂能淹貫故事」❺。他稱讚錢孟鈿詩爲：「沈浸漢唐，兼綜各體。其中古風長短句，高挹群言，飛空結響，有太白搔首問青天之想，不當呼女青蓮耶？」而前引洪亮吉《北江詩話》也贊其「如沙彌升座，靈警異常」。我們試觀錢孟鈿的兩首作品：

爲報沙場苦，邊秋一雁還。據鞍輕紫塞，吹角老紅顏。

思婦閨中月，征人夢裏山。封侯等閒事，生入玉門關。（《塞

---

❺ 轉引自錢仲聯主編：《清詩紀事》（22），南京：江蘇古籍出版社，1987年，頁15742。

下曲》）

這首邊塞詩，雖缺少男性詩人同類題材的雄豪之氣，卻頗巧妙地通過秋雁南還來抒發了閨中少婦對邊關丈夫的思念之情。尾聯「封侯等閒事，生入玉門關」，是少婦的期望之情、禱祝之語，一個哀怨與無奈交織的少婦形象躍然紙上，甚有藝術感染力。

> 江頭一夜驚風葉，曉拓玻瓈見春雪。天公有意阻群芳，只許梅花占幽絕。積厚階前落絮重，斜飛簷際修篁折。官廚綠酒聊禦寒，燕寢清香頗未滅。自憐謝女心情老，禁字詩難肘頻掣。滿堂賓客日逮闇，隔簾樺燭花生纈。吟成一百四十字，迥與長空鬥飛屑。忽憶春郊幾處煙，麥苗凍壓饑烏嚙。須知茅屋窮人苦，急與黃堂夫婿說。勸農五馬待春晴，一尺犁泥萬鋤鐵。（《春雪》）

這首古體詩，詩題下注明「用東坡聚星堂韻」。一首聚會時的乘韻之作，本不易作好，而女詩人卻運筆自如，前描寫雪中梅花的幽絕、賓客賞雪的雅致，後「忽憶」一轉，則抒發了對「茅屋窮人」的關切之情，歸結到「待春晴」時對農民的勸耕之上。據雷瑨、雷瑊《閨秀詩話》載：「時會中成詩者數人，見夫人作皆歎服，或袖草逕出。」可見其才情。

從這兩首作品來考察，無論是內容或藝術上都有可取之處，顯非「無知無恥之妄人」所爲。

那麼，章學誠對「此等閨娃」的排擊爲何如此不遺餘力呢？仔細分析起來，主要有以下幾點原因：一、「婦學不修，豈有眞才可取」；

二、「無復男女之嫌，殆忘其身之雌」；三、「徵詩刻稿，標榜聲名」。下面別而論之。

二

章學誠對其時女性從事詩歌創作深惡痛絕的原因之一，是「婦學不修，豈有眞才可取」。

章學誠在《婦學》篇中辨云：「婦人之於文字，於古蓋有所用之矣。婦學之名，見於《天官》內職，德言容功，所該者廣，非如後世祇以文藝爲學也。然《易》訓正位乎內，《禮》職婦功絲枲，《春秋傳》稱賦事獻功，《小雅》篇言酒食是議，則婦人職業，亦約略可知矣。❻

他認爲，婦女之「四德」，即「德、言、容、功」，才是「婦學」的基本內容，而不是後世的僅以「文藝」爲「學」。既然曰「學」，則「非嫻於經禮，習於文章，不足爲學」。他指出，自古來女性學習文藝，「誦詩習禮」，應都是爲修習婦學，即「德言容功」。漢魏之時，雖情況有變，但女性「凡有篇章，莫不靜如止水，穆若清風，雖文藻出於天嫻，而範思不踰閫外。此則婦學雖異於古，亦不悖於教化者也。」唐宋以來，「婦才之可見者，不過春閨秋怨，花草榮凋，短什小篇，傳其高秀。間有別出著作，如宋尚宮之《女論語》，侯鄭氏之《女孝經》；雖才識不免迂陋，而趨向尚近雅正，藝林稱述，恕其

❻ 葉瑛，《文史通義校注》（北京：中華書局，1985.5），頁531。

志足嘉爾。」

章學誠感慨說：「夫才須學也，學貴識也。才而不學，是爲小慧。小慧無識，是爲不才。不才小慧之人，無所不至，以纖佻輕薄爲風雅，以造飾標榜爲聲名。」那麼，女性之「學」所貴的「識」究竟何指呢？這就是要一歸於「正」，即知書識禮，講求「德言容功」。他喟歎道：

> 後世婦學失傳，其秀穎而知文者，方自謂女兼士業，德色見於面矣。不知婦人本自有學，學必以禮爲本；舍其本業而妄托於詩，而詩又非古人之所謂習辭命而善婦言也；是則即以學言，亦如農夫之舍其田，而士失出疆之贄矣。何足徵婦學乎？嗟乎！古之婦學，必由禮以通詩，今之婦學，轉因詩而敗禮。禮防決，而人心風俗不可復言矣。夫固由無行之文人，倡邪說以陷之。彼真知婦學者，其視無行文人，若糞土然，無行文人學本淺陋，真知學者不難窺破。何至爲所惑哉？古之賢女，貴有才也。前人有云「女子無才便是德」者，非惡才也；正謂小有才而不知學，乃爲矜飾騖名，轉不如村姬田嫗，不致貽笑於大方也。

可見，章氏評判女性是否有才的標準，即其是否修習「婦學」；倘「婦學不修」，便無「眞才」可取。

章學誠對其時女性從事詩歌創作深惡痛絕的原因之二，是「無復男女之嫌，殆忘其身之雌」。

在《婦學》中，章學誠以「《易》訓『正』位乎內」❼來強調男女內外有別。他指出：「晉人崇尚玄風，任情作達，丈夫則糟粕六藝，婦女亦雅尚清言。步障解圍之談，新婦參軍之戲，雖大節未失，而名教蕩然。」以謝道韞設青綾步障自蔽與賓客辯難，為丈夫王凝之弟獻之解圍的典故，及王渾妻鍾氏應答丈夫願嫁與其弟王淪的調笑典故，來說明晉時的名教已經闕失。他還以宋李清照與趙明誠夫妻、元管道升與趙孟頫夫妻為例說：「李易安之金石編摩，管道升之書畫精妙，後世亦鮮有其儷矣。然琳琅款識，惟資對勘於湖州；筆墨精能，亦藉觀摩於承旨；未聞宰相子婦，得偕三舍論文；李易安與趙明誠集《金石錄》，明誠方在太學，故云爾。翰林夫人，可共九卿揮麈。蓋文章雖曰公器，而男女實千古大防，凜然名義綱常，何可誣耶？」正因為如此，一方面，他宣稱「我朝禮教精嚴，嫌疑慎別，三代以還，未有如是之肅也」；另一方面，對當時女性求學於男性詩家門下，與男性詩人吟詩唱和，「覿面分韻」，則表示出極度的不滿，發出「殆忘其身之雌」的譏諷。

由此出發，章學誠對袁枚《隨園詩話》中大量採錄女性詩作，並予以宣傳、揄揚，提高女詩人地位的做法也頗為鄙夷，加以冷嘲熱諷云：「詩伯招搖女社聯」，「隨園錄入內家詩」（《題隨園詩話》）。又在其《詩話》中嚴厲抨擊說：

> 婦女內言不出閫外，詩話為之私立名字，標榜聲氣，為虛為實，吾不得而知也。詩話何由知人閨閣如是之詳？即此便見傾邪，

---

❼ 《易·家人》：「彖曰：家人，女正位乎內，男正位乎外。男女正，天地之大義也。」

> 更無論僞飾矣。……今乃玉石不分，苗莠無別，往往詩話識其名姓，邂逅偶遇斯人，實乃風塵遊乞，庸奴賤品。助語不辨虛實，引喻全乖向方，臃腫無知，贅瘤可厭，亦不乏其徒焉。此而可邀題品，則眞才宿學，寧不以同類爲羞乎？乃知閨閣稱詩，何從按實？觀其鏤雕纖曲，醞釀尖新，雖面目萬殊，而情態不異，其爲竄易飾僞，情狀顯然。豈無靜女名姝，清思佳什？牽於茅黃葦白，轉覺惡紫奪朱矣。

今天看來，袁枚《隨園詩話》中「題品」的女性詩歌，雖不能說都是佳作，但相當一部分作品確値得評點，藝術特色也各異。章氏卻一概否定云：「觀其鏤雕纖曲，醞釀尖新，雖面目萬殊，而情態不異，其爲竄易飾僞，情狀顯然。」持論未免太過。

章學誠對其時女性從事詩歌創作深惡痛絕的原因之三，是「徵詩刻稿，標榜聲名」。

我們從以下兩條材料即可看出：

> 尺牘新語載。閨秀方孟式讀徐媛詩。與妹維儀書曰。吳人好名而不學。不獨男子然也。其言有丈夫氣。巾幗中少此識也。近日號爲大家閨閣。但知仰慕一纖佻不學。心術傾邪之無品文人。求其標榜題品。非禮相見。屈身稱女弟子。無復男女嫌疑。不知無品文人爲之誇飾矜詡。其心實大不可問。所爲標榜之名。不但不足爲榮。而實足爲辱。當日所謂徐媛者。方氏但言其詩不足稱。猶未至如近日所爲大家閨閣之甚也。然其病實由於好名。其爲無品文人所愚。而不知其淺陋。則實緣於不學。方氏之言。今大家閨閣之良師也。（《丙辰箚記》）

好名與好勝不同。好名徇人而忘己。好勝專己而非人。故好勝賢者亦所不免。而好名則人品心術皆無所取也。(《丙辰箚記》)

從當時女性從學文學創作活動的動機來看，確有「好名」之嫌。如前所述袁枚女弟子即多有詩稿刊印，成爲時尚。王蘊章《然脂餘韻》云：「吳門陳竹士前室金纖纖，著有《瘦吟樓詩稿》，歿後吾鄉楊蕊淵及李紉蘭、陳雪蘭三女士爲捐金付梓。陳雲伯詩所謂『蛾眉都有千秋意，肯使遺編付劫塵』是也。」從陳文述的「蛾眉都有千秋意」這句詩中，也透露出其時的消息。有的女性詩人不僅出詩集以「謀千秋」，甚至還傲視前人。如以「清超雅健」而「詩名播一時」❽的席佩蘭，其《寄蔣伯生》詩中即有云：「張說序蜿兒，文昌序薛濤，詩篇雖工品不高。我才敢與古人抗，我志還淩古人上。《漱玉》猶嫌有累辭，《斷腸》每惜非高唱。」❾那麼，這種「好名」，能說就是「人品心術皆無所取」嗎？恐怕不能。好名之心，人之常情，古人即有之。如云「語不驚人死不休」，非「好名」乎？晚唐著名詩人鄭谷曾有詩曰：「一卷疏蕪一百篇，名成未敢暫忘筌。何如『海日生殘夜』，一句能令萬古傳。」(《卷末偶題三首》其一)非「好名」乎？爲何男性詩人可以「好名」，女性詩人卻不能「好名」；一旦「好名」，就是「人品心術皆無所取」呢？這充分暴露出章學誠女德觀深處對女性的偏見。

綜上所論，章學誠不惜對當時婦女的德藝如此花氣力去評價，其

---

❽ 見錢仲聯主編：《清詩紀事》(22)，南京：江蘇古籍出版社，1987年，頁15777-15780。

❾ 同注❽。

目的正如《婦學篇書後》中所云：「所以救頹風，維世教，飭倫紀，別人禽」也。從封建衛道士的立場出發，以女德即「德言容功」作爲評判的價值尺度，章學誠對其時女性詩人的創作活動如此貶抑，對其時女性詩人的創作成就評價如此之低，也就沒有什麼奇怪了。

章實齋圖書編撰學探析

王國良*

提　要

本論文旨在闡明章學誠有關圖書編撰理論的特點，評估其編纂著述工作上的成績，以及對後世造成的影響。除了立「生平暨著述概略」一節，做為背景說明之外，內容主要分成：圖書編撰史（含「著述的起源」、「書名與篇卷」、「文集的成立」三子目。）、史籍編撰的理論與實務（含「史義與史料」、「通代撰史」、「類例問題」、「著述與比類」四子目。）、書目編纂之理論與方法（含「部類與敘錄」、「互著與別裁」、「編製索引」三子目。）三個重心。經由多方面的引述和析論，相信對這位清代中葉傑出的史學家、編撰家之特殊見解與成就，吾人將有比較深刻的了解。

關鍵詞　章學誠　校讎學　編撰學

壹、前言

圖書編撰事業在中國已有一段非常悠久的歷史。官師世守的時代，固然沒有私人著作存在與否的問題。迨教育逐漸普及開放後，平民開始著書立說，或者纂輯相關主題之文獻成爲專集。此時出現了個人著作與集體著作並存，公私之間既競爭又互補的現象，各類知識快速積累，文化水準大幅提昇。

不同的時代，不同的載體，圖書編撰的情況會有所改變，其形制也跟隨變易調整。越到後世，著作的體例越加嚴密而科學，內容則越爲多樣複雜。明、清時期，無論是官方或私人，圖書編輯經驗更豐厚，產品更繁富而精彩。官修書籍，像明成祖敕撰《永樂大典》，清康熙、雍正間，陳夢雷（1651-1741 年）編纂《古今圖書集成》[1]，乾隆詔修《四庫全書》等，都是工程浩大，部頭巍巍，字數極多，又影響深遠的重要編纂項目。

章學誠（1738-1801 年）生長並活躍於清乾隆盛世，此時樸學發達，《四庫全書》編修工作又如火如荼地進行中。他雖未能躋身學術界主流，甚至反其道而行，卻累積了甚多纂修方志，編寫書籍的經歷與心得。章氏不僅有豐富的實務經驗，尤能總結歷代優良學統，加上個人

---

* 台北大學古典文獻研究所教授兼所長

[1] 今行世之《古今圖書集成》一萬卷，率題清雍正户部尚書蔣廷錫等奉敕編校，實由康熙朝陳夢雷主纂之底稿增修而成。參見裴芹，《〈古今圖書集成〉研究》（北京，北京圖書館出版社，2001 年 12 月），頁 27-42。

獨到見解，提出卓越的理論著作，我們譽之爲清代著名文學史學家、目錄學家和圖書譜牒編撰家，實在是當之無愧。

貳、生平暨著述概略

章學誠，原名文斆，字實齋，號少巖，浙江會稽人。清高宗乾隆三年（1738 年）生。自幼生活困苦，天資魯鈍，又復身體多病，「一歲中銖積黍計，大約無兩月功。資質椎魯，日誦纔百餘言，輒復病作中止。十四受室，尚未卒業《四子書》」❷。二十一歲之後，心智大開，縱閱群書，對史部書產生了濃厚興趣。

二十三歲到北京參加順天鄉試，未中。之後，屢試不第，曾從朱筠（1729-1781 年）習文，並結交了一些學者名流，如周永年（1730-1791 年）、汪輝祖（1730-1807 年）、任大椿（1738-1789 年）、邵晉涵（1743-1796 年）、洪亮吉（1746-1809 年）等人。他當時的生活十分艱苦，爲了購買二十三種正史，節衣縮食，凡三年乃始購全。乾隆三十三年（1768 年），其父驤衢先生（鑣）卒於湖北應城，竟拮据得連奔喪的路費都湊不出來。乾隆三十四年，舉家北遷京師。他在國子監編撰《國子監志》時，因與學官意見不合，憤然辭職。先後到和州、定州編撰《和州志》和《永清縣志》，並於乾隆三十七年動手寫《文史通義》。❸

❷ 章學誠著、倉修良編，《文史通義新編·與族孫汝楠論學書》（上海，上海古籍出版社，1993 年 7 月），頁 671。

❸ 胡適著、姚名達訂補，《章實齋先生年譜》（臺北，臺灣商務印書館，1962 年 12 月），頁 25。

乾隆四十二年（1777 年），經過多年揣摩研讀，總算考中舉人；次年參加會試成爲進士，時年四十一。自以迂疏，不敢入仕。乾隆四十四年，寫成《校讎通義》四卷。乾隆四十六年，赴河南，歸途遇盜，四十四歲以前的著作均被搶劫一空。後經多方借抄，僅得十之四五；《校讎通義》第四卷，終究亡佚❹。在以後的五年中，曾先後執教於肥鄉清漳書院、永平敬勝書院、保定蓮池書院。爲了養家餬口，到處奔波，卻仍能及時勉學，「撰著於車塵馬足之間」❺，十分難得。

乾隆五十二年（1787 年）之後，因友人之介紹，至河南開封，作爲巡撫畢沅（1730-1797 年）的幕僚，先後從事《史籍考》、《續資治通鑑》、《湖北通志》、《常德府志》、《荊州府志》等書的編撰工作❻。嘉慶五年（1800 年），衰病日侵，兩眼失明，仍然請人筆錄，寫出了〈浙東學術〉等重要著作。次年十一月，與世長辭，享壽六十有四❼。《清史稿》卷四九〇有傳，文字頗爲簡要。

有一回，章學誠在與族人談到晚年心情時曾說：

---

❹ 同上註，頁 44-45。

❺ 同註❷，〈與邵二雲論學〉，頁 535。

❻ 按：章學誠在畢沅幕下前後有七八年，除了編修《續資治通鑑》及地方志之外，花時間最多的工作就是纂修《史籍考》。直到乾隆五十九年（1794 年）八月，畢沅因湖北邪教案被議下臺爲止，《史籍考》仍未完稿。嘉慶二年（1797 年）冬，學誠又就浙江巡撫謝啓昆之聘到杭州，再補修《史籍考》，因與謝氏幕客及友輩，如袁枚、孫星衍等人不合，遂遭杯葛，於次年離浙。直至嘉慶六年十一月，章氏謝世，《史籍考》猶未完成，實爲一大憾事。詳情可參看《章實齋年譜》乾隆五十二年後各相關年份文字，以及羅炳綿〈史籍考纂修的探討（下）〉（《新亞學報》七卷一期，1965 年 2 月）附錄一〈史籍考修纂年表〉，頁 453-454。

❼ 同註❸，頁 144-147。

三十年來，苦飢謀食，輒藉筆墨營生，往往爲人撰述傳志譜牒，輒嘆寒女代人做嫁衣裳而已，身不獲一試時服。嘗欲自輯墟里遺聞逸獻，勒爲一書，以備遺忘，竊與守一、尚木言之，而皆困於勢不遑，且力不逮也。❽

他坎坷潦倒的一生，堅持學術之路，著述不輟，卻無法爲鄉里宗族編撰方志譜牒，難免要遺憾以終了。

參、關於圖書編撰史

章氏熟習秦漢典籍之外，對於歷代簿錄尤所深究。漢代劉向（約前 77-前 6 年）、劉歆（？-23 年）父子術業，固爲素所推尊；至如班固（32-92 年）撰《漢書・藝文志》、唐長孫無忌（？-659 年）等撰《隋書・經籍志》、南宋鄭樵（1102-1160 年）撰《通志》〈校讎略〉、〈藝文略〉，以至於清紀昀（1724-1805 年）撰《四庫全書總目》等，亦時加研尋，每有創獲。

一、著述的起源

《校讎通義・原道第一》云：

後世文字，必溯源於六藝。六藝非孔氏之書，乃《周官》之舊

❽ 見《章氏遺書》（臺北，漢聲出版社，1973 年 6 月），卷二九，〈與宗族論撰節愍公家傳書〉，頁 754-755。

> 典也。《易》掌太卜，《書》藏外史，《禮》在宗伯，《樂》隸司樂，《詩》領於太師，《春秋》存乎國史。夫子自謂「述而不作」，明乎官司失守，而師弟子之傳業，於是判焉。秦人禁偶語《詩》、《書》，而云「欲學法令者，以吏爲師」。其棄《詩》、《書》，非也。其曰「以吏爲師」，則猶官守學業合一之謂也。由秦人「以吏爲師」之言，想見三代盛時，《禮》以宗伯爲師，《樂》以司樂爲師，《詩》以太師爲師，《書》以外史爲師，《三易》、《春秋》亦若是則已矣，又安有私門之著述哉！❾

又《文史通義·詩教上》云：

> 至戰國而著述之事專，何謂也？曰：古未嘗有著述之事也。官師守其典章，史臣錄其職載。文字之道，百官以之治，而萬民以之察，而其用已備矣。是故聖王書同文以平天下，未有不用之於政教典章，而以文字爲一人著述者也。道不行而師儒立其教，我夫子之所以功賢堯舜也。然而「予欲無言」，「無行不與」，六藝存周公之舊典，夫子未嘗著述也。《論語》記夫子之微言，而曾子、子思俱有述作以垂訓，至孟子而其文然後閎肆焉，著述至戰國而始專之明驗也。❿

這就是說，在戰國以前，學在官府，政學合一，官師合一，法具

---

❾ 章學誠著、王重民通解，《校讎通義通解》（上海，上海古籍出版社，1987年9月），頁2-3。

❿ 同註❷，頁23。

於官，官守其書。在政府任職的人員，亦官亦師，官兼為師，師傳其學。但戰國以後，官師分開，官守、學業判為兩途，部份官員成為專職教師，私人講學風氣開始形成，傳統的文化壟斷逐漸解體。不少教師成為鼎鼎大名的思想家和教育家，除了講學、遊說之外，著書立說成為他們發表政治主張的重要手段之一，私人著述風氣就此開展，不可遏止。

二、書名與篇卷

有關書名或篇名問題，《文史通義·匡謬》云：

> 古人著書名篇，取辨甲乙，非有深意也。六藝之文，今俱可識矣。蓋有一定之名與無定之名，要皆取辨甲乙，非有深意也。一定之名，典、謨、貢、範之屬是也；無定之名，《風》詩、《雅》、《頌》之屬是也。諸子傳記之書，亦有一定之名與無定之名，隨文起例，不可勝舉，其取辨甲乙，而無深意，則大略相同也。⓫

至於篇與卷的關係，同書〈篇卷〉云：

> 文以足言，成章有序，取其行遠可達而已，篇章簡策，非所計也。後世文字繁多，爰有校讎之學，而向、歆著錄，多以篇卷為計，大約篇從竹簡，卷從縑素，因物定名，無他義也。而縑素為書，後於竹簡，故周秦稱篇，入漢始有卷也。……篇之為名，專主文義起訖，而卷則繫乎綴帛短長，此無他義。蓋取篇

⓫ 同註❷，頁 105-106。

之名書，古於卷也。故異篇可以同卷，而分卷不聞用以標起訖也。……唐宋以來，卷軸之書，又變而爲紙冊，則成書之易，較之古人，蓋不啻倍蓰已也。古人所謂簡帙繁重，不可合爲一篇者，今則再倍其書，而不難載之同冊矣。故自唐以前，分卷甚短。六朝及唐人文集，所爲十卷，今人不過三四卷也。自宋以來，分卷遂長。以古人卷從捲軸，勢自不能過長；後人紙冊爲書，不過存卷之名，則隨其意之所至，不難巨冊以載也⓬。

古今書冊的形制，既然因時而異，不易精確標識，況且又無關夫著述之義例，因此章氏主張「著書但當論篇，不當計卷。必欲計卷，聽其量冊短長而爲銓配可也。不計所載之冊而銖銖分卷，以爲題籤者著錄之美觀，皆是泥古而忘實者也。」⓭這未嘗不是通達之論。

三、文集的成立

《文史通義·詩教上》云：

子史衰而文集之體盛，著作衰而辭章之學興。文集者，辭章不專家而萃聚文墨以爲蛇龍之菹也。後賢承而不廢者，江河導而其勢不容復遏也。⓮

同書〈詩教下〉云：

集雖始於建安，（魏文撰徐、陳、應、劉文爲一集，此文集之始；摯

⓬ 同註❷，頁 228-229。

⓭ 同上註，頁 230。

⓮ 同註❷，頁 22。

虞《流別集》，猶其後也。）而實盛於齊、梁之際。古學之不可復，蓋至齊梁而後蕩然矣。（摯虞《流別集》，乃是後人集前人；人自爲集，自齊之《王文憲集》始；而《昭明文選》，又爲總集之盛矣。）⓯

又〈文集〉云：

集之興也，其當文章升降之交乎！古者朝有典謨，官存法令，風詩采之閭里，敷奏登之廟堂，未有人自爲書，家存一說者也。自治學分途，百家風起，周秦諸子之學，不勝紛紛，識者已病道術之裂矣。然專門傳家之業，未嘗欲以文名，苟足顯其業，而可以傳授於其徒，則其說亦遂止於是，而未嘗有參差龐雜之文也。兩漢文章漸富，爲著作之始衰。然賈生奏議，編入《新書》，相如詞賦，但記篇目，皆成一家之言，與諸子未甚相遠，初未嘗有彙次諸體，裒焉而爲文集者也。自東京以降，訖乎建安、黃初之間，文章繁矣。然范、陳二史，所次文士諸傳，識其文筆，皆云所著詩、賦、碑、箴、頌、誄若干篇，而不云文集若干卷，則文集之實已具，而文集之名猶未立也。自摯虞創爲《文章流別》，學者便之，於是別聚古人之作，標爲「別集」，則文集之名，實仿於晉代。⓰

按《金樓子・立言篇上》云：「諸子興於戰國，文集盛於二漢。」⓱《隋書・經籍志・別集敘》則謂「別集之名，蓋漢東京之所創也。」

⓯ 同註❷，頁 27。

⓰ 同註❷，頁 221-222。

⓱ 許德平，《金樓子校注》（臺北，嘉新水泥公司文化基金會，1969 年 8 月），

《四庫全書總目·別集類小序》，亦以爲「集始於東漢。」實齋的說法小異，而相關背景的分析稍詳。其意蓋以爲戰國雖是著述之始，但旨在傳授本學派的思想，「未嘗欲以文名」。到了西漢，文章漸多，但「皆成一家之言，與諸子未甚相遠」，東漢、三國，文章繁富，「文集之實已具，而文集之名猶未立也。」自從晉代摯虞（?-311年）編成《文章流別》之後，學者仿效，編成個人文集，也就時有所見。紀昀更指出迨齊張融（444-497年）自命所撰爲《玉海集》⓲，別集之取專名者才正式出現。此時，總集、別集之體製可謂完備矣。

肆、史籍編撰的理論與實務

一、史義與史料

劉知幾（661-721年）的《史通》是一部論述歷史編纂學的方法論專著。章學誠也是以史學理論著名，其《文史通義》可與《史通》媲美，但評論重點不同。他在《和州志·志隅自序》云：「鄭樵有史識而未有史學，曾鞏具史學而不具史法，劉知幾得史法而不得史意。此予《文史通義》所爲作也。」⓳又〈家書二〉亦云：「劉言史法，吾

頁164。

⓲ 蕭子顯，《南齊書》（臺北，鼎文書局，1975年3月），卷四一，頁730，〈張融傳〉：「融自名集爲《玉海》。司徒褚淵問《玉海》名。融答：『玉以比德，海崇上善。』文集數十卷行於世。」

⓳ 同註❷，頁750。

言史意；劉議館局纂修，吾議一家著述；截然兩途不相入也。」⑳在史學方法論上，劉知幾已打下了堅實基礎，唯獨在史意（史義）上則有待進一步予以闡明。可是，當時第一流史家王鳴盛（1722-1797 年）、趙翼（1727-1814 年）、錢大昕（1728-1804 年）等人所從事的工作，都是對古史進行校證和考訂，既不談發凡起例，也很少講歷史理論和觀點。他們的《十七史商榷》、《廿二史箚記》、《廿二史考異》等書，雖說不無貢獻，但大抵上是脫離現實的著作。因此，研究並強調史義變成為章學誠治史的重點。《文史通義》中許多篇章都從不同角度來闡述史學的意義與精神所在。

《文史通義・史德》云：「史所貴者，義也；而所具者，事也；所憑者，文也。……非識無以斷其義，非才無以善其文，非學無以練其事。」㉑又〈言公上〉云：「載筆之士，有志《春秋》之業，固將唯義之求，其事與文，所以藉為存義之資也。……作史貴知其意，非同於掌故，僅求事、文之末也。」㉒史義是歷史觀點和理論，事指歷史事實，而文則是據史實所寫成的文章。三者相比，觀點最為重要，事和文只不過是作為存義的材料和工具，有輕重主次之別，不能等同視之。

其〈申鄭〉又云：

> 孔子作《春秋》，蓋曰其事則齊桓、晉文，其文則史，其義則孔子自謂有取乎爾。夫事，即後世考據家之所尚也；文，即後

---

⑳ 同註❷，頁 688。

㉑ 同註❷，頁 181。

㉒ 同註❷，頁 134。

世詞章家之所重也。然夫子所取，不在彼而在此，則史家著述之道，豈可不求義意所歸乎？㉓

章氏基本上是屬於「經世致用」型的史學家，他不僅重視史義（史意）的研究，並從理論上進行探討，在我國古代史家中的確不多見。

再者，劉幾知《史通》，已把史部以外的許多著作都列入史學研究的對象，作爲史料蒐集的範圍。章學誠的視野則更加擴大。他在《報孫淵如書》裡提出「盈天地間，凡涉著作之林，皆是史學」㉔的主張。所以他編修《史籍考》時，將經、子、集三部許多著作都列入其中。他在《論修史籍考要略》中曾擬義例十五條，明確提出「經部宜通」，「子部宜擇」，「集部宜裁」，「方志宜選」，「譜牒宜略」，做爲該書內容取捨之原則，這就是他所說「功包經子集」㉕。此外，還有以下幾個方面也需要善加利用：

第一，官府案牘。研究歷史，文書檔案固是不可少的重要史料。《文史通義·答客問中》云：「若夫比次之書，則掌故令史之孔目，簿書記注之成格，其原雖本柱下之所藏，其用止於備稽檢而供采擇，初無他奇也。然而獨斷之學，非是不爲取裁；考索之功，非是不爲按據，如旨酒之不離乎糟粕，嘉禾之不離乎糞土。是以職官故事、案牘圖牒之書，不可輕議也。」㉖他在編修方志當中，同樣非常強調蒐集

㉓ 同註❷，頁 167。

㉔ 同註❷，頁 591。

㉕ 同註❷，頁 320-324。

㉖ 同註❷，頁 173-174。

當地機關的章程條例和重要文件，並專門收入掌故之內加以保存。[27]

第二，金石圖譜。利用金石圖譜來研究歷史，唐劉知幾、宋鄭樵在《史通》和《通志》中都有論述。章學誠在他們的基礎上，又進一步加以發揮。《永清文徵·金石敘錄》云：「古人作為文字，托之器物，以自壽於天地之間。」[28]《文史通義·言公中》云：「三代鐘鼎，秦漢石刻，款識奇古，文字雅奧，……取辨其事，雖庸而不可廢。[29]」同書《亳州志·掌故例義中》又說：「古物苟存於今，雖戶版之籍，市井泉貨之簿，未始不可備考證也」[30]他在《和州志·輿地圖序例》，則認為「圖象為無言之史，譜牒為無文之書。相輔而行，雖欲缺一而不可者也」[31]。

第三，私家著作。大量的私人著作，在研究歷史時都應充分加以利用；特別是文集，更不可忽視。《文史通義·韓柳二先生年譜書後》云：「文集者，一人之史也；家史、國史與一代之史，亦將取以證焉，不可不致慎也。」[32]他在《論修史籍考要略》中又說：「漢魏六朝史學，必取專門，文人之集，不過銘、箴、頌、誄、詩、賦、書、表、文、檄諸作而已。唐人文集，間有紀事，蓋史學至唐而盡失也。及宋元以來，文人之集，傳記漸多，史學文才，混而為一，於是古人專門之業，不可問矣。然人之聰明智力，必有所近，耳聞目見，備急應求，

---

[27] 同註[2]，〈答甄秀才論修志第一書〉，頁 713；〈州縣請立志科議〉，頁 707-709。

[28] 見《章氏遺書》外編，卷十五。

[29] 同註[2]，頁 139。

[30] 同註[2]，頁 852。

[31] 同註[2]，頁 764。

[32] 同註[2]，頁 433。

則有傳記志狀之撰，書事記述之文，其所取用，反較古人文集徵實爲多，此乃史裁本體，因無專門家學，失陷文集之中，亦可惜也。」㉝既然如此，作爲史料取用，自是理所當然了。

章學誠不僅主張擴大史料蒐集的範圍，在纂修地方志時，還進行實地採訪，以增加臨場感與眞實度。㉞此外，爲了防止某些弊病，更總結出一套審核史料眞僞的方法。〈金君行狀書後〉云：

> 載筆之士，蘄合乎古人立言之旨，必從事於擇與辨，而銖黍芒忽之間，不苟爲炳炳烺烺，飾人耳目，蓋有道矣。古人之書具在，於當日所謂擇與辨者，吾不能知。其有自名家者，凡所論述，往往別見史書傳記，按以重輕詳略，則未有直以臆爲之者，古人於斯，蓋其愼也。夫志狀之文，多爲其子孫所請，其生平行實，或得之口授，或據其條疏；非若太常謚議，史官別撰，確然有故事可稽，案牘可核也。采擇之法，不過觀行而信其言，即類以求其實，參之時代以論其世，核之風土而得其情，因其交際而察其遊，審其細行而觀其忽，聞見互參而窮虛實之致，瑕瑜不掩而盡揚抑之能。八術明而《春秋》經世之意曉然矣。生平每謂文采未優，古人法度不可不守；詞章未極，三代直道不可不存。其於斯文，則範我馳驅，未嘗不爲是凜凜焉。讀者不察，而漫以是失實徇人，則不可以不辨也。㉟

㉝ 同註❷，頁 322-323。

㉞ 見《章氏遺書》外編，卷十二，《永清縣志·烈女列傳》。

㉟ 同註❷，頁 458-459。

他所提出八點，都是經驗之談，對於分辨私人著作眞僞頗爲具體可行。㊱

總之，章實齋對於歷史學的宗旨與任務，乃至於史料的搜集與鑑別，不論精粗，都很關心，也都別有一番見解，令人敬佩。

二、通代撰史

唐宋以來，由於學術思想的進步、典章制度的演變和史學本身的發展，人們產生了通變思想，通史觀念逐漸爲人們所重視。初唐時期，劉知幾的《史通》，是這一時期以「通」命名的第一部史書，著重在治史的通識上。中唐則產生了杜佑（735-812 年）貫通歷代史志而成的《通典》。南宋鄭樵更明確地提出了「會通」的概念。其《通志·總序》云：「百川異趨，必會於海，然後九州無浸淫之患；萬國殊途，必通諸夏，然後八荒無壅滯之憂。會通之義大矣哉。」㊲又《上宰相書》：「水不會於海，則爲濫水；途不通於夏，則爲窮途。」「天下之理，不可以不會；古今之道，不可以不通，會通之義大矣哉！」㊳因此鄭樵極力主張編修通史。他對孔子和司馬遷推崇備至，而對班固創立斷代爲史則大加詆毀。

章學誠在前人所積累的基礎上，將「通」的觀念作了進一步的發展。章氏企圖描繪出社會發展的趨勢是不斷進步的，也想說明歷史發

㊱ 參見倉修良《章學誠和〈文史通義〉》（北京，中華書局，1984 年 12 月），頁 163~166。

㊲ 鄭樵，《通志》（臺北，新興書局，1969 年 7 月），頁 1。

㊳ 吳懷祺校補，《鄭樵文集》（北京，書目文獻出版社，1992 年 12 月），頁 37-38。

展是一個連貫的整體。因此，只有通史才能反映出它的完整面貌。基於這種觀點，他在歷史編纂學上，主張編寫通史。他要求史書要做到「綱紀天人，推明大道，所以通古今之變而成一家之言。」㊴因此，對於重視古今之相因，推求古今之變化的鄭樵，特別讚賞。

《文史通義·申鄭》云：

> 子長、孟堅氏不作，而專門之史學衰。……鄭樵生千載而後，慨然有見於古人著述之源，而知作者之旨，不徒以詞采爲文，考據爲學也，於是遂欲匡正史遷，益以博雅，貶損班固，譏其因襲；而獨取三千年來遺文故冊，運以別識心裁，蓋承通史家風，而自爲經緯，成一家言者也。㊵

關於編修通史，章學誠認爲有六便、二長、三弊。所謂六便者：一曰免重複，二曰均類例，三曰便銓配，四曰平是非，五曰去牴牾，六曰詳鄰事。二長者：一曰具剪裁，二曰立家法。三弊者：一曰無短長，二曰仍原題，三曰忘標目。好的史家，當能用其便與長，防其弊病。總之，修通史，不僅可以做到「事可互見，文無重出」；「通前後而勒成一家，則例由義起，自就隱括」；而且歷代人物，學術典制，皆可依照時代，「約略先後，以次相比」。如此，則「制度相仍」，「時世盛衰」，皆「可因而見矣」㊶，堪稱最完善的體式。

㊴ 同註❷，〈答客問上〉，頁 170。

㊵ 同註❷，頁 166。

㊶ 同註❷，〈釋通〉，頁 163-164。

三、類例問題

《文史通義·傳記》云：「文章宗旨，著述體裁，稱為例義。」[42]所謂「例義」（或作「義例」）就是為了顯現著述主旨而訂定的「凡例」。章學誠在〈《和州志·前志列傳》序例中〉談到正史文苑傳的起因時說：

> 晉摯虞創為《文章志》，敘文士之生平，論辭章之端委，范史《文苑列傳》所由仿也。自是文士記傳，代有綴筆，而文苑入史，亦遂奉為成規。[43]

接著談到列女、孝義、忠義等傳云：

> 夫史臣創例，各有所因。列女本於劉向，孝義本於蕭廣濟，忠義本於梁元帝，隱逸本於皇甫謐，皆前史通裁，因時制義者也。馬、班《儒林》之傳，本於博士所業，惜未取史官之掌，勒為專書。[44]

他還評論了《左傳》、《史記》等書類例的得失。《文史通義·繁稱》：

> 嘗讀《左氏春秋》，而苦其書人名字不為成法也。夫幼名，冠字，五十以伯仲，死謚，周道也。此則稱於禮文之言，非史文述事之例也。左氏則隨意雜舉而無義例，且名、字、謚、行以

---

[42] 同註[2]，頁 192。

[43] 同註[2]，頁 787。

[44] 同上註，頁 788。

外，更及官爵、封邑焉。一篇之中，錯出互見。苟非注釋相傳，有受授至今，不復識爲何如人也。是以後世史文，莫不鑽仰左氏，而獨於此事不復相師也。史遷創列傳之體。列之爲言，排列諸人爲首尾，所以標異編年之傳也。然而列人名目，亦有不齊者，或爵，或官，或直書名，雖非左氏之錯出，究爲義例不純也。㊺

章學誠纂修了《和州志》、《永清縣志》、《湖北通志》等多種方志，他根據自己的實際經驗，系統地提出了一套編纂方志的類例。《文史通義》內篇中談及方志問題的文章有四十多篇，外篇則有三卷㊻，集中論述了方志類例。其〈方志立三書議〉云：

凡欲經紀一方之文獻，必立三家之學，而始可以通古人之遺意也。仿紀傳正史之體而作志，仿律令典例之體而作掌故，仿《文選》、《文苑》之體而作文徵。三書相輔而行，闕一不可，合而爲一，尤不可也。㊼

三書以外的剩餘材料，宜編爲『叢談』。蓋此乃「徵材之所餘也。古人書欲成家，非夸多而求盡也。然不博覽，無以爲約取地。既約取矣，博覽所餘，攔入則不倫，棄之則可惜，故附稗野說部之流，而作『叢談』，猶經之別解，史之外傳，子之外篇也。」㊽

㊺ 同註❷，頁 99。

㊻ 章學誠次子華紱在道光十二年刻大梁本《章氏遺書》。其《文史通義》外篇三卷，悉論方志之作，後有易名爲《方志略例》者。

㊼ 同註❷，頁 699。

㊽ 同上註，頁 704。

章氏在〈修志十議〉中說明修志有二便、三長、五難、八忌、四體、四要，並提出了關於修志的十點主張，展現了他的方志觀。[49]之外，他還具體地論述了輿圖、闕訪等例目。其《和州志·輿地圖序例》云：

> 開方計里，推表山川，輿圖之體例也。圖不詳而繫之以說，說不顯而實之以圖，互著之義也。文省而事無所晦，形著而言有所歸，述作之則也。亥豕不得淆其傳，筆削無能損其質，久遠之業也。要使不履其地、不深於文者，依檢其圖，洞如觀火，是又通方之道也。[50]

他除了談到輿圖的重要性，又在《永清縣志輿地圖序例》談到方志輿圖之二弊云：

> 一則逐於景物，而山水摩畫，工其繪事，則無當於史裁也。一則廁於序目凡例，而視同弁髦，不爲繫說命名，釐定編次，則不可以立體也。夫表有經緯而無辭說，圖有形象而無經緯，皆爲書志列傳之要刪；而流俗相沿，苟爲悦人耳目之具矣。[51]

他所說的第一個毛病就是一味描摹，而不研究尺寸比例；第二個毛病是沒有文字說明，不講究篇次先後。

至於一些待補、待定的內容，則以存目俟訪的方式做補救。《永清縣志·闕訪列傳序例》云：

---

[49] 同註[2]，頁 723-729。

[50] 同註[2]，頁 764-765。

[51] 同註[2]，頁 810-811。

闕疑之例有三：有一事兩傳而難爲衷一者，《春秋》書陳侯鮑卒，並存甲戌己丑之文是也。有舊著其文而今亡其說者，《春秋》書夏五郭公之法是也。有慎書聞見而不自爲解者，《春秋》書恒星不見，而不言恒星之隕是也。……馬、班以還，書聞見而示意者，蓋有之矣。一事兩書，以及空存事目者，絕無聞焉。如謂經文得傳而明，史筆不便於自著而自釋，則別存篇目，而明著闕疑以俟訪，未見體裁之有害也。[52]

四、著述與比類

長期以來，我國史籍大多從形式上的異同來區分類例，很少有依它們的內容和功用方面來加以區分者。章學誠卻別出心裁地提出把史籍按內容和功能分爲「著述」和「比類」。唐劉知幾在《史通·史官建置》曾講過「書事記言，出自當時之簡；勒成刪定，歸於後來之筆」，「當時草創者，資乎博聞實錄；……後來經始者，貴乎儁識通才」[53]除此之外，就沒有再作更多的深入論述。章學誠或許是受到劉氏的啓示，便依著作與原料的標準進行分類，並分別定名爲「著述」（亦稱「著作」或「撰述」）和「比類」（亦稱「纂輯」或「記注」）。

《文史通義·報黃大俞先生》嘗云：

---

[52] 同註[2]，頁 829-830。

[53] 趙呂甫，《史通新校注》（重慶，重慶出版社，1990 年 8 月），頁 666。

> 古人一事必具數家之學，著述與比類兩家，其大要也。班氏撰《漢書》，爲一家著述矣，劉歆、賈護之《漢記》，其比類也。司馬撰《通鑒》，爲一家著述矣，二劉、范氏之《長編》，其比類也。兩家本自相因而不相妨害。……但爲比類之業者，必知著述之意，而所次比之材，可使著述者出，得所憑藉，有以恣其縱橫變化；又必知己之比類與著述各有淵源，而不可以比類之密而笑著述之或有所疏；比類之齊整而笑著述之有所畸輕畸重，則善矣。蓋著述譬之韓信用兵，而比類譬之蕭何轉餉，二者固缺一不可；而其人之才，固易地不可爲良者也。[54]

同書〈報廣濟黃大尹論修志書〉亦云：

> ……史家又有著作之史與纂輯之史，途徑不一。著作之史，宋人以還，絕不多見；而纂輯之史，則以博雅爲事，以一字必有按據爲歸，錯綜排比，整煉而有剪裁，斯爲美也。[55]

「著述」（「著作」）較諸「比類」（「纂輯」）難度更高，但兩者卻是相輔相承的關係，缺一不可。

他於〈書教下〉則云：

> 古今之載籍，撰述欲其圓而神，記注欲其方以智也。夫智以藏往，神以知來，記注欲往事之不忘，撰述欲來者之興起，故記注藏往似智，而撰述知來擬神也。藏往欲其賅備無遺，故體有

---

[54] 同註[2]，頁 507。

[55] 同註[2]，頁 743。

一定而其德為方；知來欲其抉擇去取，故例不拘常而其德為圓。56

撰述與記注相比，前者較為難而可貴。因為撰述應該有觀點，有分析、有組織，是具有創造性的一種著作活動，並且要能夠表現出史義和史識。記注則只是原始資料的記錄、整理、選輯、匯編而已，不一定非具備史義和史識不可。他將學問區分為「藏往之學」與「知來之學」兩種，而這兩者又是互相依存，相互促進，特別是知來之學，必須以藏往之學為基礎，才能夠圓滿具足。

章學誠所以要極力辨清「著述」（「著作」或「撰述」）與「比類」（「纂輯」或「記注」）之異同，是有感於長期以來學者不懂得有著作之史與纂輯之史的區別，自身既無特識別裁，而只知道一意模仿《史記》或《漢書》，以致出現了「於記注、撰述兩無所似」（《書教下》語）的作品。欲將它當作記注，卻支離而難為典據；把它當作撰述，則又蕪雜而不可誦讀。於是他決定用兩個層次來區分史籍，並一再闡明彼此之異同，其標準則是依其識見高下深淺，以及著作時之難易輕重而定。57

伍、書目編纂之理論與方法

編纂圖書目錄，其主旨在於辨明歷代學術的源流，掌握其發展演變的狀況與規律。想要達到這個目的，必須在編纂實踐過程中，堅守

56 同註2，頁16。

57 倉修良，《章學誠和文史通義》，頁159-161。

一些原則與方法。

一、部類與敘錄

《校讎通義·敘》云：

> 校讎之義，蓋自劉向父子部次條別，將以辨章學術，考鏡源流，非深明於道術精微、群言得失之故者，不足與此。……鄭樵生千載而後，慨然有會於向、歆討論之旨，因取歷朝著錄，略其魚魯豕亥之細，而特以部次條別，疏通倫類，考其得失之故而為之校讎，蓋自石渠天祿以還，學者所未嘗窺見者也。[58]

在章學誠的心目中，校讎學的任務就是「辨章學術，考鏡源流」，因此，圖書目錄在編製上必須力求與學術思想相結合。南宋鄭樵是歷代學者中，少數的能暗合此道的校讎名家，雖不無缺點，卻是十分難得。鄭氏校讎學特色之一就表現在部類的安排駕馭上。

同書〈原道〉云：

> 劉歆《七略》，班固刪其〈輯略〉而存其六。顏師古曰：「〈輯略〉，謂諸書之總要。」蓋劉氏討論群書之旨也。此最為明道之要，惜乎其文不傳。今可見者，唯總計部目之後，條辨流別數語耳。……由劉氏之旨以博求古今之載籍，則著錄部次，辨章流別，將以折衷六藝，宣明大道，不徒為甲乙紀數之需，亦

---

[58] 同註[9]，頁 1。

已明矣。[59]

章氏認定《七略》這種有大小序，有提要，又具備學術系統性的目錄，值得後世簿錄家學習效倣，庶幾可以「辨章流別」、「宣明大道」。

《文史通義·史考釋例》云：

> 著錄之書，肇自劉《七略》，班氏因之而述〈藝文〉。自是……公私迭有撰記，不可更僕數矣。其因著錄而爲考訂，則劉向《別錄》以下未有繼者。宋晁氏公武、陳氏振孫，始有專書。而馬氏《文獻通考》，遂因之以著《經籍》，學者便之。[60]

按：實齋對於「詳端委」的考訂工作，以及「明類例」的著錄工作，同樣重視。他主編的《史籍考》，係倣自朱彝尊（1629-1709 年）《經義考》而稍加改善的一部解題式專科目錄，學者得以藉由閱讀各書之敘錄而知其大意，用處不小。可惜該書未能留傳後世，吾人無法目睹章氏著錄考訂歷代史籍的眞實狀況了。

《校讎通義·宗劉》云：

> 《七略》之流而爲四部，如篆隸之流而爲行楷，皆勢之所不容已者也。……凡一切古無今有、古有今無之書，其勢判如霄壤，又安得執《七略》之成法，以部次今日之文章乎？然家法不明，著作之所以日下也；部次不精，學術之所以日散也。就四部之

---

[59] 同註[9]，頁 4。

[60] 同註[2]，頁 325。

成法，而能討論流別，以使之恍然於古人官師合一之故，則文章之病可以稍救，而《七略》之要旨，其亦可以有補於古人矣。[61]

章氏在同一篇還根據圖書的發展與變化，提出了五個「四部不能返《七略》」的具體例證。因此，後世之目錄學家，想要「宣明大道」，只好儘量保留《七略》的精神，「就四部之成法而能討論流別」來加以補救了。

二、互著與別裁

爲了能夠充分利用圖書資料，在編纂書目時必須懂得權變。章學誠在多年實踐過程裡，特別體會到互著、別裁之法的好處。

《校讎通義·互著》云：

古人著錄，不徒爲甲乙部次計。……蓋部次流別，申明大道，敘列九流百氏之學，使之繩貫珠聯，無少缺逸，欲人即類求書，因書究學。至理有互通，書有兩用者，未嘗不兼收並載，初不以重複爲嫌；其於甲乙部次之下，但加互注，以便稽檢而已。古人最重家學。敘列一家之書，凡有涉此一家之學者，無不窮源至委，竟其流別，所謂著作之標準，群言之折衷也。如避重複而不載，則一書本有兩用而僅登一錄，於本書之體，既有所不全；一家本有是書而缺而不載，於一家之學，亦有所不備矣。[62]

同篇又云：

---

[61] 同註[9]，頁 6-7。

[62] 同註[9]，頁 15。

書之易混者，非重複互注之法，無以免後學之牴牾；書之相資者，非重複互注之法，無以究古人之源委。63

又云：

別類敘書，如列人爲傳，重在義類，不重名目也。班、馬列傳家法，人事有兩關者則詳略互載之。……蓋以事義標篇，人名離合其間，取其發明而已。部次群書，標目之下，亦不可使其類有所闕，故詳略互載，使後人溯家學者可以求之無弗得，以是爲著錄之義而已。64

按：「互著」或「重複互注」，依章學誠的說法就是要把圖書中內容比較廣泛或複雜的，或者具有兩個或兩個以上主題者，適當地分入兩個或兩個以上的類目裡，讓大家能夠很方便的「即類求書，因書究學」，功莫大焉。

《校讎通義·別裁》云：

古人著書，有採取成說，襲用故事者。其所採之書，別有本旨，或歷時已久，不知所出；又或所著之篇，於全書之內，自爲一類者，並得裁其篇章，補苴部次，別出門類，以辨著述源流。至其全書，篇次具存，無所更易，隸於本類，亦自兩不相妨。蓋權於賓主重輕之間，知其無庸互見者，而始有裁篇別出之法耳。65

---

63 同註9，頁21。
64 同註9，頁22-23。
65 同註9，頁24。

按：「別裁」就是「裁篇別出」，編目者刻意將一書內的重要部份裁出，著錄在相關的另一類或另幾類裡面。凡是用別裁法著錄的書籍，必然有一個本類，著錄原書的全本；在裁出注入的類目下，則僅著明部份有用的篇章，同時仍需交代原本所在。

《文史通義・和州志藝文書序例》云：

> 校讎之家，苟未能深於學術源流，使之裁篇而別出，斷部而互見，將破碎紛擾，無復規矩章程，斯救弊而益以滋弊矣！是以校讎師法，不可不傳；而著錄專家，不可不立也。[66]

互著與別裁是著錄圖書之時可以兩種並行，又可相互補苴的重要方法，它有使用上的便利，也有其限制，否則將治絲益棼，不見其利而蒙其害了。[67]

三、編製索引

章學誠生平專注於史籍閱讀考索，常病其繁雜錯出，難於稽檢，因而著手編製不少輔助性的工具書。乾隆三十八年（1773 年），纂修《和州志》期間，曾令人將《明史》列傳人名編韻為書，藉以掌握歷史資料。乾隆五十七年，他在畢沅幕下編修《史籍考》，又撰成了《歷代紀年經緯考》、《歷代紀元韻覽》，《韻覽》就是《經緯考》的索引。

經過多年編撰圖書之後，實齋累積不少實務經驗，也總結出了許多心得。他主張為了提高書目編撰、典籍校勘的效率，應當製作一部

---

[66] 同註❷，頁 775。

[67] 參見王重民〈章學誠的目錄學〉（《文史》7，1979 年 12 月），頁 265-268。

群書索引（綜合索引）。

《校讎通義·校讎條理》云：

> 古者校讎書，終身守官，父子傳業，故能討論精詳，有功墳典，而其校讎之法，則心領神會，無可傳也。近代校書，不立專官，眾手爲之，限以程課，畫以部次，蓋亦勢之不得已也。校書者既非專門之官，又非一人之力，則校讎之法不可不立也。竊以典籍浩繁，聞見有限，在博雅者且不能悉究無遺，況其下乎？以謂校讎之先，宜盡取四庫之藏，中外之籍，擇其中之人名地號，官階書目，凡一切有名可治，有數可稽者，略倣《佩文韻府》之例，悉編爲韻；乃於本韻之下，注明原書出處及先後篇第，自一見再見以至數千百，皆詳注之，藏之館中，以爲群書之總類。至校書之時，遇有疑似之處，即名而求其編韻，因韻而檢其本書，參互錯綜，即可得其至是。此則淵博之儒窮畢生年力而不可究殫者，今即中才校勘可坐收於几席之間，非校讎之良法歟？[68]

面對「校書，不立專官，眾手爲之」的時代困境，章學誠建議應先倣康熙朝編《佩文韻府》之例，把所有書籍編成一部主題（固有名詞）索引，以便參考稽查。有此利器，即便中才爲之，也不會輸給窮畢生精力來從事校勘的名家。這樣的構想，也許不容易實現，卻多少是爲針砭時弊，對終生講考據、論校勘，埋首故紙堆，尋章摘句的漢學家而發的。

---

[68] 同註[9]，頁38。

爲了研治紀傳、編年二家之史，實齋又提出『別錄』的構想。《文史通義・史篇別錄例議》云：

> 蓋史至紀傳而義例愈精，文章愈富，而於事之宗要愈難追求，觀者久已患之。故於紀傳之史，必當標舉事目，大書爲綱，而於紀表志傳與事連者，各於其類附注篇目於下，定著別錄一編，冠於全書之首，俾覽者如振衣之得領，張網之挈綱。……今爲編年而作別錄，則如每帝紀年之首，著其后妃、皇子、公主、宗室、……郡縣守令之屬，區別其名，注其見於某年爲始，某年爲終，……其大制作、大典禮、大刑獄、大經營，亦可因事定名，區分品目，注其終始年月，……至於兩國聘盟、兩國戰爭，亦可約舉年月，繫事隸名，……如有其事其人，不以一帝爲終始者，則於其始見也，注其終詳某帝；於其終也，注其始詳某帝可也。其有更歷數朝，倣其意而推之可也。[69]

因爲紀傳、編年史書的體例不同，其『別錄』之編製法也各異。章氏所提出的方法，比較接近現代主題索引，使分者不散，濟紀傳之窮；使合者不混，救編年之弊，實在是很好的構想，可惜當時未受到人們重視而使之實現。[70]

---

[69] 同註[2]，頁 315-318。

[70] 有關討論，可參看錢亞新〈略論章學誠對我國索引工作的貢獻〉（《圖書館》1962：3，1962 年 9 月），頁 27-31；畢于潔〈章學誠主題索引思想初探〉(《圖書情報工作》，1985：4，1985 年)，頁 9-12。

陸、結　語

實齋先生在學術研究上堅持「經世致用」原則，不屑於字句考證，不讚成空談義理。因此，他對當時的考據家與理學家都沒太多好感。他自以迂拘，學問不合世用，雖考中進士，卻不敢踏入仕途。一生的工作就是主講於書院，爲地方官纂修府、縣志書，擔任方面大員幕僚，參與編修史籍等。他在中年就立志要在文史校讎方面有所發明，成一家之言。生前曾把針對文史相關問題研討思索的結晶，萃集爲《文史通義》；有關校讎目錄理論與實務之諸多心得，則彙編成《校讎通義》。至於其他論著文稿，委由友人王宗炎（1755-1826 年）代爲校定。1920 年，浙江圖書館獲得會稽徐氏鈔本《章氏遺書》十八冊，編爲廿四卷，排印行世。1922 年，嘉業堂主人劉承幹（1882-1963 年）依據王氏所定篇目加以補訂，刊刻爲《章氏遺書》五十卷，從此國人及海外學者始克窺見其著述全貌，此時，距離章氏謝世已一百二十年。

無視外在的學術風氣，也不管現實生活上的困頓，章學誠堅持自己的信念，踽踽而行，卻在文史評論與圖書編撰學方面獲致大量極具創意的成果，也親手纂修了不少方志、史籍。由於理論與實務能相互緊密結合，讓理論體系在實踐中逐漸完善圓滿，讓編撰事務因獲得學理指導而更爲成功更有效率。我們不得不佩服實齋先生是位知行合一的典型學者，而二十世紀以來，中外數以百計的相關研究專著及論文不斷發表，尤能證明其眼光的高超、見解的卓越，值得吾人正視並繼續深入探討。[71]

---

[71] 有關章學誠研究概況，可參考林慶彰主編《乾嘉學術研究論著目錄（1900—1993）》(臺北，中央研究院中國文哲研究所，1995 年 5 月)，頁 203-227；並可查閱臺北國家圖書館，『中華民國期刊論文影像系統』、『全國博碩士論文資訊網』；北京中國學術期刊電子雜誌社，『中國期刊全文數據庫』之相關條目。又本論文撰寫期間，曾多處參考王重民教授《校讎通義通解》（上海，上海古籍出版社，1987 年 9 月）；倉學良教授《章學誠和文史通義》（北京，中華書局，1984 年 12 月）、《章學誠評傳》（南京，南京大學出版社，1996 年 3 月）；曹之教授〈章學誠與圖書編撰學〉（《中國圖書館學報》1998：5，1998 年 9 月）及《中國古籍編撰史》（武昌，武漢大學出版社，1999 年 11 月），特予表出，以示不敢掠美。

章學誠《校讎通義》與鄭樵《校讎略》之關係

胡楚生*

提　要

本文從不同的角度探討鄭樵的目錄學理論對於章學誠的影響，包括在書名方面兩人有共識地使用「校讎」二字；在圖書編目方面，都希望能夠藉著目錄的分類編目，彰顯出學術流變的狀況，即「類例既分，學術自明」的目的；在整理圖書的方法上，章學誠的「互著」與「別裁」多少是受到鄭樵的啟迪；章學誠《校讎通義・辨嫌名第五》中所提出的避規嫌名的方法，在鄭樵《校讎略》中的篇章中亦有論及，對於章氏應也提供了一些思索的意見與影響。

關鍵詞　章學誠　校讎通義　鄭樵　通志

一、引　言

在中國傳統的目錄學史上，從漢代的劉向、劉歆父子以下，最重要的學者，便要算是鄭樵和章學誠了。

鄭樵和章學誠，不但進行了目錄學的實務工作，同時，他們還提出了許多精要的目錄學理論，因此，在中國目錄學史上，如果說鄭樵與章學誠是重要的思想家，應當是可以被接受的。

章學誠是清代乾嘉時期著名的學者，他的目錄學理論，據他自己說，是從劉向、劉歆那裏得到啓發，是從《別錄》、《七略》那裏得到指示，才完成了他自己有關目錄學的理論，其實，南宋時期的鄭樵，對於章學誠的目錄學理論，也曾產生不少的影響。

以下，即從不同的角度，探討章學誠可能受到鄭樵的影響，也即是討論鄭樵的目錄學理論，到底有那些成份，曾經影響到章學誠的理論思想。

二、名稱方面

目錄的名稱，起於西漢時代，劉向劉歆父子典校圖書之時，《漢書·敘傳》說：「劉向校書，九流以別，爰著目錄，略序鴻烈。」這

＊　明道管理學院中文系教授

是提到「目錄」的原始。

《漢書·藝文志·總序》說：「成帝時，以書頗散亡，使謁者陳農，求遺書於天下，詔光祿大夫劉向，校經傳、諸子、詩賦，步兵校尉任宏，校兵書，太史令尹咸，校數術，侍醫李柱國，校方技，每一書已，向輒條其篇目，撮其指意，錄而奏之。會向卒，哀帝復使向子奉車都尉歆卒父業。」劉向等人校書之「校」，是指「校讎」，劉向「錄而奏之」的「錄」，是指一書的篇目和指意。

《文選·左太沖魏都賦》李善注引應劭《風俗通》說：「劉向別錄云，讎校，一人讀書，校其上下，得繆誤，爲校。一人持本，一人讀書，若怨家相對，爲讎。」所謂校讎，起於劉向整理圖書，以書多散亡，故工作進行，必自廣蒐異本，校讎文字開始。至於每書校成，劉向「錄」而奏之，則單言「錄」字，即已包含「篇目」與「指意」二者，複言「目錄」，則是強調篇目的重要性而已。及至後世，凡言「目」者，已多自一書之「篇目」，轉而指陳眾書之「書目」而言。是以劉向校書，「每一書已，向輒條其篇目，撮其指意，錄而奏之」，時人又收集劉向所奏之「錄」，別成一書，是爲《別錄》，及至劉歆，「總群書而奏其《七略》」，則《別錄》內每一「錄」中，所謂之「目」尚爲該書之「篇目」，及至《七略》，則已爲總攬眾書之「書目」了。

劉向所成各「錄」，後人集爲《別錄》，劉歆刪其父書，以成《七略》，但是，劉向典校圖書，寫定敘條，以至劉歆總集群書，分類編目等等，只有工作之進行，卻並未嘗爲工作之進行作清晰之命名，後世之人，對於劉向父子之工作，或稱之爲「校讎」，（如孫德謙有《劉向校讎學纂微》一書），或稱之爲「目錄」，（如各種《中國目錄學史》之作），或稱之爲「校讎目錄」（如蔣伯潛有《校讎目錄學纂要》之作）。

其實，劉向歆父子整理圖書的工作，是自校讎開始，而以目錄爲結束，而在校讎與目錄的階段中，都各有許多細密的工作，整理圖書的工作，到底要以何者爲名，那就要看各人的觀點了，章學誠的書，名之曰《校讎通義》，在他之前，只有鄭樵之書，名之曰《校讎略》，章學誠《校讎通義》說：

> 校讎之義，蓋自劉向父子，部次條別，將以辨章學術，考鏡源流，非深明於道術精微，群言得失之故者，不足與此。

又說：

> 鄭樵生千載而後，慨然有會於向歆討論之旨，因取歷朝著錄，略其魚魯豕亥之細，而特以部次條別，疏通倫類，考其得失之故，而爲之校讎，蓋自石渠天祿以還，學者所未嘗窺見者也。❶

章學誠以劉向父子整理圖書，部次條別，疏通倫類，爲「校讎」之大者，而以魚魯豕亥，相互勘正，爲「校讎」之小者，在循名責實方面，雖然不甚切合，但是，鄭樵和章學誠二人，卻正是這種千載上下具有共識的同調者，所以，章學誠之書，名之曰《校讎通義》，不能不說是受了鄭樵的影響。

後世學者，像朱一新在《無邪堂答問》卷一之中說道：「目錄校讎之學所以可貴，非專以審訂文字異同爲校讎也。」❷楊家駱教授編纂的《校讎學系編》，蒐集《別錄》、《七略》、《漢書·藝文志》

---

❶ 章學誠：《校讎通義》，上海，古籍出版社，劉公純標點本，一九五六年十二月初版。下引並同。

❷ 朱一新：《無邪堂答問》，台北，世界書局影印本。

以下，以至杜定友、劉咸炘等人的著作，彙爲一編，也認爲劉向父子整理圖書，「校讎」是其中最艱苦也最繁重的工作，因此，才以「校讎學」爲名，而不稱之爲「目錄學」❸，都可以說是受了鄭樵和章學誠的影響。

三、目的方面

校讎目錄之學，對於個別圖書，作出整理之外，最主要的，對於圖書，還要撰成敘錄，作出提要，同時還要對於眾多的圖書，分類編目，使之各歸本類，繩貫珠聯，以便檢索之用，這是一般校讎目錄之學所需進行的工作。

但是，章學誠撰寫《校讎通義》，他的目的，卻不僅止於此，他的目的，卻是以學術爲依歸，他是希望藉著目錄的分類編目，從而彰顯出學術流變的狀況，《校讎通義·敘》說：

> 校讎之義，蓋自劉向父子，部次條別，將以辨章學術，考鏡源流，非深明於道術精微，群言得失之故者，不足與此。後世部次甲乙，紀錄經史者，代有其人，而求能推闡大義，條別學術異同，使人由委溯源，以想見於墳籍之初著，千百之中，不十一焉。

章學誠以爲校讎之學，主要不在於將圖書分門別類，詳加記錄，完成編目的工作，更重要的，是需要從圖書的分類編次中，反映出學術發展變

---

❸ 楊家駱：《校讎略系編》，台北，鼎文書局，民國六十六年十月初版。

遷的情況，因此，章學誠實際是希望藉著校讎目錄學的圖書部次分類編目，作爲學術流變史的性質，甚至於去代替學術流變史的工作使用。

在章學誠之前，劉歆在《七略》中的分類編目，只有工作的進行，卻並未有理論的說明，直到鄭樵，才明確地說出了這項工作的目的，鄭樵《校讎略·編次必謹類例論》說：

> 學之不專者，爲書之不明也，書之不明者，爲類例之不分也，有專門之書，則有專門之學，有專門之學，則有世守之能，人守其學，學守其書，書守其類，人有存沒，而學不息，世有變故，故書不亡。

又說：

> 書籍之亡者，由類例之法不分也，類例分，則百家九流，各有條理，雖亡而不能亡也。❹

鄭樵以爲，編次圖書，即如同編次士卒行伍，士卒行伍，如果能按大小不同的層次，一一列明，則自然行伍分明，各有專職，圖書編次，如果也有高低不同的層次，一一列明，則自然書籍明確，學術清晰，不僅圖書易於檢尋，學術也易於彰顯，所以，鄭樵說，「類例不明，圖書失紀」，鄭樵《校讎略·編次必記亡書論》說：

> 古人編書，必究本末，上有源流，下有沿襲，故學者亦易學，求者亦易求。

---

❹ 鄭樵：《校讎略》，台北，中華書局《四部備要》，《通志·二十略》本，下引並同。

《校讎略·編書不明分類論》說：

> 《七略》唯「兵家」一略，任宏所校，分權謀、形勢、陰陽、技巧爲四種書，又有圖四十三卷，與書參焉，觀其類例，亦可知兵，況見其書乎。

《校讎略·編次必謹類例論》說：

> 類例既分，學術自明，以其先後本末具在，觀圖譜者，可以知圖譜之所始，觀名數者，可以知名數之相承，讖緯之學，盛於東都，音韻之書，傳於江左，傳注起於漢魏，義疏成於隋唐，睹其書可以知其學之源流。

鄭樵的用意，主要在於「類例既分，學術自明」，在於「目睹其書，可以知其學之源流」，在鄭樵的心目中，編次圖書，只是一種工具，主要的根本，在於學術的彰明，他特別強調「類例既分」，分類的體例要仔細詳明，則學術發展的面貌精神，源流變遷，自然會清晰地呈現出來，能使得「學術自明」，這才是鄭樵部類圖書的目的所在。而這些意見，看在章學誠的眼中，言者有心，聽者有意，自然莫逆於心，而受其影響，也必不在少。

四、方法方面

章學誠在討論到校讎目錄學的宗旨時，既然是以「辨章學術，考鏡源流」爲最高的理想目標，因此，在整理圖書方面，他也利用了幾種輔助的方法，用以達到彰明學術的目標，其中最重要的方法，則是「互著」與「別裁」兩者。

《校讎通義·互著第三》說：

> 古人著錄，不徒爲甲乙部次計，如徒爲甲乙部次計，則一掌故令史足矣，何用父子世業，閱年二紀，僅乃卒業乎！蓋部次流別，申明大道，敘列九流百氏之學，使之繩貫珠聯，無少缺逸，欲人即類求書，因書究學。至理有互通，書有兩用者，未嘗不兼收並載，初不以重複爲嫌，其於甲乙部次之下，但加互注，以便稽檢而已。古人最重家學，敘列一家之書，凡有涉此一家之學者，無不窮源至委，竟其流別，所謂著作之標準，群言之折衷也。如避重複而不載，則一書本有兩用而僅登一錄，於本書之體，既有所不全，一家本有是書而缺而不載，於一家之學，亦有所不備矣。

又說：

> 劉歆《七略》亡矣，其義例之可見者，班固《藝文志》注而已。《七略》於兵書權謀家有《伊尹》、《太公》、《管子》、《荀卿子》、《鶡冠子》、《蘇子》、《蒯通》、《陸賈》、《淮南王》九家之書，而儒家復有《荀卿子》、《陸賈》二家之書，道家復有《伊尹》、《太公》、《管子》、《鶡冠子》四家之書，縱橫家復有《蘇子》、《蒯通》二家之書，雜家復有《淮南王》一家之書，兵書技巧家有《墨子》，而墨家復有《墨子》之書。惜此外重複互見著，不盡見於著錄，容有散逸失傳之文，

然即此十家之一書兩載，則古人之申明流別，獨重家學，而不避重複著錄明矣。

目錄部次，本在使書籍「繩貫珠聯」，使讀者「即類求書，因書究學」，然而一書之中，若其性質龐雜，「理有互通，書有兩用」者，則章學誠主張，必當運用「互著」之法，使書入兩類，俾使讀者，檢書之時，「無少缺逸」，因「書之易混者，非重複互注，無以免後學之牴牾，書之相資者，非重複互注之法，無以究古人之源委」，故「不知互注之法，則遇兩歧牽掣之處，自不覺其牴牾錯雜，百弊叢生」（見《校讎通義·互著》）。

至於別裁的方法，《校讎通義，別裁第四》說：

> 《管子》，道家之言也，劉歆裁其〈弟子職〉篇入小學，七十子所記百三十一篇，禮經所部也，劉歆裁其〈三朝記〉篇入論語。蓋古人著書，有採取成說，襲用故事者，其所採之書，別有本旨，或歷時已久，不知所出，又或所著之篇，於全書內自爲一類者，並得裁其篇章，補苴部次，別出門類，以辨著述源流。至其全書，篇次具存，無所更易，隸於本類，亦自兩不相妨。蓋權於賓主輕重之間，知其無庸互見者，而始有裁篇別出之法耳。

章學誠以〈弟子職〉與〈孔子三朝記〉，爲劉歆在《七略》中具有裁篇別出方法的例證，而「別裁」的方法，主要在於「別出門類，以辨著述源流」，至於「別裁」與「互著」之不同，則在「別裁」之例，旨在「權於賓主輕重之間，知其無庸互見」，而方用「別裁」之法，因此「別裁」之法，實際上是作爲「互著」的輔佐，而其目的，則與「互著」一樣，都是爲了彰明學術的流變而已。

章學誠在《校讎通義》中提出「互著」與「別裁」兩種部次圖書、進而彰明學術的方法，這兩種方法，章學誠的說法，是從劉歆《七略》中得到啓示，以爲《七略》之中，已經運用了那兩種方法，但是，劉師培對此，卻有不同的看法，他在《校讎通義箴言》中說：

> 互著別裁兩事，實亦迪緒鄭樵。❺

鄭樵對於目錄校讎之學的重要理論，具見於他的《校讎略》中，在《校讎略》中，鄭氏曾經說過：

> 古今編書所不能分者五，一曰傳記，二曰雜家，三曰小說，四曰雜史，五曰故事，凡此五類之書，足相紊亂。（〈編次之訛論〉）

又說：

> 《隋志》最可信，緣分類不考，故亦有重複者，《嘉瑞記》、《祥瑞記》二書，既出雜傳，又出五行。《諸葛武侯集誡》、《眾賢誡》、《曹大家女誡》、《正順志》、《娣姒訓》，凡數種書，既出儒類，又出總集。《眾僧傳》、《高僧傳》、《梁皇大捨記》、《法藏目錄》、《元門寶海》等書，既出雜傳，又出雜家。如此三種，實由分類不明，是致差互。（〈編次之訛論〉）

---

❺ 劉師培：《校讎通義箴言》，台北，大通書局影印《劉申叔先生遺書》本。

又說：

> 《隋志》於禮類有喪服一種，雖不別出，而於《儀禮》之後，自成一類，以喪服者，《儀禮》之一篇也。後之議禮者，因而講究，遂成一家之書，尤多於三禮，故爲之別異，可以見先後之次，可以見因革之宜，而無所紊濫。（〈編次有敘論〉）

對於鄭氏所說的前兩條，似乎可以解釋爲：鄭氏提出的書籍不易分類，自然是書籍的性質比較複雜，以致難於指明它們該入那一部類；同時，書籍的重見兩類，自然是書籍的性質，與此兩類，多少皆有關聯，以致「分類不考」，重複出現。這種情形，似乎也可以說是，由側面提出了問題，提出了暗示，甚或由此啓發了章氏，因而創造了「互著」之法，以解決鄭氏提出的問題。

在前述〈編次有敘論〉那一條中，鄭氏所說的「自成一類」、「別出」、「爲之別異」、「喪服者，儀禮之一篇」、「可以見先後之次，可以見因革之宜，而無所紊濫」等等，似乎也可以解釋爲由側面給予暗示，因而啓發了章氏，以致引申出「別裁」之法，作爲「互著」之輔。

劉師培所謂的「互著別裁兩事，實亦迪緒鄭樵」，或許便是這樣的「迪緒」法吧，也未可知。

平心而論，《七略》中書有重出的現象，也有別出的現象，章學誠所指出所謂「互著」的十種書，可能「別裁」的兩種書，這些例子，給予章學誠的啓發和暗示，是十分強烈的，鄭樵在《校讎略》中的某些理論，某些例證，對於章學誠的「互著」和「別裁」，應該也曾產生不少暗示的作用，因此，章學誠發明「互著」和「別裁」，如果他不自居爲創作者的話，那麼，劉歆和鄭樵，對他可能都有著實質上的影響，只是，劉歆的影響較多，鄭樵的影響較少而已。

五、辨嫌方面

章學誠論著錄之法，以爲編次錯謬，往往由於門類疑似，或一書兩名，故於分類著錄之時，必當詳辨嫌名，《校讎通義·辨嫌名第五》說：

> 編次錯謬之弊有二，一則門類疑似，一書兩入也，一則一書兩名，誤認二家也。欲免一書兩入之弊，但須先作長編，取著書之人與書之標名，按韻編之，詳注一書源委於其韻下，至分部別類之時，但須按韻稽之，雖百人共事，千卷雷同，可使疑似之書，一無犯複矣。

章氏此種取書名與人名，先作長編，按韻編排，以爲稽檢之用，其與後世索引引得之法，頗相類似，章氏於三百年前，已知應用此法，眞頗具卓識，《校讎通義·校讎條理第七》說：

> 校讎之始，宜盡取四庫之藏，中外之籍，擇其中之人名地號，官私書目，凡一切有名可治，有數可稽者，略《佩文韻府》之例，悉編爲韻，乃於本韻之下，注明原書出處及先後篇第，自一見再見以至數千百見，皆詳注之，藏之館中，以爲群書之總類。至校書之時，遇有疑似之處，即名而求其編韻，因韻而檢

> 其本書，參互錯綜，即可得其至是。此則淵博之儒，窮畢生年力而不可究殫者，今即中才校勘，可坐收於几席之間，非校讎之良法歟！

章氏此節所論，與上節相同，皆就門類疑似，一書兩入而立論。至於有一書兩名，而誤認二家者，《校讎通義·辨嫌名第五》說：

> 至一書兩名，誤認二家之弊，則當深究載籍，詳考史傳，並當歷究著錄之家，求其所以同異兩稱之故，而筆之於書，然後可以有功古人而有光來學耳。

又說：

> 《太史公》百三十篇，今名《史記》，《戰國策》三十三篇，初名《短長語》，《老子》之稱《道德經》，《莊子》之稱《南華經》，屈原賦之稱《楚辭》，蓋古人稱名樸而後人入於華也，自漢以後，異名同實，文人稱引，相爲弔詭者，蓋不少矣。《白處通德論》，刪去「德論」二字，《風俗通義》，刪去「義」字，《世說新語》，刪去「新語」二字，《淮南鴻烈解》，刪去「鴻烈解」，而但曰《淮南子》，《呂氏春秋》有十二紀八覽六論，不稱《呂氏春秋》而但曰《呂覽》，蓋書名本全而援引從簡略也，此亦足以疑誤後學者已。鄭樵精於校讎，然〈藝文〉一略，既有《班昭集》，而復有《曹大家集》，則一人而誤爲二人矣，晁公武善於考據，然《郡齋》一志，張君房《脞說》，而題爲張唐英，則二人而誤爲一人矣，此則人名字號之不一，亦開岐誤之端也。然則校書著錄，其一書數名者，必當

歷注互名於卷帙之下，一人而有多字號者，亦當歷注其字號於姓名之下，庶乎無嫌名歧出之弊矣。

此則一書兩名，一人而多字號，易於混淆者，章氏以爲，皆當加以互注，以清眉目，俾免於淆亂。

其實，章學誠所提到的避免嫌名的意思，鄭樵在南宋之時，已經加以留意及之，《校讎略·編次之訛論》說：

《唐志》於儀注類中有《玉璽》、《國寶》之書矣，而於傳記類中，復出此二書。

又說：

若迺陶弘景《天儀說要》，天文類中兩出，趙政《甲寅元歷序》，歷數中兩出，《黃帝飛鳥歷》與《海中仙人占災祥書》，五行類中兩出，庾季才《地形志》，地理類中兩出，凡此五書，是不校勘之過也。

以上所舉，則是鄭樵所說的「門類疑似，一書兩入」的例子，又如《校讎略·編次之訛論》說：

《太玄經》以諱故，《崇文》改爲《太眞》，今《四庫書目》分《太玄》、《太眞》爲兩家書。

以上所舉，則是鄭樵所說的「一書兩名，誤認一家」的例子，其實，不論是「一書兩入」也好，「一書兩名」也好，都是編纂圖書者「不校勘」之過也，又如《校讎略·不類書而類人論》說：

> 《唐志》以人置於書之上，而不著注，大有相妨，如管辰作《管輅傳》三卷，唐省文例去作字，則當曰《管辰管輅傳》，是二人共傳也。如李邕作《狄仁傑傳》三卷，當去作字，則當曰《李邕狄仁傑傳》，是二人共傳也。又如李翰作《張巡姚誾傳》三卷，當去作字，則當曰《李翰張巡姚誾傳》，是三人共傳也。

以上所舉，也是書名不清晰的例子，也應該是「不校勘」的過失，從這些「不校勘」的例子中，或許，章學誠得到編次圖書，爲了避免嫌名相淆，必需加以「校勘」的觀念，所以，才思考出編次圖書之時「先作長編」，將書名與人名，「按韻編之」，而於本韻之下，詳注一書之源委本末，作爲校書遇有疑難時的參考，而不致於再犯「不校勘」的錯失。

因此，在避規嫌名方面，章學誠所提出的方法，誠然進步精確，絕無差失，但是，鄭樵的意見，對章氏而言，畢竟也提供了一些參考思索的意見與影響。

六、結　語

在中國目錄字史上，出現過許許多多著名的目錄學家，但是，那些目錄學家，絕大多數只有目錄學工作的成果，卻很少有人提出目錄學的理論

在中國目錄學史上，正式提出目錄爲理論的，大約要數阮孝緒、鄭樵、祁承㸁，章學誠等人了，從這個角度去討論，如果我們說，鄭

樵和章學誠是傳統目錄學史上的思想家、理論家，相信應該是被接受的。

鄭樵所撰的《校讎略》，曾經對於章學誠的《校讎通義》，產生過不少的影響，而章學誠的《校讎通義》，在某些理論上，也曾受到鄭樵《校讎略》的影響，這是可以承認的事情。

章學誠在《校讎通義》之中，最爲推崇劉向劉歆父子，所以，《校讎通義》之中，〈原道第一〉之外，接著的便是〈宗劉第二〉，在《校讎通義》之中，雖然也有〈補鄭第六〉、〈鄭樵誤校漢志第十一〉，但是，章學誠撰《校讎通義》，除了深受劉向劉歆父子的影響之外，其所受到鄭樵《校讎略》的影響，也不在少，此文之作，即將章學誠《校讎通義》與鄭樵《校讎略》之關係，加以表出，以供參考之用。

王重民《校讎通義通解》述評

吳　格*

提　要

王重民先生為近代著名文獻目錄學家，先生完成於二十世紀六十年代之《校讎通義通解》，是對於清儒章學誠《校讎通義》之疏解之作，隨文箋疏，要言不煩，而勝義疊出，發明極夥。先生視章氏《校讎通義》為「我國古典目錄學專著中最重要的一部」，所為《通解》，目的在「極力用現在的語言，解說章學誠在《校讎通義》中所討論的目錄學方法、理論」。章氏《校讎通義》完成於十八世紀之末，對於晚近學術發展影響至鉅，先生闡幽發微，對章氏學術思想所作梳理辨析，識見透徹，二百年來無出其右，而辯證發明之處，周密精確，足以代表近代目錄學發展之成績。

關鍵詞　章學誠　校讎通義　校讎通義通解　王重民

引　言

王重民先生爲近代著名文獻學家，先生完成於二十世紀六十年代之《校讎通義通解》❶，運用傳統著述形式，對清儒章學誠《校讎通義》詳加注解，隨文箋疏，徵引周備，勝義疊出，發明極夥。先生平生服膺章氏學識，視《校讎通義》爲「我國古典目錄學專著中最重要的一部」，所爲《通解》，目的在「極力用現在的語言，解說章學誠在《校讎通義》中所討論的目錄學方法、理論」。章氏《校讎通義》完成於十八世紀之末，對於晚近文獻學、目錄學發展影響至鉅。先生對章氏學術所作梳理辨析，闡幽發微，識見透徹，其證發明之處，周密精確，拙見以爲二百年來無出其右，足以代表現代目錄學發展之成績。茲以重讀先生遺著，略述先生之生平學術，及先生對章氏學術之疏解發明，並求同道指正。

壹、王重民先生之生平

一、先生之生平活動

王重民先生（1903-1975），一名鑒，字有三，號冷廬，1920 年

＊　復旦大學中國古代文學研究中心教授兼圖書館古籍部主任

❶　《校讎通義通解》，章學誠著，王重民通解，上海古籍出版社，1987。按，先生〈序言〉撰於 1963 年。

畢業於高陽縣高等小學，同年考入保定第六中學。1924 年考入北京高等師範大學，受教於陳垣、楊樹達、高步瀛、黎錦熙諸先生，學業大進。未久，爲兼任師大目錄學課程之北海圖書館館長袁同禮先生識拔，介紹至北海圖書館兼職。1929 年畢業後，遂至新成立之國立北平圖書館服務，開始畢生從事圖書館學、文獻學研究。

1930 年，先生任國立北平圖書館編纂委員會委員兼索引組組長。1934 年 8 月，以「教育部派考察圖書教育」身份，前往巴黎國家圖書館考察。抵法後與袁同禮先生函商，將考察任務確定爲調查流失海外之中國圖書資料：（1）敦煌遺書，（2）明清來華天主教士華文著述，（3）太平天國史料，（4）稀見古刻舊鈔本漢籍。此後肆力搜求，發奮鈔纂，四歷寒暑，成績斐然。

旅歐其間，先生利用假期，1935 年夏曾至德國柏林普魯士圖書館搜集罕傳古書及太平天國史料，1936 夏往梵蒂岡圖書館閱讀明清之間來華天主教士譯著書籍。1938 年與向達同赴英國倫敦博物院圖書館閱讀敦煌卷子。1939 年二次世界大戰爆發，離歐洲前往美國，擔任國會圖書館遠東部所藏中國古籍善本書之整理，此後又承擔 1941 年運美寄存之北平圖書館善本書之整理，先後從事《美國國會圖書館藏善本書目》、《中國善本書提要》及普林斯頓大學葛斯德東方圖書館中文善本書志之編纂，直至 1947 年返國。

1947 年二月回國後，先生任北平圖書館參考組主任，後代理館長。同年 9 月，受北京大學校長胡適委託，在北大中文系創辦圖書館學專科，招收兩屆學生。1949 年，任北京圖書館副館長。同年，北大圖書館學專科正式成立，先生兼主任。1952 年，辭去北京圖書館職務，專任北大圖書館學專科主任。1956 年，任新成立之北大圖書館學系主任。1958年離任。1959年借調至中華書局，參加《永樂大典》整理工作。1960年回系教學。1963年開始招收「中國目錄學史」方向之研究生。「文革」期間，遭受迫害。1974年，受命參加《史綱評要》鑑定與整理工作，因堅持學術眞理，不屈服於權勢，横遭誣陷，1975年4月16日含冤辭世。❷

二、先生之學術貢獻

先生早年攻苦力學，多遇名師，年方弱冠，已嶄露頭角，人稱陳援庵門下「河北三雄」之一。畢業後投身圖書館，博覽羣籍，躬親實踐，舊學新知，根柢益深。壯歲遠遊歐美，多識異邦文物，眼界愈寬，而學問益加沈潛，於圖書館學、目錄學、版本學、校勘學、輯佚學、敦煌學、及索引學諸領域，均有卓越貢獻。綜其平生學術成就，有以下數端：

（一）圖書館事業

先生長期任職於圖書館，從事圖書編目、版本鑑定、提要撰寫、資料輯集、索引編製、參考咨詢等實踐，由實踐而博大其學識，由學識而精深其業務，爲名實相符、合乎傳統校讎學理念之文獻學大家，亦爲近代圖書館界知行合一、貢獻卓越之學者型圖書館員。

（二）圖書館學教育

先生爲北大圖書館學系之創始者。該系由附屬專修科而後獨立建

❷ 先生生平，可參考：劉修業〈王重民教授生平機學術活動編年〉，載《冷廬文藪·錄一》，上海古籍出版社，1992；《王重民先生百年誕辰紀念文集》，北京大學出版社，2003。

置，由專修科而升爲招收本科生、研究生之專業系科，先生蓽路藍褸，備極辛勞，作育人才，遍佈天下。先生曾爲該系開設「普通目錄學」、「中國目錄學史」、「目錄與書刊評介」、「歷史書籍目錄學」、「中國目錄版本學」、「中國書史」、「中文工具書使用法」等課程，編寫相關講義，誨人不倦，深受師生愛戴。

（三）目錄學研究

先生先後爲美國國會圖書館、美國普林斯頓大學葛斯德東方圖書館、北京圖書館、北京大學圖書館所藏善本古籍撰寫書志性質之提要，僅《中國善本書提要》及《補編》所收者已達五千六百餘種，所述各書版本特徵、刊刻原委、著者及編校刊刻者情況，均爲古籍研究者之津逮。以個人之力著錄古籍之富，近代文獻學領域無出其右者。先生目錄學研究成果，又見於《圖書與圖書館論叢》、《中國目錄學論叢》、《冷廬文藪》及《校讎通義通解》各書。

（四）目錄索引編製

先生編纂之《老子考》，著錄有關《老子》著述五百餘種；主持及參與編纂之《國學論文索引》三編及《清代文獻篇目索引》等，前者爲現代最早編纂之學術論文索引，後者爲檢索常見清人文集內容之重要工具。

（五）敦煌學研究

先生於二十世紀敦煌學研究具開拓性功績，所著《敦煌古籍敘錄》、《敦煌遺書總目索引》爲敦煌文獻目錄之里程碑式成果，《敦煌變文集》、《敦煌曲子詞集》、《補全唐詩》又爲敦煌文獻研究之開創性成果。

三、先生之學術特色

（一）傳統與現代之結合

先生生於二十世紀之初，身際現代中國學術轉型時期。在圖書文獻學領域，隨西方現代圖書館學、目錄學傳入，公立圖書館先後建立，存世之典籍逐步完成由私藏向公藏之轉移，新型圖書、報刊大量產生，文獻收藏與研究之方法急劇刷新。與此同時，目錄學成爲高等學校文史學科之基礎學科，一批目錄學專著相繼問世。先生之學術研究，既繼承古典文獻學傳統，又融會新知，接軌中西，較之同期目錄學家，更具傳統與現代結合之特色。

（二）理論與實踐之結合

先生畢生從事文獻學實踐，舉凡書目編纂、版本鑑定、提要撰寫、遺書輯集、索引編製等文獻學活動，均曾長期參與，積有經驗，成果沾溉後世。先生由此而從事古今目錄、目錄學家、目錄學史研究，遂持之有故，言之成理，立論大抵可信，而非迄無實踐、徒爲空言者可比。先生教授目錄學課程，亦多年堅持指導學生參加圖書館古籍編目、報刊書評撰寫之實踐。❸

---

❸ 劉修業〈王重民教授生平機學術活動編年〉，《冷廬文藪・附錄一》，上海古籍出版社，1992。

（三）目錄、版本與校勘學之結合

對於「文獻學」之含義，古今解釋，多有不同，時賢所論，亦各有側重。又「文獻學」與「目錄學」之界定亦時相重合，或稱「文獻目錄學」。先生以爲目錄學乃闡述編製及使用目錄之理論、方法之學，其內容包含編製目錄、整理圖書、校定新本，其目的爲揭示圖書內容、系統介紹文化。❹此義與向歆父子之「校讎」活動相合，與章學誠《校讎通義》中所論「校讎」定義相符，亦與時賢以爲「文獻學」涵蓋目錄、版本、校勘學之觀點相同。❺

（四）《校讎通義通解》之形式

先生目錄學研究成果，大多以現代著述形式寫就，論文結集爲《中國目錄學史論叢》及《冷廬文藪》。先生所撰《中國目錄學史》爲未竟之稿❻，論述始於向歆父子，止於宋鄭樵及馬端臨。先生視向歆父子、鄭樵、章學誠爲中國目錄學史上之「大目錄學家」，其對於章學誠生平及學術之研究，論文《章學誠的目錄學》之外，則有《校讎通義通解》。「通解」以「按語」形式，隨文附注於正文之後，含校勘、注釋及疏解等內容，既便現代學人研讀，又合於傳統「箋疏」形式，此在先生著述中爲僅見，亦足以見先生對於章氏《校讎通義》研究之

---

❹ 王重民《校讎通義通解·序言》，上海古籍出版社，1987，下同。

❺ 王欣夫《文獻學概論·緒言》（上海古籍出版社，1986）認爲，文獻學包含目錄、版本、校讎三內容，三位元一體，無分先後。

❻ 王重民《中國目錄學史（先秦至宋末元初）》，載《中國目錄學史論叢》，中華書局，1984。

鄭重。

貳、《校讎通義通解》之體例與特色

一、章氏《校讎通義》之文本研究

（一）《校讎通義》之卷數

《校讎通義》爲章氏對於「校讎學」（即目錄學）之研究專著，初稿完成於乾隆四十四年（1779），原稿四卷。其書尙未寫定時，已被友人傳鈔數本於外。乾隆四十六年（1781）章氏往河南，路遇盜匪，行囊中書稿盡失，《校讎通義》原稿亦在其中。後從友人借傳鈔本過錄，發現各本均僅三卷，且內容互有異同。至乾隆五十三年（1788），章氏於歸德書院修改《校讎通義》，仍定爲三卷，即今通行本《校讎通義·內篇》三卷。❼

（二）《校讎通義》之書名

1.《續通志校讎略擬稿》　先生據「廬江何氏」所撰《文史通義

---

❼ 章學誠《跋酉冬戌春志餘草》：「己亥著《校讎通義》四卷，自未赴大梁時，知好家前鈔存三卷者已有數本。及餘失去原稿，其第四卷竟不可得。索還諸所存之前卷，則互有異同，難以懸斷，余亦自忘其眞稿何如矣。遂乃訛襲謬，一併鈔之。戊申在歸德書院，別自校正一番，則與諸家所存又大異矣。」（《章氏遺書》卷二九）

鈔本目》❽，其《古文十弊》篇後所載《續通志校讎略擬稿》三篇，以爲此即今本《校讎通義》前三卷之原名，可證《校讎通義》原本曾編入《文史通義》內，初未別行，亦無《校讎通義》之名❾。

2.《校讎略》　先生據章氏乾隆四十八年（1782）所撰《文史通義·詩教》三篇自注中，屢引「《校讎略》」（一稱「詳見外篇《校讎略·著錄先明大道論》」，二稱「六藝爲官禮之遺，其說亦詳外篇《校讎略》中《著錄先明大道論》」，三稱「說詳外篇《校讎略》中《漢志詩賦》」，四稱「說詳外篇《校讎略》中《漢志兵書論》」）之稱，證明《校讎通義》原名《校讎略》，本屬爲《續通志·校讎略》所擬之稿，初僅三篇，編入《文史通義》外編，未嘗獨立成書。❿

3.《校讎通義》之篇名　先生又據上引四例，證明今本《校讎通義》卷一《原道第一》，原稿題爲《著錄先明大道論》；今本卷二《漢志詩賦略第十五》，原稿題爲《漢志詩賦論》；卷二《漢志兵書第十》，原稿題爲《漢志兵書論》。以上篇名，均係摹仿鄭樵《通志·藝文略》分章標題之方式。⓫

4.《校讎通義》之定名　先生據章氏乾隆五十二年（1787）《上畢撫台書》「生平撰著，有《校讎通義》、《文史通義》，尚未卒業」語，認爲章氏自乾隆四十四年著成《校讎通義》（《校讎略》）以後，對於目錄學理論之認識仍不斷深化，在次年（1788）於歸德修改此書之前，已將《校讎通義》與《文史通義》並稱，而不再作爲《文史通

---

❽ 《靈鶼閣叢書》本《文史通義補編》附。

❾ 《章學誠大事年表》，《校讎通譯通解·附錄二》。

❿ 同上。

⓫ 同上。

義》之一部分。⑫

（三）《校讎通義》之版本

《校讎通義》有三卷本及四卷本，三卷爲道光十二年章華紱所刻《章氏遺書》本，四卷爲民國十年吳興劉氏嘉業堂所刻《章氏遺書》本。四卷本係據沈曾培所藏清王宗炎原編本覆刻，王氏於「內篇」三卷以外，增輯「外篇」一卷。此本經民國二十五年商務印書館據以排印後，流傳甚廣，今通行各本，大多自嘉業堂本出。

二、《校讎通義通解》之文本研究

（一）《校讎通義通解》之底本

《校讎通義通解》所用底本，爲 1956 年古籍出版社據嘉業堂所刻四卷本之排印本。此本原爲《內篇》三卷、《外篇》一卷。《外篇》係清王宗炎校定《章氏遺書》時所增編，收入章氏論文二十一篇。先生認爲《外篇》內容與《內篇》關係不大，故刪去《外篇》，而另編「卷四」一卷，成爲章氏《校讎通義》之新「四卷」本。

（二）《校讎通義通解》之內容

《校讎通義通解》卷一至卷三爲《內篇》，卷四爲「附錄」。附錄凡二種：「附錄一」爲先生所輯《章學誠目錄論文選》，收入章氏有關目錄學方法之論文五篇；「附錄二」爲先生所撰《章學誠大事年表》，「專輯有關章學誠學術研究和目錄工作活動的資料，與五篇論

---

⑫ 《章學誠大事年表》，《校讎通譯通解・附錄二》。

文合讀，也許符合王宗炎編輯《外篇》的意圖，但對讀者來說，比《外篇》更有用。⓭」

（三）《校讎通義通解》之體例

《校讎通義・內篇》凡十八章、一百二十八條，先生逐章逐條爲之作解，體例如下：

1、對於常見之文字、人名、書名（如出於《漢書藝文志》者），不作注解；

2、對於稀見之文字典故、原書引誤之人名、書名，及需要闡釋之問題等，均作校勘及注解；

3、對於章氏所述有關目錄學方法、理論者，加以重點疏解，並指出對其立說之是非得失⓮；

4、新編之卷四「附錄」兩種，先生亦隨文加「按」，以爲「通解」。

參、《校讎通義通解》對章氏學術之梳理

章氏對於目錄學理論及方法之論述，主要發表於《校讎通義》卷一「通論」性質之九章中，其篇目爲：〈原道第一〉、〈宗劉第二〉、〈互著第三〉、〈別裁第四〉、〈辨嫌名第五〉、〈補鄭第六〉、〈校

⓭ 《校讎通義通解・序言》。

⓮ 同上。

讎條理第七〉、〈著錄殘逸第八〉、〈藏書第九〉。《校讎通義通解》對於章氏學術思想之梳理，隨文注解，散見於各章之下。現略加歸納，撮述如次。

一、對章氏目錄學思想之總結

（一）文獻與目錄之關係

1、目錄之任務，在於揭示文獻之內容，爲學術研究提供正確、系統指導；

2、目錄學家能否編製出優秀目錄，取決於是否具備正確之目錄學方法理論；

3、正確之目錄學方法理論，取決於能否正確認識文獻、研究與目錄之關係；

（二）學術與目錄之關係

1、目錄學之宗旨爲「辨章學術，考鏡源流」；

2、文獻之著錄、分類、提要，均需爲學術史、科技史研究服務；

3、「六經皆史」命題之意義，在於弱化經典之偶像地位，強調學術研究中文獻之作用；

4、文獻保存與整理對於學術研究之作用，爲「三月聚糧」、「蕭何轉餉」、「化腐臭爲神奇」；

5、文獻與學術研究之關係，即「器」與「道」之關係，「道不離器，猶影不離形」；

6、理學之失在「離器言道」，考據學之失在「溺於器而不知道」，

「道器合一，方可言學」；

7、考據爲學術研究之必備手段，並無獨立於「學問家」以外之「考據家」。⑮

（三）目錄學之系統思想

1、治目錄學須「先明大道」，「道者萬事萬物之所以然，而非萬事萬物之當然也」；

2、戰國之前，「官師合一」，「學在王官」，故而文獻由官方執掌，尙無私家著述；

3、春秋之後，私家著述出現，學術發展，逐漸形成系統目錄，故而產生向歆父子之《七略》；

4、文獻分類由「七略」而演變爲「四部」，乃目錄學對於漢以後出現之大量圖書之適應；

5、目錄編纂由「輯略」（敘錄）而發展爲簡單著錄，有背「辨章學術，考經源流」之傳統。

二、對章氏目錄學方法之歸納

（一）《七略》之編纂方法

1、《七略》爲最早之古代系統目錄，又是目錄學（即校讎學）之典範；

2、《七略》之分類（「部次條別」）體系，爲班固《漢書藝文志》

---

⑮ 《校讎通義通解・序言》。

所繼承；

3、《七略》之著錄法（有敘錄，加大、小序），即「辨章學術，考經源流」之具體體現；

4、《七略》中之「輯略」，「最爲明道之要」，是對於文獻內容及學術源流之集中闡述⑯；

5、《七略》之分類體系後世不得不改變，其著錄之法仍應保持。⑰

（二）「辨章學術，考鏡源流」

1、「辨章學術，考經源流」，爲目錄學（校讎學）之精髓，亦爲「校讎學」與後世「徒爲甲乙紀錄之需」者之區別；⑱

2、「辨章學術，考經源流」，還具有結合時政、評論當代學術思想之意義；⑲

3、後世目錄形式簡化，不用敘錄體及大小序（輯略），失去「辨章學術，考經源流」功能；

---

⑯ 「《輯略》蓋劉氏討論羣書之旨也。此最爲明道之要，惜乎其文不傳。」（《校讎通義·宗劉第二》）。

⑰ 「《七略》之古法終不可復，而四部之體質又不可改，則四部之中，附以辨章流別之義，以見文字之必有源委，亦治書之要法。」（《校讎通義·宗劉第二》）。

⑱ 「劉向父子部次條別，將以辨章學術，考鏡源流，非深明於道術精微、羣言得失之故者，不足與此。」（《校讎通義·自序》）。

⑲ 「由劉氏之旨以博求古今之載籍，則著錄部次，辨章流別，將以折衷六藝，宣明大道，不徒爲甲乙紀數之需，亦已明矣。」（《校讎通義·原道第一》）。

（三）「互著」與「別裁」法

1、「互著」與「別裁」爲圖書分類著錄中之重要輔助方法；

2、宋王應麟《玉海・藝文》中對於「類書」之類目或編題以使用「互著」之法；

3、明祁承爜《澹生堂書目》及《庚申整書略例》中已使用並討論「通」、「互」之法；

4、《校讎通義》對於「互著」、「別裁」法之總結，爲章氏對於目錄學之重大貢獻；

5、「分類」之功能在「即類求書，因書究學」，「互著」之功能在「繩貫珠聯，即類求書」；

6、「互著」法兼收並載「書之易淆者」及「書之相資者」，以克服分類著錄之弊；

7、「互著」法將一書著錄於不同類目，「別裁法」則將一書及其部分內容著錄於不同類目。

8、「別裁」法重複著錄之書，有「裁篇別出」與「別出行世之本」之區別；

9、使用「別裁」法，須在書目之下出注，「申明篇第之所自」，以明編目者之意圖。

三、《校讎通義通解》卷四之編例

（一）《章學誠目錄論文選》

《章學誠目錄論文選》收入章氏以下五篇文章：

（1）〈和州志藝文書序例〉

（2）〈和州志藝文書輯略〉

（3）〈論修史籍考要略〉

（4）〈史考釋例〉

（5）〈史籍考總目〉

諸文均爲章氏從事目錄編纂實踐之產物，具有重要參考價值。

（1）〈和州志藝文書序例〉錄自《章氏遺書外編》卷一七，並據章華紱所刻《文史通義·外篇一》參校。先生以爲此篇爲《校讎通義》中〈原道〉、〈宗劉〉、〈互著〉、〈別裁〉四篇之初稿，前後對讀，可窺章氏目錄學思想成熟之軌跡。

（2）〈和州志藝文書輯略〉錄自《章氏遺書》外編卷一七《和州志·藝文》（一名《志隅》）之第六節，前五節即上篇，已刻入《文史通義·外篇一》。先生以爲此節內容與上篇相仿，故而加題篇名，輯出別行，並據《靈鶼閣叢書》本參校。

（3）〈論修史籍考要略〉錄自《章氏遺書》卷一三。《史籍考》爲章氏費時十餘年從事編纂之史部專科目錄，凝聚其畢生學術抱負，可惜原稿已失。本篇爲乾隆五十三年（1788）《史籍考》動議編纂之初，章氏向畢沅提出之纂修規劃，包含大量其從事目錄學研究之心得與創見。

（4）〈史考釋例〉錄自《章氏遺書·補遺》，爲嘉慶三年（1798）謝啓昆繼畢沅主持編纂《史籍考》時，章氏新擬之編纂計劃，較之十年前所撰〈論修史籍考要略〉，內容更爲詳細，理論與方法亦更爲成熟。

（5）〈史籍考總目〉錄自《章氏遺書·補遺》，即章氏所編《史籍考》之目錄。

目錄學爲具有較強實踐性之學科，《校讎通義通解》前三卷爲先生對於章氏目錄學理論與方法之梳理，尙停留於對古代目錄之研究與討論，新編「卷四」所載章氏諸文，則均爲章氏從事目錄編纂實踐之成果。章氏平生如未參與方志目錄、史籍目錄之編纂，不足以成其目錄學功績之卓著；先生爲《校讎通義》作「通解」，如未涉及章氏目錄編纂實踐，則不足以見先生目錄學造詣之深厚。

（二）《章學誠大事年表》

先生所撰《章學誠大事年表》，採用編年形式，分年輯錄章氏目錄學研究與目錄編纂活動之史料，內容極爲豐富。

《章學誠大事年表》之編例，就其不錄章氏其他活動而言，內容不及年譜全面；就其專輯章氏目錄學研究及目錄編纂活動而言，詳贍又勝於年譜。先生爬梳章氏著述及其他史料，編次排比，徵引考辨，對於章氏學術活動之背景、研究思路之發展，目錄編纂之細節、撰著成果之得失等，原原本本，介紹綦詳，知人論世，足資考訂，堪稱章氏研究之傑作。

肆、《校讎通義通解》對章氏學術之辯證

一、章氏對《漢書藝文志》之辯證

《校讎通義》卷二至卷三，均爲對於《漢書藝文志》之討論。其中卷二〈補校漢書藝文志第十〉、〈鄭樵誤校漢志第十一〉、〈焦竑

誤校漢志第十二〉三章，爲章氏依據自己之目錄學理論及方法，提出研究《漢書藝文志》之原則；卷三〈漢志六藝第十三〉、〈漢志諸子第十四〉、〈漢志詩賦第十五〉、〈漢志兵書第十六〉、〈漢志數術第十七〉、〈漢志方技第十八〉六章，則爲章氏依據自己提出之原則，對於《漢書藝文志》「六略」所作深入討論，並對鄭樵、焦竑批評《漢志》之意見加以辨證。由於劉歆《七略》原本已經不傳，《漢書藝文志》係改編《七略》而成，章氏對於《漢書藝文志》之辯證，仍包含對於《七略》之認識。章氏對於劉、班二書之辯證，涉及以下問題：

（一）劉歆《七略》與班固《漢書藝文志》之功過問題；

（二）敘錄體目錄與「辨章學術，考鏡源流」之關係問題；

（三）理論類圖書（「道」）與方法類圖籍（「器」）之分類及排列問題；

（四）目錄類圖書應歸於「名家」類之末問題；

（五）同一種圖書之重複著錄（互著）問題；

（六）「裁篇別出」（別裁）之方法及著錄問題；

（七）建立類目增附圖書之問題。

二、章氏對鄭樵《通志·校讎略》之辯證

章氏對於宋鄭樵之史學思想十分推崇，但對其目錄學理論則評價不高，尤其對鄭樵《通志·校讎略》討論歷代書目時輕視《漢書藝文志》，深爲不滿。章氏自視對於目錄之學有獨到見解，《校讎通義》初名《續通志校讎略》，本爲續鄭樵《校讎略》而作，故而於《校讎通義》卷二、卷三專門討論《漢書藝文志》，並專立〈鄭樵誤校漢志第十一〉一章，作爲對《校讎略》之補正。章氏對於鄭樵之評論，主

要有以下意見：

（一）鄭樵《通志·校讎略》、《藝文略》對於目錄學之貢獻，爲劉、班以後所僅見；⑳

（二）鄭樵對《漢書》「斷代爲史」不滿，因而對《漢書藝文志》不免「過爲貶駁之辭」；

（三）鄭樵對目錄學研究不夠深入，「於古人大體終似有所未窺」，故著作中錯誤較多；

（四）鄭樵《校讎略》中批評《漢書藝文志》意見，大多不可取，章氏已逐條加以辯證。

三、對章氏立說中偏頗處之辯證

章氏學術思想對先生影響甚深，先生夫人劉修業女士回憶云：「在清代學者中，他最崇拜章學誠之校勘學，使他以後到國外訪書及撰寫《中國善本書提要》的工作有一明確的指導思想。」又云：「有三對中國地方誌也有研究，他的方志學觀點，是繼承章學誠之遺緒。」㉑先生爲章氏《校讎通義》作疏解，稱「章學誠《校讎通義》是我國古典目錄學專著中最重要的一部，它對我國近百年來的目錄學方法、理論一直發生著很大的影響。」㉒但是對於《校讎通義》中之疏漏舛誤，先生仍心細若髮，一一抉擿，並尋繹致誤之由，加以糾正。《校讎通

---

⑳ 「鄭樵生千載之後，慨然有會於向、歆討論之旨，因取歷朝著錄，疏其魚魯亥豕之細，而特以部次條別，疏通倫類，考其得失之故而未之校讎，蓋自石渠、天祿以還，學者所未嘗見者也。」（《校讎通義·自序》）。

㉑ 《王重民教授生平及學術活動編年》。

㉒ 《校讎通義通解·序言》。

義通解》中此類文字，隨處可見，限於篇幅，僅舉二例，以見一斑。

（一）關於古代圖書分類

章氏述上古圖書目錄之起源與發展云：「想見三代盛時，《禮》以宗伯爲師，《樂》以司樂爲師，《詩》乙太師爲師，《書》以外史爲師，《三易》、《春秋》亦若是則已矣。」又云：「官守之分職，即　書之部次，不復有著錄之法也」㉓

先生爲之辯證云：追溯古代圖書目錄之歷史，當其「學在王官」、「官師合一」時期，文獻與學術均掌於官師，圖書分類與官守分職實存聯係，然以《周官》所列「三百六十官」即爲其時之圖書分類表，則失之牽強。圖書分類之發展，仍由目錄學家「因書設類」而促成。

（二）「互著」與「別裁」法

章氏對於「互著」、「別裁」有深刻理解，以爲圖書著錄「理有互通，書有兩用」時，理應於不同類目中「兼收並載」，又對「互著」、「別裁」之類型與層次細加辨析，將其意義與功用發揮盡致，並將此歸功爲劉歆《七略》所開創。㉔

先生高度評價章氏對於「互著」、「別裁」法之歸納定性，並對章氏《校讎通義》卷二、卷三中運用上述方法補正《漢書藝文志》，以「別裁」法著錄經、子、集部書以增補《史籍考》之實踐給予讚賞，同時又指出，章氏以爲「互著」、「別裁」由劉歆《七略》所開創使

㉓　《校讎通義通解·原道第一》。

㉔　《校讎通義通解·互著第三》。

用，並舉《七略》之例爲證，實屬誤解。揆諸章氏對於「裁篇別出」與「別出行世之本」之區別，《七略》所載，實非有意使用之「別裁」，而爲「別出行世之本，故亦從而別裁之耳」。

四、關於《校讎通義》卷四

原本《校讎通義》卷四已逸，今本《校讎通義》卷四爲王宗炎所補，《校讎通義通解》卷四則爲王重民先生所補，已如前述。章氏《校讎通義》原本卷四內容爲何？先生據卷二〈焦竑誤校漢志第十二〉，提出推測意見。

（一）明焦竑撰《國史經籍志》後有《附錄》一卷，對《漢志》以下八種書目作「糾謬」；

（二）章氏〈焦竑誤校漢志第十二〉，即對焦氏〈漢藝文志糾謬〉之十三條意見所作辯證；

（三）章氏以爲焦竑「似不爲無見」，但因「未悉古今學術源流」，所議仍屬膚淺；㉕

（四）章氏又雲「《國史經籍志》其書之得失，別具論述於後」，而此條後未見相關討論；

（五）今本《校讎通義》卷二、卷三皆討論《漢志》，推測原本卷四乃討論《漢志》以下歷代目錄之得失，《國史經籍志》亦爲其中一種。

㉕　《校讎通義通解·焦竑誤校漢志第十二》。

伍、《校讎通義通解》之特色

一、通俗性

先生自述撰《校讎通義通解》之旨趣云：「我為這部目錄學古典專著作通解的目的，就是想為圖書目錄工作者和學習古典目錄學的人提供一部通解式的讀本，極力用現在的語言，解說章學誠在《校讎通義》中所討論的目錄學方法、理論。」㉖

二、學術性

《校讎通義通解》雖以語體寫作，閱讀對象亦慮及修習文獻學、圖書館學之學生，其內容似淺而實深，非心粗氣浮者所得而問津。章氏一生，身世坎坷，貧病交集，炎涼飽經，著述雖勤，校訂乏力，粗疏訛舛，在所不免，若非先生目錄學造詣之深，對於章氏學術研究之久，《通解》之作，實不易成。化艱深為平易，作前賢之諍友，先生之志，令人欽敬。

三、實踐性

先生嘗云：「一個成熟的、有貢獻的目錄學家，必須接觸豐富的圖書資料，有長時期的目錄實踐，才能批判地繼承古代目錄學家的經

㉖ 《校讎通義通解·序言》。

驗、方法和理論，從而創造新的方法理論，並檢驗與修正自己的方法理論，使它更系統、更完整、更能能促進今後的目錄工作。」㉗

先生強調之「知行合一，躬行實踐」精神，貫穿其畢生所從事之目錄學研究活動，爲探驪得珠之秘訣，亦爲吾人求學問道之指南。

㉗ 同上。

略論章學誠及許瀚於目錄學觀點之異同——以《史籍考》修纂為例

丁原基*

提　要

《史籍考》是一部史學目錄，歷經乾隆、嘉慶、道光三朝六十餘年，經過畢沅、謝啟昆、潘錫恩的陸續資助，在章學誠的倡議下，由章氏發凡起例、修纂，其後又經許瀚主持校定，始完成定稿，準備付梓，卻不幸於咸豐六年（1856）毀於火災。其書雖亡，但章、許二氏對修纂《史籍考》的謹嚴態度，從其分別撰作〈論修史籍考要略〉、〈史考釋例〉、〈史籍考總目〉及〈擬史籍考校例〉，可見一斑。本文擬就上述諸文，略述其撰作之背景，並比較章、許二家於目錄學觀點之異同。

---

* 東吳大學中國文學系教授兼圖書館館長

關鍵詞　章學誠　史籍考　許瀚　目錄學

壹、前　言

筆者數年前撰《許瀚之文獻學研究》，❶始得知許氏與章學誠《史籍考》之關係頗是密切。章學誠爲修纂此目，先後撰寫〈論修史籍考要略〉、〈史考釋例〉及〈史籍考總目〉，其後許瀚受託整理《史籍考》，別撰〈擬史籍考校例〉，諸篇文字皆針對《史籍考》，正表現出章、許二家對修纂《史籍考》的態度皆十分嚴謹，但亦各有主張，本文擬就上述諸文，略述其撰作之背景並比較章、許二家於目錄學觀點之異同。

貳、《史籍考》修纂之概述

《史籍考》爲清代目錄學專門著作，由章學誠倡議，畢沅贊之，謝啓昆繼之，潘錫恩又繼之，修纂時間陸續達六十年。有關《史籍考》的修纂經過，姚名達《中國目錄學史》、王重民〈《中國目錄學史》後記〉及羅炳綿教授〈《史籍考》修纂的探討〉各有敘述❷，茲將三

❶ 丁原基：《許瀚之文獻學研究》（臺北：華正書局，1999年）。

❷ 姚名達著《中國目錄學史》，臺北：臺灣商務印書館，民國62年（1973）臺五版。王重民撰〈《中國目錄學史》後記〉，收入《北京大學百年國學文粹·語言文獻卷》（北京：北京大學出版社，頁399-405，1998年4月）。羅炳

氏敘述，並參考相關資料略作整理，概述於次。

先是章學誠（1738-1801）仰慕朱彝尊《經義考》之纂，乃有編修《史籍考》之議。直至乾隆五十二年（1787）章氏始獲河南巡撫畢沅之力，於開封集眾撰修《史籍考》，助其事者有洪亮吉、凌廷堪、武億等。至五十三年（1788）秋，畢沅升任湖廣總督，其事中輟。五十五年（1790），章氏又得畢沅同意，再集眾於武昌以續前功。至五十九年（1794）全書將成，復因畢沅降職罰俸，事又中輟。沅既無力續修，藏稿於家。以上爲編纂之第一階段。❸

嘉慶三年（1798），章氏得浙江布政使謝啓昆之助，❹取得殘稿，在杭州再行編輯，當時參加者爲錢大昭、陳鱣、胡虔、袁鈞、張彥曾、邵志純等，❺一年間粗成五百餘卷。謝啓昆記當時纂修之情形云：

> 竹垞《經義考》之闕，予既作《小學考》以補之，成五十卷矣；又擴史部之書爲《史籍考》，以《經義》。因葺官廨西偏屋數十楹，聚書以居友人。庭故有高梧二株，予每以公暇，對梧編勘，欣然忘疲。凡古來政治之得失，山川人物之同異，上下數

綿教授撰〈《史籍考》修纂的探討〉（上）、（下），載《新亞學報》6卷1期及7卷1期（香港：新亞書院，頁367-414；頁411-455，1964年2月1日；1965年2月1日）。

❸ 參章學誠《章氏遺書》卷九〈報孫淵如書〉；《章氏遺書補遺》〈又上朱大司馬書書〉；及姚名達《中國目錄學史》，頁367至368。

❹ 姚名達、王重民皆謂謝啓昆時任浙江巡撫，惟查《清代職官年表》（錢實甫等編，北京：中華書局，1997年二刷）。謝啓昆此時任布政使。

❺ 以上名單，據謝啓昆《樹經堂集》、阮亨《瀛舟筆談》、〈嘉定縣志〉及朱文藻〈邵志純行狀〉等考出。

千年間，得諸友人相與商校，又深契乎麗澤講習之意，遂以名西偏之廨曰兌麗軒。（《兌麗軒詩集自序》）

嘉慶四年（1799）謝啓昆致孫星衍書云：

畢宮保《史籍考》之稿，將次零散，僕爲重加整理。更益以文瀾閣《四庫全書》，取材頗富，視舊稿不啻四倍之。臘底粗成五百餘卷，修飾討論，猶有待焉。竹坨《經義考》有逸經一門，今《史考》無逸史者，以史多不勝載故也。（《樹經堂文集》卷四）

信中所述，知此次在杭州纂修，有「文瀾閣《四庫全書》」作參考，加上杭州又是著名藏書地區，因此「取材頗富，視舊稿不啻四倍之」，但「修飾討論，猶有待焉」，可知《史籍考》尚未完成定稿。同年八月，謝啓昆調任廣西巡撫，章氏年老病瞽，未能從行，❻因此《史籍考》之編纂又中輟。以上是第二階段。

道光二十五年（1845）六月二十四日，許瀚得牟所書，❼邀往清江浦爲潘錫恩校正章學誠未成之《史籍考》。牟所書，略云：

印林大弟同年閣下：昨見河憲潘芸閣先生，據云有《史籍考》一書欲發刻，而校正乏人，非吾弟不可，托兄專書相邀。聞呂

❻ 詳姚名達補訂，胡適撰《章實齋年譜》（臺北：臺灣商務印書館，收入《人人文庫》）。按：另有范耕研著《章實齋先生年譜》（臺北：文史哲出版社，民國八十八年（1999）6月）可參考。

❼ 牟所，字一樵，山東棲霞人。道光丁酉（1837）舉人，嗜金石，工翰墨，事蹟具《棲霞縣志》卷七〈人物志〉，光緒五年刊本。得此確實時間，見崔巍整理《許瀚日記》。（石家莊：河北教育出版社，2001年1月）。

鶴田同年（自注：清江書院山長）云，館金似不甚豐（自注：至大不過二百之數），尚可有兩乾館便可敷衍。且吾弟所到之處，誰不傾倒！此行似不負人，四五百里之遙，就道不難。若惠然肯來，吾兄弟藉圖一聚，亦佳事也。如今年有館，必不能舍彼而就此，可否辭脫明年之局，或延至秋間而至，即或延至冬間而至，雖遲遲尚可及也。望速速明白示一回信，至要，至要。

是年秋，許瀚離沂州，赴清江浦。❽二十六年（1846）主持修訂《史籍考》之事。其後陸續參與者有包愼言、劉毓崧等。二十八年（1848）潘錫恩告病回籍，收還《史籍考》不辦。此爲編纂《史籍考》之第三階段。茲就編纂《史籍考》之三階段，以表列方式說明。

《史籍考》纂修經過：

支持者	時　期	地　點	主　持　人	參與者	卷　數
畢沅（河南巡撫）	乾隆 52-53 年秋（1787-1788）	開封	章學誠撰〈論修史籍考要略〉	洪亮吉 淩廷堪 武　億	約百餘卷❾
畢沅（湖廣總督）	乾隆 55-59 年（1790-1794）	武昌	章學誠	胡　虔	三百二十五卷（三百三十卷）
謝啓昆（浙江布政使）	嘉慶 3-4 年（1798-1799）	杭州	章學誠撰〈史考釋例〉	胡　虔 錢大昭 陳　鱣	粗成五百卷

❽ 清江浦，時稱袁浦、袁江，江蘇省清和縣。清中葉設北東南三河道總督，南河道總督駐此，故盛極一時，又名南清河。民國三年（1914），因與河北省清和縣重名，改爲淮陰。今由縣改市，名清河市。

❾ 《叢書舉要》言：畢沅未刊書有《史籍考》百卷。按：此與轉引自胡適撰《章實齋先生年譜》。

				袁　鈞 張彥曾 邵志純	
潘錫恩（南河總督）	道光 26-28 年（1846-1848）	清江浦	許　瀚撰〈擬史籍考校例〉	包慎言 劉毓松 呂基賢	清稿三百卷

參、許瀚與潘錫恩

許瀚（1797-1866），字印林，一字元翰。山東日照人。生於清嘉慶二年（1797），卒於同治五年（1866），年七十。嘉慶二十年（1815），補州學生員，以專精許鄭，受知於學政王引之。道光五年（1825），何凌漢爲山東學政，奇印林詩古文，選拔爲貢生。同年，進京，住何凌漢寓邸，與紹基、紹業兄弟朝夕過從。六年（1826）爲國子監生員，六月應朝考，落第。七月王引之任武英殿總裁，奉命修《康熙字典》，許瀚考充校錄。十一年（1831）《字典》修成，因學養湛深，工作勤奮，敘得六品「州同」銜。此後隨浙江學政何凌漢、陳用光在杭州學署校文；順天學政潘錫恩在保定學署校文。二十年（1840），許瀚應山東濟寧直隸知州徐宗幹之邀，主講漁山書院。二十五年（1845）夏受邀肩負增訂《史籍考》之責。有關許瀚的事蹟，可參袁行雲撰《許瀚年譜》❿及筆者撰《許瀚之文獻學研究》。

張舜徽先生曾謂「清道咸間，北方學者首推許印林之學」，又云「一生致力於學問，研究考據之學，搜輯金石碑版不遺餘力，平生際

❿ 袁行雲：《許瀚年譜》（濟南：齊魯書社，1983 年）。

遇與顧廣圻、嚴可均略同。而所與交游者，如何紹基、龔自珍、張穆、丁晏輩，皆爲篤學向進，不慕聲華之士。龔自珍盛稱其爲人，其《己亥雜詩》云：『北方學者君第一，江左所聞君畢聞；土厚水深詞氣重，煩君他日定吾文。』定盦不輕許人者，可謂推挹備至矣。」舜徽先生並爲許瀚感慨：「蓋潛修之士，寄人籬下謀求衣食之資，淹沒而不彰者」。⓫

潘錫恩（生卒不詳），字芸閣，安徽涇縣人。⓬嘉慶十六年（1811）進士。喜讀書，尤其關心水利問題。道光二十三年（1843）任南河河道總督兼漕運總督，駐節清江浦。二十五年（1945）招請學者校刻《乾坤正氣集》，同時增訂《史籍考》。潘錫恩邀約許瀚主持修訂《史籍考》，主因是兩人原係舊識。前言道光十五年（1835）潘氏任順天學政，瀚中順天鄉試舉人，即隨潘氏於保定、大名等各地校文。潘氏自著《學詩緒餘》稿本，並屬許氏校訂續補。足知潘氏對許瀚的學養與治事態度極爲信任。

許瀚既受託總纂《史籍考》之增訂，乃於道光二十六年（1846）清明前三日完成〈擬《史籍考》校例〉。於章學誠之原稿繁冗、重複、漏略、舛誤之處，均有訂正。同治五年（1866）潘駿文（潘錫恩子）於〈校印乾坤正氣集跋〉云：

> 先公尚有增訂《史籍考》一書，亦與斯集同時校讎。係因畢秋帆、謝蘊山兩先生原本，爲卷三百三十有三。第原書採擇未精，頗多複漏。先公因延旌德呂文節，日照許印林（瀚），儀徵劉

⓫ 見張舜徽撰〈讀明清文史書籍題記〉，載《文史第七輯》，頁116-117。

⓬ 潘錫恩事蹟，參《清史稿·潘錫恩傳》（卷383）。

伯山（毓崧），同邑包孟開（慎言）諸先生，分類編輯，刪繁補缺，仍照朱竹垞《經義考》定爲三百卷。而補錄存佚之書，是原稿增四之一，詳審頓覺改觀。寫成清本，待付手民。⓭

潘氏云是書「補錄存佚之書，視原稿增四之一，詳審頓覺改觀。」由此可知經許瀚整理後的《史籍考》分卷雖比謝啓昆時代少，但內容卻增多四分之一。至於在清江浦的修訂工作是否完工？許瀚與沈濤書云：

承詢《史籍考》，〈金石〉一門，瀚襄助修校，略以成書。嗣因芸閣先生染病，遽爾收回，時瀚抱病在舍，未及錄副。閣下必欲得此稿，當向芸閣先生問之。爲聞此稿收回後，頗經芟薙，不審果否。瀚自芸閣先生告退後，浮沈河上，久病不痊，惟敝同年彭雪嵋以竺司馬是依。⓮

由上舉兩說，概知《史籍考》經許瀚做了深入精鍊的整理修校，略已成書，但在「寫成清本，待付手民」時，傳聞潘家似又做刪減，但相信此時對是書之體制門目卷數等結構內容應是無所變動。

潘駿文於〈校印乾坤正氣集跋〉，追述《史籍考》的下落：道光二十八年（1848）潘錫恩將《史籍考》之增訂稿清寫本與畢、謝的原

⓭ 見潘駿文撰〈校印乾坤正氣集跋〉。收入潘錫恩輯《乾坤正氣集》五百七十四卷，清道光廿八年潘氏袁江節署求是齋刊。按：此刊本藏國家圖書館。

⓮ 見《攀古小廬補遺·與沈匏廬觀察書》，轉引自《許瀚年譜》，頁200。按：沈濤（生卒不詳），號匏廬，浙江嘉興人，著有《常山金石志》二十四卷、《十經齋遺集》五種。事蹟參鄭偉章著《文獻家通考》（清—現代）（北京：中華書局，頁858，1999年6月）。

稿本，連同藏書三萬餘卷，皆藏於安徽涇縣家中。咸豐六年（1856）藏書失火，《史籍考》「清本，與藏書同歸一炬，並原稿亦不復存」。⑮一部歷經乾隆、嘉慶、道光三朝六十餘年，幾番波折的目錄學名著，竟是如此結局！

肆、章學誠修纂《史籍考》的態度與觀點

《史籍考》既是章學誠倡議，以章氏通儒之學養，自是希望傾力以赴。爲此，特撰〈論修史籍考要略〉（以下省稱爲〈要略〉）。此篇〈要略〉是對《史籍考》收羅文獻的範圍與應注意事項提出大原則。章氏揭櫫「朱竹垞氏經義一考爲功甚鉅，既辨經籍存亡，且採群書敘錄，間爲案斷以折其衷，後人溯經藝者所攸賴矣」，繼云「今擬修《史籍考》，一倣朱氏成法，少加變通，蔚爲鉅部以存經緯相宣之意。」這是章氏修纂的動機。

〈要略〉舉出十五條例，分別是：一曰古逸宜存；二曰家法宜辨；三曰剪裁宜法；四曰逸篇宜採；五曰嫌名宜辨；六曰經部宜通；七曰子部宜擇；八曰子部宜擇；九曰方志宜選；十曰譜牒宜略；十一曰考異宜精；十二曰版刻宜詳；十三曰制書宜尊；十四曰禁例宜明；十五曰採摭宜詳等。

遺憾的是，第一階段修纂《史籍考》，有關部目的釐析，是掌握

---

⑮ 說參王重民〈《中國目錄學史》後記〉，收入《北京大學百年國學文粹・語言文獻卷》，頁399-405，1998年4月。

在畢沅。畢沅訂定的門目，章學誠並不滿意，這從章氏後撰的〈史考釋例〉可見一斑。

第二階段是在杭州修纂，章氏親撰〈史考釋例〉，針對畢沅時期編纂範圍多所調整，茲以表列方式，就章學誠〈史籍考總目〉與畢沅釐定之類目，略作比較：

章學誠						與畢沅門目之別
制書（2）（用《經義考》例）						
紀傳	正史（14）	國史（5）	史稿（2）			畢沅將正史稱紀傳，下分通史、斷代、集史、國別。
編年	通史（7）	斷代（4）	記注（5）	圖表（3）		
史學	考訂（1）	義例（1）	評論（1）	蒙求（1）		
稗史部	雜史（19）	霸史（3）				畢沅於雜史一門，原分外紀、別裁、史纂、史鈔、政治、本末、國別，章氏合併入雜史。割據與霸國合併。
星曆	天文（3）	厤律（6）	五行（2）	時令（2）		
譜牒	專家（26）	總類（2）	年譜（3）	別譜（3）		
地理部	總載（5）	分載（17）	方志（16）	水道（3）	外裔（4）	畢沅分 22 門，分別是：荒遠、總載、沿革、形勢、水道、都邑、方隅、方言、宮苑、古蹟、書院、道場、陵墓、寺觀、山川、名勝、圖經、行程、雜記、邊徼、外裔、風物等。
故事部	訓典（4）	章奏（21）	典要（3）	吏書（2）	戶書（7）	畢沅分 16 門。
	禮書（23）	兵書（3）	刑書（7）	工書（4）	官曹（3）	
目錄部	總目（3）	經史（1）	詩文（即文史）（5	圖書（5）	金石（5）	
	叢書（3）	釋道（1）				

傳記部	記事（5）	雜事（12）	類考（13）	法鑒（3）	言行（3）	畢沅分 17 門。
	人物（5）	別傳（6）	內行（3）	名姓（2）	譜錄（6）	
小說部	瑣語（2）	異聞（4）				
	計 12 綱 55 目 325 卷					畢沅總計 112 子目

根據〈論修史籍考要略〉、〈史考釋例〉兩文，大略歸納章氏修纂《史籍考》的特點如下：

一、發揚「辨章學術，考鏡源流」的目錄學傳統

章學誠標榜「六經皆史」，知他重視史學。乾隆五十三年五月〈報孫淵如書〉云：「愚之所見，以爲盈天地間，凡涉著作之林，皆是史學，六經特聖人取此六種之史以垂訓者耳。子集諸家，其源皆出於史。」因此倡議修纂《史籍考》。〈要略〉於「古逸宜存」條目下云：

> 史之部次後於經，而史之原起實先於經。(中略) 今作《史考》，宜具原委，凡六經《左》《國》周秦諸子所引古史逸文，如《左傳》所稱《軍志》、《周志》，《大戴》所稱《丹書》、《青史》之類，略倣《玉海藝文》之意，首標古逸一門，以討其原。

又於「家法宜辨」條目下云：

> 舊例以二十一家之言同列正史，其實類例不清。馬遷乃通史也，梁武通史，鄭樵通志之類屬之。班固，斷代專門之書也，華、謝、范、沈諸家屬之。陳志，分國之書也，十六國春秋、九國志之類屬之。南、北史，斷取數代之書也，歐、薛、五代

> 諸史屬之。晉書、唐書，集眾官修之書也，宋、遼、金、元諸史屬之。家法分明，庶幾條理可貫，而究史學者可以溯源流矣。他若編年、故事、職官、儀注之類，折衷歷代藝文史部子目，以次區分可也。

此論過去將廿一史概視爲正史，其說欠妥。其中包括通史、斷代史、國別史等不同體例，又有獨撰、官修之別，皆應釐清性質，方可溯其源流。

二、重視「互著」與「別裁」

章學誠持守其目錄學一貫主張的「互著」，即學問之間的「互通」。因此各門目著錄的界限是「寧稍寬，無缺漏也」。此說可參〈史考釋例〉於「星厤四門」，解釋云：

> 天文記天象，非關推步；歷律記歷制，非關算術；五行記災祥，非關占候；時令記授時政令，非爲景物，此則《史考》當收之義，不然則混於術數諸家矣。但嫌介疑似，亦有在術數與史例之閒者，姑量收之，寧稍寬，無缺漏也。此等著錄，部目多在子家，而史家志篇目，實不能闕，可以識互通之義矣。

〈要略〉提出「經部宜通」，「子部宜擇」，「集部宜裁」，舉出「如《易》部之〈乾坤鑿度〉，《書》部之〈逸周〉諸解，《春秋》之外傳後語，韓氏傳《詩》，戴氏記《禮》，俱與古昔《史記》相爲出入，雖云已入朱氏《經考》，不能不於《史考》溯其淵源，乃使人曉然於殊途同歸之義，然彼詳此略，彼全此偏，主賓輕重又自有權衡也。」這種一書重複互載，目的在欲人「即類求書，因書究學」便於稽檢。

所謂別裁，即根據內容裁篇而出。〈史考釋例〉將地理部分「總載」，「分載」，「方志」，「水道」，「外裔」五門。章氏云：

> 水道之書與地志等，但記自然沿革者方入地理。其治河、導江、漕渠、水利等類施人力者，概入於故事部工書條下。

此是以記自然者入地理，記人事者入故事部工書門。又云：

> 外國自有專書，如《高麗圖經》、《安南志》之專部；《職貢圖》、《北荒君長錄》之總載，則入地理外裔之部。如《奉使琉球錄》及《星槎勝覽》，凡冊使自記行事者，雖間及外國見聞，而其意究以記行爲重，則皆入傳記部中紀事條下。

此是以作者自記見聞者入傳記部中紀事門。通過別出分類，辨別著述也體現學術源流。

三、重視金石類文獻，適度登錄有內容與價值之方志與譜牒

自清初顧炎武重視金石文字材料，來校正古籍，著有《求古錄》、《金石文字記》、《石經考》。學者們普遍重視金石材料的搜集、整理，並與小學及文史的研究相結合，私家著錄金石文獻的書目，自歐陽修《集古錄》、趙明誠《金石錄》後日益遞增，《四庫全書》雖於史部目錄類設「金石之屬」，可惜收錄有限；其他則未見有專門著錄金石類書目的專著。姚名達《中國目錄學史》云：「遍考古今金石書目者，始於清乾隆間章學誠撰《史籍考》，於目錄部設金石一類」。

⑯足見章學誠的卓識。

章學誠對府州縣志的態度是「宜僅就見聞所及，有可取者稍爲敘述」；至於家譜「其徵求之難甚於方志」，「惟於統譜、類譜彙合爲編，而專家之譜但取一時理法名家、世宦巨族，力之所能及者以次列之，仍著所以不能遍及之故，以待後人之別擇可耳。」

四、確實有效的步驟

在「嫌名宜辨」條下具體提出將「諸書名目，倣《佩文韻府》之例，依韻先編檔簿，以俟檢覈，庶幾編次之時，乃無遺漏複疊之患。」在「採摭宜詳」條下，提出：

> 現有之書鈔錄敘目凡例，亡逸之書，搜剔群書紀載以及聞見所及，理宜先作長編序跋評論之類，鈔錄不厭其詳，長編既定，及至纂輯之時，刪繁就簡，考訂易於爲力。

在編輯目錄前，「先作長編」、「依韻先編檔簿」，確實是很科學且實際的步驟。

五、尊《經義考》體例而又精審

〈要略〉於「採摭宜詳」云：「仍照朱氏經考之例，分別存、軼、闕與未見四門，以見徵信。」於「板刻宜詳」云：

> 朱氏《經義考》後有刊板一條，不過記載刊木原委，而惜其未盡善者、未載刊本之異同也。金石刻畫自歐趙洪薛以來，詳哉

⑯ 引自姚名達《中國目錄學史》，頁360。

其言之矣。板刻之書流傳既廣，訛失亦多，其所據何本？較訂何人？出於誰氏？刻於何年？款識何若？有誰題跋？孰爲序引？板存何處？有無缺訛？一書曾經幾刻？諸刻有何異同？惜未嘗有人仿前人《金石錄》例而爲之專書者也。如其有之，則按錄求書，不迷所向。嘉惠後學，豈不遠勝《金石錄》乎！

章學誠提出著錄版本的嚴整規範，其見識確實勝過一般的公私家書目。

伍、許瀚與章學誠對修纂《史籍考》著錄資料觀點的異同

章學誠死後四十五年，許瀚受邀對《史籍考》作整理的工作，乃針對謝啓昆的稿本缺失，特撰〈擬史籍考校例〉，此一校例是許氏檢閱《史籍考》有關目錄部著錄資料的情況，特別提出之修改條例：一是繁冗者宜刪；二是重複者宜并；三是漏略者宜補；四是舛誤者宜正。此四項著錄資料的條例，與章氏之主張基本上相近，但仍有些許差異。以下略作說明：

一、許瀚與章學誠觀點相同處

(一) 重視目錄書爲治學之津梁

許瀚於〈校例〉所提四項意見中，首言「繁冗者宜刪。」其言云：

> 《四庫全書提要》於《經義考》議其序跋諸篇，與本書無所發明者，連篇備錄，未免稍冗。本書體例全仿《經義考》，此弊首宜湔除。今擬：《提要》全錄，《自序》、《自跋》全錄，諸家著錄有解題全錄。至各家序跋必於其書義例原委有關係者全錄，其或空言腐論，旁生枝節，橫發牢騷，實與本書無涉，酌爲芟薙。如《遂初堂書目》毛幷《序》，洒洒五百言，求其親切才百餘字；岳氏《書目》徐明善《跋》高談反約蓄德，竟無一語疏及岳書；高文虎《蘭亭博議序》，談山陰之清游，慨右軍之高致，讀至終篇，不辨《博議》爲何等書；（中略）《榕城詩話》載全榭山七古一篇，此例一開，恐題詞詠史，美不勝收。凡此之類，皆爲繁冗，或當存要語，或竟削全文，惟求於本書有發明而已。

許瀚的論點頗是中肯，其實章氏於〈要略〉第三條「剪裁宜法」云：

> 史部之書，倍於經部，卷帙多寡約略計之，僅與朱氏《經考》相去不遠。蓋一書之中但取精要數語，足以該括全書足矣。篇目有可考者自宜備載；其序論題跋、文辭浮汎與意義複沓者，概從刪節，但記作序作跋年月、銜名，以備參考而已。按語亦取簡而易明，無庸多事敷衍，庶幾文無虛飾，書歸有用。

兩家主張相同，皆認爲輯錄資料當精簡篇幅，取其實學有意義的內容。許氏所云「其或空言腐論，旁生枝節，橫發牢騷，實與本書無涉，酌爲芟薙。」與章氏云「一書之中但取精要數語，足以該括全書足矣。」可見章、許二氏深知目錄書解題之爲用，旨在津梁治學，空言者不宜收錄也。

（二）編目態度嚴謹慎重

許瀚提出「漏略者宜補」，論點爲：

> 采輯書目多據焦竑《國史經籍志》，而焦書未著。諸提要中每引蔡正孫《詩林廣記》、錢大昕《潛研堂金石跋尾》，而蔡書、錢書未著。《金石類》既錄葉萬之《續金石錄》，而《金石後錄》未著。既錄張弨之《瘞鶴銘辨》、《昭陵六駿贊》，而《濟寧學宮漢碑錄文》未著。《文史類》既錄趙執信之《談龍錄》，而《聲調譜》未著。（中略）《文心雕龍》既錄黃叔琳注，黃注實因梅慶生注，而梅注未著。既錄王澍之《竹雲題跋》，而《虛舟題跋》未著。尤侗《藝文志》、崔銑《文苑春秋序錄》并見《四庫書目》而未著。叢書一類，校以《匯刻書目》亦多未備。蓋古今載籍實繁，必欲囊括無遺，誠非易易。惟應就耳目所及，准以年限，量爲輯補。其余但采解題，原書序跋未經入錄者，遇有所見，當亦補之。此皆失之眉睫之前。至於希有之珍，流傳未廣，群書所載，搜尋偶疏，更不知凡幾。

許瀚精熟金石文字，從《許瀚日記》載錄〈涉江採珍錄〉（上、下）、〈錫朋錄〉（上、下），並附錄一、附錄二〈燕台買書記〉、附錄三〈金石〉，著錄各種書籍與碑拓，因此論及《史籍考》於「金石類」之漏略，皆極精審。許瀚於「舛誤者宜正」，論點爲：

> 《總目》開端引《周策府》一條，《魯太史氏書》一條，《七

略》後又列《東觀新書》一條。案：策府藏書之地，非書也；宣子觀書太史氏，不聞即名《魯太史書》也；《隋書》稱光武於東觀及仁壽閣集新書，班固、傅毅依《七略》爲書部，名目史闕不傳，意或仍沿《七略》，不聞即名《東觀新書》，如有《東觀新書》，亦當有《仁壽閣新書》，何以不并著乎？是皆當爲案語。（中略）姜夔《絳帖平》本二十卷，《曝書亭四庫目》僅六卷，其十四卷已闕，乃注云「《書錄解題》一卷，存。」不知何以懸殊若此，當分別考正。惠洪《天廚禁臠》明載《四庫提要》，不當云佚；張爲《主客圖》明載李調元序，自是據《函海》錄入，不當云未見；楊士奇《文淵閣書目》，焦《志》十四卷，今《四庫》四卷，既分別入錄，則於焦本不當云存。他如歐陽棐《集古目錄》佚而云存；衢本《郡齋讀書志》有抄本、有刻本，而云未見，蓋據當時所見云然。今既重爲編校，亦當附案語剖明。至脫文誤字，滿目皆是，實難縷數。其尤甚者，《叢書類》張潮《昭代叢書》下引《續通考》，第二段寫至潮自而止，即提行別寫《四庫全書提要》一篇。細審其故，蓋潮書本甲乙丙三集，每集五十卷，《續通考》三集分著，《四庫》則三集各著，統爲百五十卷。本書依《四庫》著錄而連引《續通考》三段，於《提要》之前第二段潮自下，蓋引潮自序一篇，此下仍當有《續通考》第三段，寫者既脫潮序，又脫《續通考》一段，計必千有餘字。苟非悉發原書，一一檢勘，何由補完乎？

此則列舉著錄資料之各種失誤處，有的當立即更正，有的宜加案語，足見許氏熟悉公私書目。末云「苟非悉發原書，一一檢勘，何由補完」，正可見許氏於編目之謹慎態度。

二、許瀚與章學誠觀點相異處

（一）關於互著與別裁之見解

許瀚提出的第二則校例是「重複者宜并」，論點爲：

> 朱珪《名蹟錄》既見《金石類》，又見《圖書類》」。案：《名蹟錄》皆刻石之文，自當移并《金石類》。蔡夢弼《草堂詩話》既見《文史》三，又見《文史》五，三錄《提要》一篇，五錄《居易錄》一條。案：夢弼宋人，自當移并《文史》三。又《文史》三既收沙門神彧《詩格》，又有僧神彧《詩格》，一據《書錄解題》，一據《宋藝文志》也。《總目》一既收張萱等重編《文淵閣書目》，又有孫能傳等重編《內閣書目》，一據《經義考》，一據《曝書亭集》也，其實皆一書耳。（中略）《金石》三《集古錄》下引張漢「又曰」一條，《金石》四葉夢得《金石類考》下又引之，一字不殊。葉盛《菉竹堂碑目》下引趙均《金石林序》數語，而趙序全文即在十葉之後；陳思《寶刻叢編》下引《居易錄》引陳直齋《序》八行，而陳序全文即在兩葉之前。又有其書雖異，其文則同。如《石墨鐫華》下《陝西通志》一條與《隴蜀余聞》一條，一字不異，此題跋之重複者。凡此之類，不可勝舉，均宜刪并。至作者姓字爵里，節采史傳，亦當與諸題跋詳細相因；其或一人數書，當詳於初見，以後但注見某處可也。

許氏於「校例中」雖未言互著與別裁之問題，但「繁冗者宜刪」與「重複者宜并」二則中，其中所論，部分與互著別裁有關。例如〈金石略〉爲《通志》之一篇，許氏以〈總目類〉既未收《通志》中之〈藝文志〉，則〈金石類〉亦不宜收《通志》中之〈金石略〉。此可見許氏不知「別裁」之體也。

又如於「重複者宜并」一則中，許氏以爲朱珪《名跡錄》，既見《金石類》，又見《圖書類》，宜將〈圖書類〉者移并〈金石類〉，此又許氏不知有「互著」之體也。

章學誠《校讎通義》中，有互著、別裁二篇，昌彼得先生以爲此二者「是我國目錄學家爲使部次趨於恰當，俾讀者易於即目以求書，所創訂之兩種編目方法。」⑰胡楚生先生以爲章實齋以「互著」「別裁」爲「辨章學術，考鏡源流」之兩種重要方法」。⑱是則《史籍考》中有別裁、互著之例也。許氏一時不察，主張別裁者宜刪，互著者宜併，則一時之疏失也。又如「舛誤者宜正」一則，謂黃宗羲《金石要例》，不應入〈金石類〉，當入〈文史類〉，竊謂此書可採互著方式，並見〈金石〉、〈文史〉兩類。

(二) 注意清代學風及相關著述的徵集

清代乾嘉以後，金石學大盛，章學誠修纂《史籍考》，於目錄部列金石一門，著錄五卷，已具卓識，可惜不知其項目。許瀚則於金石

---

⑰ 見昌師彼得編著《中國目錄學講義》第七章〈互著與別裁〉。（臺北：文史哲出版社，民國62年（1973）10月）。

⑱ 說見胡師楚生著〈論章實齋「互著」「別裁」之來源〉一文，載《中國目錄學研究》（臺北：華正書局，民國69年（1980）4月）。

門下分：金、石、金石總、錢幣、璽印、磚瓦、文字七類。⓳收錄資料擴及「錢幣」、「璽印」、「磚瓦」，凡此皆為道光以後風氣流行，許瀚能結合當時代學風而著錄，應屬卓見。

陸、結　論

一、集結專家編製專科目錄之必要

近年學界編纂各類的專題目錄工具書，蔚然成風。概括來說，要編纂一種優秀的專題目錄，在編纂伊始，就應該具備謹嚴的程序。書目編制過程，一般分為準備、分析、綜合及結束四個階段。準備階段一般指「選題要恰當」、「資料力求齊全」與「擬定編制方案」，後者則包括「確定編制體例」及「制訂書目編制計畫」，同時要精心挑選編制人員，最好是組成較為固定的工作團隊，這樣彼此的工作默契良好，便於著錄的一致性及內容的完整性。

章氏於〈要略〉云：「史籍浩繁一人之力不能兼盡」。試觀《史籍考》的修纂團隊，除章學誠、謝啓昆、許瀚皆一代鴻儒，若洪亮吉（1746-1809）「其學於經史、注數、說文、地理，靡不參稽鉤貫，窮日讀書，老而不倦」，其家亦富藏書。⓴若武億（1745-1799）有《授堂金石跋》，在金石研究上有很多精到的見解。若錢大昭（1744-1813），

⓳　轉引自姚名達《中國目錄學史》（頁360）。

⓴　參註⓯，頁456。

係錢大昕弟。學識廣博，尤通史學和目錄學，著有《後漢書補表》、《補續漢書·藝文志》、《嘉定金石文字記》等十餘種，與兄同纂之《長興縣志》，推爲方志名作。又若胡虔（1753-？），工古文，精考據，尤長方志之學，有《柿葉軒筆記》、《識學錄》。他如陳鱣（1735-1817）、凌廷堪（1755-1809）、劉毓崧（1818-1867），皆學養淵博之學者；㉑而章、許二氏預先訂定收書及著錄謹嚴之原則，準此以檢視《史籍考》的修纂過程，頗有可觀可取之處。可惜限於客觀因素，一部歷經十數位大學者心力的鉅著，竟然天地無存，又豈「慨歎」二字可以道盡！

二、重纂《史籍考》之必要

史部的專科目錄，在章學誠《史籍考》前，僅有宋高似孫《史略》。近一世紀裡有謝國楨編撰《晚明史籍考》、《清開國史料考》，黃永年、賈憲保編撰《唐史史料學》，朱士嘉編撰《中國地方志綜錄》，北京天文台編撰《中國地方志聯合目錄》，容媛編撰《金石書錄目》，日本人長澤規矩也編撰《中國版本目錄學書籍解題》，陳乃乾編撰《共讀樓所藏年譜目》，李士濤編撰《中國歷代名人年譜目錄》，杭州大學圖書館資料組編撰《中國歷代人物年譜集目》，楊殿珣編撰《中國歷代年譜總錄》，謝巍編撰《中國歷代人物年譜考錄》，來新夏編撰《近三百年人物年譜知見錄》等。可惜尚未出現一部如章學誠氏期望的《史籍考》，今日資訊傳播便捷，倘能集合眾力再編一部能科學地

㉑ 此段可參何兆龍撰〈章學誠友朋考〉，《浙江學刊》，1995年6期，頁105-109，1995年11月。〈章學誠友朋考（續）〉，《浙江學刊》1996年1期，頁92-96，1996年1月。

全面地反應古今史籍的總目,「造福史學,是誠著者所馨香祝禱者也。」

㉒ 引號內文字借用姚名達先生語。姚氏於《中國目錄學史・專科目錄篇・歷史目錄》云:「民國十七年(1928)著者有意另撰,以補學誠之遺憾。忽睹北平各報新聞,謂此書忽發現於美國國會圖書館,及持書問訊,該館中文部主任 Prof. Arthur W.Hummel 復書否認,乃知其誣。」「異日倘能一旦發現,造福史學,是誠著者所馨香祝禱者也。」(頁 368)

章學誠會通思想在目錄學上的意義

陳仕華*

提　要

章學誠在會通思想下匯聚文獻為基礎，以求文獻的廣博，並用別裁、互著、編製索引的方法，使得文獻「繩貫珠聯，無少缺逸」。更進而要求能推究源流，故以內容為分類的依歸，要求以書類人。而同一類目中圖書的排列，也以「先道後器」為依據，手法細膩。但分類不能推原竟委，故特別著重於小序與敘錄的體制；藉小序以推求某類圖書之源流，藉敘錄了解某種圖書的質性。在目錄學的宗旨、體制、著錄方法上皆有完整的體現。

關鍵詞　章學誠　會通思想　目錄學

* 淡江大學漢語文化暨文獻資源研究所副教授

一、前　言

《漢志》雜家小序云：「雜家者流蓋出於議官；兼儒墨，合名法。知國體之有此，見王治之無不貫，此其所長也。」此雜家貫綜多家思想，而成一家之言。但明確的提出文獻會通的概念是宋代的鄭樵，其《通志·總序》云：

> 百川異趣，必會于海。然後九州無浸淫之患；萬國殊途，必通諸夏，然後八荒無壅滯之憂。會通之義大矣哉。❶

又〈上宰相書〉云：

> 水不會于海，則爲濫水；途不通於夏，則爲窮途。❷

並云：

> 天下之理，不可以不會；古今之道，不可以不通，會通之義大矣哉。

鄭樵的所謂「會」，是指對史料的綜合；所謂「通」，是指史事記載的時代相續。所謂「會通」，就是把歷史作爲一個整體去考察，從千頭萬緒的歷史現象中，描繪出各種事物從古至今的發展過程。所以他反對「後代與前代之事不相因依」的斷代史，而主張「修書之本，不

---

❶ 鄭樵：《通志略》（台北：里仁書局，1982.8），頁1。

❷ 吳懷祺校補：《鄭樵文集》（北京：書目文獻出版社，1992），頁37-38。

可不據仲尼、司馬遷會通之法」。而此種概念在同代之馬端臨也同樣有，《文獻通考·總序》云：

> 然則考制度，審憲章，博聞而強識之，固通儒事也。詩書春秋之後，惟太史公號稱良史，作爲紀傳書表。紀傳以述理亂興衰，八書以述典章經制，後之執筆操簡牘者，卒不易其體。然自班孟堅而後，斷代爲史；無通會因仍之道，讀者病之。
>
> 爰自秦漢以至唐宋，禮樂兵刑之制，賦斂選舉之規，以至官名之更張，地理之沿革，雖其終不能以盡同，而其初亦不能以遽異。如漢之朝儀官制，本秦規也；唐之府衛租庸，本周制也；其變通張弛之故，非融會錯綜，原始要終而推尋之，固未易言也。❸

會通的思想在宋代表現在史學中就是要求資治的功能。反映在文獻材料就需要「融會錯綜，原始要終」。此種要求也反映在明代的《永樂大典》上：

> 乃命文學之臣，纂集四庫之書，及購募天下遺籍，上自古初，迄於當世，旁搜博采，匯聚群分，著爲奧典。……包括宇宙之廣大，統會古今之異同，巨細精粗，粲然具舉；其餘雜家之言，亦皆得以附見。蓋網羅無遺，以存考索。❹

在這種思想引導下，永樂大典輯爲二二八七七卷，共一萬一千九十五

---

❸ 馬端臨：《文獻通考》（台北，新興書局，1969），頁1。

❹ 《永樂大典·序》，轉引自袁詠光主編：《中國歷代圖書著錄文選》（北京：北京大學出版社，1997），頁119-120。

冊。蘊蓄之富，創世界文獻之記錄。

明中葉以後，考證學漸次萌芽，從思想史的角度看，他是明代儒學在反智主義發展到最高峰時，開始向智識主義轉變的一種表示。就儒家內在發展而言，「道問學」一派提出「取證於經書」的主張，而「尊德性」一派爲了說明「古聖相傳只此心」，也要涉及到原始經典整理的問題。此種要求回到孔子博文之教的氣氛，當更有利于文獻會通之思想。❺朱彝尊編纂《經義考》，「自漢迄今說經諸書皆可考，文獻足徵，編輯之勤，考據之審，網羅之富，實有裨於經學」❻《四庫提要》亦稱讚云：「上下二千年間，原原本本，使經傳原委，一一可稽，亦可以云詳贍矣。」❼而清儒繼起續補者有之，校正者有之，皆爲求《經義考》之完備。

章學誠對《經義考》也有很高的評價：

> 朱竹垞氏經義一考，爲功甚鉅，既辨經籍存亡，且採群書敘錄，閒爲案斷，以折其衷；後人溯經藝者，所攸賴矣。❽

因其蒐採無遺，故「爲功甚鉅」也是從詳贍的觀點給予評價。

章學誠的會通思想受到鄭樵深刻的影響。故對給予高度評價，《文

---

❺ 參見余英時：〈從宋明儒學的發展論清代思想史〉，《歷史與思想》（台北：聯經出版社，1976），頁 106-119。

❻ 〈御題朱彝尊經義考〉，引自《點校補正經義攷》（台北：中央研究院中國文哲所，1997），第一冊頁 1。

❼ 《四庫全總目》（北京：中華書局，1965），頁 732。

❽ 《校讎通義·外篇》，楊家駱編：《校讎學系編》（台北：鼎文書局，1977），頁 617。

史通義·申鄭》云：

> 鄭樵生千載而後，慨然有見於古人著述之源，而知作者之旨不徒以詞采為文，考據為學也。於是遂欲匡正史遷，益以博雅，貶損班固，譏其因襲，而獨取三千年來，遺文故冊，運以別識心裁，蓋承通史家風，而自為經緯，成一家言者也。❾

並對「通」字作了詮釋：

> 《說文》訓通為達，自此之彼之謂也。通者，所以通天下之不通也。讀《易》如無《書》，讀《書》如《無詩》。《爾雅》治訓詁，小學明六書，通之謂也。❿

故知通是可以打破圖書之分類。而其會通的概念與易相關連，《文史通義·易教下》云：

> 君子之于六藝，一以貫之，斯可矣。物相雜而為之文，事得比而有其類。知事物名義之雜出而比處也，非文不足以達之，非類不足以通之；六藝之文，可以一言盡也。……故學者之要，貴乎知類。⓫

章學誠由「物之相雜而為文，事得比而有其類」，說明「學者之要，貴乎知類。」知類求道，而類又是為事物自身的特點決定的。由此「象兼六藝」說，提出「學者之要，貴乎知類」由象而類，由類而明道而

---

❾ 章學誠：《文史通義》（台北：漢聲出版社，1973），頁 134。

❿ 同❾，頁 133。

⓫ 同❾，頁 5。

得道，故云「非類不足以通之」，學術通識者在知類，此爲「會通」的思想提出哲理的依據。⓬

鄭樵的會通思想表現在目錄學上，就是在通錄古今圖書並各歸其類，以窺見學術的流變。《通志·校讎略》立類細密，就是這種觀念建立起來的。而章學誠對其特別推崇：

> 鄭樵生千載而後，慨然有會於向、歆討論之旨，因取歷朝著錄，略其魚魯豕亥之細，而特以部次條別，疏通倫類，考其得失之故而爲之校讎。蓋自石渠天祿以還，學者未嘗窺見者也。⓭

「取歷朝著錄」即爲會，「歷朝」即是縱向的通，「部次條別，疏通倫類」即是橫向的通。並且回溯討論到目錄學之源起——劉向、歆父子，其云：

> 校讎之義，蓋自劉向父子部次條別，將以辨章學術，考鏡源流，非深明於道術精微、群言得失之故者，不足與此。後世部次甲乙，紀錄經史者，代有其人，而求能推闡大義，條別學術異同，使人由委溯源，以想見於墳籍之初者，千百之中，不十一焉。⓮

將劉向校讎之學，推到「辨章學術，考鏡源流」境界，因爲如此方能「折衷六藝，宣明大道，不徒以甲乙紀數之需」。⓯

⓬ 參見吳懷祺：〈章學誠的易學與史學〉，《史學史研究》1997年第1期，頁48-49。

⓭ 章學誠：《校讎通義·自序》（台北：里仁書局，1984），頁945。

⓮ 同⓭。

⓯ 同⓭，頁952。

章學誠《和州志藝文書序例》云：

> 書既散在天下，無所統宗，於是著錄部次之法，出而治之，亦勢之所不容已。⓰

此說明目錄之學，首在「綱紀群書」，其中有「會」的意涵。又云：

> 故其（筆者按：指向歆父子）分別九流，論次諸子，必云出於古者某官之掌，其流而爲某家之學，失而爲某事之敝，條宣究極，隱括無遺。⓱

這是章氏最爲推崇之處，故《校讎通義》有《宗劉篇》。而章氏爲何特別推崇劉向之推究源流？他說：

> 學者苟能循流而溯源，雖曲藝小數，詖辭學說，皆可返而通乎大道，而治其說者，亦得以自辨其力之至與不至焉。有其守之，莫或流也。有其趨之，莫或歧也。⓲

所以目錄之學，既有「涉學指導」之功能，可使學者「自辨其力之至與不至」，更要說明的是內涵有學術史的概念。因具有此重大之意義，故又云：「蓋條別源流，治百家之紛紛，欲通之于大道，此本旨也。」⓳「是劉氏著錄，所以爲學術絕續之幾也。」⓴將劉氏定位在學術史

⓰ 同❾，頁 413。
⓱ 同❾，頁 413。
⓲ 同❾，頁 413。
⓳ 同❾，頁 419。
⓴ 同❾，頁 414。

上。可與《莊子·天下篇》、《荀子·非十二子》、司馬談《論六家要旨》同列。

然則章學誠在會通思想下，揭示出目錄學以「辨章學術，考鏡源流」爲大旨。爲配合這層意義，目錄學的體例與方法當有所設計。

二、匯聚群書以求博

既然爲了考辨源流，故能顯現的文獻必然要加以匯聚而綱紀之。所以追求文獻量的「博」。這一觀點與鄭樵相近。鄭樵爲了由整體文獻以觀察學術，故通記古今群書，不論存佚。而章學誠修《史籍考》，就論及「古逸宜存」、「逸篇宜存」、「經部宜通」、「子部宜擇」、「集部宜裁」、「方志宜選」、「採摭宜詳」㉑。亡佚之篇，不僅需蒐輯，甚且在他部而有相關者，亦當蒐羅。在《報孫淵如書》中云：

> 承詢《史籍考》事，取多用宏，包經而兼采子集，不特如所問地理之類已也。㉒

而眞正史部，僅占群籍四分之一。顯而易見，他把經部與子集有關著作也引入其中當作史籍。

以便「蔚爲巨部，以存經緯相宜之意」㉓，劉知幾在《史通》裡，

㉑ 同❽，頁617-619。
㉒ 同❾，頁313。
㉓ 同❽，頁617。

已把史部以外的文獻都列入史部研究的對象，作爲史料蒐集的範圍，而章學誠的視野更加擴大，「是以職官故事，案牘圖牒之書，不可輕也」㉔，「三代鐘鼎，秦漢石刻，款識奇古，文學難奧……取辨其事，雖庸而不可廢」㉕，「古物苟存于今，雖戶版之籍，市井泉貨之薄，未始不可以備考證也」㉖。金石圖譜的蒐集亦不遺餘力。鄭樵有「求書之道有八」㉗亦主張「性命道德之書，可以求之道藏，小學之書，可以求之釋氏」。章氏更引申云：「若就書之相資者而論，《爾雅》與本草之書相資爲用，地理與兵家之書相資爲用，譜牒與曆律之書相資爲用」㉘。如此廣求蒐羅外，章學誠在著錄方法上還主張「互著」、「別裁」。㉙

所謂「互著」，是針對「理有互通，書有兩用者」，則在有關的各類中，互爲著錄。亦針對解決有些圖書在歸類容易混淆的方法。所謂「別裁」，就是將一書中的某一部份，裁篇別出，歸入同屬或異屬的類別中。對於聚集同性質的材料，可發揮盡致。別裁互著之說是否爲章氏首創，學者各有所見㉚，但如此「繩貫珠聯，無少缺逸」綿密的設計，都是爲了「別出門類，以辨著述源流」、「篇次可以別出，則學術源流，無缺間不全之患」，都是求「會」，以實踐辨考目標。顯而易見的「互著」，「別裁」的設計是在匯聚群書以求博，其更深刻的意義，

㉔ 同❾，頁 139。

㉕ 同❾，頁 109。

㉖ 同❾，頁 509。

㉗ 同❶，頁 724。

㉘ 同⓭，頁 968。

㉙ 同⓭，頁 966-974。

㉚ 參見胡楚生：〈論章實齋互著別裁之來源〉《中國目錄學研究》（台北：華正書局，1987），頁 247-270。

在於別裁法可看出典籍的主從源流關係；互著法更可看出典籍在學術層面上不同的門類之關聯與互通。故云「非重複互著之法，無以究古人之源委」㉛。

但是互著別裁之法會不會行之太過？而如類書之纂輯呢？章學誠說：

> 或曰：裁篇別出之法行，則一書之內，取裁甚多，紛然割裂，恐其破碎支離而無當也。答曰：學貴專家，旨存統要。顯著專篇，明標義類者，專門之要，學所必究。乃掇取於全書之中焉，章而鈲之，句而釐之，牽率名義，紛然依附，則是類書纂輯之所爲，而非著錄源流之所貴也。㉜

章學誠指出別裁著錄最重要的意義，是能夠根據學術源流，「顯著專篇，明標義類」，顯示出學術研究的途徑，類書的纂輯就不同了，雖說也是取材於各書之中，但支離破碎，就不是著錄源流的意義了。

章學誠使用互著別裁的方法，以論次各書的內在聯繫，是他的絕學。㉝章學誠甚至把整理匯聚圖書資料，看成是學術思想研究的「三月聚糧」㉞與「蕭何轉餉」㉟，是重要的準備工作。

章學誠處理兩種不同的文獻類型的融合，也很有創意：

如他對戴震的「志以考地理」、「但重沿革，而文獻非其所急」的

㉛ 同⑬，頁 968。

㉜ 同⑬，頁 1012。

㉝ 王重民：《校讎通義通解》（上海：上海古籍出版社，1987），頁 112。

㉞ 同⑨，頁 141。

㉟ 同⑨，頁 279。

作法，加以駁斥，並主張「考古固宜詳慎，不得已而勢不兩全，無寧重文獻而輕沿革。於是認爲「凡欲經紀一方之文獻，必立三家之學，而始可以通古人之遺意」㊱，亦即「志」、「掌故」、「文徵」三者，除此之外，須將稗野說部之流，別置「叢談」一門，以備「徵材之所餘」。傅振倫認爲「打破輿地觀念，擴大內容類目，必立三家之學，然後成書，章氏所謂方志特質，又一也。」㊲其實都在意於文獻材料之匯集，以便繼承「志屬信史」的優良傳統，進而對社會有經世作用。

章學誠〈論修志十議〉云：

> 邑志雖小，體例無所不備，考核不厭精詳，折衷務祈盡善，所有應用之書，自省府鄰境之志而外，如《廿二史》、《三楚文獻錄》、《一統志》、《聖祖仁皇帝御纂方輿路程圖》、《大清會典》、《賦役全書之篇》，俱須加意採訪，他若邑紳所撰野乘、私記、文編、稗史、家譜、圖牒之類，凡可資搜討者，亦須出示徵收，博觀約取。

後人有將家譜看做氏族志的長編，或人物志的輔翼，試圖將方志與族譜合而爲一，應是受章學誠的啓示㊳。以此兩種不同的文獻類型融通爲一，以爲國史奠定基石。

當然要處理如此龐大的文獻是不易的，尤其古人之書常有「門類疑似，一書兩入」或「一書兩名，誤認二家」的情形，所以著錄時，當注意「辨嫌名」，爲辨嫌名，則「先作長編」，並且先編製索引：

㊱ 同❾，頁 371--378。

㊲ 傅振倫：《中國方志學通論》（浙江：浙江人民出版社，1992），頁 240。

㊳ 廖慶六：《族譜文獻學》（台北：南天書店，2003），頁 248。

宜盡取四庫之藏，中外之籍，擇中之人名地號，官階書目，凡一切有名可治，有數可稽者，略仿佩文韻府之例，悉編爲韻；乃於本韻之下，注明原書出處及先後篇第，自一見再見以至數千百，皆詳注之，藏之館中，以有群書之總類。至校書之時，遇有疑似之處，即名而求其編韻，因韻而權其本書，參互錯綜，即可得其至是。[39]

我國索引的編輯起自於明末崇禎十五年耶穌會士陽瑪諾譯印的《聖經直解》，是屬於書後索引，後來蔚爲風氣[40]。章學誠能掌握處理文獻的新方法，而用之於編目，誠屬難得。

三、推究源流以求通

鄭樵在《通志·藝文略》想藉著完善的分類體系及通錄古今群書，以表現學術流變及興衰，所以特別著重於分類的綿密，他說：

類例既分，學術自明，以其先後本末具在。觀圖譜者，可以知圖譜之所始。觀名數者，可以知名數之相承。讖緯之學，盛於東都。音韻之書，傳於江左。傳注起於漢魏，義疏成於隋唐。睹其書，可以知其學之源流。或舊無其書而有其學者，是爲新

---

[39] 同[13]，頁984。

[40] 參見張錦郎：《中文參考用書指引》（台北：文史哲出版社，1983），頁219。

出之學，非古道也。[41]

又云：

> 類書猶持軍也，若有條理，雖多而治。若無條理，雖寡而紛。類例不患其多也，患處多之無術耳！[42]

所以《藝文略》將圖書分爲十二大類，再區分爲一百五十五小類，小類之下，再分爲二百八十四目，可見其細密程度。

章學誠對於鄭樵的做法，基本是贊同的，他說：

> 自劉、班而後，藝文著錄，僅知甲乙部次，用備稽檢而已。鄭樵氏興，始爲辨章學術，考鏡源流，於是特著校讎之略。雖其說不能盡當，要爲略見大意，爲著錄家所不可廢矣。[43]

但是分類卻大不易爲，章學誠對分類看法，就前後不同[44]。即使「即類求書，因書究學」但學與書究竟有所不同。這牽涉到圖書分類與學術分類的問題。藉某些圖書而說明學術源流，是爲反映學術之分門別類。而圖書分類，對象是圖書，只能兼顧學術之源流。所以用圖書分類來看學術思想體系，必然會發生一些舛誤或未能顧及之處。而鄭樵主張通錄古今之書，再用綿密的分類，以求推究學術源流，是不能做

---

[41] 同[1]，頁 721。

[42] 同[1]，頁 722。

[43] 同[13]，頁 1009。

[44] 參看羅炳綿：〈章實齋的校讎論及其演變〉《清代學術論集》（台北：食貨出版社，1978），頁 134-140。

到的。所以辨考源流，還不得不求助於小序及敘錄兩種體制才能達成。故云：

> 七略之古法終不可復，而四部之體質又不可改，則四部之中附以辨章之義，以見文字之必有源委，亦治書之要法。而鄭樵顧刪去崇文敘錄，乃使觀者如閱甲乙簿注，而更不識其討論流別之義焉，烏乎可哉？㊺

又云：

> 因集部之目錄，而推論其要旨，以見古人所謂言有物而行有恒者，編於敘錄之下，則一切無實之華言，牽率之文集，亦可因是而治之，庶幾辨章學術之一端矣。㊻

這就是劉向《別錄》劉歆《七略・輯略》的精神，藉著小序與敘錄來進行辨考源流。又云：

> 《漢志》最重學術源流，似有得於太史《敘傳》及莊周《天下篇》、荀卿《非十子》之章。韓嬰《詩傳》引荀卿《非十子》，並無譏子思、孟子之文。此敘述著錄所以有關於明道之要，而非後世僅計部目者之所及也。㊼

直指《漢志》師法司馬談《論六家要旨》、《莊子・天下篇》、《荀子・非十二子篇》以推究源流，則目錄當能辨考源流。對於敘錄的撰

㊺ 同⑬，頁959。
㊻ 同⑬，頁957。
㊼ 同⑬，頁994。

寫，章學誠與鄭樵的「泛釋無用論」就有不同的看法：

> 讀《六藝略》者必參觀於《儒林列傳》，猶之讀〈諸子略〉必參觀於〈孟荀〉、〈管晏〉、〈老莊申韓〉列傳也。孟子曰：誦其詩，讀其書，不知其人可乎？藝文雖始於班固，而司馬遷之列傳，實討論之。觀其敘述戰國秦漢之間著書諸人之列傳，未嘗不於學術淵源，文辭流別，反復而論次焉。劉向劉歆蓋知其意矣。故其校書諸敘論，既審定其偏次，又推論其生平。以書而言，謂之敘錄可也。以人而言，謂之列傳可也！㊽

敘錄中撰寫作者之生平、著作緣由，論述一書之大旨及其得失，對了解一本書助益匪淺，在辨考學術上價值甚大。

對於敘錄中有考訂的性質，章學誠的立論也很精闢：

> 考訂與著錄，事雖相貫，而用力不同。著錄貴明類例，求於書之面目者也。考訂貴詳端委，求於書之精要者也。就劉氏父子之業而論，世人但知其經籍藝文所祖而已；不知劉歆部次《七略》，爲漢隋諸志所祖，而世有其傳耳。至劉向所爲條其篇目，撮其旨意，錄而奏上之言，劉歆部《七略》時所稱爲別錄者，乃考訂群書之鼻祖，而後世鮮有述焉者也。觀於經禮諸記，孔疏所引鄭氏目錄，與劉向不同，則同一治經，而各爲目錄，即各有家法，非考不爲功也。觀於唐人十三代史目，而宗諫略止三卷，殷仲茂詳至十卷，則同一考史，而各爲著錄，即各成學業。是知考訂與著錄之功，似同而異。學者混於一例，而不能

㊽　同⑬，頁1023。

析也。鄭樵《通志》雖疏，其論校讎之例甚精，然猶不能分別兩家之同異，故其論書有名亡實不亡，曰：三禮目錄雖亡，可取諸三禮，十三代史目雖亡，可取諸十三史。噫，《孔疏》明著劉鄭禮目不同，《唐志》明著宗（諫）殷（仲茂）卷次不合，正著錄諸家各有考訂之明證。而樵乃但欲取諸本書便可謂目錄耶？是故明乎向歆業術之異同，而後知考訂與著錄之難易。知考訂之難於著錄，而後知朱氏創爲存亡兼考是益爲其難，知經部之兼考存亡已爲其難，則知史籍之存亡大倍於經，考之難矣。㊾

批評鄭樵只滿足於著錄圖書，而不計及其他。對敘錄在考訂上的作用，闡發的很清楚。尤其在求博心態下，文獻的考訂工作益形重要。此皆有利於辨考學術源流的工作。章氏對朱彝尊《經義考》多所讚譽，朱《考》是輯錄體的解題，收錄了序跋及各家論說，也是會通文獻的實踐。敘錄發展到後代，更加複雜綿密，如傅增湘《藏園群書題記》，甚且將佚文、校勘記，一併錄入，對一書之相關問題詳盡介紹，也應是會通文獻意識的具體表現。㊿

綜上所述，章學誠爲達到目錄學辨考的作用，特別重視小序與敘錄的功能。余嘉錫《目錄學發微》論及目錄學，亦以敘錄小序皆爲重要之體制。並述及二者之差異：

敘錄體制，自古人所作書敘，及《七略》、《別錄》，大抵相

㊾ 《章實齋先生文集補遺・史考釋例》（台北：文華出版公司，1968），頁 427。

㊿ 參見陳仕華：〈傅增湘藏園群書題記書後〉，「巴蜀文化學術研討會」論文（四川：四川大學文學院，2002 年八月）。

同。其謀篇行文，皆有法度。若小序之體，則《漢志》六篇已自不侔。故不可設爲一成之例，以繩後之作者。章氏之論文史也，以爲「撰述欲其圓而神，記注欲其方以智」，持此以衡目錄，則敘錄者記注之事，小序者撰述之事也。夫圓則無方，神則無體，惡可於字句之間求之？雖然，因事爲文，文成法立，其意亦自可推。[51]

余氏引用章學誠的話出自〈書教下〉，其云：

易曰：「筮之德圓而神，卦之德方以智。」間嘗竊取其義，以概古今之載籍，撰述欲其圓而神，記注欲其方以智也。夫智以藏往，神以知來，記注欲往事之不忘，撰述欲來者之興起，故記注藏往似智，而撰述知來擬神也。藏往欲其賅備無遺，故體有一定，而其德爲方；知來欲其決擇去取，故例不拘常，而其德爲圓。[52]

「撰述欲其圓而神」，「記注欲其方以智」，爲章氏對從事撰述與記注之業者所提出之理想鵠的。所謂神，就是從過去、現在去推知預見未來。這是撰述類史籍應具的特點。記注類史籍，收存了有關過去的大量資料，使往事不忘，很類似「智」。而撰述類史籍，往往從過去、現在推知未來，類似于「神」。惟其圓而神，故有抉擇，有去取，成一家之言，通古今之變。既要藏往，就要力求全面大量積蓄資料，不容有一點遺漏。這就要有嚴格的體例規定，這種史體的特點是「方」；

---

[51] 余嘉錫，《目錄學發微》（台北：藝文印書館，1987），頁 65。

[52] 同[9]，頁 12。

惟其方以智，故兼容並包，賅備無遺，備一代之掌故，作後人之憑藉。欲推知未來，就要恰如其份地選擇材料，去粗取精，準確地說明問題。所以，這類史著的形式就不能拘泥于固定的體例，它的特點是「圓」，要求有靈活的應變能力。如此釐清文獻的內容，有助於對文獻體裁之認識，進而清楚文獻的質性，再行融通資料。

余嘉錫以敘錄爲「藏往」，小序爲「知來」，非「藏往」不足以「知來」，藏往是會通的基礎，知來是會通的結果。二者在目錄學上發揮辨考作用的緊密關係由此可見。而余氏引用章學誠之言，也是恰當的譬喻。

圖書在一類目中之排列，章氏也有細膩的看法：

> 「形而上者謂之道，形而下者謂之器」，善法具舉，徒善徒法，皆一偏也。本末兼該，部次相從，有倫有脊，使求書者可以即器而明道，會偏而得全，則任宏之校兵書，李柱國之校方技庶幾近之。其他四略，未能稱是，故劉《略》班《志》不免貽人以口實也。夫兵書略中孫吳諸書，與方技略中《內外》諸經，即諸子略中一家之言，所謂形而上之道也；兵書略中形勢、陰陽、技巧三條，與方技略中經方、房中、神仙三條，皆著法術名數，所謂形而下之器也。任、李二家，部次先後，體用分明，能使不知其學者，觀其部錄，亦可瞭然而窺其統要，此專官守書之明效也。充類求之，則後世之儀注當附禮經爲部次，《史記》當附春秋爲部次，縱使篇帙繁多，別出門類，亦當申明敘例，俾承學之士得考源流，庶幾無憾。[53]

---

[53] 同[13]，頁 994。

章學誠引用《易經》道器的意義，是用「道」來代表理論書籍，「器」代表講方法和名數的書籍，就是成「一家之言」的「皆所謂形而上之道也」，「著法術名數」的「所謂形而下之器也」。章學誠把書籍分爲闡述理論和方法的兩大類，而在圖書分類的大類中，又把講理論的書籍放在講方法的書籍之前，依次排類。如此才能將所從出的道找出，以探溯其源流。

又如章學誠主張以書類人：

> 大抵《漢志》之疎，由於以人類書，不能以書類人也。《太玄》、《法言》、《樂》、《箴》四書，類於《揚雄所敘》三十八篇；《新序》、《説苑》、《世説》、《列女傳》四書，類於《劉向所敘》六十七篇，尤其顯而易見者也。《孫子》八十二篇，用同而書體有異，則當別而次之。[54]

因爲唯有以書類人，才會將同是一門學術源流者，置之一處。又如其他同一類目中圖書排列的問題，章學誠云：

> 陰陽家《公檮生終始》十四編，在《鄒子終始》五十六篇之前，而班固注云：「公檮傳鄒奭《始終》書。」豈可使創書之人居傳書之人後乎？又《鄒子終始》五十六篇之下，注云：「鄒衍所説。」而《公檮》下注：「鄒奭《始終》。」名既互易，而以「終始」爲「始終」，亦必有錯訛也。又《閭丘子》十三篇，《將鉅子》五篇，班固俱住云：「在南公前。」而其書俱列《南

---

[54] 同[13]，頁 1073。

公》三十一篇之後，亦似不可解也。[55]

這一條專論同一類目中的圖書排列次序問題，章學誠提出了兩種方法，一是創書之人不能排在傳書人之後，如鄒子《終始》是創書，公檮生《終始》是傳書，傳書應排在創書之後。但《漢志》的排列次序卻相反。二是以時代爲次，如《南公》後有《閭丘子》十三篇，《將鉅子》五篇，班固自注都說「在南公前」，但卻排在南公後。這些原則都爲彰顯學術源流而設計。

四、結　論

章學誠在會通思想下匯聚文獻爲基礎，以求文獻的廣博，並用別裁、互著、編製索引的方法，使得文獻「繩貫珠聯，無少缺逸」。進而要求能推究源流。故以內容爲分類的依歸，要求以書類人。而同一類目中圖書的排列，也以「先道後器」爲依據，手法細膩。但分類不能推原竟委，故特別著重於小序與敘錄的體制。藉小序以推求某類圖書之源流，藉敘錄了解某種圖書的質性。在目錄學的宗旨、體制、著錄方法上皆有完整的體現。

至於對文獻質性的釐清，皆有助於文獻體裁的認識，進而融通資料，以「藏往」爲基礎，以求得「知來」。章學誠標舉出目錄學的目標——辨章學術，考鏡源流。凡未以此爲最高目標者，都給予訾議。

---

[55] 同[13]，頁 1042。

一九四〇年代，加拿大籍奧地利生物學家路德維格・凡・柏塔朗菲（Ludwig von Bertalanffy）有見於現代科學用之事物分解研究方式，往往無法如實地說明其整體性，也不能反映事物與事物之間的聯繫和相互作用，乃由亞里斯多德「整體大于部份之和」思想以及生物學有機體概念出發，提出著名的系統理論（systems theory），[56]強調必須將事物當作整體或系統進行研究，方能發現不同層次的組織原理；任何以局部說明整體的機械式思維，多無法綜觀全局，任何事物都可被視作一個系統，而任何系統都是一個有機整體。易言之，各組成部份之間相互關聯，構成了一個不可分割的系統整體。那麼章學誠在會通思想下，以求「著錄部次，辨章流別，折衷六藝，宣明大道」，而勾勒出匯聚文獻、推源竟委的系統，雖然有可評議之處，但以整體化、綜合化的觀點來看，自有其時代的意義。

章學誠在會通思想下，以「辨章學術，考鏡源流」的目標，而其終極意義在宣明大道。想要達到這種理想，則有以下的進程：首先是文獻的匯聚，聚後的甲乙部次。其次是揭示文獻的思想內容及其學術源流，觸及文獻的文化意涵，即是追求學術史上的意義。而中國古代文獻皆源於史（六經皆史）故亦可從其間窺見關於「經世」之道，即所謂「部次流別，申明大道」。

劉向父子以辨考為特徵的學術性書目，在西漢末年，面對先秦學術的發展，有其時代的需要。到了六朝，即以分類為重，開創藏書性的書目。鄭樵繼承此種精神，講求分類的完善，但仍主張劉向的辨考

---

[56] 宋兆霖：〈從「文件生命周期」到「文件連續運動」：有關文件生命現象的探討〉，《書目季刊》37卷3期，頁22。

目標。及至明代，則以「得便尋檢」爲特徵。所以若從圖書在社會的發展與目錄學的關聯來看，章學誠揭示的辨考目標，則有其保守性。並且章學誠忽視了在此之前已有學術專史的出現，如黃宗羲的《明儒學案》等。但若放到求「道」這個層面，辨考之說自有其意義。

關於中國哲學中「格義」與「詮釋」問題之探索：對於船山哲學幾個問題之深層反思——從勞思光對王船山哲學的誤解說起

林安梧*

提　要

本論文旨在針對船山哲學的幾個核心性問題提出反思，對比於勞思光於中國哲學史中的理解與詮釋，指出其可疑處與可商榷處，藉此以彰明船山學的要義，並進而探索中國哲學詮釋上所面臨的嚴重問題，藉此對「格義」提出批評，並指出其超克的可能。

* 臺灣師範大學國文系教授

首先，筆者將指出簡單視船山學為「實在論」之缺失何在，並進而經由典籍之對比闡發，指出勞氏的誤解為何。勞氏的誤解多因「格義」所致，但格義實又不可免，我們將藉此指出如何去理解「格義」這方法的限制，並走出「格義」，而進到一轉化與生長之可能。

經由經典脈絡與思想理路的仔細考察，我們發現以「實在論」一詞來為船山學定位是不恰當的。我們將由「道器論」、「理氣論」、「理欲論」、「理勢論」的相關文獻之詮釋，歸結於「兩端而一致」的理論核心，進而指出以「人性史哲學」一詞來總攝船山學的適當性。

再者，筆者將進一步做深層的後設反思，指出當前中國哲學之研究，應當正視「古代的典籍漢語系統」、「當前的生活話語系統」以及「當前的學術話語系統」，做一切實的反思，檢討三者彼此的關係，並檢視西方話語霸權所可能造成的宰制，進而提出批判與超越克服之道。

最後，筆者將經由這樣的省思，回應於中國詮釋學的五個根本層級：道、意、象、構、言，而闡明中國哲學未來發展之可能。

關鍵詞　王夫之　勞思光　格義　實在論　人性史哲學　話語系統　文化霸權

0

0.0. 勞氏（勞思光先生，下仿此）於所著《中國哲學史》三下論及船山處，頗多誤解，值得反思。大體說來，其所強調者蓋視船山哲學是一「實在論」之立場，並非依一嚴格思辯過程而建立者；故其說只能順講，不能反求其確定起點何在。此點爲學者論船山之學時所最應留意之樞紐問題。依勞氏之說可以整理如下：

0.1. 船山之說，實依常識層面而建構，其結果所成之學說，似包含許多論斷，涉及許多部門之理論，又有特殊強調之種種觀點；學者若只從其所形成之系統著眼，則每每但覺其廣大，而不能細察其立說基礎之得失。如此，則不免有見其長而不知其短之病矣！

0.2. 一理論之建立其所涉者有兩個層面，一是：理論之後果，一是：理論之基礎，譚嗣同、梁啓超等對船山多所贊許，而於其說之理論結構似皆未能確知；即如唐君毅所論船山思想亦未正視其理論基礎之問題。

0.3. 船山立說確欲肯定歷史文化，若嚴格檢查其理論基礎，則船山如何建立此肯定，正是一待決之重大問題；倘基礎不固，則後果之可喜不能爲此種基礎上之缺失辯護。反之，理論基礎如有困難，則有此而生之種種理論後果，皆當在可疑之列矣！

0.4. 今客觀言之，船山學說以其實在論觀點建立其形上學與宇宙論，然其根本旨趣仍在「內聖外王」之傳統儒學目標上，故船山一如宋明其他儒者，必依其形上學而提出一套道德價值理論。此爲其學說之主要樞紐所在；蓋必通過此一部分理論方能通至歷史文化之觀點也。

0.5. 船山論史之作，如《讀通鑑論》、《宋論》等，……大部皆承文人作史論之舊習；隨取一事，發揮議論，並非對整個歷史之意義，或歷史知識之標準等問題，做嚴格析論者，則是否可稱作「歷史哲學」，當視此詞之確定用法如何而定。

1

1.0. 船山哲學並非一實在論，而應是一「人性史哲學」，他強調的是一「人性」與「歷史」的辯證關連所成的系統。這系統雖散落於其經典之詮釋脈絡中，但這並不意味他沒有系統，而應該說：它雖然沒有系統相，但卻有著嚴密的系統性，甚至可以說，是經由一嚴格之思辯過程而建立者。再者，船山學雖用一「六經責我開生面」的理解與詮釋方式，但這並不意味他的學問只能順講，而不能逆講，其實，我在《王船山人性史哲學之研究》一書中，就是想通過一逆講的方式來彰顯船山學的特色。

1.1. 船山學雖無系統相，但卻有其系統性，他一方面從歷史文化的深度理解中去「觀歷史之勢」，並經由這樣的「通古今之變」，而「究天人之際」，以「貞一之理」與「相乘之機」的辯證統合下，體常以知變，由變而識常，既「審心念之幾」，更「參造化之微」。易學可以說是「船山學」的核心所在。

1.2. 船山學當然有其理論基礎，只是這樣的理論基礎並不同於勞氏所以為的是一「實在論」者，而是一「人性史哲學」論者。這樣一套哲學的構造，並不是以一「基礎論式」的思維方式而開啓的，而是以一「哲學詮釋學」的方式而開啓的。勞氏在基源問題的把握上出了問題，其分析的歷程雖有可觀，但出手錯處，並已經是錯了，因此對船山多所誤解。

1.3. 船山之根本旨趣自可以說是在「內聖外王」之傳統儒學的目標上，但他並不是經由一實在論觀點去建立其形上學與宇宙論，他是經由一「人性史哲學」之「哲學詮釋學」對這理想提出恰當的詮釋與建構。換言之，船山並不是依前面勞氏所以爲的形上學而提出一套道德價值理論，並進一步將此推到歷史文化的層面，展開其理解。

1.4. 相對來說，船山經由歷史文化與經典之詮釋，並經由人性的深層體會，因而通之，調適而上遂於道；「歷史文化或經典」、「人性」與「道」三者有其互動循環的關連。

1.5. 船山論史之作，散布於其諸多經典詮釋註疏之中，《讀通鑑論》、《宋論》是最重要的兩部史論之作，他不同於文人作史論之舊習，表象上是隨取一事，發揮議論；但深入視之，他眞切地體會到整個歷史之意義，而展開其「人性史哲學」之論斷。像他說秦始皇是「天假其私以行其大公」，說東晉王導是「保江東以存道統」，這都發前人之所未發，實爲難得。

2

2.0. 勞氏之誤解船山將之視爲「實在論」，這與其理解周全與否固有密切關係，但他不自覺的仍停留在「格義」的方法論上是最主要原因之一。「以經中事數擬配外書，爲生解之例，謂之格義」（見《高僧傳》）這涉及於文化解釋向度的問題，自也牽連到整個理解詮釋視域的問題。

2.1. 原先的「格義」指的是佛教在傳進中土的歷程裡，中土諸賢用固有的哲學語彙、概念與範疇，嘗試去比配理解佛教的哲學語彙、概念與範疇等等，史稱「格義佛教」。後來，明代的利瑪竇爲了要讓中土諸賢能了解基督宗教，而經由《詩經》、《尚書》等古代之語彙，比配理解基督宗教，著爲《天主實義》，我以爲這可以稱爲「格義基督教」。

2.2. 近世由於白話文運動的興起，大量的西書譯著，形成了一新的話語脈絡，人們經由這新的西方話語脈絡，將西洋哲學的語彙、概念與範疇比配的來理解中國哲學，這也可以說是一種「格義」方式。由於它並不是由中國本土的語彙、概念與範疇做核心，而是以西學的語彙、概念與範疇做核心，因而或者應稱爲「逆格義下的『格義』」。

2.3. 「格義」是自發的、本土的，它的主體性在原先的母土上，而「逆格義下的格義」則文化的霸權掌握在別人手上；因此，我們極容易失去了詮釋的主體性，而因人之理，並立理限事，甚至削足適屨。因而生出許多虛假問題來。

2.4. 舉例言之，以用餐的餐具來說，西餐用的是「叉子」，而中土則用「箸子」；設若以爲「叉子」是唯一的餐具，當拿起「箸子」時，只記得「叉子」的使法，當然會生出一理解，說：中土的箸子不如西洋的叉子，進一步要去改造中土的箸子，讓它變得好使，成為一種新的叉子。

2.5. 殊不知，將「箸子」視之為「叉子」來使，這本就不對；但眞認定了，一定要這麼使，那「箸子」便是很難使的「叉子」。其實，若對調來講，將「叉子」視之為「箸子」來使，那根本無法使；但由於文化霸權的因素使我們不能做另一面的思考。

2.6. 「格義」是異文化互動必當有的一個發展過程，但它必得經由此，再進一步而為「轉譯」、「詮釋」，「融通」與「重建」，這過程是極為艱辛的，但他卻是豐富自家文化必然要有的過程。佛教之傳入中國，由「格義佛教」，而有「六家七宗」，進而逐漸經由更多的譯著與會通，而逐漸生發出帶有中國本土性的「中國佛教」，而且也因為佛教義理的挑戰，儒學進一步的轉化創造，而有了影響整個東亞極為深遠的「宋明理學」。

3

3.0. 「格義」而「轉譯」、「詮釋」，進而「融通」與「重建」，並不是一固定而僵化的過程，他們彼此之間是相互滲透的，這過程是極為艱辛的，但他卻是豐富自家文化必然要經的過程。更重要的是，在這一連串的過程裡，如何保有清醒的方法論意識，對於每一過程都能提出一深刻的反思與批判，如此，方能儘早脫出「格義」的限制。

3.1. 或者，我們可以說船山學較有「實在論」的色彩，但並不是一「實在論」，因為嚴格說來，船山說「物者，心之物也；心者，物之心也」，這就足以說明他並不是一實在論者；他是一「道器合一」論者，是一「理氣合一」、「理欲合一」、「理勢合一」論者，這建立在他極為獨特的「兩端而一致」方法論上。

3.2. 以「道器合一」言之，船山的《周易外傳》較重「由器而言道」，重的是歷史發生學的向度，而在《周易內傳》則較重「上溯其源」，而指出「道之為一隱然未現之則」，這重的是一形而上理由的追溯，是一存有學的根源探索。然則，須得注意的是：這兩端是一致的，他成立了一極為獨特的「存有發生學」的思考向度。

3.3. 以「理氣合一」言之，「理」指的是一「形式性」、「法則性」，而「氣」指的是「材質性」、「能量性」；但船山將兩者辯證的綰成一不可分的整體，並且將「氣」往上提一層來加以詮釋，它成了一「對比於理氣兩端而成的辯證性概念」。這是「理氣合一」而又以「氣」為表述之總概念，因此不是「唯氣論」。

3.4. 以「理欲合一」言之，「理」指的是一「形式性」、「法則性」，而「欲」指的是「生命力」、「具現力」；若將兩者綰合為一不可分的總體，則「欲」並不是一般所以為的「貪取、佔有」，而是因為人生命中的意志自由落實具體化的過程中錯位了，因而使得我們的生命在有限中有了無限的需索，而引生了欲望的貪取、佔有。船山對於「縱欲」與「遏欲」的對比裡，分明的彰顯了此中的異同，也正視了「欲望」的「可欲之謂善」。

3.5. 以「理勢合一」言之，「理」指的是一「形式性」、「法則性」，而「勢」指的是「事的趨力」、「事的形勢」，船山經由「貞一之理」與「相乘之機」將兩者辯證的統合在一起，他一方面重在「體常而識變」，而另方面則重在「由變而識常」。特別値得注意的是，他關聯到整個歷史社會總體，與「人性」的辯證關連，指出了「人性的歷史性」以及「歷史中的人性」。

3.6. 如上所述，我們便可以恰當確立船山學所說「道大而善小、善大而性小」，「道生善，善生性」是何所指；而他主張的「繼善成性，竭天成能」，「命日降，性日生日成」，「習與性成，未成可成，已成可革」也就了然可知了。船山哲學中「天道論」、「人性論」與「歷史哲學」三者是一個不可分的整體，三者伴隨而生，此即是「自然史的哲學、歷史人性學、人性史哲學」。

4

4.0. 如上所述，我們可以說船山的人性史哲學是以「道」、「人」、「歷史文化」三者爲頂點而構成的一個互動循環的「兩端而一致」的關係。「道」與「人」構成一兩端而一致的關係，「人」與「歷史」構成一兩端而一致的關係，「道」與「歷史」構成一兩端而一致的關係。

4.1. 以「道」爲核心來說，「道」啓發了「人」，「人」秉承「道」的啓發而開創了「歷史文化」。另方面則「道」開顯爲「歷史文化」，「歷史文化」秉承「道」的開顯而教養了「人」。

4.2. 以「人」爲核心來說，「人」詮釋了「歷史文化」，「歷史文化」

經由「人」的詮釋，而通極於道。另方面，「人」揭發了「道」，「道」經由「人」的揭發，而開顯於「歷史文化」之中。

4.3. 以「歷史文化」爲核心來說，「歷史文化」豐潤了「道」，「道」經由「歷史文化」的豐潤而又啓發了「人」。另方面，「歷史文化」教養了「人」，「人」經由「歷史文化」的教養而通極於「道」。

4.4. 「道」與「人」之間有其相互的詮釋與循環的關係，而這兩端之對比而形成一「辯證的歷程」，此即「歷史文化」。「人」與「歷史文化」之間有其相互的詮釋與循環的關係，而這兩端之對比而形成一「辯證的依歸」，此即「道」。「歷史文化」與「道」之間有其相互的詮釋與循環的關係，而這兩端之對比而形成一「辯證的核心」，此即「人」。「人」之爲三者辯證的核心，上通於「道」，下及於「歷史文化」，人性中自有其歷史性在，而歷史性中亦自有其人性貞常者在。

4.5. 經由以上的論述，我們大體可以跨過了「格義」的理解階段，進而詮釋、融通，嘗試一重建的可能。這時我們可以分明的說勞氏所說「船山持一實在論的立場」、「船山一如宋明其他儒者，必依其形上學而提出一套道德價值理論」、「船山論史之作，...大部皆承文人作史論之舊習；隨取一事，發揮議論」，這些論斷是不能成立的。

5

5.0. 由「格義」而「轉譯」，進而經由「詮釋」、「融通」，而有進一步的「重建」；這樣的發展過程是必要的，在詮釋學的理論來說，它的步驟是逐層進展的，在異文化相互交錯的過程來說，這幾個層次是彼此滲透的；但我們要說，截至目前，該是跨過「格義」的階段了。

5.1. 利瑪竇的《天主實義》是一重要的格義階段，但同時已經有了王船山等對他的批判與融通，而嚴復所譯 J.S.Mill「On Liberty」爲《群己權界論》則是一「轉譯」的重要階段，近幾十年來對嚴復譯著的評判與融通，不知凡幾。

5.2. 進至民國以來，對於西方學術的譯著日益精審，像賀麟、宗白華、牟宗三、朱光潛、鄭昕、----乃至年青一輩的倪良康都有極可貴的成績；同時伴隨而生的諸多詮釋與融通，乃至重建與締造，如金岳霖的《論道》、牟宗三的《現象與物自身》都顯示了這個重要的階段。

5.3. 尤其值得注意的是，牟宗三先生努力的經由「現代學術話語」來揭示中國傳統儒、道、佛三教的思想，雖然仍不免運用了過多的康德學的概念範疇，而身陷「格義」的氛圍之中；但我們卻可以從他所著《認識心的批判》、《智的直覺與中國哲學》、《心體與性體》、《現象與物自身》、《圓善論》等一步步看到他如何從「格義」、「轉譯」、「詮釋」，進而求其「融通」與「重建」。

5.4. 當然，「格義」、「轉譯」、「詮釋」、「融通」與「重建」，這些層次在牟先生的著作中仍然是相互交錯的，重要的是，我們如何再做一後設的反思，溯其源的去檢視此中的限制，並釐清其發展的軌跡，進而尋得其進一步生長的可能。

5.5. 所可惜的是，當前學界並未對於以上所述諸種種問題好好正視，對於前賢所做的學術成績，多用在徵引其所說，而忽略了進至深一層的批判與詮釋，我們並未發展出一學問性的批判傳統。再者，在西方文化霸權的主導下，不斷的以「新的西學」來「格義」中國學問，出主入奴的努力，雖亦熱鬧，但卻難免一陣風過了又一陣風。

6

6.0. 如上所做深層的後設反思，當前中國哲學之研究應當正視「古代的典籍漢語系統」、「當前的生活話語系統」以及「當前的學術話語系統」，做一切實的反思，檢討三者彼此的關係，並檢視西方話語霸權所可能造成的宰制，進而提出批判與超越克服之道。

6.1. 藉用前面所述船山哲學「兩端而一致」以及「三端互爲循環」的圖示，我們可以說，「古典漢語系統」須得經由「當前生活話語系統」，進而以「當前學術話語系統」表述之。「當前生活話語系統」須得經由「當前學術話語系統」的表述，進一步調適而上遂融通其「古典漢語系統」。「當前學術話語系統」須得經由「古典漢語系統」之融通，而進到「當前生活話語系統」之中。

6.2. 以「古典漢語系統」爲核心來說，「古典漢語系統」豐潤了「當代生活話語系統」，「當代生活話語系統」秉承「古典漢語系統」的豐潤而調製了「現代學術話語系統」。另方面則「古典漢語系統」調和了「現代學術話語系統」，「現代學術話語系統」秉承「古典漢語系統」的調和而豐富了「當代生活話語系統」。

6.3. 以「當代生活話語系統」爲核心來說，「當代生活話語系統」詮釋了「當代學術話語系統」，「當代學術話語系統」經由「當代生活話語系統」的詮釋，而通極於「古典漢語系統」。另方面，「當代生活話語系統」開顯了「古典漢語系統」，「古典漢語系統」經由「當代生活話語系統」的開顯，而調適於「當代學術話語系統」之中。

6.4. 以「當代學術話語系統」爲核心來說，「當代學術話語系統」豐潤了「古典漢語系統」，「古典漢語系統」經由「當代學術話語系統」的豐潤而又開啓了「現代生活話語系統」。另方面，「當代學術話語系統」詮釋了「現代生活話語系統」，「現代生活話語系統」經由「當代學術話語系統」的詮釋而融通於「古典漢語系統」。

6.5. 須得留意的是，古典漢語系統、當代學術話語系統、當代生活話語系統，都是通極於「道」的，其詮釋的脈絡都依「道」「意」「象」「構」「言」這五個層次而展開的，他們彼此是複雜而交錯的。

7

7.0. 涉及「道、意、象、構、言」的複雜問題，本人在《關於中國哲學解釋學的一些基礎性理解——「道」、「意」、「象」、「構」、

「言」》一文（《詮釋學國際研討會》2002 年 6 月 22-24 日）已有論述，於此暫略不論。

《禮記·曲禮》成篇年代考

王 鍔*

提 要

今傳《禮記》四十六篇，是孔子及其弟子或後學者論述先秦禮制的一部學術論文集。《禮記·曲禮》因篇首有「曲禮」二字而得名，簡冊繁重，故分為上、下。〈曲禮〉記載的內容雖顯雜亂，但兼容吉、凶、賓、軍、嘉五禮，涉及先秦禮制的各個方面。〈曲禮〉成篇於何時，前人很少論及。本文將〈曲禮〉文字與《儀禮》、《大戴禮記》、《孝經》、《孟子》、《荀子》、《韓詩外傳》、《新書》以及郭店楚簡〈尊德義〉等文獻中的相關文字進行對比研究，認為〈曲禮〉成篇於春秋末戰國初期，整理編集者可能是曾子或其弟子。

關鍵詞 禮記 曲禮 經學

* 西北師範大學古籍整理研究所教授

壹、問題的提出

在西漢末年以前，《禮記》中的各篇文章，或單篇流傳，或收錄在儒家某一弟子的著作中，或被編選在儒家弟子傳授的不同集子中。這四十六篇文章，作者並非一人，寫作年代前後不一，只是在東漢以來，才以一本專書的形式流傳。因此，將《禮記》作為一個整體，研究先秦儒家思想等問題，就很難得出科學的結論。《禮記》各篇既非出自一人之手，又非寫定於同一時間，若想對《禮記》相關問題進行深入的研究，就必須對《禮記》進行分篇甚至分段的研究，先盡可能的確定每篇的編寫年代或作者，搞清戰國、西漢時期各篇的流傳狀況和編纂成目前四十六篇面貌的時間，然後才能研究《禮記》中各篇的思想、儒家思想在戰國時期的發展狀況、儒家學術流派以及先秦文獻的面貌等問題，否則，這些問題是難以說清楚的。本著這樣的思考，我個人認為，應將《禮記》各篇的內容，與《儀禮》、《論語》、《孟子》、《荀子》等先秦文獻以及地下出土的郭店楚簡、上博楚簡等進行對比，逐一考辨《禮記》各篇的寫作年代或作者。本文主要考辨《禮記》首篇〈曲禮〉的成篇年代。

貳、〈曲禮〉篇名釋義及其內容

《禮記》四十六篇，多以首簡首句二字名篇，若〈曲禮〉、〈曾子問〉等，這是先秦古書命名之通例❶。「曲禮」本古禮之篇名。今傳四十六篇《禮記》首篇名「曲禮」，則以篇首引「〈曲禮〉」而命名。秦漢文獻中所言「曲禮」二字，蓋有三種涵義：一是指禮之微文細節；一是指古禮中的〈曲禮〉，即《禮記·曲禮》篇首所引者❷；一是指今傳《禮記》中之首篇〈曲禮〉❸。〈曲禮〉在《禮記》中字數較多，簡策繁重，故分爲上、下❹。〈檀弓〉、〈雜記〉亦因此分爲上、下。

〈曲禮〉上下篇計 5722 字❺，內容繁雜。上篇首引古〈曲禮〉云：「毋不敬，儼若思，安定辭，安民哉。」即做人當持「敬」的態度，外表端莊，若有所思，說話安詳，如此才能使人們感到安寧。接著是教人當謙恭節儉，以愛敬之道爲人處事，依禮而行，入鄉隨俗。

---

❶ 余嘉錫云：「古書多摘首句二字以題篇。」《古書通例》P28，上海古籍出版社 1985 年 7 月出版。

❷ 任銘善《禮記目錄後案》云：「曲禮者，古有其書，《記》引『毋不敬』十二字是其遺文。而《孔子家語》有〈曲禮子貢問〉、〈曲禮子夏問〉、〈曲禮公西赤問〉三篇，今《家語》雖非舊本，然言必有據，其文又多與〈檀弓〉、〈雜記〉相類似，既蒙『曲禮』之名，則亦〈曲禮〉之遺篇也。」齊魯書社 1982 年 8 月出版。後引此書，只標書名、頁碼，它書仿此例。

❸ 孫希旦《禮記集解》P3，沈嘯寰、王星賢點校，中華書局 1995 年 5 月第 2 次印刷。錢玄、錢興奇《三禮辭典》P362，江蘇古籍出版社 1993 年 3 月出版。

❹ 鄭玄曰：「義與前篇同，簡策重多，分爲上下。」（《禮記正義》上 P102）孔穎達曰：「本以語多，簡策重大，分爲上下，更無義也。」（《禮記正義》上 P6）《禮記正義》漢鄭玄注，唐孔穎達疏，龔抗雲整理，王文錦審定，北京大學出版社 1999 年 12 月出版。

❺ 阮元刻《十三經註疏》附《校勘記》P1273 中，中華書局影印，1983 年 11 月第 3 次印刷。

自「夫禮者」至「貧賤而知好禮，則志不懾」主要談禮的重要性，如「禮聞來學，不聞往教」。「今人而無禮，雖能言，不亦禽獸之心乎」等。「人生十年曰幼」至「必告之以其制」敘述人一生不同年齡階段的稱謂和所應做之事。「謀於長者」至「摳衣趨隅，必愼唯諾」記爲人子者侍奉父母、立身行事、侍奉先生及其登堂入室之禮。

「大夫、士出入君門」至「庶人齕之」雜記大夫和士出入君門之禮、迎接賓客登堂之禮、授受之禮、爲長者掃除之禮、布席之禮、弟子侍奉先生和君子之禮、男女和父子異席之法、取名之避諱、男女冠笄取字之禮、卿大夫燕食賓客之禮以及侍奉長者飲食、飲酒之禮。「父母有疾」至「則必下堂而受命」記父母有疾病和家有喪事時兒子應守之禮、向人獻物之禮及爲使者之禮。何謂「君子」？〈曲禮〉云：「博聞強識而讓，敦善行而不怠，謂之君子。君子不盡人之歡，不竭人之忠，以全交也。」

「《禮》曰君子抱孫不抱子」至「刑人不在君側」雜記立尸、居喪、吊唁、送葬之禮。「兵車不適」至「各司其局」記兵車和德車之異以及國君率軍出行之禮。「父之讎」至「齒路馬有誅」雜記爲親屬報仇之法、卿大夫和士之責任、處理祭祀用品之禮、避諱之法、卜日之禮、爲國君駕車及乘坐國君車之禮。

〈曲禮〉下篇「凡奉者當心」至「三月而複服」雜記臣持物和裼襲之禮、國君和大夫的相關稱謂、士辭國君使射之辭、君子居他國之禮、喪葬時應做之事、相關禁忌之事、營造宮室當以宗廟爲先及大夫和士去國之禮。「大夫、士見於國君」至「士死制」記君臣男女相見答拜之禮、春獵禁忌、災荒之年君臣應守之禮、君臣平時應守之禮、大夫和士獻國君之禮、國君等去國時臣民勸阻之辭及國君、大夫、士當死其所守。

「君天下曰天子」至「滅同姓名」記天子在不同情況下的稱謂、天子的女官、朝廷之官、方伯州牧和遠近諸侯的稱謂、諸侯朝見天子的不同名稱、諸侯相見和盟誓之名稱、諸侯在不同場合的稱謂、天子至庶人的舉止、天子以下妃妾和臣子的稱謂以及史書對天子、諸侯書「出」、「名」的原則。「爲人臣之禮」至「數畜以對」記臣和子勸諫君與父之禮、臣和子侍奉君與父吃藥之禮、儗人之法、問天子至庶人之子年齡時應答之辭及問國君至庶人之財富時應答之辭。

「天子祭天地」至「于大夫曰備灑掃」雜記天子至士祭祀的物件、祭祀的原則、祭祀用牲之異、支子祭祀之法、祭祀所用牲和酒等物的美稱、天子至庶人不同身份人和鳥獸「死」的稱謂與祭祀時的稱謂、看天子至士之禮和看人禁忌、臣子之間處理君命之禮和輟朝之禁忌、大饗禮的注意事項、天子至庶人和婦人所用見面禮物之異以及嫁女于天子、國君和大夫時之謙稱。

由此可見，〈曲禮〉上、下篇記載的內容，包含先秦禮制的諸多方面。故鄭玄曰：

> 名曰〈曲禮〉者，以其篇記五禮之事❻。祭祀之說，吉禮也。喪荒去國之說，凶禮也。致貢朝會之說，賓禮也。兵車旌鴻之說，軍禮也。事長敬老、執贄納女之說，嘉禮也。此於《別錄》屬「制度」。

---

❻ 〈曲禮〉記吉、凶、兵、軍、嘉五禮之事是事實，但並非命名「曲禮」之緣由。孫希旦、任銘善早已辨之，見《禮記集解》P3、《禮記目錄後案》P4。

孔穎達進一步說：

> 案鄭此說，則此〈曲禮〉篇中有含五禮之義。是以經云『禱祠祭祀』之説，當吉禮也。『送喪不由徑』，『歲凶，年穀不等』，又云『大夫士去國』，如此之類，是喪荒去國之說，當凶禮也。『五官致貢曰享』，『天子當甯而立曰朝』，『相見於郤地曰會』，如此之類，是致貢朝會之說，當賓禮也。『兵車不式』，『前有水，則載青旌』，如此之類，是兵車旌鴻之說，當軍禮也。『侍坐於長者』，『故君子式黄發』，『婦人之贄，椇榛棗栗』，『納女于天子』，如此之類，是事長敬老、執贄納女之說，當嘉禮也❼。

《禮記》四十六篇中，〈曲禮〉記載的內容雖然雜亂無章，但相容吉、凶、兵、軍、嘉五禮，涉及到先秦禮制的各個方面，因此，《禮記》的編輯者將其置於全書之首，可能有總括全書之意。

三、〈曲禮〉與《孟子》、《大戴禮記》等傳世文獻之比較

〈曲禮〉成篇於何時，前人很少論及。任銘善先生曾推測說：「〈曲禮〉或即後倉九篇之書，以其說于曲台，故曰曲；或以其數萬言，曲

---

❼ 《禮記正義》P6。

盡禮義，多引古說，故曰曲。其書既不傳，無可考驗矣❽。」這僅僅是一種推測。

將〈曲禮〉中文字和《儀禮》、《大戴禮記》、《孝經》、《孟子》、《荀子》、《韓詩外傳》、《新書》等書中文字進行對比，發現它們多徵引〈曲禮〉之文。

一、《孟子》、《荀子》、《韓詩外傳》、《新書》等書多引〈曲禮〉之文。

1、父召無諾，先生召無諾，唯而起❾。（〈曲禮〉）

《禮》曰：「父召無諾，君命召，不俟駕❿。」（《孟子·公孫丑章句下》）

2、毋放飯，毋流歠，……濡肉齒決，幹肉不齒決⓫。（〈曲禮〉）

放飯流歠，而問無齒決，是之謂不知務⓬。（《孟子·盡心章句上》）

3、君使士射，不能，則辭以疾，言曰：「某有負薪之憂⓭。」（〈曲禮〉）

孟仲子對曰：「昔者有王命，有采薪之憂，不能造朝⓮。」（《孟

❽ 《禮記目錄後案》P6。

❾ 《禮記正義》P46。

❿ 《十三經註疏》附《校勘記》P2694中。

⓫ 《禮記正義》P61。

⓬ 《十三經註疏》附《校勘記》P2771上。

⓭ 《禮記正義》P107。

⓮ 《十三經註疏》附《校勘記》P2694上。

子·公孫丑章句下》）

4、無田祿者，不設祭器⓯。（〈曲禮〉）

《禮》曰：「惟士無田，則亦不祭⓰。」（《孟子·滕文公章句下》）

5、爲人臣之禮，不顯諫。三諫而不聽，則逃之⓱。（〈曲禮〉）

蚳蛙諫于王而不用，致爲臣而去⓲。（《孟子·公孫丑章句下》）

三諫不從，遂去之⓳。（《公羊傳》莊公二十四年）

6、夫禮者，所以定親疏，決嫌疑，別同異，明是非也⓴。（〈曲禮〉）

禮者，貴賤有等，長幼有差，貧富輕重皆有稱者也㉑。（《荀子·富國》）

7、將上堂，聲必揚。……將入戶，視必下㉒。（〈曲禮〉）

《禮》不雲乎：「將上堂，聲必揚。將入戶，視必下㉓。」（《韓詩外傳》卷九）

8、道德仁義，非禮不成；教訓正俗，非禮不備；分爭辨訟，非

⓯ 《禮記正義》P114。

⓰ 《十三經註疏》附《校勘記》P2711上。

⓱ 《禮記正義》P150。

⓲ 《十三經註疏》附《校勘記》P2695下。

⓳ 《十三經註疏》附《校勘記》P2238上。

⓴ 《禮記正義》P13。

㉑ 王先謙《荀子集解》P178，沈嘯寰、王星賢點校，中華書局1992年2月第2次印刷。

㉒ 《禮記正義》P36。

㉓ 許維遹《韓詩外傳集釋》，中華書局1980年出版。

禮不決；君臣上下父子兄弟，非禮不定；宦學事師，非禮不親；班朝治軍，蒞官行法，非禮威嚴不行；禱祠祭祀、供給鬼神，非禮不誠不莊。是以君子恭敬、撙節、退讓以明禮㉔。（〈曲禮〉）

故道德仁義，非禮不成；教訓正俗，非禮不備；分爭辨訟，非禮不決；君臣上下父子兄弟，非禮不定；宦學事師，非禮不親；班朝治軍，蒞官行法，非禮威嚴不行；禱祠祭祀、供給鬼神，非禮不誠不莊。是以君子恭敬、撙節、退讓以明禮㉕。（《新書·禮》）

從上面的材料對比，可以清楚的看出，《孟子》、《荀子》、《韓詩外傳》、《新書》均曾引用〈曲禮〉之文，或直接引用，或意引。尤其是《孟子》有兩次引用時，明云「禮曰」，顯然是引用〈曲禮〉，這是〈曲禮〉成篇於《孟子》前的確證㉖。

㉔ 《禮記正義》P14。

㉕ 賈誼《新書》P42，劉曉東校點，遼寧教育出版社1998年12月出版。又《新書·階級》：「禮，不敢齒君之路馬，蹴其芻者有罪。」顯然是引用〈曲禮〉「以足蹙路馬芻有誅，齒路馬有誅。」

㉖ 沈文倬先生在《略論禮典的實行和〈儀禮〉書本的撰作》一文中，根據上引用第1條、第2條材料，認爲〈曲禮〉是早於《孟子》成書的。該文刊于《文史》第15、16輯，又收入《宗周禮樂文明考論》，杭州大學出版社1999年12月出版。該文認爲，司馬遷《史記》也曾徵引過〈曲禮〉。〈曲禮〉下曰：「天子祭天地，祭四方，祭山川；諸侯方祀，祭山川。」而《史記·六國年表》云：「禮曰：天子祭天地，諸侯祭其域內名山大川。」司馬遷明言「禮曰」，自是據〈曲禮〉立說的。〈曲禮〉下又云：「支子不祭，祭必告于宗子。」而《史記·三王世家》引武帝元狩六年制有「支子不祭」之文，又嚴青翟等奏議云：「支子不得祭于宗祖，禮也。」也都是據〈曲禮〉立說的。見《宗周禮樂文明考論》P50。

二、《大戴禮記·曾子事父母》等篇和《孝經》也有與〈曲禮〉相同的文字。

1、若夫坐如尸，立如齊㉗。（〈曲禮〉）

若夫坐如尸，立如齊，弗訊不言，言必齊色㉘。（《大戴禮記·曾子事父母》）

2、為人子者，……不登高，不臨深，不苟訾，不苟笑㉙。（〈曲禮〉）

孝子不登高，不履危，痺亦弗憑，不苟笑，不苟訾，隱不命，臨不指，故不在尤之中也㉚。（《大戴禮記·曾子本孝》）

3、天子死曰崩，諸侯曰薨，大夫曰卒，士曰不祿，庶人曰死㉛。（〈曲禮〉）

子曰：「天子曰崩，諸侯曰薨，大夫曰卒，士曰不祿，庶人曰死，昭哀㉜。」（《大戴禮記·四代》）

4、凡為人子之禮，冬溫而夏清，昏定而晨省，在醜夷不爭㉝。（〈曲禮〉）

事親者居上不驕，為下不亂，在醜不爭。居上而驕則亡，為下而亂則刑，在醜而爭則兵㉞。（《孝經·紀孝行章》）

㉗ 《禮記正義》P11。
㉘ 王聘珍《大戴禮記解詁》P86，王文錦點校，中華書局1992年1月第3次印刷。
㉙ 《禮記正義》P29。
㉚ 《大戴禮記解詁》P79。
㉛ 《禮記正義》P159。
㉜ 《大戴禮記解詁》P167。
㉝ 《禮記正義》P24。
㉞ 《十三經註疏》附《校勘記》P2555下。

《大戴禮記》中的〈曾子事父母〉、〈曾子本孝〉等篇，學術界一向認爲是曾子的作品。〈四代〉是孔子和魯哀公討論虞、夏、商、周四代政刑的文字，蓋孔子弟子所記。彭林先生認爲《孝經》是子思所作㉟。根據上面四條材料的對比，我們發現，《孝經》、〈曾子事父母〉、〈曾子本孝〉、〈四代〉文字與〈曲禮〉基本相同。可見，〈曲禮〉之寫成，不僅早於《孟子》，起碼與子思的《孝經》和曾子的〈曾子事父母〉、〈曾子本孝〉等篇時間相當。據《先秦諸子系年》㊱，孔子、曾子、子思、孟子等人的生卒年是：

孔子	前551－前479	曾子	前505－前436
子思	前483－前402	孟子	前390－前305

故〈曲禮〉之成篇當在春秋末期戰國初期，即曾子中後期。

三、《儀禮》中也有與〈曲禮〉相同的文句。

〈曲禮〉曰：「進幾杖者拂之㊲。」《儀禮·士昏禮》曰：「主人拂幾，授校。」〈聘禮〉曰：「公升，側受幾於序端，宰夫內拂幾三，奉兩端以進，公東南鄉，外拂幾三。」〈有司〉曰：「主人西面，左手執幾，縮之，以右袂推拂幾三，二手橫執幾，進授尸於筵前㊳。」

㉟ 彭林《子思作〈孝經〉說新論》，刊于《清華大學思想文化研究所集刊》第二輯，廖名春主編，清華大學出版社 2002 年 3 月出版。

㊱ 錢穆《先秦諸子系年》，中華書局 1985 年 10 月出版。

㊲ 《禮記正義》P71。

㊳ 引用《儀禮》之文，分別見於《十三經註疏》附《校勘記》P962 中、P1057 中、P1207 中。

可見，「進幾必拂」是古之常禮，〈曲禮〉記載此禮。先秦舉行昏禮、聘禮和祭禮時，凡進幾必拂，在《儀禮》一書中有具體的體現。

〈曲禮〉曰：「賀取妻者曰：『某子使某，聞子有客，使某羞[39]』。」《儀禮·士昏禮·記》「請期」時，使者曰：「某使某受命吾子，不許，某敢不告，期曰某日[40]。」兩者對比，可見「某使某」是當時常用的句式。

沈文倬先生考證，《儀禮》撰寫於魯哀公（前494－前467）末年魯悼公（前466－前431）初年至魯共公十年（前366）之間[41]。而〈曲禮〉和《儀禮·士昏禮》、〈聘禮〉、〈有司〉等篇比較，〈曲禮〉之成篇年代與〈士昏禮〉等篇相當或略早。

肆、〈曲禮〉與戰國楚簡之比較

一、郭店楚簡〈尊德義〉曰：「刑不逮於君子，禮不逮於小人。」廖名春先生認爲，「簡文就是〈曲禮〉的『禮不下庶人，刑不上大夫』。『庶人』就是『小人』，『大夫』就是『君子』。賈誼《新書·階級》作『故古者禮不及庶人，刑不至君子』。『逮』就是『及』、『至』，更接近簡文。簡文和《新書》所引，當出於禮書。而《禮記·曲禮上》明言『曲禮曰』，可見此語當出於《禮》之傳記的〈曲禮〉。……簡

[39] 《禮記正義》P54。
[40] 《十三經註疏》附《校勘記》P972下。
[41] 《宗周禮樂文明考論》P54。

文〈尊德義〉當出於孔子，是孔子之作㊷。」很清楚，郭店楚簡〈尊德義〉是徵引〈曲禮〉。

二、〈曲禮〉上曰：「外言不入於梱，內言不出於梱㊸。」上海博物館藏《戰國楚竹書·昔者君老》曰：「君子曰：『子眚，蓋喜於內，不顯於外；喜於外，不顯於內。慍於外，不顯於內。內言不以出，外言不以入㊹』。」〈昔者君老〉顯然是對〈曲禮〉上文字的進一步發揮和引用。上海博物館藏「戰國楚竹書」是「楚國遷郢以前貴族墓中的隨葬物㊺」，時間大概在前三世紀初以前，則〈曲禮〉的成篇年代會更早。

郭店楚簡〈尊德義〉和上博簡〈昔者君老〉的作者，都見過今天我們看到的〈曲禮〉，因此，才能徵引。

伍、〈曲禮〉中官職與《周禮》記載之比較

〈曲禮〉記載官職，與《周禮》所載多不相同，〈曲禮〉曰：

㊷ 廖名春《荊門郭店楚簡與先秦儒學》，刊于《郭店楚簡研究》（《中國哲學》第 20 輯），遼寧教育出版社 2000 年 1 月第 2 版。

㊸ 《禮記正義》P51。

㊹ 馬承源主編，上海博物館藏《戰國楚竹書·昔者君老》（二），陳佩芬釋文，上海古籍出版社 2002 年 12 月出版。

㊺ 馬承源主編，上海博物館藏《戰國楚竹書·前言》（一），上海古籍出版社 2001 年 11 月出版。

> 天子建天官，先六大，曰大宰、大宗、大史、大祝、大士、大卜，典司六典。天子之五官，曰司徒、司馬、司空、司士、司寇，典司五眾。天子之六府，曰司土、司木、司水、司草、司器、司貨，典司六職。天子之六工，曰土工、金工、石工、木工、獸工、草工，典制六材㊻。

鄭玄《注》曰：

> 典，法也。此蓋殷時制也。周則太宰爲天官，大宗曰宗伯，宗伯爲春官，太史以下屬焉，大士以神仕者。眾謂群臣也。此亦殷時制也，周則司士屬司馬，太宰、司徒、宗伯、司馬、司寇、司空爲六官。府，主藏六物之稅者。此亦殷時制也。周則皆屬司徒。司土，土均也。司木，山虞也。司水，川衡也。司草，稻人也。司器，角人也。司貨，丱人也。（六工）周則皆屬司空。土工，陶、旊也。金工，築、冶、鳧、栗、鍛、桃也。石工，玉人、磬人也。木工，輪、輿、弓、廬、匠、車、梓也。獸工，函、鮑、韗、韋、裘也。唯草工職亡，蓋謂作萑葦之器也㊼。

《周禮》記載的官職顯然比〈曲禮〉所載要詳盡細密。鄭玄認爲，〈曲禮〉中的這些官職，是殷商之制，當有所據。《周禮》的設官分職，很可能是參考了〈曲禮〉等文獻的記載。這也是〈曲禮〉成篇較早的又一旁證。

㊻ 《禮記正義》P129-130。

㊼ 《禮記正義》P129-130。

陸、結　論

《國語》曰：

> 教之《春秋》，而爲之聳善而抑惡焉，以戒勸其心；教之《世》，而爲之昭明德而廢幽昏焉，以休懼其動；教之《詩》，而爲之導廣顯德，以耀明其志；教之《禮》，使知上下之則；教之《樂》，以疏其穢而鎮其浮；教之《令》，使訪物官；教之《語》，使明其德，而知先王之務用明德於民也；教之《故志》，使知廢興者而戒懼焉；教之訓典，使知族類，行比義焉㊽。

楚莊王（前613－前591）時，申叔時給太子箴開列的課目即有《春秋》、《世》、《詩》、《禮》、《樂》、《令》、《語》、《故志》、《訓典》九門。《國語》所言《禮》，很可能就是「古〈曲禮〉」。

通過以上比較，可以看出，在孔子時代，〈曲禮〉所說的「古〈曲禮〉」可能已經在流傳，孔子或用其作爲教材，傳授「禮學」；或爲了教學的需要，參考其他文獻，在「古〈曲禮〉」的基礎上，重新編成「講義」，用以教學。該「講義」至遲在春秋末戰國初編寫成定本，大致和今天流傳的〈曲禮〉一致，所以，〈曲禮〉中保留了一些「古〈曲禮〉」的文字。只有這樣，〈曾子事父母〉、〈四代〉、《孝經》

㊽ 《國語·楚語上·申叔時論傅太子之道》，上海古籍出版社1995年5月第3次印刷。

有與其相同的文句，〈尊德義〉、《儀禮·士昏禮》等篇引用〈曲禮〉才成爲可能。

在孔子弟子中，曾子以重「孝道」著稱。〈曲禮〉中也特別強調「孝」，如「孝子不服暗，不登危，懼辱親也。父母存，不許友以死，不有私財㊾」等，這些思想，都和曾子的思想相吻合。所以說，《禮記·曲禮》成篇於春秋末期戰國初期是比較符合實際的㊿，整理編集者可能是曾子或其弟子。

㊾ 《禮記正義》P31。

㊿ 春秋、戰國時代的分界線，史學界一直有不同的看法，見顧德融、朱順龍《春秋史》P1-3，上海人民出版社 2001 年 6 月出版。今采用金景芳先生的觀點，以西元前 453 年韓、趙、魏滅智伯作爲春秋、戰國的分界線。金景芳《中國古代史分期商榷（下）》，《歷史研究》1979 年第 3 期。

現存明人詩文集之調查與目錄編纂

朱邦薇[*]　吴格[**]

提要

二十世紀以來，對於現存中國古籍之書目整理進入總結性階段。利用公私藏書紀錄，彙編聯合目錄，已見成果疊出。在集部文獻領域，唐、宋、元、清各代別集，均已有大型書目問世，獨明人別集之聯合目錄尚付闕如。筆者從事《現存明人詩文集目錄》之編纂已逾十載，排次整理，積累雖勤，囿般見聞，所知仍未周全，兼以諸書未解目驗，各家著錄多存異同，何從取捨，終存隔閡，故雖所收明人別集著者數逾三千、書目紀錄數逾一萬，錯繆舛訛，猶隨處可見，恐滋傳誤，

*　復旦大學中國古代文學研究中心講師
**復旦大學中國古代文學研究中心教授兼圖書館古籍部主任

迄今未敢面世。《現存明人別集目錄》之編纂，已利用兩岸圖書館之收藏目錄，兼及日本及歐美圖書館之紀錄，書目之深入修訂，有賴海內外同行之合作，兹略述目錄調查與編製之原委得失，以為嚶鳴之求。

關鍵詞　明代文學　詩集　文集　集部目錄

壹、引　言

一、二十世紀以來，對於現存中國古籍之書目整理進入總結性階段。利用公私藏書紀錄，彙編聯合目錄，已見成果疊出。在集部文獻領域，唐、宋、元、清各代別集，均已有大型書目問世，唯獨明人別集之聯合目錄尚付闕如。

二、筆者從事《現存明人詩文集目錄》（下簡稱《目錄》）之調查與編纂已逾十載，排次整理，積累雖勤，囿於見聞，所知仍未周全，兼以諸書未經目驗，各家著錄多存異同，何從取捨，終存隔閡，雖欲釐定各類型版本，而錯繆舛訛，猶隨處可見，恐滋傳誤，迄今未敢面世。

三、《目錄》之調查與編纂，目的在於利用古今文獻著錄，對明代集部文獻作一總結性清理，爲今人從事明代文化研究提供全面、可信之書目資訊。《目錄》目前以反映明人所著詩集、文集、詩文合集（含少量附刻之著作）爲主，尚未包括總集、詞曲、詩文評等內容。

四、《目錄》之編纂，已利用兩岸圖書館之收藏目錄，兼及日本及歐美圖書館之紀錄，現所收明人別集著者數逾三千、書目紀錄數逾一萬。書目之深入修訂，有賴海內外同行之合作，茲略述目錄調查與編纂之原委得失，以爲嚶鳴之求。

五、遵循清儒章學誠氏所標舉之傳統目錄學「辨章學術，考鏡源流」宗旨，《目錄》之調查與編纂，兼顧前人曾經著錄而目前未見收藏之佚目，同時用力於著者傳記資料之纂輯，因而《目錄》編纂同時，目前又編有《明人詩文集待訪目錄》、《明人詩文集著者傳記資料數據庫》、《現存明人詩文集提要》等。

貳、明人詩文集流傳與整理之回顧

一、明人對於本朝詩文集之著錄

明清時代書目所著錄之明人詩文集，雖非悉數保留至今，卻爲歷史上實際存在過之圖書，不僅爲今人收集明集所依據，亦可爲調查明集及其著者之參考，因而《目錄》編纂，首先從檢閱明代書目入手。

（一）書目著錄

流傳至今之明代圖書目錄有三十餘種，公藏書目有《文淵閣書目》、《內閣藏書目錄》、《南雍志經籍考》、《行人司重刻書目》等，私藏書目有《百川書志》、《寶文堂書目》、《萬卷樓書目》、《澹生堂書目》等。此類書目中有大量明人詩文集之著錄。如：

1、《文淵閣書目》　編纂於正統六年（1441）之《文淵閣書目》，反映了明初七十年官方積累之藏書。卷一「天字號第一廚書目·國朝」類下，著錄朱元璋《御製文集》、《御製詩文》、《御製詩集》、《御製僧詩》、《御製賜詩》、《御製豐年詩》、《御製詩》、《御製樂府》、《御製戊辰集》、《御製周顛仙人傳》、《御製祝文》、御書、御翰、御製詔誥敕文，及《大誥》等御製、御注、御撰之書數十種；卷九「日字號第三廚書目·文集」類下，著錄劉伯溫《覆瓿集》等明前期文集約七十種；又卷十「月字號第二廚書目·詩詞」類下，著錄《大明詩選》等明前期詩集約四十種。以上爲最早見於著錄之明人詩文集。

2、**《國史經籍志》** 編纂於萬曆二十二年（1594）之《國史經籍志》（焦竑撰），原爲編纂「國史」而作，分爲「制書」及經、史、子、集五大類，類下復分子類，類各有小序，卷一「制書類」下「御製」、「中宮御製」小類下，著錄《高皇帝文集》、《詩集》，《仁宗皇帝文集》、《詩集》等詩文集；卷五「集部類」著錄宋濂《學士集》、劉基《誠意集》等明人詩文集八百餘種。

3、**《內閣藏書目錄》** 編纂於萬曆三十三年（1605）之《內閣藏書目錄》八卷（張萱等編），距《文淵閣書目》編纂已一百六十餘年，反映了明代後期之宮廷藏書，此書分爲十八部，所著錄圖書略注撰人姓名、官職及圖書完缺情況，間有解題，體例較《文淵閣書目》爲詳。卷一「聖製部」著錄明太祖以下成祖、仁宗、宣宗、英宗、憲宗、世宗、神宗諸帝御製詩文制敕各集；卷三「集部」著錄劉基《誠意伯劉先生文集》至於愼行《于文定公全集》等明人詩文集一百七十餘種。

4、**《行人司重刻書目》** 重刻於萬曆間之《行人司重刻書目》（徐圖等編），反映了明代政府機構「行人司」所藏圖書，其中「國朝文集類」、「國朝詩集類」下，著錄《國朝文纂》、《宋學士集》以下明人詩文集三百七十種。

5、《南雍志經籍考》　編纂於萬曆間之《南雍志經籍考》（梅鷟撰），其下篇「梓刻本末」，紀錄了萬曆間南京太學所藏之刻書板片，其中「制書類」記載各種御製書板，「文集類」記載《羅圭峰文集》、《圭峰續集》、《懷麓堂藳》、《陽明文錄》、《雅頌正音》、《古廉詩集》、《白沙詩教》等多種明人詩文集之書板。

6、《古今書刻》　編纂於萬曆間之《古今書刻》（周弘祖編），其「上編」分地域著錄中央及各地官方（含少量書坊）刻本，共著錄二千三百餘種圖書，其中江、浙、閩、贛等經濟文化發達地區之刻書統計中，著錄了不少當地名人之詩文集。

7、《百川書志》　編纂於嘉靖間之《百川書志》，反映了藏書家高儒所藏圖書二千餘種。其書目略有解題，多錄戲曲、小說，久爲人稱道。卷十五至卷十七專錄集部書，著錄《高太史大全集》、《覆瓿犂眉集》等明人詩文集數百種。

8、《寶文堂書目》　編纂於嘉靖間之《寶文堂書目》，反映了藏書家晁瑮（約 1506-1576）所藏圖書七千餘種，其卷上「文集」類、「詩詞」類，專錄晁氏所藏各朝詩文集，內載《解縉紳集》、《古廉詩集》等明人詩文集數百種。

9、《萬卷樓書目》　編纂於明末之《萬卷樓書目》，反映了宗室藏書家朱睦㮮所藏圖書三千餘種，其中集部藏書多達一千五百部、一萬二千五百六十卷。卷四「別集」、「總集」類下著錄《皇明五先生文集》、《宋學士集》等明人詩文集數百種，「多有焦氏《國史經籍志》、祁氏《澹生堂》、黃氏《千頃堂》、錢氏《絳雲樓》、《明史藝文志》所未載者」（葉德輝《刊萬卷樓書目序》）。

10、《澹生堂書目》　編纂於明末之《澹生堂書目》，反映了浙江藏書家祁承㸁（1563-1628）所藏圖書九千餘種、十萬餘卷。其卷十三、十四兩卷專錄別集，「國朝御製集」著錄《太祖高皇帝御製文集》等自高祖至世宗諸帝詩文集數十種，「國朝閣臣集」著錄《解春雨先生集》、《黃文簡公省愆集》等歷朝閣臣詩文集數十種，「國朝分省諸公詩文集」分省著錄《陶學士集》、《高季迪大全集》等數百種。

此外，著名之趙用賢《趙定宇書目》、趙琦美《脈望館書目》、徐㶿《徐氏家藏書目》等，亦各著錄家藏明人詩文集數百種。

（二）總集編纂

明人編纂之詩文總集，多據當時所見之詩文別集彙編而成，內多原本已亡而賴總集以流傳至今者。今存明人合刻之總集，以詩總集居多。

1、《盛明百家詩》　《盛明百家詩》，明俞憲輯，明隆慶五年序刊本。分爲前、後兩編，「前編」始《高楊張徐集》，止《淑秀總集》，凡一百五十二種；「後編」始《廣中四傑集》，止《李生集》，一百七十七種，合共三百二十九種。

2、《石倉刻明詩》　《石倉刻明詩》六百八卷，明曹學佺輯，明崇禎間刻本。曹氏所刻，一名《十二代詩選》，四庫館臣改稱爲《石倉歷代詩選》。曹氏所選歷代之詩，上起古初，下迄於明，明詩六百八卷。《四庫全書》編纂時，館臣所見僅《初集》八十六卷、《次集》一百四十卷，所錄止於嘉靖、隆慶間詩人。館臣以爲《三集》以下皆佚，並以爲「明自萬曆以後，繁音側調，變而愈遠，故論者等諸自鄶無譏，是本止於嘉隆，正爲明詩之極盛，其《三集》以下之不存，正亦不足惜矣」。今據調查，曹氏所輯《三集》一百卷、《四集》一百三十二卷、《五集》五十二卷、《六集》一百卷尚存，惟卷帙不齊，分藏各館，有待配補始稱完帙。

3、**其他**　明人所輯明人詩文合集，所見尚有李贄輯《三異人集》（方孝孺、楊繼盛、于謙三人集），朱理堯輯《瀋國勉學書院集》（朱詮鉌等四宗室集），陳仁錫輯《陳沈兩先生稿》（陳淳、沈周集），《明四家集》（邊貢、徐禎卿、高叔嗣、喬世寧集），李三才輯《李何二先生集》（李夢陽、何景明集）等。詩文合集以外，明人所輯明人詩選、文選（如夏雲鼎輯《崇禎八大家詩選》等）中，包含大量明代詩文作者資訊，可供鈎稽參考之助，也爲明集調查時所重視。

二、清人對於明代詩文集之著錄

對於明人詩文集之收集與整理，自清初以來即受人重視，迄今猶未停止。清代學者對於明代二百七十餘年間問世之詩文集之著錄，以晉江黃居中、黃虞稷父子所編《千頃堂書目》成績最著。

（一）書目著錄

1、《千頃堂書目》　《千頃堂書目》編纂始於明末，初名《千頃齋書目》，後增編爲《千頃堂書目》三十二卷。《千頃堂書目》卷十七至卷三十二「別集類」中，凡著錄明人詩文集（含「外國」、「婦人」、「道士」、「釋子」）近五千三百種，入錄之書，均按著者科第排列，每條著錄後，又附注著者爵里、字號、科第等傳記資料，極見功力，至今仍爲明集調查之重要參考依據。

2、《明史藝文志》　《明史藝文志》完成於乾隆四年，此志係利用《千頃堂書目》而編成，凡著錄明人詩文集六百六十餘種。

3、私人簿錄　清人私家藏書目錄中著錄明人詩文集，數量甚夥，如清初徐氏《傳是樓書目》、金氏《文瑞樓書目》，均以收藏明人詩文集著稱。各家書目，凡獲經眼，均加采摭，以作參考。限於篇幅，不一臚舉。

（二）總集編纂

清人所編明人詩文總集、選集，除利用詩文選集以外，不少據經眼之詩文別集鈔輯，從中反映出清代收藏之明人詩文集概況。

1、《明文海》　《明文海》四百八十二卷，清黃宗羲輯於康熙間。黃氏有志輯錄明代文獻，康熙初曾選《明文案》二百卷。後獲崑山徐氏所藏明人文集，因更擴大編輯規模，編成《明文海》。此編分體二十有八，每體之中，又各為子目，蒐羅極富，利用明人詩文集二千餘家，人稱明代文章之淵藪。

2、《明詩綜》　《明詩綜》一百卷，清朱　尊輯於康熙間。入選詩人三千四百餘家，或因詩而存人，或因人而存詩，間綴以詩話，述其本事，保留大量明人詩作及著者傳記資料。

3、《御選明詩》　《御選明詩》一百二十八卷，此為康熙四十八年聖祖御定、右庶子張豫章等奉勅編次之《御選宋金元明詩》一部，入選明詩三千四百餘家。其編纂體例為：（1）分體編派，各體詩首帝製，次四言，次樂府、歌行，次古體，次律詩，次絕句，次六言，次雜言；（2）以人繫詩；（3）卷首詳敘入選詩人之爵里。利用了大量明詩總集與別集，所敘詩人爵里，亦足資參考。

4、**清初詩選**　清初人所輯詩選、詩話中，含有大量明末或由明入清之著者傳記及作品，如（1）鄧之誠《清詩紀事》，（2）謝正光、佘汝豐《清初人選清初詩彙考》，（3）錢仲聯《清詩紀事》等，調查時也曾作搜討。

參、明人詩文集編目資源之調查

一、近人對於明代詩文集之著錄

目前分藏於中外圖書館之明人詩文集，爲《目錄》編纂之主要著錄對象，著錄工作由調查各館館藏書目入手，所利用書目包括古籍聯合目錄及館藏目錄。

（一）書目著錄

1、聯合目錄

（1）**《中國叢書綜錄·集部》**（上海古籍出版社，1981）　《中國叢書綜錄》由上海圖書館聯合北京圖書館等四十一家圖書館聯合編纂，1959 至 1961 年陸續出版，共收錄現存古籍叢書二千七百九十七種，所含子目七萬餘條，經比勘異同，歸併分合，仍得三萬九千條左右。利用《中國叢書綜錄》之「子目分類索引」，可檢得明人詩文集一千六百餘種。

（2）**《中國古籍善本書目·集部》**（上海古籍出版社，1996）　《中國古籍善本書目》由大陸八百餘家圖書收藏單位聯合編纂，是著錄現存古籍善本數量最多之書目，該書目作爲一部版本目錄，共著錄各版本類型明人詩文集四千五百種左右，並同時反映各本之收藏單位。

（3）《中國古籍總目·集部》（未定稿）　《中國古籍總目》由大陸數十家大型圖書館聯合編纂，目前正在進行中。書目將著錄1911年以前問世之歷代各版本類型之古籍（不限於善本），並反映各本之著錄單位。筆者所編《現存明人詩文集目錄》，即爲《中國古籍總目》之組成部分。

（4）《東北地區古籍線裝書聯合目錄集部》（遼海書社，2003）　反映東北地區數十家圖書館收藏之古籍，編纂已逾十年，目前正在校訂印刷中，《中國古籍總目》問世之前，該目爲規模最大之地區性古籍聯合目錄，著錄明人詩文集一千四百餘種。

（5）《臺灣地區公藏明人文集聯合目錄》（漢學研究中心，2000）著錄臺灣地區各重要古籍收藏館藏明人詩文集三千種左右。

2、館藏目錄

（1）《北京圖書館古籍善本書目》（書目文獻出版社，1987）　著錄館藏明人詩文集一千七百餘種。

（2）《上海圖書館古籍善本書目》（上海圖書館，1957）　著錄館藏善本明人詩文集三百餘種。

（3）《天津圖書館古籍善本書目》（天津圖書館，2003）　著錄館藏明人詩文集數百種。

（4）《遼寧省圖書館館藏古籍分類書目》（遼寧圖書館，1959）　著錄館藏明人詩文集四百餘種。

（5）《浙江省圖書館古籍善本書目》（浙江教育出版社，2002）　著錄館藏明人詩文集五百三十餘種。

（6）《湖南省圖書館古籍善本書目》（岳麓書社，1998） 著錄館藏明人詩文集五百三十餘種。

（7）《山西省古籍善本書目》（山西省圖書館編印，1981） 著錄館藏明人詩文集二百三十餘種。

（8）《北京大學圖書館古籍善本書目》（北京大學出版社，1999）著錄館藏明人詩文集近八百種。

（9）《清華大學圖書館藏善本書目》（清華大學出版社，2003） 著錄館藏明人詩文集近三百種。

（10）《南京大學圖書館中文舊籍分類目錄初稿》（南京大學圖書館，1958） 著錄館藏明人詩文集二百餘種。

（11）《復旦大學圖書館古籍善本書目》（復旦大學圖書館，1959）著錄館藏明人詩文集三百餘種。

（12）《國立中央圖書館古籍善本書目》（國立中央圖書館，） 著錄館藏明人詩文集二千餘種。

（13）《故宮博物院善本舊籍總目》（臺灣故宮博物院，1983） 著錄館藏明人詩文集三百餘種。

（14）《國立中央圖書館典藏國立北平圖書館善本書目》（國立中央圖書館，1969） 著錄明人詩文集五百餘種。

近年各館相繼編製古籍機讀目錄，館藏書目資訊有所增加，現正加以利用。

3、提要目錄

提要目錄著錄之明人詩文集，對於著者之爵里、版刻之異同、卷數之分合，多有描述，著錄中遇原書無從目驗時，提要內容爲書目歸併與排序之重要參考。《目錄》編纂，曾參考以下提要目錄：

（1）紀昀等《四庫全書總目·集部》（中華書局影印本，1965） 著錄明人詩文集二百六十餘種。

（2）紀昀等《四庫全書總目存目·集部》（中華書局影印本，1965）著錄明人詩文集八百六十餘種。

（3）翁方綱《四庫提要纂修稿》（上海科技文獻出版社，2004） 著錄明人詩文集二百餘種。

（4）東方文化委員會《續四庫全書總目提要·集部》（齊魯書社影印本，1998） 著錄明人詩文集九百四十餘種。

（5）王重民《中國善本書提要》、《補編》（上海古籍出版社，1983）著錄明人詩文集近千種。

（6）《國立中央圖書館善本書志初稿》（國立中央圖書館，1996）著錄明人詩文集一千二百餘種。

（7）黃仁生《日本現藏稀見元明文集提要》（岳麓書社，2003） 著錄稀見明人詩文集三百餘種（作者2000至2001年訪日期間，利用日本各圖書館及文庫漢籍目錄，調查日本現藏元明兩朝詩文集，從六百餘種稀見本中，篩選出三百餘種，逐種訪查，並考訂其作者生平及版本源流，撰爲提要，使不少中國失藏而僅存於日本、中土已佚而賴日本、朝鮮刻寫而留存之稀見詩文集得以詳細著錄）。

（二）域外著錄

1、日本

日本爲海外收藏漢籍最多之國家，公私圖書館所藏明代文獻數量亦夥，現存各版本類型之明人詩文集四千餘種，爲增補《現存明人詩文集目錄》之重要資源。

（1）《內閣文庫漢籍分類目錄》（內閣文庫，1986） 日本收藏之漢籍，以內閣文庫（自 2002 年四月始稱「國立公文書館」）稱最。由於繼承了歷史悠久之紅葉山文庫、昌平阪學問所藏書，該文庫收藏明人詩文集不僅數量最多，而且內多中土失傳之稀見品種。著錄明人詩文集七百四十餘種

（2）《尊經閣文庫漢籍分類目錄》　著錄明人詩文集近二百種

（3）《漢籍分類目錄·集部（東洋文庫之部）》　東洋文庫收藏明人詩文集，除歷年收藏以外，還因收藏複製原北平圖書館所藏善本書之「寫眞本」而著稱（原北平圖書館所藏善本委託美國國會圖書館保管期間，東洋文庫獲得該批藏書膠卷，山根幸夫將膠卷中東洋文庫缺藏之明人詩文集洗印成照片，裝訂成冊，用以補充該館明集館藏）。

（4）《靜嘉堂文庫漢籍分類目錄》（靜嘉堂文庫，1930）　著錄明人詩文集四百三十餘種。

（5）《東京大學東洋文化研究所漢籍分類目錄》（東京大學東洋文化研究所，1973）　該所收藏漢籍較爲豐富（包括 1967 年日本文部省調撥之原東方文化學院所藏漢籍一萬餘冊）。

（6）《東京大學總合圖書館漢籍目錄》（東京大學東洋文化研究所，1973）　著錄明人詩文集一百三十種

（7）《京都大學人文科學研究所漢集分類目錄》（京都大學人文科學研究所，1981）　著錄明人詩文集一千一百八十餘種。

（8）《京都大學文學部漢籍分類目錄》（京都大學文學部，1959）。

（9）《早稻田大圖書館所藏漢籍分類目錄》（早稻田大學圖書館，1991）　著錄明人詩文集一百六十餘種。

（10）《增訂日本現存明人文集目錄》（山根幸夫，1978）　此目由山根幸夫等據日本數十家圖書館館藏目錄彙編而成，著錄明人詩文

集四千餘種。

2、韓國

（1）《漢城大學奎章閣圖書中國本綜合目錄》（漢城大學校圖書館，信興印刷株式會社，1982） 著錄明人詩文集一百五十種左右。

（2）《大韓民國國立中央圖書館古書目錄》（大韓民國國立中央圖書館，1972） 著錄明人詩文集五種。

（3）《大韓民國國立中央圖書館外國古書目錄》（大韓民國國立中央圖書館，1976） 著錄明人詩文集數種。

（4）《韓國國會圖書館古書目錄》（韓國國會圖書館，1995） 著錄明人詩文集數種。

3、歐洲北美

（1）《法蘭西學院漢學研究所藏漢籍善本書目提要》（中華書局，2002） 《提要》體例略仿《哈佛燕京圖書館藏書志》，僅著錄明集三種。

（2）《美國國會圖書館藏善本書目》（臺北文海，1972） 著錄明人詩文集數百種。

（3）《普林斯頓大學葛斯德東方圖書館中文善本書志》（臺灣聯經，1975） 著錄明人詩文集八十餘種。

（4）《普林斯頓大學葛斯德東方圖書館中文舊籍書目》（臺灣商務印書館，1990） 著錄明人詩文集四十種。

（5）《美國哈佛大學燕京圖書館中文善本書志》（上海辭書出版社，1999） 著錄明人詩文集一百六十餘種。

（6）《加拿大英屬哥倫比亞大學宋元明及舊鈔善本書目》（加拿大英屬哥倫比亞大學，1949） 著錄明人詩文集數十種。

（7）《**中美中文善本書聯合目錄**》（美國 RLG 組織《中美中文善本書聯合目錄》編輯組） 著錄北美所藏明人詩文集數百種。

二、近年影印之明人詩文集

近年來，古籍影印蔚爲風氣，初步統計，已有千餘種明人詩文集獲影印出版，原先分藏各圖書館之珍稀之本，化身千百，流播宇內，對明代詩文之研究提高供莫大便利，厥功甚偉。影印本之出現，亦爲《目錄》編纂提供不少新版本，如：

1、《四部叢刊》三編（上海書店出版社，1985） 收明集近二十種。

2、《文淵閣四庫全書》（臺灣商務印書館，1986 上海古籍出版社，1989） 收明集二百四十餘種。

3、《續修四庫全書》（上海古籍出版社，2002） 收明集一百五十種。

4、《四庫存目叢書》《補編》（齊魯書社，1997） 收明集六百種。

5、《四庫禁燬書叢刊》《補編》（北京出版社，2003） 收明集二百餘種。

6、《四庫未刊書集刊》（北京出版社，） 收明集一百餘種。

7、《故宮珍本叢刊》（海南出版社，2000） 收明集三十種。

8、《北京圖書館藏古籍珍本叢書》（書目文獻出版社，1999） 收明集七十餘種。

三、明人詩文集之整理編纂

1、影印、整理本

二十世紀尤其是 1950 年代以來，大陸中華書局、上海古籍出版社等出版社，及臺灣地區出版機構，先後出版影印本、標點整理本明人詩文集數百種。

2、《全明詩》編纂

復旦大學古籍整理研究所自 1980 年代以來，開展《全明詩》編纂工作，先後從國內外圖書館複製大量明人詩文集（複印件及膠卷），加以該校圖書館收藏之明人詩文集，已收集各類型版本之明集數逾三千。此外，尚有《明詩總集篇目索引數據庫》之編纂。

3、《全明文》編纂

復旦大學古籍整理研究所自 1990 年代以來，利用該校已收集之明人詩文集資源，逐步開展《全明文》編纂工作，並已有《明文總集篇目索引數據庫》、《明人著述中遺文篇目索引數據庫》、《明人文集篇目索引數據庫》之編纂。

肆、明人詩文集目錄編纂之體例

一、《現存明人詩文集目錄》著錄凡例

（一）《目錄》著錄海內外各收藏單位所藏明人所著詩文集，以目驗及各家書目著錄者爲據；

（二）《目錄》以著者時代排次，由元入明及由明入清之著者，爲免遺缺，收錄範圍適當放寬；

（三）《目錄》既著錄同一著者之不同著作，亦著錄同一著作之不同版本（含近世影印本）；

（四）同一著者之不同著作、同一著作之不同版本，略依其刊刻（影印）之先後編次；

（五）相同版本之影印本（寫眞本、膠卷），著錄于原本之後，不拘其時代先後；

（六）同一著作既有單刻本，亦有叢書（總集）本，一般先著錄單刻本，再著錄叢書本；

（七）各家著錄之書目、卷數、刻年、刻地相近者，據目驗及查考所得，略加歸併；

（八）各家著錄之書目、卷數、刻年、刻地相近，雖經查考而仍存疑點者，依次著錄，暫不歸併；

（九）各條書目依次著錄：書名、卷數、著者、著作方式、刊刻（鈔寫、影印）年代、刻地、刻者及版本類型；

（十）各條書目下依次著錄各收藏單位簡稱，藏本較多者，收藏單位酌省。

二、《現存明人詩文集目錄》編纂程式

（一）彙聚前述大陸、港臺、日本、韓國、西歐北美圖書館館藏目錄；

（二）鈔輯各家館藏目錄中所包含之明人詩文集紀錄；

（三）聚合相同著者之著作及其各類型版本；

（四）經目驗原書、調查比勘、查考資料等步驟，歸併相同紀錄；

（五）將初經甄別之紀錄輸入電腦，編爲數據庫形式；

（六）繼續增補、修改、刪除數據庫中相關紀錄；

（七）區分同書異名、同名異書，同名異人、同人異名等特殊情況；

（八）將書目數據庫與同時編纂之《明人傳記資料數據庫》鏈接；

（九）製作數據庫檢索介面。

三、明人詩文集目錄編纂之相關成果

明人詩文集之書目調查及目錄編纂，目的在於充分利用明人詩文集中所蘊含之各類史料，用以推動明代乃至古代文化研究之深入，《全明詩》及《全明文》編纂因資源不足及人力、物力之限制，短期內尚不易觀成，而已經獲取之資料，則仍應及時予以彙編利用。借助手工及電腦操作，目前已經建成並仍在不斷增補之各種數據庫如次：

（一）《明人詩文集提要》

書目編纂，以準確著錄爲前提，歸併排次，亦須便於讀者「即類求書，因書究學」。明人詩文集版本問題十分複雜，前後刻本之增補分合，有書目編排所不能窮其原委者，仍須綜合各本參互考訂，述其流別，故現於書目編纂同時，正進行《明人詩文集提要》之編纂。

（二）《明人傳記資料數據庫》

書目編纂中利用各種明人傳記資料，可編纂明人詩文集著者之傳記資料（如臺灣中央圖書館 1965 年曾據五百餘種文集編成《明人傳記資料索引》），現已完成包含五千餘明代著者小傳之《明人傳記資料數據庫》，並與《現存明人詩文集目錄數據庫》相鏈接。

（三）《明詩總集篇目數據庫》

復旦大學古籍整理研究所爲編纂《全明詩》，經普查國內現存明詩總集資源，組織人力，輯錄各代所編明詩總集之篇目及著者小傳，作爲《全明詩》編纂之資料庫，已積累明詩篇目數據數十萬條。

（四）《明文總集篇目數據庫》與《明人著述中遺文篇目數據庫》

復旦大學圖書館古籍部爲編纂《全明文》，經普查國內現存明文總集資源，組織人力，輯錄各代所編明文總集之篇目及著者小傳、明人著述中遺文篇目，編爲數據庫，作爲《全明文》編纂之資料庫，已積累明文篇目數據近十萬條。

（五）《明人文集篇目數據庫》

現存明人詩文集之全部或大部分成爲電子文本以前，編製分類得當、檢索便捷之《明人文集篇目數據庫》，實爲利用明集文獻資源之基礎。台灣漢學研究中心等機構對此經營有年，並取得初步成果❶。筆者 2000 年出席漢學研究中心召開之「明人文集開發利用會議」，曾提出《明人文集篇目索引編製芻議》一文，並附供參考之分類詞表。原議由復旦大學古籍研究所及圖書館聯絡大陸相關明集收藏部門，與

❶ 據盧錦堂先生介紹，臺灣漢學研究中心等機構 1998 年即推出「明人文集綜合整理計畫」，現已初步完成臺灣地區「明人文集聯合目錄與篇目索引資料庫」（著錄 1653 人之文集 3500 種左右），及（善本叢刊影像先導系統）「明人詩文集初編」掃描（明初文集 17 種）、明人詩文集（654 部）微卷掃描建檔等成果。

臺灣漢學研究中心合作，共同編製明集篇目數據庫之計劃，因故未能實現。依據目前條件，上述計劃今後仍可繼續落實。

伍、《現存明人詩文集目錄》編纂得失

利用前述中外圖書館館藏目錄及古籍聯合目錄，目前著錄之明人詩文集，已有著者三千餘人、款目一萬餘條。數量雖似不少，距實際存世之明人詩文集，品種尚有不足。已經收入《目錄》之著錄質量，亦仍存在問題。

（一）現存明人詩文集分藏於中外各收藏單位，各家藏書之利用條件亦不盡相同。收藏分散，使研究者遍訪不易；利用條件不同，則研究者身入寶山，未必如願以歸。古稱「書囊無底」，書非目驗，舛誤難免，人力有限，不免望洋興嘆；

（二）私家藏書數量雖不致過多，然天下之大，地不愛寶，稀見或僅見之古代文獻流落民間、收藏於私家之事例，仍不能忽視；

（三）利用古籍聯合目錄及各館藏書目錄，雖可大致把握現存明人詩文集之收藏情況，但實際上，各館藏書目錄尚不完備，如不少圖書館並無可供查閱之書目，已有書目亦不能完整反映該館藏書，其目無書、有書無目，及書目著錄與藏書不相吻合情況，所在均有；

（四）各家書目對於明人詩文集之著錄，存在諸多異同。明代版刻事業發達，詩文結集與刊刻均較頻繁，造成一人多集、一集多版之情況普遍存在；一書有多種版本、各版本所含作品數量多寡不一，比比皆是；即使翻刻重印之本，亦存在內容之損益、卷次之分合等變化。

凡此，均爲著錄之難點，加以各家著錄體例不一，水平參差，遂使治絲益棼，畫一爲難，斟酌去取，頗費精神。

明人詩文集調查與書目編纂之不利因素已如上述，今後深盼能獲海內外圖書館與研究者繼續支援，爲筆者修訂《目錄》提供幫助，增其不備，去其舛誤，以便早日向學術界提交一份收羅品種完備、著錄質量上乘之明人詩文集總目。

試探敦煌文獻中變文的理論與應用

全寅初*

提　要

敦煌變文是中國文獻史上很珍貴的資料，尤其為理解中國古代小說的變遷過程必不可缺。透過變文在形式、內容上特徵的考察，可以找到屬於和文人小說不同性質的宋元話本的來頭。作為俗講底本的變文，最初只為提供口演上的方便而寫，這時它只不過是記錄文字。發展到後來，俗講逐漸侵入到民間，俗講人為了聚集更多人，開始留意故事情節，畢竟曲折有趣的故事更受歡迎，因此變文中也出現愈來愈重視說詞，忽略唱詞的現象。在這種趨勢之下，變文往話本小說的方向發展，也許是很自然的事情了。唐代的變文文獻資料，

*　韓國延世大學中文系教授

為了能分類成話本小說，首先在內容上以既通俗又有趣味佛教故事或歷史故事為主。再來在形式上以「有說無唱」的散文為主。盡管採取「有說有唱」的形式，說詞比唱詞要多一些。本文為了證明這一點，仔細考察了「目連救母變文」,「伍子胥變文」以及「韓擒虎變文」等具體作品。歸納出變文中含有著話本的幾種典型特徵：常用白話，以說詞為主，結構嚴密，人物描寫很生動，這幾點是以說明變文逐漸邁入小說的領域之中。

關鍵詞　敦煌學　變文　小說

1、提起問題

二十世紀初，在敦煌第十七號窟中發現了多達五萬卷的敦煌遺書，其中的變文由於文體獨特，地區特殊，在中國文學史上占有相當重要的地位。目前在藏經洞發掘出來的文獻，大部分以佛經或有關佛教的故事爲主。變文在中國文學史上具有著重大意義，而這種意義可從地區、文體、內容三方面說明。先說明它地區的特殊性。這種文獻，只有在敦煌發現，自從佛教流傳到中國以來，在其他地區尙未發掘過類似變文的任何文獻。這一點可以說明變文的地區特殊性。再來說明它文體的特殊性。在變文之前，中國尙未出現過具有這樣體制的文獻。正是因爲如此，有些人以爲變文是來自印度的，不是在中國本地產生的。通過這樣的議論，可以了解變文韻文和散文共存的文章樣式，和中國固有的文體截然不同。最後說明它內容的特殊性。它所包含的內容可說極爲廣泛。既有佛教故事，也有民間故事及歷史故事。這與傳統的中國文學，具有一定的差別性。

認識了以上變文的基本特點之後，如何樹立它的理論體系，試圖和後世文學做個聯繫，這就是本論文的主題。眾所周知，自從 1035 年將敦煌文獻藏蓄在洞窟裏，把窟門封鎖，直到 1900 年發掘出來，將近 900 年的時間❶中，它和歷史被隔絕了。因此，把這些從藏經洞發掘出來的變文重新編入既有的中國古代文學史中，這項工作的起步是很晚的。

變文是講唱文學。這種韻文和散文共存的文學樣式，在中國古代文學中屬於特殊的例子。因此，該如何決定它的性質特徵，然後在整個文學史中該編入哪種文學體裁中，這是在學者之間一直被討論的問題。處於這樣情況下，和宋代話本之間找到聯繫，是非常重要的一項工作。尤其這種講唱文學和初期話本在形式上類似，且講故事的性質和小說在內容上類似，不得不看作小說的一種。在變文出現之前，人們無法說明宋代話本的來源，但變文一發掘，便可以解決這一問題了。在下文，繼續探討話本受到變文影響的具體根據。

2、變文與話本的口演場面比較

唐代在寺院裏舉行佛教儀式時，或者很多人聚集的大場面中，是

❶ 全寅初，『中國古代小說史』，149 頁。

否有說唱表演？再說，當時是否存在過所謂講唱文學？確定講唱文學的確實存在，可爲解決本文的論點提供重要線索。因爲這種文學樣式，可以證實說唱表演確實存在過的事實。現在的我們通過各種典籍上的記錄可得而知，唐代在寺院裏頗流行僧侶們講佛教故事給聽眾時邊唱邊講的所謂「俗講」❷，後來在民間也很盛行。不但如此，通過研究已經證明了代表中國講唱文學的諸宮調、彈詞、鼓詞等都來自於變文這一事實。❸

在敦煌石室大量出現了講唱文學的文獻資料，這一點足以證明當時在寺院中說唱表演極其流行。那麼，說唱表演盛況到怎樣程度？這些表演具有什麼樣的特色？表演人是否擁有底本？如果有，底本具有什麼樣的形式？從底本中能否找到話本小說的性質特徵？如果有，這些特徵是否符合宋代話本？這些都是爲闡明宋代話本的來源非發不可的重要問題。

首先說明一下俗講和它的藝術特徵。唐代佛教徒的講經，可分爲正式的講經和非正式的俗講二種。正式的講經，以知識階層爲主要對象，用逐字方式解釋經文，有深度地談論佛經；相反地，俗講以一般人爲對象，用通俗的，有趣的方式講說佛經內容。❹安史之亂之後，老百姓對寺院經濟的影響力增大，因此爲了聚集更多人，講經內容的通俗化是不可避免的。在這樣的背景下，俗講在民間開始流行。俗講的藝術特徵，大約有如下幾點：

---

❷ 參考趙璘，『因話錄』卷4角部，段成式『酉陽雜俎』續集卷5「寺塔記」，圓仁『入唐求法巡禮行記』卷3等。

❸ 鄭振鐸『中國俗文學史』（台灣商務印書館，1981）180~181頁。

❹ 潘重規『敦煌變文集新書』（台灣，文津出版社，1994年），1305頁。

第一，音樂因素相當重要。這一點，透過唐代文人韓愈所寫的「華山女」詩可以了解。

街東街西講佛經，撞鐘吹螺鬧宮廷。
廣張罪福資誘脅，聽眾狎恰排浮萍。
黄衣道人亦講説，座下廖落如明星。

在詩中所寫的「講佛經」指的是俗講，不是指正式講經。因爲下面的「廣張罪福資誘脅」句意味著，將佛經中的故事有趣地加以變化，說給聽眾。詩歌最前面所說的「街東街西」，根據日本僧侶圓仁所撰寫的『入唐求法巡禮行記』卷三中『勅於左右街七寺開俗講』這一句，可確定是開俗講的地方。❺詩中還說，俗講時「撞鐘吹螺」，這顯然是爲引起更多人注目而做的行爲，從這幾點能明白這首詩明顯在描寫俗講場面。俗講時大部分使用通俗的樂器，由此推論，俗講的唱歌也許接近當時的流行歌曲。宋元代插入在話本小說中的「詞」，就是借當時的流行歌曲填詞而成的。就這一點來看，俗講和對話本的形成極有影響的講唱文學，有相當密切的關係。

長慶中，俗講僧文淑善吟經，其聲宛暢，感動裏人。（段安節『樂府雜錄』「文淑子」條）

這裏所說的「善吟經」，雖然不是指唱歌，但是悠長地吟咏著，提高它的音樂性，從這樣的描寫中可以了解俗講具有濃厚的音樂性。

第二，俗講人敢講出迎合世俗的言辭，因此日益接近民間藝術形

❺ 傅芸子「俗講新考」，『敦煌變文論文錄』（周紹良，白化文編），148 頁。

態。

> 有文溆僧者，公爲聚眾談説，假托經論，所言無非淫穢鄙褻之事。不逞之徒轉相鼓扇扶樹，愚夫冶婦樂聞其說，聽者塡咽寺合，瞻禮崇奉，呼爲和尚。教坊效其聲調以爲歌曲。其甿庶易誘，釋徒苟知眞理，及文義稍精，亦甚嗤鄙之。近日庸僧以名系功德使，不懼台省府縣，以士流好窺其所爲，視衣冠過於仇讎，而溆僧最甚，前後杖背流在邊地數矣。（趙璘『因話錄』卷四，角部）❻

從「假托經論」句可以發現，俗講人還講說了和經論毫無相干的通俗內容。像文溆那樣的俗講僧，表面上在講經論，但實際上在利用能夠引發興趣的通俗故事來迎合世俗。透過上面引用文可以了解唐代俗講僧在當時社會所扮演的角色。宋代說話作家及說話人的身份地位極其卑賤，他們依憑口才糊其口。其中尙有不少失意的讀書人❼，貢士、張解元、劉進士、戴書生都是典型的文人出身話本作家。此外，張仙人、王與之，一及在紹興年間頗受高宗寵愛的內侍綱、李絪、張本，還有女說話人史惠英等都屬於這一類型。正如變文俗講人文溆身爲寺院中屬於下層的沙門，宋代說話人也都是屬於社會下階層的人物。再說，唐代變文和宋代話本表演人在社會上的身份地位大約是相同的。

第三，俗講原本是講故事給人聽的，到後來脫離這種局限，逐漸

---

❻ 轉引自向達「唐代俗講考」『敦煌變文論文錄』（周紹良，白化文編），45頁。

❼ 胡士瑩『話本小説概論』（台北，丹青圖書，1983），57~65頁。

往綜合藝術發展，成為一面聽，一面看的表演藝術。看下面的引用文。

> 寶歷二年六月己卯，上幸興福寺觀沙門文淑俗講。(『資治通鑒』「唐紀・敬宗紀」)

不寫「聽俗講」而寫「觀俗講」，從此可以推測，到這時候俗講已經變成提供觀賞的綜合藝術。

第四，變文為了提高藝術效果，有時候還插入圖畫，❽這些附著畫圖的變文，當時叫做「畫本」。「韓擒虎畫本」就是個例子。這篇不稱「話本」，而稱「畫本」，很可能是因為講唱的時候展示著畫圖而進行，不過不能完全否定「畫」為「話」的誤寫或假借字的可能性。❾反正俗講時配合圖畫是屬實，但重要的是，不是變文在說明圖畫，而是圖畫在輔助變文。再說，為了一面提升高潮，一面給讀者深刻印象，在講唱交替的地方或故事內容緊迫的關鍵時刻，作者會展出圖畫。這影響到後世的話本先用散文敘述故事，然後再用駢文或詩詞描寫景色這一手法。而且話本和平話常用「見」這個字，也和變文展現畫圖的特徵有一定的關係。

盡管在形式上變文和話本具有許多共同點，但是先把握在觀眾面前進行表演時的具體情況，才是證明變文和話本之間直接驗淵源關係的關鍵因素。如此一來，可以清楚認識敦煌變文在中國古代文學史中所扮演的角色。現在探討一下變文和話本的口演藝術形態，以便了解

---

❽ 張錫厚在『敦煌變文』中說：「俗講和轉變除持有一定底本（變文）外，在講唱之際，有的還配合含有畫圖隨時展現，與講唱相輔而行，以增強藝術效果」（82頁）。

❾ 王慶菽「試談變文的產生和影響」（『新建設』1957年，第3期）。

變文的小說化過程。

俗講原本是以開導民眾爲目的的佛教講唱的一種手法，它的表演順序爲：作梵、說押座、開贊、說莊嚴、定式入講。定式入講後，都講者唱經，法師解說，接著都講者朗誦詩偈，法師解說。總之，反復唱經、解說、詩偈三個步驟來完成。看以下俗講的具體例子。

解說　上來總是第十八上求佛地住處門中。次第解釋之中，且有三段經文：第一、荀（簡）所緣境。經「須菩提，於意云何，如恒河中所有沙」至「爾所國土中，所有眾生若干種心。」答也。第二，明佛能知。經「須菩提，如來悉知悉見。」是也。第三，徵釋所已。經：「須菩提，如來說諸心皆爲非心」至「未來心不可得。」是也。三段不同，且當第一荀（簡）所緣境者：

吟偈　五眼義門排遣了，若干心數又如何，
指示恒河沙數如（了）、經中便請唱將羅。

唱經　經：「須菩提，於意云何」至「若干種心。」

解說　此唱經文。明用一恒河沙數諸恒河，緣用諸恒河中沙數諸佛世界。佛問須菩提：「寧爲多不？」須菩提言：甚多。世尊言：爾所國土中所有眾生，若干種心者，即是爾所世界中，各有眾生、各有若干心也。

吟偈　將沙數世世難窮，盡是諸佛國土中，
世界眾生無億數，各懷心義幾千重，
若國土，若干人，若干沙數若干身，
佛有若干光照耀，盡教總得出沉淪。

佛有他心盡見伊，若干心數總皆知，

算料不應取次說，都公案上復如何。

唱經　經：「須菩提，如來悉知見」等；

吟偈　一河沙數眾河沙，數盡恒河世界家，

一個眾生有多少意，意中各自有千差。

牟尼佛有多方便，變現令居百億花，

過去未來及現在，三心難弁唱將羅。

唱經　經：「何以故？」

解說　如前所說也，答也。言如來說諸心者，先深眾心也。言皆爲非心者，言是名爲心者，是顛倒邪見之心也。乃至「未來心不可得」者，徵釋也。一切眾生聞說諸心，爲實心，故得破遣，過去心已滅，未來心未至，現在心無住，三世求心，乃不可得，此明三皆空也。法喻合。

以上是「金剛般若波羅蜜經講經文」成爲俗講表演之後的一段文字。在解說部分，法師說『上來……所緣境者』，都唱者在吟偈詩中說『五眼義門……唱唱羅』，之後再次唱經，如此反復著同樣的模式結束全篇。從而可知，俗講由擔任解說的法師和擔任唱經的都講此二人進行。

典型的變文是韻散並存的。而這種特徵變文比俗講更爲明顯。在變文裏，韻文和散文明顯二分化，形式隨之而更爲單純化了。雖然「破魔變文」中存在著作爲押座文的詩，但這是在初期變文中屬於罕見的例子。不過，押座文和緣起，在話本裏等於入話部分，且具有同樣的用處，從這樣的事實中也可以看到變文發展成話本的線索。大部分的變文以韻散並存的講唱形式表演出來。後期的歷史故事中多出現「有說無唱」的新形式，而這種現象可以解釋爲變文從講唱文學發展成閱讀文學的過程。

無論如何，俗講的解說、唱經、吟偈三個部門，在變文簡單分爲韻、散二種形式，後來又成爲沒有韻文的只適合閱讀的體裁，從此逐漸成爲小說。從口演到小說的變化過程中可以看到變文在中國小說史上占有的重要地位。

宋代話本的表演，已經以民間藝術形態體系化，具有題目⑩、篇首⑪、入話⑫、頭回⑬、正話⑭、篇尾⑮的五個定型。它在酒樓、街道上、寺廟裏、權門庭院等地廣泛地被舉行。⑯

---

⑩ 以七言或八言爲主，根據故事內容而定。例如，『李亞仙』的癸集卷叫作「李亞仙不負鄭元和」。

⑪ 話本小說通常以一首詩或詞來開頭，這些詩或詞叫做篇首。這些詩詞用來提示主題，概括全篇大意。『錯斬崔寧』的篇首：「聰明伶俐自天生，懵懂痴呆未必眞。疾妒每因眉睫淺，戈矛時起笑談深。九曲黃河心較險，十重鐵甲面堪憎。時因酒色忘家國，幾見詩書誤好人。」

⑫ 在篇首的詩詞後面加以解釋叫做入話。入話之後進入正話。入話具有安定聽衆，聚集更多人的作用。宋代話本裏看不到入話，可能是明代以後才開始使用的用語。首見於『清平山堂話本』。

⑬ 在不少話本中，在篇首和入話之後敍述一段和正話類似或相反的故事，而這一故事本身可以成爲一回。又稱『得勝頭回』或『笑腰頭回』。

⑭ 等於正文，本文。

⑮ 話本的後尾一般都有煞尾，而這個結局和正文的不一樣。本文的結局是故事發展的必然結果，而這個煞尾等於是一種具有獨立性的附加物。可借此發揮作者個人的想法，也可向人提出警戒之意。在形式上，可以用詩詞，也可以先用白話再附詩詞。

⑯ 胡士瑩，前揭書，8頁。

在以上的觀察中，透過表演形式的繼承和發展說明了唐代的俗講演變到宋代話本的過程。

3、變文和話本理論

唐代盛行了講唱藝術表演。推想，雖然因人而異、因地而異，但在表演時總需要底本。那麼，這些底本中會不會有留傳下來的？這一直是個解不開的疑問。不過到 20 世紀初，敦煌石窟裏發掘了大量變文，而這個變文已被確認爲俗講的底本。那麼，變文的含義到底是什麼？它的範圍多廣？變文眞的是俗講的底本嗎？這些疑點就是在下面接著討論的主要論點。

學者們一般給變文下的定義如下：『俗講的底本就是變文。』⓱『變文是給聽眾口演時所使用的，提供演出用的一種講唱文學的底本。』⓲『歌咏奇異故事的本子，就是變文。』⓳

學者之間的定義雖然多少有出入，但在把變文看做俗講的底本這一點上，並沒有異議。變文被記錄下來的背景，可以整理出下面三種。

第一，爲開講抄寫底本。俗講僧或職業說唱人在當場表演時爲臨機應變，通常準備多種故事。爲記憶上的方便，他們把這些故事記錄

⓱ 張錫厚，前揭書，79~81 頁。

⓲ 白化文「什麼是變文」，『敦煌變文論文錄』（周紹良，白化文編），437 頁。

⓳ 張楷第「中國短篇白話小說的發展與藝術上的特點」（向達『俗講變文與白話小說』，126 頁）。

下來，備寫各種底本留存。

第二，有的人聽別人講唱之後便把它抄寫。要抄寫一篇變文，起碼要聽兩三次以上的表演。

第三，爲閱讀抄寫。「漢將王陵變」寫本的後記及「降魔變」的後尾，顯然意識著讀者的存在便寫道：如過有錯誤的地方，希望得到寬恕及改正。⑳

接下來談一下變文的範圍問題。變文的產生和講唱藝術有密切的關係。可是，至於和講唱藝術有關的文獻記錄中只採取題目包有「變」或「變文」字樣的作品才算入變文中，還是雖然沒包有這些字，但在形式上和變文類似的也都算進去，還是一個爭論不息的問題。

圍繞著變文的範圍設定問題，發生如此不同的見解，是因爲敦煌文獻的題目除了命名爲「某變文」、「某變」之外，尚有各種不同的名稱，而這些題目不包含「變」字的作品，無論在形式上或在文章體制上都和「變文」、「變」有些不同之處。有幾位學者根據這一點，主張在敦煌石室發現的所有文獻不可以用「變文」這個詞來概括，堅持這種主張的，可以向達㉑、程毅中㉒、張鴻勛㉓等人爲代表。

相反地，有些學者主張，盡管這些文章和變文在體制上有所不同，但只過是受到變文的影響而形成的另一種形式而已，因此能包括

---

⑳ 「孔目官學仕郎索清子書記耳。後有人讀諷者，請莫怪也了也。」（「漢將王陵變」）；「或見不是處，有人讀者即與正著。」（「降魔變」）

㉑ 向達，前揭書，15頁：「今統以變文名之，以偏概全，其不合理可知也。」

㉒ 程毅中「關於變文的幾點探索」（向達，前揭書，108頁）。

㉓ 張鴻勛「變文講唱文學的體制及其類型初探」（『敦煌學輯刊』第二集，73~86頁）。

這一切文獻的名稱，非變文莫屬。提起這樣的主張的人，大部分是鄭振鐸以來繼續使用「佛教變文」「非佛教變文」、「講經變文」、「非講經變文」等用語的學者。敦煌大部分的寫本擁有所謂「原題」，而這些原題通常帶領著「前題」和附在寫本後面的「後題」。有時候還會有甲集和乙集的原題名稱有不一致的現象。那是因爲先有全名，後來又出現簡名，有的按形式命名，有的按內容命名，又有的沿襲舊名。㉔正是這一點提供給我們那些不使用「變」這一字眼的寫本仍然可以歸入到變文裏面去的重要線索。非佛經故事也是從變文中發展出來的，這一事實可從敦煌文獻中得到確認。由此而言，從敦煌寫本之擁有各種不同名稱的這一現象中可以推測到在變文在極盛時其名稱並不被統一，而「變文」就是當時概括它們的統稱。潘重規先生在『敦煌變文集新書』一書中，先聲明佛經故事中未具標題的和非佛經故事中未具標題的，仍然可以歸納在變文中㉕，再來將變文的形式分成「有唱有說」、「有說無唱」、「有唱無說」、「對話體」等四個項目。這樣的分類法是根據變文的發生順序而定的。這本書糾正了以前王重民『敦煌變文集』中的錯誤，且頗有妥當之處，因此本人把它當作議論的依據。潘先生的所運用的按內容、按形式的分類法，是一面考慮俗講的基本特徵，一面考察它的發展過程而完成的。下面是將他的分類體系簡單整理出來的。

㉔ 例如，「前漢劉家太子傳」的後題名稱叫做「劉家太子變」，「功德意供養塔生天緣」（原卷的簡題）的後題名稱叫做「頻婆娑羅王後宮綵女功德意供養塔生天因緣變」。

㉕ 潘重規，前揭書，1303~1304 頁。

變文　第一類：講唱佛經和佛家故事

第一：佛經的經文、先作通俗的講解、再用唱詞重複解說一遍：有唱無說

第二：講說釋迦牟尼太子出家成佛的故事：有說有唱

第三：講佛弟子和佛教故事：有說有唱

第二類：講中國歷史故事　1、有說有唱

2、有說無唱或有唱無說

3、對話體

潘先生根據變文發生年代，對內容和形式進行具體分類，最後在以往的 78 篇再加重新發掘出來的 8 篇及附錄，完成爲共有 8 卷，收錄 88 篇變文的一部變文集。當然，本書卷數的順序安排，代表變文發生年代先後。這方面的具體事項，對了解變文理論會有不少幫助，因此引用在下面。

卷一：押座文 9 篇

1、八相押座文

2、三身押座文

3、維摩經押座文

4、溫室經講唱押座文

5、故圓鑒大師二十四孝押座文

6、左街僧錄大師壓座文

7、押座文（一）

8、押座文（二）

9、押座文（三）

卷二：講經文 23 篇

1、長興四年中興殿應聖節講經文

2、雙恩記

3、金剛般若波羅蜜經講經文

4、佛說阿彌陀經講經文（一）

5、佛說阿彌陀經講經文（二）

6、佛說阿彌陀經講經文（三）

7、佛說阿彌陀經講經文（四）

8、妙法蓮華經講經文（一）

9、妙法蓮華經講經文（二）

10、維摩詰經講經文（一）

11、維摩詰經講經文（二）

12、維摩詰經講經文（三）

13、維摩詰經講經文（四）

14、維摩詰經講經文（五）

15、維摩詰經講經文（六）

16、維摩碎金

17、維摩詰所說經講經文

18、十吉祥講經文

19、佛說觀彌勒菩薩上生兜率天經講經文

20、無常經講經文

21、父母恩重經講經文（一）

22、父母恩重經講經文（二）

23、盂蘭盆經講經文

卷三：太子出家成佛變文 12 篇

1、太子成道經一卷

2、悉達太子修道因緣

3、太子成道變文（一）

4、太子成道變文（二）

5、太子成道變文（三）

6、太子成道變文（四）

7、太子成道變文（五）

8、八相變

9、破魔變文

10、降魔變文一卷

11、難陀出家緣起

12、祇園圖記

卷四：佛弟子及佛教故事變文 12 篇

1、目連緣起

2、大目乾連冥間救母變文並圖一卷並序

3、目蓮變文

4、地獄變文

5、頻婆娑羅王後宮綵女功德意供養塔生天因緣變

6、歡喜國王緣

7、醜女緣起

8、不知名變文（一）

9、不知名變文（二）

10、不知名變文（三）

11、秋吟一本（一）

12、秋吟一本（二）

卷五：有說有唱 歷史故事變文 9 篇

1、伍子胥變文

2、孟姜女變文

3、漢將王陵變

4、李陵變文

5、蘇武李陵執別詞

6、王昭君變文

7、董永變文

8、張義潮變文

9、張淮深變文

卷六：有說無唱、有唱無說 歷史故事 10 篇

1、舜子變

2、韓朋賦一卷

3、秋胡變文

4、捉季布傳文一卷

5、季布詩咏

6、前漢劉家太子傳

7、廬山遠公話

8、韓擒虎話本

9、唐太宗入冥記

10、葉淨能詩

卷七：對話體變文 9 篇

1、孔子項託相問書

2、晏子賦

3、鷰子賦（一）

4、鷰子賦（二）

5、茶酒論一卷

6、下女夫詞

7、四獸因緣

8、齖齣書一卷

9、百鳥名

卷八

1、搜神記

2、孝子傳

附錄：變文資料 2 篇

1、敦煌變文論文目錄

2、敦煌變文新論

參考以上按變文發生年代的分類法，現在要整理出唐代變文的話本小說理論體系。潘重規先生『敦煌變文集新書』中所收錄的 88 篇變文，都能看做小說？這是即將在下文繼續討論的論點。先檢討一下 88 篇的內容與形式，然後再選定符合話本小說的性質特徵的個別作品。變文爲被認爲話本小說，得具備如下幾點因素。第一，形式上得以散體爲主，要不然起碼散文所占的比率比韻文多一些。基本上「有說無唱」最符合話本的條件，但「有說有唱」時說辭比唱辭要多些。正是因爲如此，像「孟姜女變文」和「王昭君變文」篇盡管具有極其完善的敘事結構，不得不排除在外。因爲小說的基本性質是畢竟是散文，不是韻文。第二，變文的內容帶有小說味道，最理想的是既虛構有通俗的內容。就這一點而言，和在佛寺裏進行的講經變文比起來，廣受歡迎的歷史故事變文更具備著這種條件。講經變文是給佛經故事加以潤色而成的，難免內容過於枯燥，缺乏戲劇性。不但如此，形式也大都以韻文爲主，不足編入小說之內。第三，要檢討該篇變文在整個中國古代小說史中能否提起承前啓後的作用。在此舉個例，伍子胥故事經歷先秦兩漢六朝幾百年的時間，通過『左傳』、『史記』、『吳越春秋』等書籍中逐漸發生內容上的變化，到了唐代便成爲「伍子胥變文」。此後，以元代的雜劇，明代的傳奇等不同面目繼續出現。這樣的演變過程，在中國小說的發展脈絡中頗值得注目。

根據以上三個條件，再次檢討一下潘重規先生『敦煌變文集新書』的分類。首先，卷一的押座文九篇絕對不能成爲小說。因爲它從頭到尾用韻文行文。一篇變文用散文敘述還是用韻文敘述，這是決定該篇能否成爲小說的關鍵。這樣看來，只有唱辭，而沒有說辭的卷六「捉季布傳文」和「季布詩永」也不能看做小說。卷二的講經文 23 篇，可說是最能代表俗講的變文。但是它們都把佛經故事改寫而成，缺乏虛構性及其他小說的基本因素，而且內容和形式都千篇一律。同樣，卷三的「釋迦太子出家成佛故事變文」十二篇中也有不少重覆的地方，因此選別時特別注意，以免重覆。光是「太子成道經變文」就有 7 篇之多，其中以韻文寫成的，或篇幅太短的，都無法以一篇完整的小說看待。與此同時，雖然形式條件符合小說的要求，但內容不夠具有小說味道的話，也不必選入。因為內容和形式都符合小說標準的變文，其數量已經足夠，而且不須要每篇都符合小說的條件才能把變文看做話本的前身。只要選出富有小說色彩的變文，再利用小說理論對它們進行分析，這才是合理的方法。

卷四的「佛弟子」及佛教故事十二種，大部分以韻文為主，除了「大目乾連冥間救母變文並圖一卷並序」之外，其他作品都不足以提。卷五的歷史故事變文九篇，基本來講沒有不符合小說條件的地方，但是「孟姜女變文」、「董永變文」、「張淮深變文」三篇散文不夠多，「蘇武李陵執別詞」脫字太多，因此無妨都加以摒斥。與此相反，卷六的歷史故事變文十篇中以韻文寫成的「捉季布傳文」和「季布詩永」二篇，以及脫字太多一致使人難以掌握全篇故事內容的「唐太宗入冥記」，由於它們的文學性高，對後世的影響大，所以反而可以看做小說。在卷六，除了兩篇之外，其他八篇都被評價為是篇內容與形式互相協調的最完整的變文話本小說。收錄在卷七的對話體變文屬於一問一答的問答體，可以不提。其他二篇也不適合在討論小說時提起。

在內容和形式上都符合小說的基本要求，同時具有小說固有的虛構特徵，能兼備這樣條件的作品，大約有下面舉出來的幾篇。將這些作品按照變文的產生年代，先排列佛教故事三篇，歷史故事十一篇，再排列了「有說有唱」的歷史故事變文四篇及「有說無唱」的七篇。

（1）佛教故事：有說有唱

1、破魔變文

2、降魔變文 一卷

3、大目乾連冥間救母變文並圖一卷並序

（2）歷史故事

1）有說有唱

1、伍子胥

2、漢將王陵

3、李陵

4、張義潮

2）有說無唱

1、舜子變

2、韓朋賦

3、秋胡

4、前漢劉家太子傳

5、廬山遠公話

6、韓擒虎話本

7、唐太宗入冥記

8、葉淨能詩

以上是先按內容與形式分大類，大類再按產生年代排列的。如果按照小說具有的通俗性來排列的話，其順序應當以「有說無唱」的歷史故事變文占首位，「有說有唱」的歷史故事變文繼其後，而「有說有唱」的佛教故事列在最後。俗講在民間得到熱烈歡迎之後，「有說有唱」的歷史故事變文隨之而興，繼此而出現的，就是提供閱讀用的「有說無唱」的歷史故事變文。

這可以當作變文往小說發展下去的重要依據。卷六的歷史變文十篇中「有說無唱」的有八篇，「有唱無說」的只不過二篇，這證明當時人已經對閱讀小說開始感到興趣。從講唱文學出發的變文，發展到後來，「唱詞」逐漸減少，而說詞所占的比重愈來愈大，這種現象也許是宣告宋代話本誕生的一種預示。從現在起，透過具體作品分析檢討它的內容和形式是否符合小說標準，尋回變文在中國小說史的地位。

4、變文話本作品分析

（一）有說有唱的「伍子胥變文」

在以歷史故事爲題材的變文中，「伍子胥變文」被認爲是不但體制完整，敘事性也強的出色作品。現存「伍子胥變文」的文獻資料共有寫本四種，其中二種在巴黎，另外二種在倫敦。巴黎所藏的 p.3213 寫本和 p.2794 寫本，由於缺損嚴重，無從理解內容，但所藏在倫敦的 p.328 寫本和 p.6331 寫本被保存著相當多部分，可以把握整篇故事的內容。收錄在『敦煌變文集』中的「伍子胥變文」這一題目是王重民參考上面四種寫本之後定名的。簡單介紹一下這篇的內容：

周朝末年，楚平王被奸臣魏陵迷惑，娶原訂爲東宮太子妃子的秦穆公女兒爲後妃。當時伍子胥的父親伍奢認爲這是萬萬不得的事情，再三獻言阻止平王，結果被投獄了。魏陵爲在國外當官的伍奢兩個兒子始終放不下心，用計把他們招來，試圖將父子三人同時處置。伍子胥的大哥雖然已發覺魏陵的陰謀，但孝順的他獨自回國，甘心和父親一起被處死。伍子胥爲了報父兄的仇，離開國都。在逃亡過程中，經歷許許多多的事情：遇見浣紗女，得到過她的幫助；從貪心無厭的侄子手裏摒命逃離過；遇見妻子時，掩飾自己的身份，寫一首「藥名詩」來闡明自己的立場。後來托一位漁父的福，被吳王登用，輔助吳王打敗楚國，發掘平王的墳墓，剖棺斬屍，一雪父兄的冤憤。之後登上吳國宰相的地位，打敗越國的勾踐。不過夫差即位後被奸臣迷惑，日益疏遠他，最後命令他自決。伍子胥死後，夫差被勾踐大敗。

伍子胥故事在以前史書中也有記錄，但此篇「伍子胥變文」在史籍的基礎上添加藝術色彩，使得具有小說的味道。這可說是經過作者一番創造，以嶄新面貌出現的新藝術。這也是變文固有的特色。作者一面繼承史書上既有的記錄，一面加以潤色，擴大內容，使它成爲史書沒得比的藝術作品。描述浣紗女的部分，其篇幅比『吳越春秋』增加了幾倍。這樣一來，結構更加復雜了，戲劇性更加濃厚了，被使用的語言也更加形象、更加生動了。下面要引用一段爲了解故事極其有幫助的情節。那就是伍子胥在逃亡途中遇見浣紗女，浣紗女給他吃一頓飯之後，爲讓伍子胥安心離去自己投江而死的場面：

> 悲歌已了，更復前行，信業隨緣，至於潁水。風來拂耳，聞有打紗之聲，不敢前盪，隈形即位。
>
> ………………（中略）………………
>
> 女子拍紗於水，舉頭忽見一人。行步獐狂，精神恍惚，面帶飢色，腰劍而行，知是子胥。乃懷悲曰：「兒聞桑間一食，靈輒爲之扶輪；黃雀得藥封瘡，銜白環而相報。我雖貞潔，質素無

虧，今於水上拍紗，有幸得逢君子，雖即家中不備，何惜此之一餐。」緩步岸上而行，乃喚：「遊人且住，劍客是何方君子？何國英才？相貌精神，容儀聳幹。緣何急事，步涉長途。失伴周章，精神恍惚。觀君面色，必然心有所求。若非俠客懷冤，定被平王捕捉？兒有貧家一惠，敢屈君餐。情裏如何？希垂降步。」子胥答曰：「僕是楚人，身充越使，比緣貢獻，西進楚王，及與梁鄭二國計會軍國，乘肥却返，行至小江，遂被狂賊侵欺，有幸得存。今日登山驀嶺，糧食罄窮，空中聞娘子打紗之聲，觸處尋聲訪覓。下官形骸若此，自拙爲人，恐失王程，奔波有實；今遊會稽之路，從何可通？乞爲指南，余亦不敢望食！」女子答曰：「兒聞古人之語，蓋不虛言。情去意實難留，斷弦由可續，君之行李，足亦可知。見君盼後看前，面帶愁容而步涉，江山迢遞，冒染風塵，今乃不棄卑微，敢欲邀君一食：

兒家本住南陽縣，二八容光如皎練。

泊紗潭下照紅粧，水上荷花不如面。

客行由同海泛舟，薄暮皈巢畏日晚。

儻若不棄是卑微，願君努力當餐飯。」

子胥即欲前行，再三苦被留連，人情實亦難通，水畔蹲身，即坐吃飯。三口便即停餐，媿荷女人，即欲進發。更蒙女子勸諫，盡足食之。慚愧彌深，乃論心事。子胥答曰：

「下官身是伍子胥，避楚逃逝入南吳。

慮恐平王相捕逐，爲此星夜涉窮途。

蒙賜一餐堪充飽，未審將何得相報！

身輕體健目精明，即欲取別登長路。

僕是棄背帝鄉賓，今被平王見尋討，
恩澤不用語人知，幸願娘子知懷抱。」
子胥語已向前行，女子號咷發聲哭：
「旅客惸惸實可念，以死匍匐乃貪生，
食我一餐由未足，婦人不愜丈夫情。
君雖貴重相辭謝，兒意慚君亦不輕。」
語已含啼而拭淚，「君子容儀頓顦顇，
儻若在後被追收，必道女子相帶累。
三十不與丈夫言，與母同居住鄰里，
嬌愛容光在目前，烈女忠貞浪虛棄。」
喚言伍相物懷擬，遂即抱石投河死。
子胥迴頭聊長望，怜念女子懷惆悵，
遙見抱石透河亡，不覺失身稱冤枉。
無端潁水滅人蹤，落淚悲嗟倍悽愴：
「儻若在後得高遷，唯贈百金相殯葬！」

一眼看出，和以往『左傳』、『史記』、『越絕書』、『吳越春秋』比起來，其篇幅大幅增加。伍子胥和浣紗女之間的對話，及背景和人物心理的描寫，已具有高度的小說技巧。這就是將這篇作品看做小說的主要原因。

另外，這篇在文章體制上具有兩種特色：第一，以四言爲主，中間插入雜言體；第二，在散文敘述中插入唱詞，還添加幾首詩。現在考察一下這篇和話本之間的關係。「伍子胥變文」中有一段通過伍子胥的口吻吟咏的韻文部分，而這種形式在宋代話本中也可以發現。例如，「大唐三藏取經詩話」以作品中人物所寫的詩歌來代替唱詞，結束全篇。又如『清平山堂話本』中的「張子房慕道記」中也有幾首作品人物所寫的詩歌，這些都是宋代話本受到變文影響的證據。㉖

（二）有說無唱的「韓擒虎話本」

這篇的筆寫本收藏在大英圖書館，這就是所謂 s.2144 號。此篇算是首尾較完整的作品。原本沒有題目，校錄人根據文章最後的「畫本既終」的字，按照內容而定名。此篇在敘寫隋文帝楊堅建國時韓擒虎立功的事迹。為把握本故事內容，先找出故事的來源，再就來源故事和本故事進行比較。

『隋書』「韓擒虎傳」中對韓擒虎的一生有如下的敘述。

韓擒虎的父親韓雄是北周的大將軍，建立不少戰功。韓擒虎既聰明又勇敢，頗受周太祖的信任，沿襲其父親「新義郡公」的封號。他擔任和州刺史時，阻止過陳國的侵略。開皇年間初，高祖想要合並江南一帶，將他任命廬州總管，使他平定陳國。這時江南的文老仰慕他的名聲而來，樊巡、魯世眞、田瑞等陳過的將帥也陸續投降。結果，他不交戰而平定江南了。賀若弼和韓擒虎互相爭功，於是高祖同樣給二人大加賞功，拜韓為上柱國，還賞賜八千段禮品。突厥的使者懼怕他的威儀，不敢面對他的臉。高祖封他為壽光縣公，他的食邑多達一千戶。後來，擔任行軍總管時，守護金城，防備夷狄的侵略。又成為涼州總管。他在主上的內殿得到隆重的接待後，便成為閻羅王，過幾天逝世，當年 55 歲。

㉖ 請參考林聰明『敦煌俗文學研究』304~305 頁。

現在將列傳的記錄和「韓擒虎話本」進行對照。

故事以會昌武帝壓制佛教的史實開頭，而會昌便是唐武宗的年號（841~846）。唐武宗和北周武宗都是壓制佛教的皇帝，也許因此而引起變文作家的誤會。但從此可得而知此篇唐武宗以後出現。㉗故事裏說：有一位法華和尚在隨州的山中專心念誦佛經，這時龍宮的八大海龍王來找他，便爲他轉誦法華經表示感謝。接著說，隨州的楊堅即將成爲皇帝，但是頭上有角，不能戴冠。還給他龍膏，吩咐說：楊堅患有頭痛，用這個龍膏給他治好病，然後勸他當上皇帝之後振興佛法。八大海龍王說完就走了。法華和尚到隨州衙門去找楊堅，按照八大海龍王的吩咐行事，果然拔掉頭上的角，治好頭痛。使君楊堅照法華和尚的指使，拜謁皇上，而這時皇上喝黃後楊妃暗地裏准備好的毒酒而死。於是楊妃宣布，皇上已成爲滄海之龍，皇位由楊堅來繼承。他就是隋文帝。這時四夷歸順，八蠻投降，但掌握著金陵的陳王不服從，起兵挑戰。文帝以楊素爲都招討使，賀若弼爲副知節，只有十三歲的韓擒虎爲行營馬步使來相對抗。韓擒虎只率領著三萬五千名馬步兵，打敗由父親的老友任蠻奴帶領的陳國士兵。因此陳王也無可奈何向隋軍投降。隋文帝給韓擒虎大加賞賜，命他爲陽州節度。尙未過十天，北方大夏的單於派突厥首領到隋，傳達開戰之意。這時韓擒虎展現一番他的神技，壓倒使者。後來他親自擔任和親使節到蕃國，在蕃王前面有展開他神奇的射藝，結果，蕃王送給他兩馬一百匹，駱駝一千頭以及各種珍貴土產。回國後，隋王也給他豐厚的禮物。有一天，五道將軍訪問他，便說他們奉天曹地府之命，來迎接他。且他即將會當陰

㉗ 潘重規，前揭書，1090頁。

司的主管者。韓擒虎向文帝告辭，離開人世。

以上是「韓擒虎變文」中對韓擒虎一生經歷的描述。故事一開始佛教色彩很濃厚，而且楊堅透過女兒的幫助即位的情節也頗具異彩。整篇故事情節的發展和列傳不盡相同，諸如他才十三歲出徵，父親的老友任蠻奴向韓擒虎投降，以射藝壓倒蕃人等的情節，及有關死亡時的描寫，有的在列傳中根本不存在，有的和列傳記錄有大幅出入，無論如何，這些都是爲提高作品的藝術性，塑造韓擒虎英雄形象而刻意安排的。而在這種苦心，都是爲迎合老百姓嗜好的，這點足以證明變文在當時已經受到廣泛民眾的喜愛。體制上，這篇幾乎由散文構成，這一點和韻散並存的宋元話本有差異。

5、結　論

敦煌變文是中國文獻史上很珍貴的資料。尤其爲理解中國古代小說的變遷過程必不可缺。透過變文在形式、內容上特徵的考察，可以找到屬於和文人小說不同性質的宋元話本的來頭。作爲俗講底本的變文，最初只爲提供口演上的方便而寫，這時它只不過是記錄文字，尚未具有文獻上的價值，更不用說藝術作品上的價值。發展到後來，俗講逐漸侵入到民間，成爲可藉以賺錢的工具。於是俗講人爲了聚集更多人，開始留意故事情節。畢竟曲折有趣的故事更受歡迎，因此變文中也出現愈來愈重視說詞，忽略唱詞的現象。在這種趨勢之下，變文往話本小說的方向發展，也許是很自然的事情了。唐代的變文文獻資料，爲了能分類成話本小說，首先在內容上以既通俗又有趣味佛教故事或歷史故事爲主。再來在形式上以「有說無唱」的散文爲主。儘管採取「有說有唱」的形式，說詞比唱詞要多一些。本論文爲了證明這一點，仔細考察了「目連救母變文」、「伍子胥變文」以及「韓擒虎變文」等具體作品。這種理論還可以適用在其他變文、如「降魔變文」、「破魔變文」、「盧山遠公話」、「舜子變」等。

總之，變文和話本不盡相同，但變文中含有著話本的幾種典型特徵：常用白話，以說詞爲主，結構嚴密，人物描寫很生動。這幾點足以說明變文逐漸邁入小說的領域之中。宋元話本和以往文言小說最大的不同在於：話本受到講唱影響而成，話本的體制中還保留著許多講唱藝術的痕迹。話本在描寫高潮時通常運用一兩句詩詞，這樣一來，一面可以避免重複，另一面可使得聽衆進入到另一種意境中。這種技法無疑是從變文而來的。

戰國「二聲字」分合及其應用

邱德修*

提　要

「二聲字」係研究戰國文字很重要的關鍵，由於過去對它的留心過少，所知不多。今地不愛寶，竹帛之書、每自地下蜂擁而出，「二聲字」所見愈多，益覺珍貴。現在欲解開古文字與古書的謎底，不得不善加利用它。所以要如此注重的原因，是今天我們碰到許多古書的問題，自非一般訓詁知識所能解決；同時，也是許多考釋古文字者所無從解決的問題。面對這些難題，倘能多多利用「二聲字」的知識，也許可勢如破竹，迎刃而解。質言之，「二聲字」隱藏著許多寶藏，有賴我們努力發掘，也許可以披沙撿金，因而攫獲至寶。本文嘗試從理論與實例上，去架構出相關「二聲字」的基本知識，然後去說解「二聲字的組合」與「二聲字的分裂」二大

*　育達商業技術學院應用中文系教授

問題，如能在這兩方面用功，使其「盧山」真面目一一浮現於面前，則必能解決目前古書或古文字所遭遇到的困境。

關鍵詞　文字學　二聲字

一、何謂「二聲字」

古造字者取二個聲符所構成的形聲字就是「二聲字」。傳統的觀念，形聲字都是一形一聲，即是有一個形符與一個聲符。亦即《說文·敘》所謂：

> 形聲者，㠯事爲名，取譬相成，江河是也。❶

《段注》：「事，兼『指事』之『事』，『象形』之『物』；言『物』亦『事』也。名，即『古曰名，今曰字』之『名』。譬者，諭也；諭者，告也。『以事爲名』，謂半義也；『取譬相成』，謂半聲也。『江』、『河』之字，以水爲名，譬其聲如『工』、『可』，因取『工』、『可』成其名。」❷「㠯事爲名」意謂取象形或指事之文來充當形聲字之形符；至於「取譬」，意謂取文或字來紀錄語言的聲音（以文字之音讀來譬況語言之聲音）；又以「名」（即形符）與所譬之「音」（聲符）來組合成一個形聲字。此形聲字由「形符」和「聲符」所構成之由來。原

---

❶ 《說文解字敘》，十五卷上，五頁。

❷ 《說文解字敘·注》，十五卷上，五頁。

本「形聲字」中「形符」與「聲符」的組合，並非如許君所說那麼嚴密，換言之，在形聲字創造過程中，有一形多聲，或多形一聲，或二聲字等現象存在。最後終於確定一形一聲之標準形聲字，完全賦予固定的模式，形成公認的規律，全係秦始皇統一文字的結果。

在此之前，「取譬」是採取兩方面，一是取譬「官方音」，另一是取譬「方言音」，自然而然造成了「二聲字」或「多聲字」。因爲「多聲字」不在本論文討論範圍，暫且按下不表，而「二聲字」正是「官方音」與「方言音」二者並存，互不分軒輊時，原本只記錄「官方音」之字，爲了滿足「方言」的需要，又再添加聲符，表示「方言音」；或者原本用來紀錄「方言音」的文，爲了滿足「官方音」的需要，而增添了表示「官方音」的聲符；揆諸其原始，都是原本只有一個「聲符」，如今再添加表「官方音」或「方言音」的另一個「聲符」；基於此二種「聲符」組合而成的文字就是「二聲字」。

簡單地說，爲了滿足「方言音」或「官方音」的需要，就原有紀錄語言的「聲符」上面，再增加一個表示「官方音」或「方言音」的聲符。如此一來，同時具有二個聲符的文字，就是「二聲字」。從這個角度看來，「二聲字」原本是兼具「官方音」與「方言音」的形聲之字。當然，也有二聲符都是紀錄兩地方言之「二聲字」，或是記錄古音與今音（古今音是相對的，若戰國爲今音，則春秋或春秋以前爲古音）的「二聲字」存在了。爲了清楚起見，試表列如下，以表示「二個聲符」擬構成字之始末：

聲符　聲符
‖　‖
┌（一）官方音＋方言音 →二聲字
├（二）方言音＋官方音 →二聲字
二聲字 ┼（三）A 方言音＋B 方言音→二聲字
├（四）A 官方音＋B 官方音→二聲字
├（五）古方言音＋今方言音→二聲字
└（六）古官方音＋今官方音→二聲字❸

此其中，又以「官方音」不能滿足「方言音」之實際需要，另增聲符來表示「方言音」者爲最多見。舉例而言，先有「子」或「才」字來表示官方音，之後爲了滿足方言音的需要，增添了「𢆶」聲符，而後才有「⿱𢆶子」與「⿱𢆶才」的二聲字之出現。事實上，「子」字也好，「才」字也好，均已是記錄語言聲音，明確地說，就是記錄了官方音，唯到了後來，它們都不能滿足「方言音」的需求，才各自增加「𢆶聲」爲聲符，以記錄「方言音」，然後而分別作成「⿱𢆶子」字與「⿱𢆶才」字。

據此可知，「二聲字」不是偶然的結合，而幾經爭扎後才誕生出來的果實。所誕生出來的二聲字，像「⿱𢆶子」與「⿱𢆶才」二字同時都足以應付「官方音」與「方言音」的實際需求了。

當然這種組合是有機的，是活潑的，是機動的，它會把「子」或「𢆶」，「才」或「𢆶」從原先假借出去所要表達假借義的用法——依附在「⿱𢆶子」字或「⿱𢆶才」字上，於是「⿱𢆶子」字或「⿱𢆶才」字的表義用途

❸ 另有複聲母所構成的「二聲字」，詳拙作〈戰國複聲母所構成二聲字研究〉一文，稿本，待刊。

即已呈現出多方面，多樣化；例如中山王諸器器銘中單獨一個「䍸」字，即可以表示「哉」、「玆」、「慈」三義；像讀「䍸」爲「哉」者，有：

△語不竣䍸（哉）！（大鼎銘）

△於虖新（哲）䍸（哉）！（大鼎銘）

△於虖攸䍸（哉）！（大鼎銘）

△於虖念（念）之䍸（哉）！（大鼎銘）

△允䍸（哉）若言！（方壺銘）❹

此其一。又讀「䍸」爲「玆」者，用它表示「玆」義，例如：

△天其又（有）埜（型）于䍸（玆）氒（厥）邦。（大鼎銘）❺

此其二。又讀「䍸」爲「慈」者，用它來表示「慈」義，例如：

△䍸（慈）炁（愛）百每（牧）。（圓壺銘）❻

此其三。同是一個「䍸」字，其原先借「才」爲「哉」者，而造成「䍸」字後，依舊可借「䍸」爲「哉」義來用。換句話說，原來本用「才」表示「哉」義，至於「䍸」（二聲字）構成時，依舊用「䍸」表示「哉」義，亦即二聲「䍸」字概括承受了「才」先前借出去的「哉」義。❼同理，先前「玆」字已借作「玆」、「慈」二義用，到了二聲「䍸」字構成時，亦同樣地概括承受了原先所要表示的「玆」與「慈」二義，

❹ 《中山王譽器文字編》，四二頁。

❺ 同注❹。

❻ 同注❹。

❼ 詳拙作〈從「二聲字」論「才」與「哉」的關係〉一文。

所以於「⿱丝才」字上面同時可借作「茲」義用，也可借作「慈」義來用了。像這種現象，爲前人所不能知，亦爲其所不可知的，如今既已研究「二聲字」之後而有了新發現。爲了清楚起見，試將其概括承受原有借義之始末，表示如下，俾供參考：

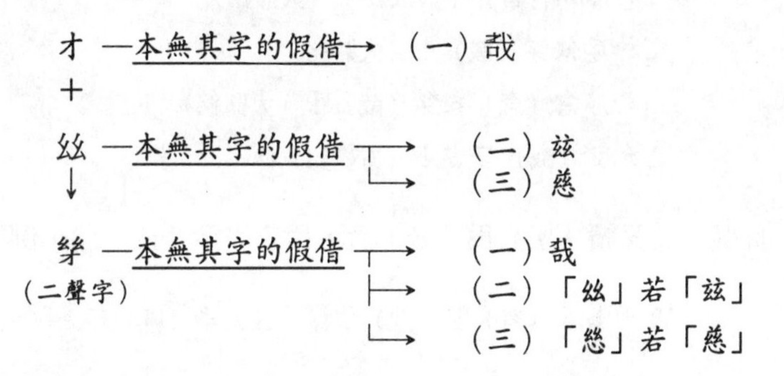

同理，「⿱丝才」字用來概括承受尚未構成「二聲字」前各別原先的借義亦是如此，於此暫且按下不表。

總之，「二聲字」即一種合體之字，其所組合之成分皆具表示「聲符」的功能，亦皆具記錄語言聲音的作用。那末，如此組合起來所構成的合體之字，即是我們所謂的「二聲字」。

二、「二聲字」的組合

既然「二聲字」係由表「官方音」與表「方言音」的聲符與聲符組合而成，那末，「二聲字」的任何一部分均具表示聲音（即語音或語言），記錄語言的功能。因爲研究「二聲字」處於剛剛起步階段，所以對於「二聲字」的確認也是極其有限，即目力所及，略舉其一二，俾供參考：

△㜽：從小、子，二聲；❽

△在：從才、士，二聲；❾

△𦃪：從學、才，二聲；❿

△㖧：從吅、文，二聲；⓫

△虖：從虍、乎，二聲；⓬

△雩：從雨、于，二聲；⓭

△堂：從尚、上，二聲；⓮

△閔：從門、文，二聲；⓯

△學：從幽、子，二聲；⓰

△𪑛：從立（位）、胃，二聲；⓱

△盧：從虍、魚，二聲；⓲

---

❽ 同注❹，二一頁。

❾ 同注❹，二三頁。

❿ 同注❹，四二頁。

⓫ 同注❹，四八頁。有關「㖧」的考釋詳拙作〈《上博簡》（一）「詩亡隱志」考〉一文。

⓬ 同注❹，五三頁。

⓭ 同注❹，五四頁。

⓮ 同注❹，五六頁。

⓯ 同注❹，五六頁。

⓰ 同注❹，六二頁。

⓱ 同注❹，六七頁。

⓲ 同注❹，七四頁。

上舉凡十一例，即《中山王礜器文字編》所見者，均屬於「二聲字」之行列。所以知「雩」爲二聲字者，因〈圓壺銘〉有「雨」字，讀爲「雩」，其銘曰：

△雨（雩）祠先王。⑲

即是其明證。

總之，「二聲字」爲合體之字，係由二文組合而成，每一文即可充當聲符用，亦即可充當記錄語言來用。唯其原本有記錄「官方音」的文，後來爲了滿足「方言音」的需要，又增添上一文，來記錄「方言音」，如此一來，二者均是記錄語言聲音的聲符，即形成了「二聲字」。「二聲字」的特色是每一部分都可以表示語音的功能，而每一部分也足以概括承受原先每個獨立之文所原有假借義的作用。

三、「二聲字」的分裂

「二聲字」既然由二個表示聲音的文組合而成，自然也容易從「合體之字」分裂成爲「獨立的文」，以之各自記錄「官方音」或「方言音」，以之表意。其組合成字時，容易於戰國文字中找到；至於分裂成文時，則於經籍中容易發現。唯過去並沒有「二聲字」的觀念及其研究，以致誤判爲其他因素，或是只知其然，而不知其所以然了。

就拿前舉「雨」與「雩」的例子來說，「雩」爲二聲字，其分裂

⑲ 同注❹，四二頁。

成「雨」與「于」二文之後，其中的「雨」，亦當讀爲「雩」，用「雨」來表示「雩」義，即是「二聲字」分裂後的著例。此即實物資料而言。至於傳世資料中，披沙撿金，亦可找到許多「二聲字」既經分裂後之「文」的例子。本論文試以今本《尚書》、《禮記》爲例，舉證如下，俾供參考。

《尚書·立政》有「休茲」一語，其文曰：

△周公曰：「嗚呼！休茲，知恤鮮哉！」⑳

吳汝綸《尚書故》，云：

「休茲」，猶云「美哉」也。「茲」，讀如「嗟茲」之「茲」。《詩傳》：「『子兮』者，嗟茲也。」字通作「呰」即《楚辭》之「些」也。㉑

吳氏又引姚永樸說云：

《詩》「昭茲來許」，《漢碑》作「哉」。劉昭《續漢志》引《東觀漢紀》亦然。是「茲」即「哉」也。㉒

所以知訓「茲」爲「哉」者，吳、姚二氏係從經籍異文對照出來的，唯他們只知其然而不知其所以然。倘能從「二聲字」的角度去思考，即可撥雲霧而睹青天，豁然開朗了。關於這個問題，我曾作過研究，其結果是這樣的：

---

⑳ 《尚書集釋》，二二三頁。

㉑ 《吳汝綸全集》，冊二，《尚書故》卷三，八二一頁「休茲」條。

㉒ 同注⑳。

姚永樸只知「茲」可作「哉」，而卻不知其所以然。像這個時候，經學家就必須乞靈自古文字學家了。因爲「茲」係借自「絲」而來，爲了與本字本義有別，演變成爲「88」外，又爲了結合方音滿足方言音讀的需要，於是造了一個二聲字㉓作「𢇁」形㉔。此其一。「哉」字依《說文》知字之形構爲從口𢦏聲的形聲字㉕，而「𢦏」字又可分析成爲「從戈才聲」的形聲字。那麼，「𢇁」與「哉」兩相比較，即知兩字均從「才聲」，依訓詁學條例「凡形聲字同聲母者，其古音必同，往往可以假借」律之，自然也就可以借「茲」爲「哉」了。但是原本二聲字的「𢇁」字，到了後來又將「才聲」省略掉，於是只剩下了「丝」若「茲」字；那末，在漢代經籍或漢碑也就出現了「茲」與「哉」互相替代的現象了。玆表列如下，以清眉目，俾供參考：

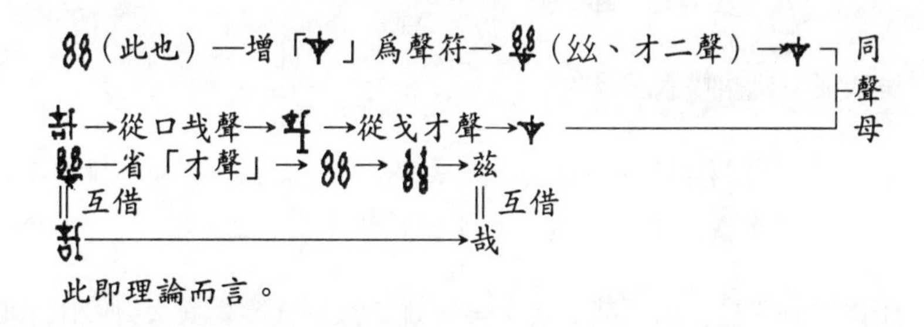

此即理論而言。

㉓ 二聲字者，凡合體之字，兩個偏旁同爲聲符者爲「二聲字」。二聲字的發生，係官方音與地方音發生落差時，爲了滿足方言的需要，往往在既有讀音的基礎上加上方言的音讀（第二個聲符），於是形成了二者皆表聲符的現象。如「丝」與「才」組合即成了二聲字「𢇁」了。餘詳拙作〈古文字中二聲字考〉，稿本，待刊。

㉔ 《中山王𰯼器文字編》，四二頁。

㉕ 《說文解字》二篇上，一九頁。

溯乎原始，「玆」與「哉」互用，並不限於《尚書》而已，即中山王嚳墓出土的諸器銘而言，就有例可循；例如：

△讀「𢆶」爲「玆」者：
〈大鼎銘〉：「天其又（有）𡔟（型）于𢆶（玆）氒（厥）邦」；
△讀「𢆶」爲「慈」者：
〈圓壺銘〉：「𢆶（慈）炁（愛）百每（牧）」；
△讀「𢆶」爲「哉」者，用例最眾，凡有五例：
〈大鼎銘〉：「語不竣（廢）𢆶（哉）！」
〈大鼎銘〉：「於虖折（哲）𢆶（哉）！」
〈大鼎銘〉：「於虖攸𢆶（哉）！」
〈大鼎銘〉：「於虖急（念）之𢆶（哉）！」
〈方壺銘〉：「允𢆶（哉）若言。」㉖

據此可證，「𢆶（玆）」字與「哉」字是可以互相替代，彼此假借了。此即實證而言。㉗

我寫〈晉侯銅人銘考〉一文時，於「二聲字」的認知，尚處於醞釀階段，對於問題的交待並不很清楚。事實上，古人之所以能借「玆」若「玆」爲「哉」，係完全緣自「𢆶」（二聲字）之合體之字分裂而來。

二聲字「𢆶」分裂成「玆」與「才」二文時，其中的「玆」演變成「玆」，而「才」即發展成「哉」字。然而「才」與「玆」原本是

㉖ 《中山王嚳器文字編》，四二頁。

㉗ 詳拙作〈晉侯銅人銘考——兼論《尚書·立政》「休玆」乙詞〉，九四～九五頁。

「二聲字」其古音相同，所以順理成章地就用「玆」來表示「哉」義。其組合與分裂過程，表列下如下，以清眉目，俾供參考：

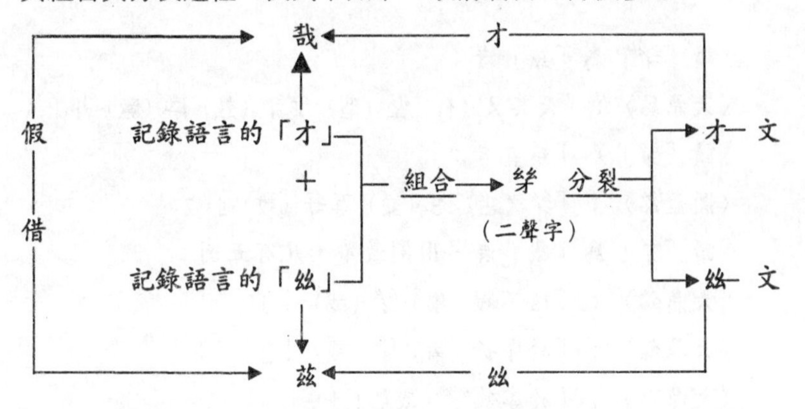

「𢆶」字既經分裂爲「玆」與「才」二文，而以「玆」表「哉」義，可；以「才」表「哉」義，亦可。究其原始，在「二聲字」時的「𢆶」字，已是普遍地用「𢆶」表示「哉」義了㉘。理所當然地，當「𢆶」分裂成「玆」與「才」時，用「玆（茲）」來表示「哉」義，也自然是天經地義的事了。當然也可以用「才」文來表示「哉」義。㉙

由此看來，從「二聲字」的分裂現象，來研究經籍的一些問題，倒是蠻適合的，也是蠻恰當的，益是蠻合理的。可惜的是過去沒有人從這個角度去思考，去討論，以致在這個領域迄今尚是荒原，尚是處女地，有待大家努力開發才行呢。

簡單地說「二聲字」的組合，足以看出戰國時代「官方音」與「方

㉘ 詳拙作〈郭店簡《老子》「季子」新證〉一文，稿本，待刊。

㉙ 定州本《論語》於〈衛靈公〉第十八章云：「子曰：義以爲質，禮以行之，孫以出之，信以成之，君子才！」即借「才」爲「哉」。例中的「才」即是自二聲字「𢆶」分裂出來的文。（七二頁、七五頁）

言音」的互相關係，及其分分合合的過程；至若「二聲字」分裂之後的文，於是將其中一個「聲符」（文）散落在經籍的各個角落，有待今天的古文字學家去收拾乾淨，使得古書的釋讀有著更令人滿意的答案，這才是研究「二聲字」的眞正目的。

此外，同樣出於《尚書》，見諸〈金縢〉中有：

> 若爾三王是有丕子之責于天㉚

海城·于省吾曾作新證，云：

> 《史記》「丕」，作「負」；徐廣「丕子」，作「負玆」。王靜安謂《公羊傳》之「負玆」，春秋時之宋公；「丕」、「慈」，同一語源。《公羊》釋諸侯有疾曰「負玆」。玆，席也。段玉裁謂馬融訓「丕子」爲「大子」。王先謙謂武王有背棄子民之咎。鄭康成曰「丕」讀曰「不」，愛子孫曰「子」；元孫遇疾，若汝不救，是將有不愛子孫之過，爲天所責。若如王說，以「負玆」訓「疾病」。不知周初文字，非如後世駢文家以一二字代一故事，有使用暗典之例也。且上句明言「遘厲虐疾」，下即言「疾」，亦決無以「負玆」代訓之理。以上諸家之說，以鄭康成訓「不愛子孫」爲近是。〈㢡叔多父盤〉：「多父其孝子」即「多父其孝慈」也。㉛

于氏不明「子」何以可作「玆」義解之理，遂逕引盤銘「孝子」作「孝慈」云云，尤增其心中更多紛擾；於是他又解釋說：

㉚ 《尚書釋義》，六七頁。

㉛ 《尚書新證》，卷二，一頁。

又按「是」、「寔」古通。〈秦誓〉：「是能容之」，〈大學〉「是」作「寔」。「丕」《尚書》多訓爲「斯」，「子」讀如字。「若爾三王是有丕子之責于天」者，言爾三王寔有斯子之責任于上天也。於義亦通。[32]

于氏之所以會一經二解，二說並陳，無法判定，實由於不知「子」何以可寫作「茲」字，又可作「慈」義解之原理。當然，不能怪罪于氏之有疑，因爲他所處的那個時代對「二聲字」之了解幾乎是界於「蠻荒時期」，以致一無所悉。〈金縢〉「丕子」，徐廣之所以訓作「負茲」，不是捉風捕影，也不是嚮壁虛構，而是淵源有自的。究其淵源是對照經籍異文而來的，至於何以會使「丕子」一語，一下子寫成「負茲」，徐氏也說不出所以然來呢！簡單地說，「子」與「茲」、「慈」之所以扯上關係，完全是基於「二聲字」之原理所致。在諸多「二聲字」當中有個「孶」字，係從「𢆶」、從「子」二聲。當其分裂成「子」與「𢆶」二文各自獨立之後，於是散落在經籍之中，有的取「子」作，即成爲「丕子」一語；有的取「𢆶」作，即成爲「負茲」一詞，而「茲」又是「慈」的聲母，所以自然又可對譯成「慈」字了。如此一來，這也就是于氏訓〈叚叔多父盤銘〉「孝子」爲「孝慈」的依據了。爲了清楚起見，表列如下，俾供參考：

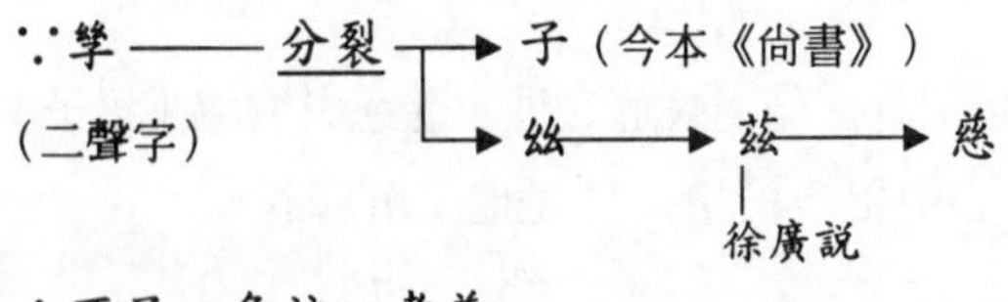

∴丕子＝負茲＝孝慈

---

[32] 《尚書新證》，卷二，一頁下。

基於二聲字「孳」字，其所從的二文「丝」與「子」皆爲聲符，那麼古人取其「子」以表示「丝」義，可；或取「丝」以表示「子」義，亦可；結果，取「子」表示者，即成「丕子」一詞，取「丝」表示者，即成爲「負兹」一詞了。由此看來，作「丕子」者，是也；作「負兹」者，亦是也；二者原本就可以兼收並蓄，不分軒輊。唯于氏不知此理，以致其內心惶恐不安，先依鄭康成作「不愛子孫」之說，復有「寔有斯子」之論，左右擺盪，莫衷一是，實不足爲奇。

再如《尚書·召誥》有：

△相古先民有夏天迪從子保㉝

此句，王引之曾作解釋；他說：

相古先民，有夏天迪從子保；
《傳》曰：天道從而子安之。
引之謹案：迪，用也。（原注：〈牧誓〉：「昏棄厥遺王父母弟不迪」；《史記·周本紀》「不迪」作「不用」）「子」當讀爲「慈」，古字「子」與「慈」通。「天迪從子保」者，言天用順從而慈保之也。《周語》曰：「慈保庶民親也」。㉞

後來，海城·于省吾採用王氏之說，並云：

王引之讀「子」爲「慈」，言天用順從而慈保之。（原注：〈誥

㉝　《尚書釋義》，九三頁。
㉞　《經義述聞》，卷四，一五一頁。

叔多父盤〉：「多父其孝子」，即「多父其孝慈」也。）㉟

由此看來，王氏訓經文「天迪從子保」作「天用順從而慈保之」義，是正確的。其中釋「子」爲「慈」義，亦得到于氏的認同。唯王、于二氏不知何以「子」可以訓作「慈」字，於王氏頂多只能說是：

古字「子」與「慈」通。㊱

如此一筆帶過而已。究其眞相，自亦是戰國時代已有「孶」的「二聲字」所致。此二聲字「孶」分裂成「子」與「兹」二文，取其中「子」作者，即成爲「子保」；取其中「兹」作者，即成爲「兹保」，到了後來就成爲「慈保」了。

基於以上三例，可以清楚地看出「二聲字」分裂之後，即散落於經籍中的各個角落中，如何替古人收拾殘局，恢復典籍的原貌，除了像王念孫父子的努力外，也有待今天古文字學家好好利用「二聲字」的知識，一一加以還原，才能有辦法解決古書上許許多多的謎題。不只如此，而在兩周金文亦有此現象，像于氏所舉的銘文即是著例。

類似的例子於經籍中多見，以《禮記》一書爲例，如〈文王世子〉云：

△庶子之正於公族者，教之以孝弟、睦友、子愛，明父子之義，長幼之序；㊲

㉟ 《尚書新證》，卷三，五頁下。

㊱ 同注㉞。

㊲ 《禮記鄭注》，卷六，一七頁下。

《鄭注》於「子愛」一詞無說，此「子」字亦是自「二聲字」之「學」字分裂而來的文，當釋「子」爲「慈」義，經文應當釋作：「教之以孝悌、睦友、慈愛」義是也。

又如〈緇衣〉云：

> 故君民者，子以愛之，則民親之；㊳

句中「子」字，《鄭注》無說，此「子」字亦是自「二聲字」之「學」字分裂而來的文，自當釋「子」爲「慈」義，謂治理百姓的領導應該慈以愛之也。

再如〈緇衣〉云：

> △故長民者，章志、貞教、尊仁，以子愛百姓，民致行己，以說其上矣㊴；

「子愛」一語，《鄭注》無說，其中「子」字追溯其原始，自亦是「二聲字」之「學」字分裂而來的文，依其上下文意，自宜釋作「慈」義，謂長民者，理應慈愛百姓才是。

再如〈樂記〉云：

> △君子曰：禮樂不可斯須去身，致樂以治心，則易直子諒之心，油然生矣㊵。

㊳ 《禮記鄭注》，卷一七，一一頁下。

㊴ 《禮記鄭注》，卷一七，十一頁下～十二頁上。

㊵ 《禮記鄭注》，卷十一，廿二頁。

《鄭注》：「『子』讀如『不子』之『子』。」㊶其說是也。因爲《韓詩外傳》「子諒」直接寫作「慈良」㊷。據此可證，〈樂記〉之「子諒」，就是《外傳》的「慈良」；其中的「子」與「慈」相互對譯。從此可以看出，《禮記》一書中有許多「子」字宜直接對譯成「慈」字的例子。它們之所以可如此相對譯成文，係完全基於經文中的「子」字，從二聲字「孳」分裂所得的結果，並非清儒，像王引之之流，所謂古字「子」與「慈」通的說法。㊸

另外，從古籍異文，亦可對照出來，像《墨子・非儒篇》下云：「不可使慈民」㊹；至於《晏子外篇》引之，「慈」作「子」字㊺。由此看來，自「孳」分裂出來的「玆」與「子」，後人取其「子」作，即成爲「子民」；取其「玆」作，即成爲「慈民」了。

我們在這兒總共舉了七個例子，來一一加以說明「二聲字」一旦分裂出獨立的「文」來，用字者所取其「二聲符」之中的其中一個「文」，即成爲其篇章中的用字，用來表義。像「孳」分裂出來的「文」爲「玆」與「子」二者；用字者取其「子」作者，即成爲「子愛」一語；取其「玆」作者，即成爲「慈愛」一詞。唯即今本《禮記》而言，作「子愛」者多，用「慈愛」者尠，以致像淵博通達的鄭康成，其注《禮記》時，即往往略而不注，想來東漢末「二聲字」已不多見，導致鄭氏無從著墨，是有其不得已之苦衷。至若清儒以「通借」說之，則已偏離

㊶ 同前注。

㊷ 《韓詩外傳》，卷三。

㊸ 同注㉞。

㊹ 《墨子・非儒篇》，《墨子閒詁》，卷九，四〇頁。

㊺ 《晏子外篇》，卷七，二五頁。

事實遠甚，益發不如漢儒了。

不過，古人感覺困擾的地方，今天得天獨厚可以簡簡單單地利用「二聲字」的原理，一一加以破解，使無從說解的地方，得到確詁。豈不快哉！

四、「二聲字」之應用

「二聲字」分裂之事實，可以應用在出土材料上，使過去的紛爭透過裁判而得到正確的答案。拿《禮記·緇衣》爲例子，像前文曾引一句云：

△故君民者，子以愛之㊻；

我們之所以敢釋「子」作「慈」義，除了純粹即「二聲字」分裂理論來推求得之外，尚有出土的新材料作爲依據的，那就是郭店楚簡〈緇衣〉與上博簡〈緇衣〉之異文所作爲佐證的寶貴材料。茲援引如下，俾供參考。

郭店〈緇衣〉簡作：

△古（故）孶（慈）㠯（以）悉（愛）之㊼；

上博〈緇衣〉簡作：

㊻ 《禮記鄭注》，卷一七，十一頁。

㊼ 《郭店楚墓竹簡》，圖版一九頁，〈釋文注釋〉，一三〇頁。

△古（故）慫（慈）㠯（以）炁（愛）之㊽（圖一）；

據此可知，上文所作「子→孶→慫→慈」的推求結果，是完全合事實的，並非子虛烏有，嚮壁虛構之作所能比擬。究其原始，字原本作二聲字的「孶」字，若分裂成二，去「丝」取「子」文，即成爲「子」，去「子」取「丝」，即成爲「丝」若「茲」，以「丝」爲基礎增以偏旁即成爲「慫」字，發展開來即成爲「慈」字。試表列如下，以清眉目，俾供參考：

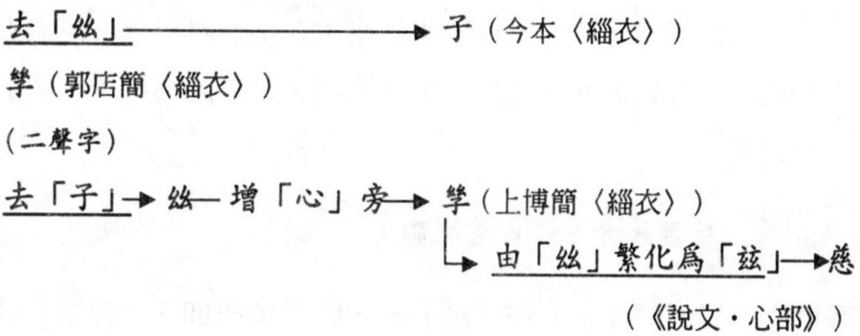

去「丝」——→子（今本〈緇衣〉）
孶（郭店簡〈緇衣〉）
（二聲字）
去「子」→丝—增「心」旁→孶（上博簡〈緇衣〉）
└→由「丝」繁化爲「茲」→慈
（《說文・心部》）

㊾

爲了解開上博簡〈緇衣〉作「慫」字，而今本〈緇衣〉作「子」字之謎，必須先了解其源頭爲二聲字的「孶」字了。

此外，像郭店楚簡《老子》有「絕僞棄慮（詐），民復季子」㊿（圖二）的「季子」一語，丁原植、魏啓鵬二教授釋作「孝慈」51。丁、

㊽《上博簡》（一），一八九頁、二〇七頁。

㊾《說文・心部》：「慈，炁也。從心，茲聲。」（十篇下・二十八頁）

㊿《荊門楚簡老子研究》，圖版十五，六七簡。

51 魏說，見於《楚簡《老子》柬釋》，三頁；又見於〈通假字匯釋〉，一三一

魏二教授之所以釋「季子」爲「孝慈」，是對譯今本《老子》而來的。至於爲什麼可以釋「子」爲「慈」呢？爲什麼可將「季子」對譯成「孝慈」呢？二家皆無說。蓋嘗論之，玆條舉如下，俾供參考。

古之造字者造一個從「丝」從「子」二聲的「孳」字，除了郭店楚簡《老子》外，尚有郭店楚簡〈緇衣〉，其文曰：

> 古（故）孳（丝—慈—慈）㠯（以）炁（愛）之，則民又（有）新（親）；信以結之，則民不伓（倍—背）；共（恭）以位（涖）之，則民有愻（遜）心。52（圖三）

原書《注》云：「『慈』，今本作『子』，全句爲『故君民者，子以愛之。』」53至於爲何一本作「子」，一本作「慈」，作注者無解。拙作曾謂「孳」爲從「丝」從「才」的二聲字54，以彼律此，即知此「孳」字，自亦是從「丝」從「子」的二聲之字。既然，「孳」字是個完完全全、不折不扣的二聲字，於古人用字的時侯，自然可以任意取其中一個聲符，獨立出來用作紀錄語言的聲音，若取「丝」聲作，可；若取「子」聲作，亦可。像這種獨特的現象，只有「二聲字」才可以辦得到。這也就是郭店楚簡《老子》「季子」之所以能夠釋作「孝慈」的緣由。此其一。

其次，以《老子》釋「季子」作「孝慈」來類推，當然又要回過

頁。丁說，見於《郭店竹簡《老子》解析與研究》，一〇五頁。

52 《郭店楚簡先秦儒家佚書校釋》，三五六頁；又《上博簡》（一），二〇七頁。

53 同注52，《校釋》，三五六頁。

54 詳拙作〈郭店簡《老子》「季子」新證〉一文，稿本，待刊。

頭來看《禮記》中〈緇衣〉三種版本，同是一詞而有三種寫法的字體出現。即今本〈緇衣〉與郭店〈緇衣〉和上博〈緇衣〉對照來看，顯然出現其各有殊異的情形：

△今本〈緇衣〉作「子」；[55]

△郭店簡〈緇衣〉作「孳」；[56]

△上博簡〈緇衣〉作「㥩（慈）」；[57]

陳佩芬教授曾爲上博〈緇衣〉之「㥩」字作考釋，云：

> 慈（修案：當作「㥩」）　　經籍「慈」、「子」通用。……《郭店簡》作「孳」，今本作「子」。其上除「故」字外，尚有「君民者」三字，爲衍文。[58]

其說只點出〈緇衣〉三種版本不同，並未點字之所作之所以不同的緣由，殊嫌不足。爲了說解方便起見，將三種版本〈緇衣〉條列如下，以便比較：

△古（故）孳（慈）㠯（以）𢝬（愛）之——郭店簡；

△古（故）㥩（慈）㠯（以）𢝬（愛）之——上博簡；

△故〔君民者〕子（慈）以愛之——今本《禮記》。[59]

---

[55] 《禮記鄭注》，卷一七，一一頁。

[56] 見注[47]。

[57] 《上博簡》（一），一八九、二〇七頁。

[58] 《上博簡》（一），一八九頁。

[59] 同注[56]、[57]、[58]。

由此看來，同是爲了表示「慈」義卻用三種不同的字體表達出來。顯然地，二聲字「⿱𢆶子」分裂成「𢆶」，增心旁即成爲「⿱𢆶心」，發展開來即爲「慈」字。此上海簡「慈」字之所以作「⿱𢆶心」形。而今本〈緇衣〉即取二聲字「⿱𢆶子」分裂出來的「子」來表示「慈」義。構成二聲字「⿱𢆶子」中的「𢆶」，在未形成二聲字「⿱𢆶子」之前，已借作「慈」義；如今已造成二聲字「⿱𢆶子」時，則已概括承受原先已有的借義——「慈」，因此遂可以「⿱𢆶子」爲「慈」了，此郭店簡「慈」字之所以作「⿱𢆶子」形。茲將「⿱𢆶子」、「⿱𢆶心」、「子」三字的關係，表列如下，以清眉目，俾供參考：

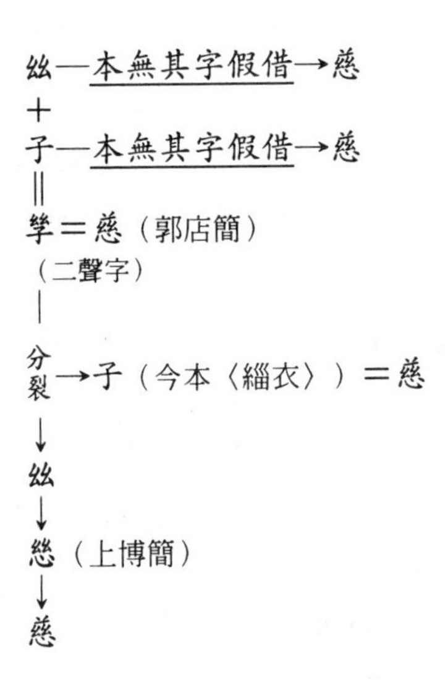

此其二。

必須強調的是：今本〈緇衣〉以「子」表「慈」義，而《郭店楚簡》以「⿱𢆶子」表「慈」義，而《上博簡》以「⿱𢆶心」表「慈」義；這種特殊現象，與一般所謂的「本無其字，依聲託事」的假借，或是「本有其字，依聲託事」的假借是完全不同的。上述二種假借只是透過上古聲韻的關係作為橋樑，而藉以「A」字形來表達「B」語義，或是「A」與「B」二字形彼此互借，各自表達對方的語義而已。

至於「二聲字」的分裂，則取其字二種聲符的任何一個「文」，即足以表示對方或原已有借義的語音或意思。如二聲字「孳」字，取其中的「子聲」，即可以表示「孳」或「慈（㦀）」義，或其他相關的意思。同理，亦可取其中的「兹聲」，用它來表示「子」或「慈（㦀）」義，或其他相關的意思。這種現象，誠為戰國「二聲字」所獨有，遠非一般所謂「本無其字」的假借，或「本有其字」的假借所能企及或取代的。由於清儒不知此一眞相，遂逕謂「古字『子』與『慈』通」[60]云云，實不足取。此其三。

今本〈緇衣〉的「子」字，實應釋作「慈」義，已如上文所論述；至若《郭店楚簡》的「孳」字也好，《上博簡》的「慈」字也好，壹皆足以代表「慈」義。所以能夠如此富足地顯出「子」、「孳」、「慈」三字，均足以表示「慈」義的理由，絕非清儒所謂「古字某與某通」的說法所能解釋，其完全係基於「二聲字」的分合所產生的結果。可見任何一個「二聲字」只要取其中任何一個聲符，將它獨立出來，即可獨當一面，一方面可概括承受未組合成為「二聲字」前的所有借義，一方面也可擔任組成「二聲字」後所要標示的「官方音」或「方言音」，一方面又可以表示組成「二聲字」後所想要表達的意思。同理，「二聲字」分裂後，所獨立出來的「文」，亦自具備這三方面的能力，與

---

[60] 同注[34]。

原有的「二聲字」相校，自是毫不遜色。不幸的是，後人有欠深察，遂以「通借」一語概括之，造成千古不解之謎。令人扼腕歎息！此其四。

若從〈緇衣〉三種版本分析所得結果，再回過頭來看郭店楚簡《老子》「季子」的「子」，原本就是取自二聲字「孳」中的「子」字來表示另一方面「丝聲」的意思——亦即今之「慈」義，是顯而易見的，也是理之當然的。從「二聲字」的角度切入，釋「季子」爲「孝慈」，自是有理有據，絲毫不覺突兀，也不會圓鑿方枘，格格不入呢！今人只知用今本《老子》的文本與郭店簡《老子》的文本，相互對照，馬上就說「季子」就是「孝慈」，可是反問他們說：爲什麼？卻答不出所以然來。這正可以明確地告訴大家，即是研究思想史的學者專家，也不得不要尊重古文字學家的意見了。此其五。

基於此五種道理，我們必須好好地利用「二聲字」的分合理論及其眞相來說解儒家經典，來說解道家經籍，這對出土資料也好，傳世資料也好，才能通讀其文意，熟諳其道理，也不致誤會古人原有的意思。

不過，如何由「丝」可變化作「慈」呢？這時不得不從「丝」字的身世（即字史）說起，「丝」原本是源自「絲」字之省，蓋嘗論之：

> 古人無法替訓「此也」的抽象義造字，於是借「絲」字來表示，唯「絲」爲常用字，於是爲了與本字本義[61]有所區隔，於是就「絲」原有的字形加以變化，即成爲今天我們所寫的「茲」字，至於演變過程，是這樣子的：（絲）象兩束蠶絲上下有頭緒

---

[61] 詳拙作《新訓詁學》，四五～四七頁。

形，借作「此也」義之後，「絲」即成爲被借字，凡被借字必有二義：一是原來造字賦予最原始的意思，那就是「本義」；一是發生本無其字的假借後所產生的新義，那就是「假借義」，或省稱作「借義」。其過程是這樣的：

語言：□ 音 義　　　語言：□ 厶 此
文字：形 音 義　　　文字：𢆶 厶 蠶絲

「絲」一旦成爲被借字就有二義：一是本義蠶絲，二是借義「此也」。造字者爲替「絲」字維持一字、一形、一音、一義的理想原則，於是就被借字（𢆶）字形來自行演變，使它與表示本義的字體有所區別，從此「𢆶」就與表示「此也」的「茲」漸行漸遠，而愈來愈不知它們原本是一家眷屬。其演變過程有如下表所示：

被借字：𢆶┬本義：蠶絲→絲→絲
　　　　└借義：此也→𢆶（〈晉侯銅人銘〉省掉頂端的頭緒）
連鎖反應→88（〈中山侯忿鉞銘〉省掉下垂的頭緒）
—尖者可以延長→𢆶—長者可以增點爲飾→𢆶
—點可以伸展成線→𢆶—《說文》正篆發展成
二系——————┬→艸部：𢆶（艸木多益）❻❷
　　　　　　└→玄部：𢆶（此也）❻❸

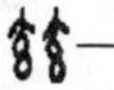

---

❻❷ 段注本《說文解字·艸部》：「茲，艸木多益。從艸，絲省聲。」（一篇下·三十六頁下）

❻❸ 段注本《說文解字·玄部》：「玆，黑也。從二玄。」（四篇下·四頁）

過去，我們認爲「茲」是源自「絲」字演變而來，完全在純理論上假設而得者，今何其幸運得見〈晉侯銅人銘〉，其銘曰：

侯昜（揚）王〔威〕于茲。（圖四）[64]

本銘「侯昜（揚）王于茲」的「茲」，正是寫作「蠶絲」的「絲」字作一形。而此「絲」字的用法，正好可與《尚書》經文三個用例相互印證，即訓「絲」作「此也」的意思。[65]

總之，簡文「𢉩」字確爲二聲字，若其分裂之後，取其「子聲」自亦足以表示「慈」義，已論述如上，毋庸贅言。唯「慈」字之來由，則是自二聲字「𢉩」分裂後，取自「丝聲」而來者也，則可斷言。

即其形變而言，「丝」字原只作「88」形，「慈愛」之「慈」係源自內心深處的感動，所以爲表示與人心有關，遂增「心符」作「[illegible]」形（圖五），此上博簡〈緇衣〉所作之依據也。古文字中上突者可以延伸成爲直絲，使「[illegible]」作成「[illegible]」形；直線可以增圓點以飾其美觀，而使「[illegible]」作成「[illegible]」形，而其中圓點可以延長成爲橫畫，即成爲「[illegible]」形，將之隸定即成爲「慈」形。凡此變化，適足以說明簡文自「88」而「[illegible]」，而「[illegible]」則成「[illegible]」字的由來。其所從「丝」本身的變化，上文已有專論[66]，請前後對照，自可瞭然於胸中矣。

至若「丝」自而「恷」，自「恷」而「慈」，試表列如下，以清眉目，俾供參考：

---

[64] 《晉侯墓地出土青銅器國際學術研討會論文集》，四一七頁。

[65] 拙作〈晉侯銅人銘考——兼論《尚書·立政》「休茲」乙詞〉一文。

[66] 同注[65]。

[illegible]→[illegible]→[illegible]→[illegible]→[illegible]→慈

此外，必須一提的是：「孝慈」的「慈」字，於《老子》諸本每多異文，試條與如下，俾供參考：

△郭店簡《老子》甲本（崔氏作《老子》〔C〕第五組）：

季子[67]

△郭店簡《老子》丙本（崔氏作《老子》〔A〕第四組）：

孝學[68]

△帛書《老子》甲本：

畜玆[69]

△帛書《老子》乙本：

孝玆

△今本《老子》作：

孝慈[70]

同一「慈」字，爲何會如此紛歧的寫法呢？這種紛歧亦與「二聲字」脫離不了關係，我們先表列如下，再作說明：

---

[67] 拙作〈郭店簡《老子》「季子」新證〉一文。

[68] 同注[67]。

[69] 《禮記》訓「孝」爲「畜」，此「孝慈」之所以可作「畜慈」，又詳拙作〈郭店簡《老子》「季子」新證〉一文。

[70] 同注[67]。

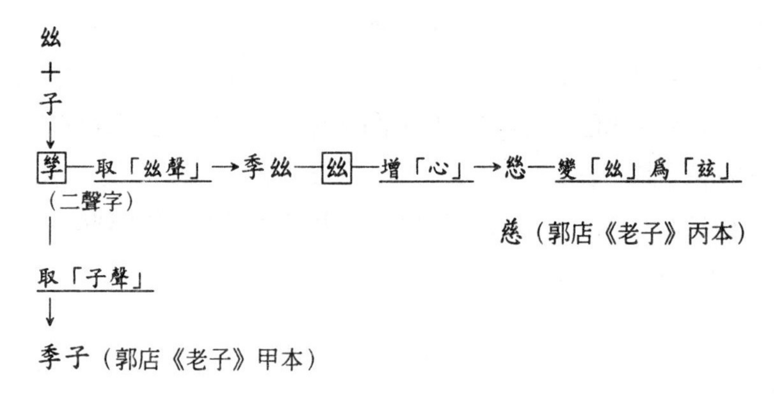

如此看來，丁、魏二教授郭店《老子》「季子」爲「孝慈」一語，結論是正確的。不過，他們只是對照今本《老子》所獲得結果。至於何以可用「子」來表示「慈」義，則語焉不詳，卻說不出個道理來。這種現象，就是只做思想史的學者所要面對的嚴肅課題；正因爲他們沒有古文字學的根柢，自然無法突破「古文字障」了。

五、結　論

戰國「二聲字」研究是一門嶄新的學問，必須熟悉其中的「組合」與「分裂」之特質，才能解讀出土資料中的「季子」，所以讀作「孝慈」的緣故，也才能解讀《尚書》中〈金縢〉之「若爾三王是有丕子之責于天」宜讀作「若爾三王是有負慈之責于天」的眞相；〈召誥〉之「有夏天迪從子保」宜讀作「有夏天用從慈保」的理由；也才能通讀《禮記》中的〈文王世子〉「教之以孝弟睦友子愛」作「教之以孝悌、睦友、慈愛」的事實；〈緇衣〉之「故君民者，子以愛之，則民親之」宜讀作「故君民者，慈以愛之，則民親之」的意思；〈緇衣〉之「故長民者，章志、貞教、尊仁，以子愛百姓」爲「故長民者，章志、貞教、尊仁，以慈愛百姓」的眞諦；〈樂記〉之「致樂以治心，則易直子諒之心，油然生矣」爲「致樂以治心，則易直慈諒之心，油然生矣」的意涵。爲了清楚地呈現，我們把這些資料整理出來，條列如後，以供參考：

△郭店《老子》：絕僞棄詐，民復季子；

↓

絕僞棄詐，民復孝慈。

△今本〈緇衣〉：故君民者子（慈）以愛之；

↓

郭店〈緇衣〉：古（故）孳（丝—慈）以愛之；

↓

上博〈緇衣〉：古（故）慈（慈）以愛之。

△《尚書·立政》：嗚呼！休茲，知恤鮮哉！

↓

嗚呼！休哉，知恤鮮哉！

△〈金縢〉：若爾三王是有丕子之責于天；

↓↓

若爾三王是有負慈之責于天；

↓↓

若爾三王是有孝慈之責于天。

△〈召誥〉：有夏天迪從子保；

↓

有夏天用從慈保。

△《禮記·文王世子》：教之以孝弟、睦友、子愛；

↓

教之以孝悌、睦友、慈愛。

△〈緇衣〉：故君民者，子以愛之；

↓

故君民者，慈以愛之。

△〈緇衣〉：章志、貞教、尊仁，以子愛百姓；

↓

章志、貞教、尊仁，以慈愛百姓。

△〈樂記〉：致樂以治心，則易直子諒之心；

↓

致樂以治心，則易直慈良之心。

以上諸例，都結合了「二聲字」分裂結果與傳世經籍的資料對譯出來的成績。對於我們閱讀經典作品，已敞開一扇明亮的窗戶，使大家有個良好標準尺，來檢閱古籍中許許多多自宋儒以來所無法解答的難題。

由此看來，如果懂得利用戰國「二聲字」之組合與分裂的理論及其實際，熟悉其中分分合合的特質，詳加分析，純熟運用，即可解決新出材料的問題；同時，也可解決傳世資料的問題。如上所論：郭店簡《老子》中「季子」一詞，即今本《老子》「孝慈」義，〈圓壺銘〉「雨祠先王」，即「雩祠（祀）先王」義等，即是著例。或進而應用在傳世典籍上，像《尚書》或《禮記》等書中的「子」字多宜讀爲「慈」

義。

如此一來，衡諸昔賢前修只知「子」當訓作「慈」義爲通借關係，殊不知古書「子」之所以能作「慈」解，則與通借毫不干涉。像清儒·王引之，今人·陳佩芬壹皆用傳統訓詁方法，以「通」、「同」來說解「子」與「慈」的關係，則與戰國文字之事實完全不符。這些人之所以誤「二聲字」現象成爲通借之說，一方面是受到傳統訓詁學說的束縛，一方面是他們所處的時代並無「二聲字」的概念所致，終究沒有辦法去深究事實的眞相。這兩種原因係導源自他們所處的時代出土戰國文字資料尚不夠豐沛，當然也是受到傳統六書中只管「形聲字」爲一形一聲說所約束的影響，他們完全認眞確信而絲毫不疑，可以北大高明教授爲代表[71]。這些根深蒂固的深層影響，自然而然不會有「二聲字」的概念存在。既然如此，遂不會讓「二聲字」的確認與了解得到應有的重視與研究。在那個時代，與其說是「二聲字」的黑暗時代，倒不如說是「二聲字」的蠻荒地帶。事實畢竟是事實，自然不可因此厚責古人，也無從追究他們的得失。

如今地不愛寶，新出土的戰國材料，如雨後春筍，不擇地而出。由於戰國的新材料累積愈多，所能見到的古文字也就愈豐富，能能呈現「二聲字」的眞相也就愈明白。但這只是一個開端，即目力所及，過去尚無人從事體系化的研究。爲了使其眞相大白，及使之體系化，以及對這批「二聲字」加以實際應用，理應達成共識：那就是群策力，集思廣義，大家攜手，通盤合作，努力以赴，潛心研究才行。

如今大家有目共睹的是：「二聲字」之研究成果對我們研究出土

---

[71] 詳高教授《中國古文字通論》，五七～五八頁。

新資料的重要性以及探討古籍的價值與貢獻，具有莫大助益。質言之，「二聲字」之研究自是邁向學術通衢大道的里程碑，也為閱讀經籍打開一扇方便之門。如果不久的未來，能將「二聲字」的眞相全部呈現出來，用它來研究傳世經籍，用它來探討出土的新材料，自是治學不錯的途徑之一。[72]

總之，「二聲字」的研究完全是為出土新材料與傳世經籍服務的，則已可斷言。

引用書目（論文附）

△《說文解字敘》　漢·許愼著　華世出版社景印靜嘉堂藏本　一九八二年十一月景印本

△北宋十行小字本《說文解字》　漢·許愼著　華世出版社景印靜嘉堂藏本　一九八二年十一月景印本

△《說文解字注》　漢·許愼著　清·段玉裁注　黎明文化公司景印經韻樓版　一九八五年九月

△〈戰國複聲母所構成二聲字研究〉　邱德修著　稿本　待刊　二〇〇三年四月

△《中山王礜器文字編》　張守中撰集　中華書局（北京）景印本　一九八一年五月

△《尙書集釋》　屈萬里先生著　聯經出版事業公司排印本　一九九九年四月初版第四刷

△〈晉侯銅人銘考——兼論《尙書·立政》「休茲」乙詞〉　邱德修

[72] 拙作《戰國「二聲字」研究》一書，稿本，待刊。

著　刊於中山大學《第十四屆中國文字學全國學術研討會論文集》　八三～九八頁
△《第十四屆中國文字學全國學術研討會論文集》　國立中山大學中文系（高雄）編　二〇〇三年三月排印本
△〈郭店簡《老子》「季子」新證〉　邱德修著　稿本　待刊　二〇〇三年六月
△《尚書新證》　于省吾著　藝文印書館景印本　一九六六年五月
△《經義述聞》　上下冊　清・王引之著　商務印書館（臺北）國學基本叢書四百種排印本　一九六八年三月
△《禮記鄭注》　漢・戴聖編　漢・鄭玄注　學海出版社景印宋紹熙建安余氏萬卷堂校刊本　一九七九年五月
△《韓詩外傳》　十卷　漢・韓嬰著　崇文書局刊刻　清光緒二年刊本
△《墨子閒詁》　傳戰國・墨翟著　清・孫詒讓閒詁　新文豐景印《漢文大系》本　一九七八年十月
△《晏子外編》　傳春秋・晏嬰著　收入《晏子春秋》卷七
△《晏子春秋》　傳春秋・晏嬰著　新文豐景印《漢文大系》本　一九七八年十月
△《郭店楚墓竹簡》　荊門博物館編著　文物出版社排印本　一九九八年五月
△《上海博物館藏戰國楚竹書》（一）　馬承源教授主編　上海古籍出版社排印本　二〇〇一年十一月　省稱作「《上博簡》（一）」
△《荊門郭店楚簡《老子》研究》　崔仁義著　科學出版社景印本　一九九八年十月

△《楚簡《老子》柬釋》　魏啓鵬教授著　萬卷樓圖書公司排印本　一九九九年八月

△〈通假字匯釋〉　魏啓鵬教授著　收入《楚簡《老子》柬釋》內　一二五～一九九頁

△《郭店竹簡《老子》解析與研究》（增修版）　丁原植教授著　萬卷樓圖書公司排印本　一九九九年四月

△《郭店楚簡先秦儒家佚書校釋》　涂宗流・劉祖信著　萬卷樓圖書公司排印本　二〇〇一年二月

△〈從「二聲字」論「才」與「哉」的關係〉　邱德修著　稿本　待刊　二〇〇三年五月

△《新訓詁學》　邱德修著　五南圖書出版公司排印本　二〇〇〇年八月

△〈介紹一件有銘的「晉侯銅人」〉　蘇芳淑、李零著　刊於《晉侯墓地出土青銅器國際學術研討會論文集》，四一一～四二〇頁　二〇〇二年八月

△《戰國「二聲字」研究》　邱德修著　稿本　待刊　二〇〇三年六月

△《中國古文字通論》　高明教授著（北大）　文物出版社排印本　一九八七年四月

△《尚書故》　清・吳汝綸著　收入《吳汝綸全集》第二冊　三七七～九七八頁

△《吳汝綸全集》　精四冊　清・吳汝綸著　民國・施培毅・徐壽凱校點　黃山書社排印本　二〇〇二年九月

△《尚書釋義》　屈萬里先生著　華岡出版社排印本　一九七一年

△〈《上博簡》（一）「詩亡𨽥志」考〉　邱德修著　刊於《上博館藏戰國楚竹書研究》　二九二～三〇六頁

△《上博館藏戰國楚竹書研究》　上海大學古代文明研究中心等編　上海書店出版社排印本　二〇〇二年三月

△《晉侯墓地出土青銅器國際學術研討會論文集》　馬承源等著　上海博物館編印（排版本）　二〇〇二年八月

長民者薈之㠯惪齊之㠯豊則民又亞心

倀民者薈之以惪齊之以豊則民又懽心薈

免心古慈㠯㤅之則民又睪信㠯結之則民伓

孚心古孥以㤅之則民又新信以結之則民不伓

圖一

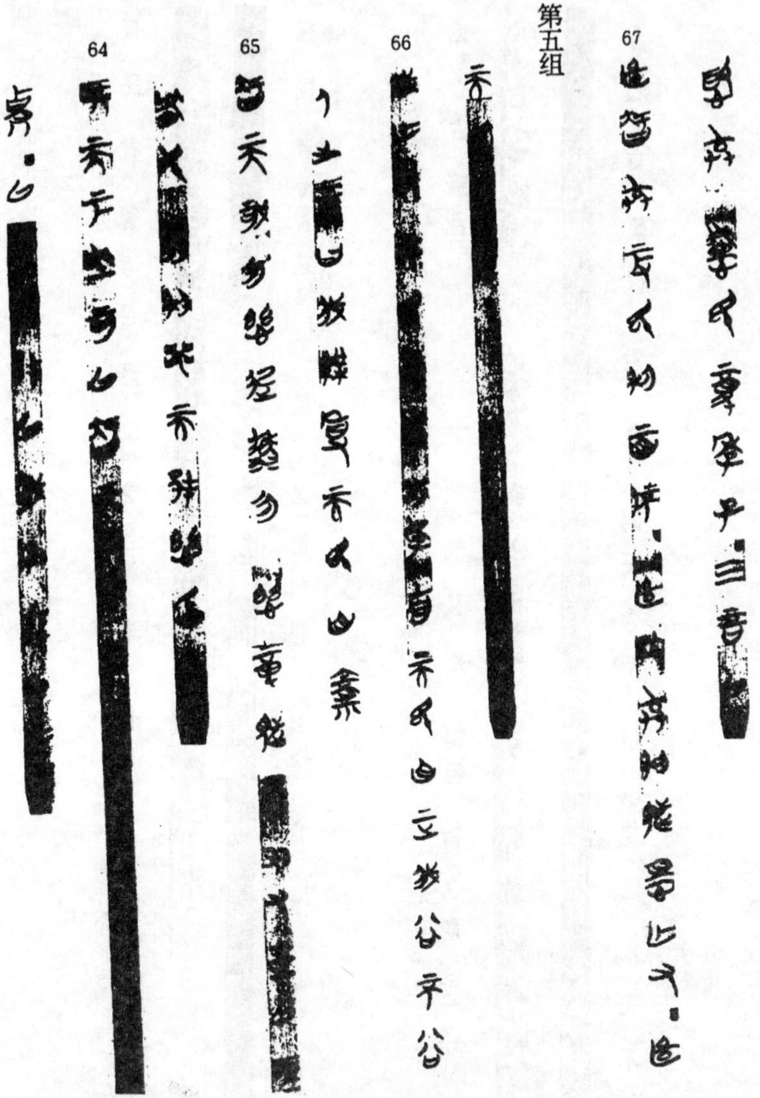

第五组

67

66

65

64

圖二

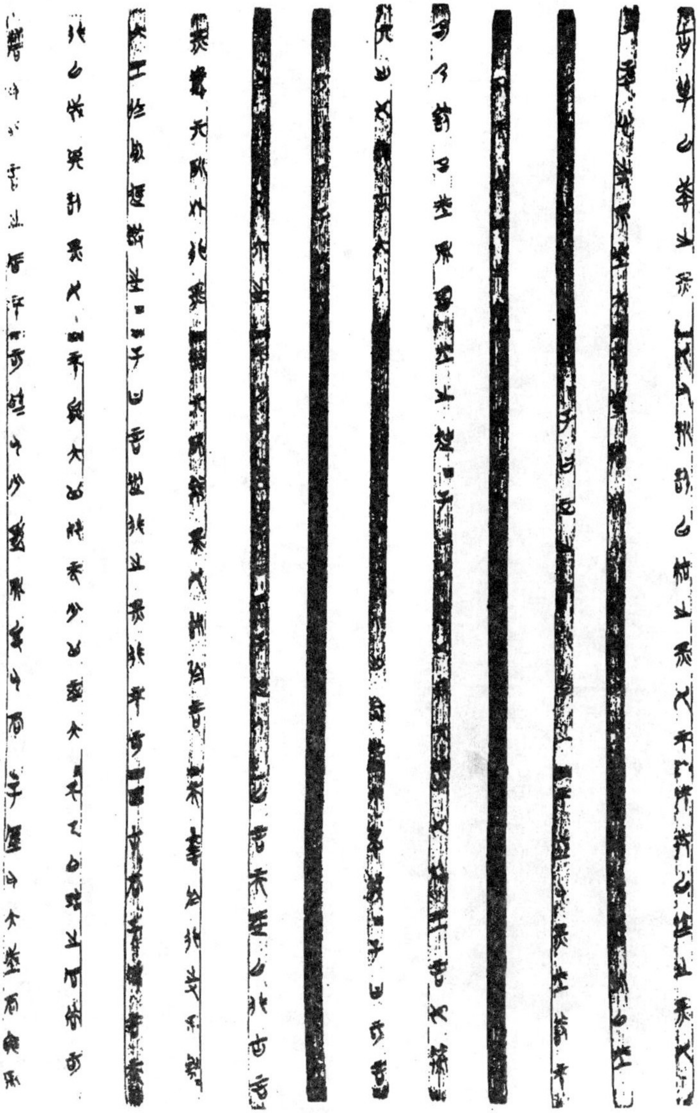

圖三

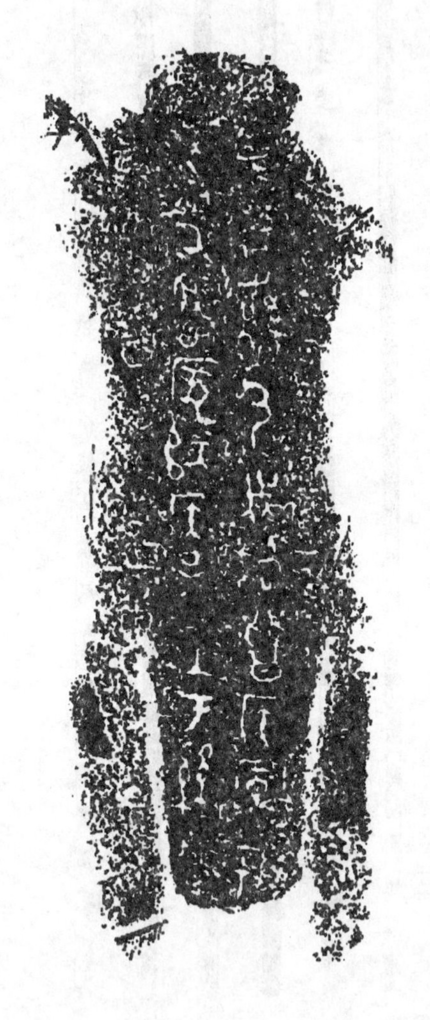

5
（李棠摹本）

圖四

圖五

淡江大學第四屆文獻學學術研討會

會議地點：淡江大學淡水校園覺生國際會議廳

會議時間：中華民國 92 年 11 月 28、29 日(星期五、星期六)

日期	時間	主持人	主講	論文題目	特約討論人
民國92年11月28日（星期五）	08:30~09:00	報到			
	09:00~09:30	開幕式(主持人：吳哲夫)			
	09:30~10:20	專題演講(吳哲夫/談東亞地區古文獻的螺旋循環現象)			
	10:20~10:40	中場休息、茶敘			
	10:40~12:00	周彥文	黃兆強	近現代章學誠研究評議	蔣義斌
			王　樾	試論章學誠在中西史學理論比較上的意義	王曾才
	12:00~13:00	午餐、休息			
	13:00~14:20	王曾才	林時民	史意—章學誠史學的神髓	黃兆強
			顧史考	學誠摘錄	蔡信發
			龔鵬程	乾嘉時期文人經説	周志文
	14:20~14:40	中場休息、茶敘			
	14:40~16:00	莊芳榮	蔡信發	《史記》點竄刪除之平議—章學誠論《史記》辨疑	王　甦
			李康範	超越與獨行—章實齋對戴東原的褒貶	林啓屏
			吳銘能	論王湘綺論章實齋	李紀祥
	16:00~16:20	中場休息、茶敘			
	16:20~17:40	傅錫壬	李　軍	規正勖勉，砥礪相激—章學誠與朱筠、邵晉涵交往始末考	蔣秋華
			林家驪	章學誠的文學觀	王金凌
			蔡琳堂	章學誠「史學經世」之理論與實踐—以方志纂修爲討論重點	林時民
	17:40~	歡迎餐會			

日期	時　　間	主持人	主　講	論　文　題　目	特約討論人
民國92年11月29日（星期六）	08:50~10:10	全寅初	林安梧	關於中國哲學中「格義」與「詮釋」問題之探索：對於船山哲學幾個問題之深層反思—從勞思光對王船山哲學的誤解談起	高柏園
			吳　鷗	章實齋的詩學觀	陳文華
			黃復山	章學誠舉業讀書法	林家驪
	10:10~10:30	中場休息、茶敘			
	10:30~11:50	金榮華	丁原基	略論章學誠及許翰於目錄學觀點之異同—以《史籍考》修纂為例	胡楚生
			吳　格	王重民《校讎通義通解》述評	潘美月
			連清吉	章學誠與內藤湖南	張寶三
	11:50~12:50	午餐、休息			
	12:50~14:10	盧國屏	全寅初	試探敦煌文獻中變文的理論與應用	金榮華
			王　鍔	《禮記·曲禮》成篇年代考	葉國良
			朱邦薇 吳　格	《現存明人別集目錄》之調查與編製	盧錦堂
	14:10~14:30	中場休息、茶敘			
	14:30~15:50	王汎森	胡楚生	章學誠《校讎通義》與鄭樵《校讎略》之關係	劉兆祐
			王國良	章學誠圖書編纂學探析	吳　格
			陳仕華	章學誠會通思想在目錄學上之意義	嚴佐之
	15:50~16:10	中場休息、茶敘			
	16:10~17:30	王國良	魚小輝	論章學誠的婦女觀	王　樾
			邱德修	戰國「二聲字」分合及其應用	盧國屏
			梁紹傑	章學誠對龔自珍學術思想的影響衍論	王汎森
	17:30~	閉　幕　式			

淡江大學第四屆文獻學學術研討會

主持人、發表人、特約討論人名錄

丁原基　東吳大學中文系教授兼圖書館館長
王　甦　淡江大學中文系教授
王　樾　淡江大學歷史系副教授
王　鍔　西北師範大學古籍整理研究所教授
王汎森　中央研究院蔡元培人文科學研究中心主任、歷史語言研究所所長
王金凌　輔仁大學中文系教授兼系主任
王國良　台北大學古典文獻研究所教授兼所長
王曾才　文化大學歷史系客座教授
全寅初　韓國延世大學中文系教授
朱邦薇　復旦大學中國古代文學研究中心講師
吳哲夫　淡江大學漢語文化暨文獻資源研究所教授兼所長
吳　格　復旦大學中國古代文學研究中心教授兼圖書館古籍部主任
吳　鷗　北京大學中國古文獻研究中心副教授
吳銘能　中央研究院中國文哲研究所博士後研究
李　軍　北京師範大學古籍整理研究所副教授
李紀祥　佛光大學歷史研究所教授兼所長
李康範　韓國中央大學中文系教授
周志文　台大中文系教授

周彥文　淡江大學漢語文化暨文獻資源研究所教授
林安梧　台灣師範大學國文系教授
林家驪　浙江大學中文系中國古代與文化研究所教授
林時民　中興大學歷史系教授
林啓屏　政治大學中文系副教授
邱德修　育達學院中文系教授
金榮華　文化大學中文系教授
胡楚生　明道管理學院中文系教授
高柏園　淡江大學教授兼文學院院長
張寶三　台灣大學中文系教授
梁紹傑　香港大學中文系教授
莊芳榮　國家圖書館館長
連清吉　日本長崎大學環境科學部副教授
陳文華　淡江大學中文系教授
陳仕華　淡江大學漢語文化暨文獻資源研究所副教授
魚小輝　陝西社會科學院社會學研究所研究員
傅錫壬　淡江大學教授兼教務長
黃兆強　東吳大學歷史系教授兼系主任
黃復山　淡江大學中文系教授
葉國良　台灣大學中文系教授兼系主任
劉兆祐　東吳大學講座教授
潘美月　佛光大學教育資訊系教授
蔣秋華　中央研究院中國文哲研究所副研究員
蔣義斌　台北大學歷史系教授兼系主任

蔡信發　銘傳大學應用中文系教授
蔡琳堂　淡江大學中文系博士生
盧國屏　淡江大學漢語文化暨文獻資源研究所教授
盧錦堂　漢學研究中心資料組主任
嚴佐之　華東師範大學古籍整理研究所教授兼所長
顧史考　美國郡禮大學東亞語文學系副教授兼系主任
龔鵬程　佛光大學文學研究所教授

國家圖書館出版品預行編目資料

章學誠研究論叢：第四屆中國文獻學學術研討會論文集

陳仕華主編. – 初版. – 臺北市：臺灣學生，2005[民 94]

面；公分

ISBN 957-15-1247-8 (精裝)
ISBN 957-15-1246-X(平裝)

1. （清）章學誠 – 學術思想 – 文獻學
2. 文獻學 – 論文，講詞等

011.07　　94001385

章學誠研究論叢
第四屆中國文獻學學術研討會論文集

主　　編：陳　仕　華
編　　輯：林　惠　珍
出 版 者：臺灣學生書局有限公司
發 行 人：盧　保　宏
發 行 所：臺灣學生書局有限公司
臺北市和平東路一段一九八號
郵政劃撥帳號：00024668
電話：(02)23634156
傳眞：(02)23636334
E-mail：student.book@msa.hinet.net
http：//www.studentbooks.com.tw

本書局登記證字號：行政院新聞局局版北市業字第玖捌壹號

印 刷 所：長欣彩色印刷公司
中和市永和路三六三巷四二號
電話：(02)22268853

定價：精裝新臺幣七四〇元
　　　平裝新臺幣六六〇元

西元二〇〇五年二月初版

01113

ISBN 957-15-1247-8 (精裝)
ISBN 957-15-1246-X(平裝)

臺灣學生書局出版

文獻學研究叢刊

❶	中國目錄學理論	周彥文著
❷	明代考據學研究	林慶彰著
❸	中國文獻學新探	洪湛侯著
❹	古籍辨僞學	鄭良樹著
❺	兩岸四庫學：第一屆中國文獻學學術研討會論文集	淡大中文系編
❻	中國古代圖書分類學研究	傅榮賢著
❼	馬禮遜與中文印刷出版	蘇精著
❽	來新夏書話	來新夏著
❾	梁啓超研究叢稿	吳銘能著
❿	專科目錄的編輯方法	林慶彰主編
⓫	文獻學研究的回顧與展望：第二屆中國文獻學學術研討會論文集	周彥文主編
⓬	四庫提要敘講疏	張舜徽著
⓭	圖書文獻學論集	胡楚生著
⓮	書林攬勝：臺灣與美國存藏中國典籍文獻概況——吳文津先生講座演講錄	淡大中文系編
⓯	章學誠研究論叢：第四屆中國文獻學學術研討會論文集	陳仕華主編